Janette Turner Hospital

DE FENIKSCLUB

Vertaald door Thijs Voskuilen

Anthos|Amsterdam

De auteur wil graag luitenant-kolonel (b.d.) M.G. McKeown bedanken voor informatie over biochemische oorlogvoering en het gebruik van gasmaskers en beschermende kleding. De auteur is volledig verantwoordelijk voor elke verkeerde interpretatie van of misverstand over dit materiaal.

ISBN 90 414 0845 2
© 2003 Janette Turner Hospital
© 2004 Nederlandse vertaling Ambo|Anthos *uitgevers*, Amsterdam
en Thijs Voskuilen
Oorspronkelijke titel *Due Preparations for the Plague*
Oorspronkelijke uitgever W.W. Norton
Omslagontwerp Studio Jan de Boer BNO
Foto auteur Melbourne Age

Verspreiding voor België:
Veen Bosch & Keuning uitgevers n.v., Wommelgem

'Ik heb mezelf vaak afgevraagd wat ik bedoel met voorbereidingen op de pest... en ik denk dat voorbereidingen op de pest
voorbereidingen op de dood zijn. Maar hoe bereidt men zich
voor op de dood? of welke voorbereidingen op de dood zijn
gepast?'

   – Daniel Defoe, *Gepaste voorbereidingen op de pest* (1722)

[...] zodat hij heel eenvoudig kon doorgeven wat je van plagen
kunt leren, namelijk dat er in de mens meer te bewonderen dan
te verachten valt.

   – Albert Camus, *De pest*

I

OUDE MOL

Hamlet (tegen de geest van zijn vader):
'Goed, oude mol! Wroet je zo vlug door de aarde?'

    – *Hamlet*, I, v

'Niemand kiest zijn ouders,
maar iedereen verzint ze.'

    – Adam Phillips

1

Helderheid komt uit de lucht vallen, net als de woorden, die over hem heen spoelen. Ze zwermen als spreeuwen uit de radio die aan zijn riem vastzit, zij het dat vóór *helderheid*, vóór *Koninginnen zijn jong en bevallig gestorven*, de uitzending vaag gemompel was, stukjes muziek, stukjes gesprek, stemmen die gehoord werden maar niet beluisterd. Nu stromen de zinnen rondom Lowell samen, en hij slaat naar ze, bang. *Stof had Helena's oog gesloten, ik ben ziek, ik moet sterven* – maar nee, denkt Lowell, dat moet ik niet – *Heer, heb medelijden met ons*, en ja, zo bidt Lowell, Heer heb medelijden, want ondanks de zachte stem van de lezer, een kalmerende en dure poëzie-leesstem, een onmiskenbare stem van de National Public Radio, kan Lowell zijn eigen vader in een schaduwduet horen, woord voor woord en regel voor regel, en dan hoort hij, plotseling, met een abrupte toonwisseling: *Veertigduizend voet... afgebroken romp... de fatale duik...*

Hij is geschokt en hij verliest bijna zijn evenwicht op de ladder. *De dood*, hoort hij, en het komt op hem af tuimelen, daar is geen misverstand over mogelijk, *laatste geneesmiddel voor alle ziektes.* De nieuwslezer spreekt deze woorden uit. (Spreekt hij ze echt uit? Kan dat?) Het verfblik, een onstuimig roer, schommelt hevig, en in Lowells hand breekt een stuk dakgoot af. Hij smijt zichzelf op het steil aflopende dak naar voren en ligt daar uitgestrekt. De dakpannen bonzen als angstige vogels tegen zijn hart.

De vergetelheid biedt zichzelf de laatste tijd op deze manier aan, snel en schaamteloos. Ze probeert het één of twee keer per week. Ze maakt hem misselijk want hij is niet immuun voor haar hoerige

9

charmes. Hij kan de ladder met zijn voeten voelen en als hij zijn gewicht op de bovenste sport plaatst, denkt hij dat de hele zelfopgerichte steigerconstructie stevig zal blijven staan. Waarschijnlijk. Misschien. De kwast bevindt zich nog steeds in zijn rechterhand, het blik Milky Way Wit (hoogglans, oliebasis, buitenlak) in zijn linker. Een kometenstaart van verspilde crèmekleur ligt op het trillende cederhout en hij zal de ladder af moeten om terpentine te halen.

Later, denk hij, terwijl hij omlaag kijkt. Hij is misselijk. Elk jaar is de datum waarop de vliegramp plaatsvond erg vervelend. Elk jaar, elke september gebeurt dit, ook al gelooft hij, elk jaar, als september nadert, dat hij het allemaal achter zich gelaten heeft, gelooft hij dat hij de geesten te ruste heeft gelegd, gelooft hij dat hij niet meer zal voelen dan een dof, bijna aangenaam soort pijn, als kiespijn. En dan: *vavoem*, is hij weer een wrak.

Zijn de woorden echt uit zijn radio gekomen? Of uit de rommelige zolderkamer van zijn geest? Misschien zou hij het kunnen nakijken, denkt hij; hij zou het radiostation kunnen bellen, een cassette kunnen bestellen, het programma opnieuw kunnen afdraaien, en als ze echt zijn uitgesproken, wat zou dat dan bewijzen? Een samenkomen van innerlijke en uiterlijke werelden? Gedachten en angsten ontsnappen, denkt Lowell. Als de druk binnen in het hoofd te groot wordt, ontsnappen gedachten en spreken ze via de monden van andere mensen tot ons terug. Hij doopt zijn kwast in het blik en schildert de lange witte streep op de gevelplank. Twee verdiepingen lager hoort hij door het raam heen de telefoon overgaan. Het is niet zijn huis, maar toch is hij bang dat het weer dat meisje is, die jonge vrouw, degene die per se slapende honden wakker wil maken. Hij weet dat dit irrationeel is. Hij weet dat ze hem hier onmogelijk kan bereiken. En toch siddert hij als hij een telefoon hoort. Hij is bang dat het die jonge vrouw is. Samantha. Zo heet ze. Hij belt haar nooit terug.

'Er zijn te veel onbeantwoorde vragen rondom de doden,' spreekt ze in op zijn antwoordapparaat, maar hij wil niet luisteren. 'We zijn informatie aan het verzamelen,' zegt ze, want natuurlijk is Lowell niet de enige die manisch wordt als er weer een verjaring nadert. 'Als u geïnteresseerd bent, heb ik uitgebreide informatie over de kaping en de dood van uw moeder.'

Lowell wist haar berichten.

'We beschikken over nieuwe informatie,' zegt de stem van Samantha, zei de stem van Samantha, vorige week, de week daarvoor, 'we hebben net verrassende nieuwe informatie van een vrouw in Parijs gekregen,' die Lowell meteen en volledig van het apparaat wist, hoewel minder succesvol, minder volledig uit zijn herinnering en uit zijn slaap, een zekere Françoise uit het zevende arrondissement in Parijs, die van plan was geweest om die vlucht te nemen, de voorbestemde vlucht, die telkens als Lowell eraan denkt – en zelfs als hij er niet aan denkt – zwart boven zijn hoofd zweeft, als een gier.

'Ze heeft onverwachte banden met uw vader,' zegt Samantha, zegt de stem van Samantha, die over Lowell Hawthornes vader spreekt, 'en ik denk dat het u zal interesseren. Behóórlijk zal interesseren, ik denk dat u zult merken dat...'

Lowell verbreekt de verbinding.

Wat mensen geloven en wat ze hopen en wat ze doen zo gauw een verjaring van de kaping minder dan dertig dagen ver weg is, is compleet onvoorspelbaar. Dit is een gevaarlijke tijd. Dit is een tijd waarin klinische depressie als een epidemie heerst en het sterftecijfer omhoogschiet, zowel bij overlevenden als bij familieleden van de overledenen. Lowell weet hiervan. 'We hebben informatie, maar we hebben ook informatie nódig, we hebben die verschrikkelijk nodig,' probeert de stem van Samantha hem over te halen, 'dus ik smeek u...' Soms kan ze van het snikken niet praten. Soms trekt Lowell de stekker uit het stopcontact.

'Die vrouw in Parijs – Françoise – ze zegt dat ze een ontwijkingsinstinct heeft voor alles wat met de vlucht te maken heeft,' vertelt Samantha aan Lowells antwoordapparaat. 'Maar het is ook een magneet. Dat weet u, dat weet ik, dat weten we allebei maar al te goed. En dat is de reden waarom ze bij onze website terechtkwam. En dat is de reden waarom ze uiteindelijk haar weerstand overwon en contact opnam...' Wis, wis. 'Ze denkt dat uw vader op de hoogte was van vlucht 64.' Wis. 'Waarom bent u zo bang om met mij te praten?' Wis.

'Luister,' smeekt Samantha rechtstreeks in zijn oor. 'U moet echt luisteren. Françoise denkt dat ze uw halfzus is...'

'Ik heb geen broers of zussen, half of anderszins,' zegt hij voordat hij ophangt.

'Wat kan er erger zijn dan het niet te weten?' vraagt de stem van Samantha haastig, anticiperend dat ze digitaal afgekapt zal worden. 'De sterfgevallen hadden voorkomen kunnen worden. Wat kan er nu erger zijn dan dat?'

De verklaring kan nog erger zijn, denkt Lowell.

Overal, zo zegt zijn vader schouderophalend, komt de helderheid uit de lucht vallen. Het stof heeft Helena's ogen gesloten, zo brengt zijn vader hem in herinnering, en de dood is niet meer dan het laatste geneesmiddel voor elke ziekte.

Maar pas na een sterfgeval, weet Lowell, beginnen de raadsels en de langzame kwellingen.

2

In de week van de dertiende verjaring van de dood van zijn moeder – vier dagen vóór de eigenlijke datum – schreeuwt Lowell het uit in zijn slaap. Er is een bliksemflits of een explosie – hij weet niet wat het is – een of andere verschrikkelijk indringende knal, wit in het midden met rode haarvaten die er als rivieren uit stromen. Het bonkt bonkt tegen zijn trommelvliezen en zijn huid. De pijn snijdt door hem heen, en hij weet dat zijn hart als een ballon uit elkaar zal spatten.

'Wat is er, wat is er, papa?' Zijn dochter, blootsvoets en angstig, verschijnt in de deuropening van de slaapkamer en hij schiet kaarsrecht overeind en houdt het kussen als een schild voor zich uit. Wapen, zo waarschuwen zijn reflexen hem, maar als hij naar de lamp tast, ziet hij Amy's ogen en herinnert hij zich dat de kinderen dit weekend bij hem zijn.

Amy, probeert hij te zeggen, maar er komt alleen een vreemd geluid uit.

'Papa, papa.' Amy rilt. 'Waarom schreeuwde je?' Ze trekt aan haar haar, iets wat ze doet als ze nerveus is, en kleine strengen blijven in haar hand achter. Bij haar vader thuis kan ze altijd moeilijk slapen want haar vader praat vaak onverstaanbaar in zijn slaap, terwijl hij voor iemand een smeekbede houdt. Zijn lakens ruiken naar nat dier.

De pijn, probeert hij uit te leggen. Hij strompelt met uitgestrekte armen door de kamer. Hij bonkt op zijn borst.

'Papa, papa!' zegt ze met bevende stem, en ze werpt zichzelf tegen hem aan, omhelst zijn dijen.

'Nee,' kreunt Lowell.

Jammerende geluiden, klagend als de roep van duikers in de mist, zweven door de kamer, en daar is Jason, met zijn flanellen dekentje in zijn mond gepropt; hij struikelt over de pijpen van zijn pyjamabroek. Amy rent naar hem toe en drukt zijn kleine gezicht tegen haar borst. 'Jason is bang,' zegt ze dapper. En dan, met een ondertoon van woede: 'Je maakt hem bang, papa.'

Hun vader keert zich naar hen toe en houdt hun blik met zijn ogen vast. 'Hebben jullie het gehoord?'

'J-j-ja,' snottert Jason, sniffend, en hij plast in zijn broek. Amy voelt een stroompje warme plas onder haar voetzolen.

'We hoorden je schreeuwen, papa.'

Lowell beeft. Hij bukt zich en drukt de kinderen in een omhelzing tegen zich aan. 'Arme kinderen,' zegt hij. Hij haalt diep en langzaam adem. 'Papa heeft naar gedroomd, dat is alles. Ik wilde jullie niet bang maken, lieve schatten.'

'Papa?'

'Het is bedtijd. Kom.'

Hij trekt Jason een schone pyjama aan en stopt de kinderen in en kust ze en gaat op de rand van het bed van zijn zoon zitten. Bij de groene gloed van het nachtlampje zingt hij slaapliedjes en klopt hij op het achterste van zijn kleine jongen tot hij een diepe, regelmatige ademhaling hoort.

'Papa?' fluistert Amy, als hij op zijn tenen wegloopt.

'Wat is er, schat?'

'Waar droomde je over?'

'Dat weet ik niet meer,' zegt hij, en hij weet het echt niet meer. Hij kan zich helder licht herinneren, het elektrische gevoel van dreiging. Boom? Boom die door een bliksemflits geraakt werd? Iets met een boom en gebroken glas. Stukken metaal. Een grote gier in de lucht, als altijd. Hij kan zich bebloede handen herinneren, een kloppend hart, *bons-bons, bons-bons*. Hij weet nog dat hij niet kon ademhalen.

'Waar gaan nare dromen naartoe?' wil Amy weten.

'Ze gaan in de afvalvernietiger,' zegt Lowell, 'en dan worden ze in kleine stukjes gehakt en dan worden ze in de Charles River gegooid en drijven ze de haven van Boston in en dan gaan ze kilometers ver weg de oceaan op en komen ze nooit meer terug.'

'Die van mij wel,' zegt ze.

'O, lieve schat.' Hij gaat op haar bed zitten en wiegt haar in zijn armen. 'Waar heb je naar over gedroomd?'

'Er is één droom,' zegt ze, en hij voelt dat ze te verlegen is om hem te vertellen.

Wat een verdomde pech, denkt hij, voor Amy en Jason, dat ze hem, Lowell Hawthorne, als vader hebben, want het is duidelijk dat iemand, iets, jaloers de vloek in stand houdt, *die de zonde van de vaders op de zonen overbrengt, zelfs tot de derde en vierde generatie aan toe...* Hij wilde dat hij een vloek had om de vloek mee te verbreken.

'Kijk,' zegt hij, en hij knipt met zijn vingers en blaast dan over ze heen alsof hij paardebloempluisjes verspreidt. 'Nu is hij weg, je nare droom. En die van mij ook.'

Maar ze is erg ernstig. 'Je was aan het wegrijden,' zegt ze. 'In mijn droom. Je reed weg in je pick-up.'

'Had ik mijn ladders op het dak?' Hij moet dit helder en tastbaar gedetailleerd maken, slapstick, zo licht als lucht. Met mime imiteert hij het slingeren van de ladders tijdens het rijden.

'Ja, en al je verfblikken en zo. En de babysitter is niet gekomen en Jason en ik rennen en rennen want we willen bij jou in de pick-up komen en je stopt niet en je blijft maar schreeuwen dat mama zal komen.'

'Lieve schat,' zegt hij.

'Maar dat doet ze niet. En we wachten en wachten, maar ze komt nooit, en we zijn helemaal alleen en het wordt donker.'

'O, Amy, schat.' Hij neemt haar gezicht in zijn handen. 'Ik beloof je dat ik nooit wegrijd en jullie achterlaat, nooit, nooit. En je weet toch dat mama en papa nooitnooitnooit zouden...'

De telefoon gaat en allebei schrikken ze. Amy wil haar vader niet loslaten. Ze klampt zich aan hem vast terwijl hij de gang door schuifelt.

'Ja?' zegt hij. 'Wat? Wie bent u?

Ja, ik ben Lowell Hawthorne.

…

Ja, dat…

…

Ja, dat klopt.'

Amy voelt hoe de spieren in zijn arm samentrekken en dan ontspannen terwijl hij luistert. Hij hangt op.

'Papa?'

Hij blijft tegen de muur geleund staan, en Amy, die maar net boven zijn middel uit komt, houdt hem zo stevig vast dat ze de knoop van zijn pyjamajasje als een koekjesmes tegen haar wang voelt. De pijn stelt haar op haar gemak. Ze wil zijn merkteken dragen. Ze kan het natte dier weer ruiken, samen met de geur van verf en verfverdunner, die je er nooit helemaal af kunt schrobben.

'Wie was dat, papa?'

Hij hoort haar niet, in elk geval geeft hij haar geen antwoord, maar tilt haar op en draagt haar terug naar bed.

'Papa, wie was dat?'

'Het was niets,' zegt hij. 'Niets om je zorgen over te maken.'

'Papa, als je het me niet vertelt komt mijn droom terug.'

Dat is het vervelende van een vloek, denkt Lowell: geen *eject*-knop. Je zit eraan vast. Om en om en om altijd en eeuwig amen.

'Het was een ziekenhuis,' zegt hij. 'In Washington, D.C. Opa Hawthorne is overleden.' *Zware hartaanval achter het stuur… overleden na aankomst… gelukkig geen andere auto's op de weg…*

'Hoe is hij doodgegaan, papa?'

'Zijn auto is tegen een boom gebotst.'

Lowell kan het geluid van de klap horen, het rondvliegende glas. Hij herinnert zich dat hij in zijn droom niet kon ademhalen.

3

Lowell denkt dat zijn verliezen misschien eindelijk simpel zijn geworden. Hij denkt dat ze misschien simpel en respectabel en daarom hanteerbaar zijn geworden. Hij denkt dat hij in staat zal zijn bijna op luchtige toon over ze te praten. 'Mijn moeder kwam om bij die vliegramp in '87 toen ik zestien jaar oud was,' zal hij kunnen zeggen, 'en het verwoestte mijn vader. Onze levens waren voorgoed veranderd'.

Drie dagen na de dood van zijn vader probeert hij hiervan eerst een versie uit op Amy en Jason, de dag voordat hij naar de begrafenis in Washington vliegt. Zijn ex-vrouw heeft zijn smeekbeden om een extra bezoek verhoord, 'maar probeer ze niet van streek te maken', waarschuwt ze, als ze de kinderen komt afzetten. 'Ik meen het, Lowell.'

'Dat zal ik niet doen,' belooft hij, en inderdaad, hij is niet van plan om het over onheilspellende zaken te hebben, maar Amy denkt erg veel na over het ongeluk met haar grootvaders auto. In het appartement van haar vader kijkt ze uit het raam naar de langskomende auto's. 'Welke gaan er tegen een boom botsen?' wil ze weten.

'Geen enkele,' stelt Lowell haar gerust. 'Het auto-ongeluk van je opa,' legt hij uit, 'was geen gewoon... het was anders. Het is niet de eerste keer dat het in onze familie gebeurt, lieve schat. Ik heb je nooit verteld hoe je oma is overleden, maar zij heeft ook een heel erg ongeluk gehad, en daar had opa last van, begrijp je.'

'Ik vind auto's niet leuk,' zegt Amy. Haar lippen trillen. Met één hand houdt ze de mouw van haar vaders trui vast. 'Is de auto van oma ook tegen een boom gebotst?'

'Nee. Nee, nee, o, nee, schat, dat was heel iets anders. Oma zat in een vliegtuig en het vliegtuig werd gekaapt.'

'Wat is "gekáápt"?'

'Een paar slechte mannen met machinegeweren wilden niet dat haar vliegtuig terugvloog naar New York.'

Met grote ogen neemt Amy deze informatie in zich op. 'Waar is het naartoe gegaan?' vraagt ze.

'Nou, het is naar een paar andere plaatsen gegaan waar het niet heen had moeten gaan, en toen landde het in Duitsland en alle kinderen gingen het vliegtuig uit, want niemand, zelfs slechte mannen niet, willen dat kinderen iets overkomt.'

'Is oma ook uit het vliegtuig gegaan?'

'Nee,' zegt hij. 'Het vliegtuig is weer opgestegen, en toen is het ergens anders geland en toen is het ontploft en iedereen was dood.'

Amy begint te huilen. 'Maar misschien zat oma er toen niet in,' voegt Lowell er haastig aan toe, walgend van zichzelf. 'Misschien hebben de slechte mannen haar eerst ergens van boord laten gaan, want ze zeiden dat ze dat gedaan hadden. Ze namen tien gijzelaars mee van boord voordat ze... Dat zeiden ze op televisie. Dus misschien is je oma...'

Amy snikt schokkend, en hapt naar lucht. 'Ik wil mammie,' zegt ze.

'Ja,' zegt Lowell, paniekerig, 'goed. Ik breng je nu terug naar het huis van mama, oké?'

'Ik wil niet in jouw pick-up,' snikt Amy. Het lijkt wel alsof ze stikt. Een dun stroompje gal druipt over haar kin, en als Lowell haar mond met een tissue afveegt geeft ze over op zijn hand. 'Ik wil dat... mammie... ons... komt ophalen.'

'Ik zal haar bellen, ik bel haar nu meteen,' belooft Lowell. Amy's oogkassen zien er donker en beschadigd uit, en haar lippen hebben een blauwachtige tint. Terwijl hij het nummer van haar moeder belt houdt hij haar vast.

Rowena, zijn ex-vrouw, is geïrriteerd. 'Hier was ik al bang voor,' zegt ze. 'Ik kom eraan.' Op zijn oprit zegt ze wanhopig: 'In godsnaam, Lowell. Alsof hun nachtmerries nog niet beeldend genoeg waren. Jij moet ze per se vertellen over vliegtuigen die ontploffen.'

'O, God.' Lowell harkt zijn vingers door zijn haar. Hij weet dat hij ongeneeslijk onbekwaam is.

'Ze gaan al één keer per week naar een therapeut,' zegt Rowena. 'Jason heeft in bed geplast sinds je het huis uit bent.'

'Daar heb ik niet voor gekozen,' brengt Lowell haar in herinnering.

'Vooral als je hier voor de begrafenis naartoe komt vlíegen,' zegt ze. 'Als ze weten dat je in een vliegtuig zult zitten.'

'Rowena, kun je niet ook meegaan? Kunnen we ze niet meenemen? Denk je niet dat dat...'

'Geen denken aan,' zegt Rowena. Ze zegt het zachtjes, eerder ongelovig dan kwaad. 'Lowell, ben je soms compleet blind? Elke keer als ze bij jou zijn geweest, krijgt Amy koorts en plast Jason in bed.'

Lowell, overmand door spijt, buigt zich door het open raampje van het achterportier naar binnen om zijn kinderen gedag te kussen, maar voordat ze zich laten zoenen deinzen ze een beetje achteruit. Hij voelt de pijn als een mes in zijn hart. Hij weet nooit zeker wat grotere schade kan toebrengen: niet genoeg tijd met zijn kinderen doorbrengen, of juist wel tijd met ze doorbrengen. Zijn noodlot is zeer besmettelijk. 'Het spijt me, Rowena.' Zijn eigen trooteloze ervaring is dat niemand iets kan doen. Niets kan kinderen tegen het leven beschermen. De jonge kinderen, de zwakken, de kwetsbaren, allemaal staan ze bloot aan rampzalige risico's. 'Kennelijk dacht ik, nou ja, als ik ze over de kaping vertelde, dat het zou kunnen verklaren waarom hun grootvader...'

'Bel ze als je aankomt,' zegt Rowena kwaad. 'En bel ze als je terugkomt. Anders maken ze zich doodongerust.'

'Ja,' belooft hij.

'O, Lowell,' zegt ze, niet zonder tederheid. 'Je bent zo'n wrak.'

Hij denkt erover haar te vertellen dat de dingen beter beginnen te worden. Het zou nu anders kunnen zijn.

'En je wilt er niets aan doen,' zegt ze. 'Je zit vást, en je probeert niet eens lós te komen.'

Je probeert het niet eens. De onrechtvaardigheid hiervan is zo enorm dat Lowell niets weet te zeggen.

Rowena draait de sleutel in het contact om. 'En in 's hemelsnaam,' zegt ze ten afscheid, 'laat meteen een nieuwe demper op je pick-up zetten als je terug bent. Het lawaai maakt ze bang.'

Bij Logan Airport zet hij de pick-up op Lang Parkeren. Hij checkt in voor de shuttle van Boston naar Washington, ontspannen, want er is tijd te doden, *tijd om te doden*, en dan bekijkt hij zijn instapkaart en ziet hij het woord *terminal* en een paniekvogel zo groot als een Amerikaanse adelaar tilt hem met zijn klauwen op en draagt hem weg, sleurt hem gangen door, in liften omhoog en omlaag, toiletten in en uit, de tussen de parkeerplaatsen door laverende shuttle in, en dan weer terug, tot hij hem plotseling en plompverloren laat vallen, en dan staat Lowell afgezonderd in het middelste hokje van een rij Bell-telefoons, een gezellige plek met semi-privacy en semi-veiligheid. Hij moet weer met zijn kinderen praten, hij moet ze spreken, maar als hij Rowena's antwoordapparaat krijgt hangt hij op zonder een woord te zeggen. In plaats daarvan praat hij met een serveerster in een Starbucks. 'Ik ben op weg naar de begrafenis van mijn vader,' legt hij uit. 'Hij is een gewelddadige dood gestorven, net als mijn moeder. Ik denk dat ik er altijd op gewacht heb. Het was alleen maar een kwestie van wachten tot het zijn beurt was, weet u wel?'

Later, terwijl hij hoog boven Boston rondjes vliegt, vertelt hij hetzelfde aan de passagier die naast hem in het vliegtuig zit. Hij vertelt het aan een taxichauffeur in D.C. en hij vertelt het aan de directeur van de begrafenisonderneming. Hij redigeert en verfijnt zijn verhaal steeds een beetje meer.

'De explosie verwoestte hem,' zegt hij. 'Het was de tweede keer dat mijn vader weduwnaar werd.'

'Zestien jaar oud?' De passagier naast hem, een vrouw, raakt zijn pols aan. 'Dat is een verschrikkelijke leeftijd om je moeder te verliezen.'

'Er rustte een vloek op hem,' zegt Lowell.

'Shock doet rare dingen met een mens,' zegt de taxichauffeur in D.C. 'En het duurt lang voordat het slijt. Gooit u het er maar uit.' Hij voegt in tussen het verkeer op de Beltway. 'Ik heb veel klanten voor begrafenissen.' In de achteruitkijkspiegel kijkt hij Lowell aan. 'Arlington,' legt hij uit. 'Moet u daar ook wezen?'

'Ja,' zegt Lowell.

Er zijn meerdere avonduren te doden, *uren om te doden*, en net als de Oude Zeeman gaat hij van de ene bar naar de andere. Hij drinkt bier, alleen maar bier, en alleen maar Sam Adams. 'Het is een soort statement,' vertelt hij aan de barkeeper. 'Een reactie op de cocktailparty's die ik heb moeten verdragen. Mijn vader probeerde me in die sociale kringen te houden, en ik hou niet van sterke drank of wijn.' Na twee grote pullen Sam Adams buigt hij zich naar de man op de barkruk naast hem.

'Mijn vader wekte de indruk,' zegt hij, 'van een man die muurvast aan het noodlot vastzat.'

Zijn toehoorder knort en kijkt even opzij, richt zijn aandacht dan weer op de televisie. 'Yankees gaan winnen,' vertelt hij somber aan Lowell. 'Bent u een fan van de Yankees?'

'Nee,' zegt Lowell.

'Goed zo.'

'Mijn vader voelde tot in elke vezel dat hij het noodlot niet kon ontlopen,' legt Lowell uit. 'Hij accepteerde het, hij dacht niet dat hij een keus had, maar hij droeg het als een man. Hij zwoer dat hij het niet zou laten merken. Dat was in elk geval mijn theorie toen ik zestien was, en ik sta er nog steeds achter.' Hij bestelt nog een drankje voor zichzelf en de man die naar de baseballwedstrijd kijkt. 'Natuurlijk moest hij er een prijs voor betalen,' zegt hij.

Mismoedig schudt hij zijn hoofd.

'De coach moet een andere werper inbrengen,' klaagt zijn buurman.

Lowell zegt: 'Hij had een ander spel moeten gaan spelen, maar hij was koppig.'

'Soms,' zegt hij tegen iemand anders in een andere kroeg in het gevaarlijke gedeelte van M Street, 'dacht je dat hij een robot was. Dan leek het alsof een of andere grote leider op de knoppen van zijn afstandsbediening aan het drukken was. Zelfs de manier waarop hij zich bewoog. Hij had die vreemde, trekkende – ik weet het niet, alsof het mechaniek van zijn uurwerk geblokkeerd was.'

Lowells uurwerk loopt soepeltjes op amberkleurig sap.

'Hé, luister eens, kameraad.' Een zwarte barkeeper, een kast van een vent, buigt zich naar hem toe. 'Ik wil me niet met jouw zaken bemoeien, het is jouw begrafenis. Maar denk je niet dat je er een paar te veel op hebt?'

'Ik heb het hem eens gevraagd,' zegt Lowell, alsof hij de bewering van de barkeeper ernstig weerlegt, 'is het de maffia of zo? Want het waren niet alleen de sovjets, hoor. Ze hielden allerlei soorten in de gaten, de maffia, de Klan, de neonazi's, de krankzinnige Unabombertypes, noem maar op. En wij twee zouden ons veel meer zorgen maken over een opdracht van de maffia om ons te vermoorden dan om de sovjets, denk je niet?'

'Luister eens, kameraad,' zegt de barkeeper. 'Ik denk niet dat je helemaal begrijpt waar je bent. Ik bedoel in welk deel van de stad. Ik denk dat je in de verkeerde kroeg zit.'

'Ik kreeg het gevoel dat iets gevaarlijks hard aan zijn touwtjes rukte,' legt Lowell ernstig uit. Hij leunt achterover, vechtend tegen wrede boeien. 'Het was alsof er een verborgen kracht was die hem de ene kant op trok, maar hij zette zijn hakken in het zand en bleef de andere kant op gaan. Of: dat probeerde hij.' Het lichaam van Lowell schiet alle kanten op, als een vis aan een lijn. 'Ik was waarschijnlijk de enige die het zag,' zegt hij. 'Misschien beeldde ik het me in. Nadat het vliegtuig ontploft was werd hij wat afstandelijk. Ik bedoel, zelfs afstandelijker dan eerst. Kon hem niet bereiken. Het werk slokte hem op.'

De barkeeper rolt met zijn ogen.

'Depressief?' vraagt Lowell, namens de barkeeper. 'Denkt u? Goede vraag, als je bedenkt hoe mijn moeder... Maar hij had nooit geduld voor dat soort dingen. Geen excuses, geen gejammer. Hij had een hekel aan kneusjes die persoonlijke aangelegenheden... de therapiejunks die hun hart uitstorten, u kent het type wel. Komt in deze buurt veel voor, of niet? U hoort vast de nodige huilverhalen. U hoort vast aan de lopende hand bekentenissen. En nu is het allemaal voorbij,' zegt hij. Hij kijkt de kroeg rond en verkondigt plechtig en dronken: 'Mijn vader, Mather Lowell Hawthorne, stierf op 9 september in het jaar 2000, vier dagen voor de dertiende verjaring van de dood van mijn moeder.'

'Mogen ze rusten in vrede,' zegt de barkeeper. 'Ga naar huis en slaap wat, vriend. Je hebt genoeg gehad.'

'Een dood waar hij zichzelf verantwoordelijk voor leek te houden,' maakt Lowell bekend. 'Tegen alle logica in.'

Hij tilt zijn glas op.

'Ben je het aan het vieren?' vraagt de barkeeper.

Lowell staart naar het licht dat door zijn bier beweegt.

Mather Hawthorne was al dood, heeft de lijkschouwer hem uitgelegd, op het moment dat hij tegen de hickorynotenboom klapte. Lowell doet zijn ogen dicht en stelt zich het wegspatten van noten voor, de paukenspelers van de dood. Hoewel de auto helemaal verwoest is, en hoewel Lowells stiefmoeder (zijn vaders jonge derde vrouw) het lichaam nauwelijks kon identificeren, geeft het certificaat van het mortuarium aan: *Dood door natuurlijke oorzaak: hartaanval.*

'Gelukkig,' legt Lowell uit in een hamburgertent die de hele nacht open is, 'gebeurde het ongeluk vroeg in de ochtend en waren er geen andere auto's op de weg. Mijn vader was pas zevenenzestig.'

In gedachten ziet Lowell zichzelf dit allemaal herhalen, terloops, van tijd tot tijd, en na verschillende drankjes, tegenover vreemden op feestjes en in kroegen.

4

Op de begraafplaats voelt Lowell zich op een vreemde manier opgewekt. Hij vraagt zich af of het gevoel van vrijheid, het gevoel alsof een verstopping van een heel leven aan het verdwijnen is, zou kunnen zijn wat andere mensen geluk noemen. Hij vraagt zich af of hij als andere mensen zou kunnen worden. Nu hij officieel een weeskind is, voelt hij zich voor het eerst in zijn leven niet eenzaam. Er valt een lichte regen, wat toepasselijk lijkt. Een oud zelf wordt weggespoeld. Lowell voelt zich schoon en nieuw. Hij kan de naar gezelschap hunkerende impuls nauwelijks weerstaan om aan de mouw van een van de andere baardragers te trekken, een volslagen vreemde in een officiersuniform, ongetwijfeld een van zijn vaders voormalige collega's, en te zeggen: 'Ik was enig kind. Vele jaren heb ik met hart en ziel geprobeerd mijn vader te behagen, maar ik stelde hem teleur.'

Hij slaagt erin de mouw van de baardrager niet met een bekentenis te bespatten, maar hij knikt en glimlacht wel in de richting van zijn stiefmoeder. Ze is klein en bleek en ziet er gekleed in rouw behoorlijk goed uit, vindt Lowell. Is ze mooi? Hij denkt van wel; zijn vader had altijd al een oog voor vrouwen; maar omdat deze gedachte de herinnering aan Lowells eigen moeder oproept schrikt hij ervoor terug. En toch zorgt zijn stiefmoeder of de gelegenheid of iets anders ervoor dat hij weer glimlacht. Zijn glimlach duurt te lang. Elizabeth, zijn stiefmoeder, trekt verbaasd een wenkbrauw op en staart hem aan.

Woorden, monotoon voorgedragen, drijven tussenbeide en vertroebelen Lowells blik.

'...uitzonderlijke staat van dienst voor zijn vaderland... Mather Lowell Hawthorne, bewaker van onze dierbaarste... onbezongen werk, en onzichtbaar, maar van wezenlijk belang voor het behoud van vrijheid en gerechtigheid voor allen.'

De weduwe van Mather Lowell Hawthorne is niet veel ouder dan haar stiefzoon, die nu impulsief een gardenia plukt uit de krans die ze op de kist van zijn vader heeft gelegd. Hij geeft hem aan haar. Sommige rouwenden wisselen blikken uit. Dan begint Elizabeth geluidloos te huilen. Haar haar, nat van de regen, kleeft tegen haar wangen, en Lowell vraagt zich af of ze misschien samen zouden kunnen beginnen niet eenzaam te zijn.

'Aangezien het de Almachtige God in Zijn grote genade behaagd heeft de ziel van Mather Lowell Hawthorne tot zich te nemen, vertrouwen we zijn lichaam toe aan de grond, aarde tot aarde, as tot as, stof tot stof; in de zekere en vaste hoop...'

'Eigenlijk kende ik mijn vader nauwelijks,' vertelt Lowell later aan Elizabeth, uren later, terwijl ze in een rustige lounge zitten te drinken. 'Toen ik klein was aanbad ik hem. Hij was niet vaak thuis, maar als hij er was kwam hij bij mij op bed zitten en vertelde hij me verhalen. Waarschijnlijk merkwaardige verhalen om aan een kind te vertellen, maar ik wilde ze graag horen. Ik hing aan zijn lippen: Griekse goden en godinnen, de *Ilias* en de *Odyssee*. Mijn favoriet was de aan de mast vastgebonden Odysseus die zich in zee probeerde te storten toen hij de Sirenen hoorde zingen.'

'Hoe oud was je toen?'

'Vier. Vijf.'

'Daar moet je rare dromen van gekregen hebben,' zegt Elizabeth.

'Ik heb nog steeds fantasieën over zeemeerminnen. Altijd als ik een vrouw met nat haar zie krijg ik een zoemtoon in mijn oren.'

'Soms,' zegt Elizabeth, terwijl ze haar ogen neerslaat en de steel van haar glas bestudeert, 'zat hij midden in de nacht in zijn studeerkamer Homerus te lezen. Hij zei dat het hem kalmeerde.'

'Dat was altijd zijn eerste liefde. Maar hij won ook prijzen in wis- en natuurkunde, en uiteindelijk ging hij die kant op.'

'Hij beweerde dat hij eigenlijk altijd alleen hoogleraar in de klassieke talen had willen zijn.'

'Soms geloofde ik dat,' zegt Lowell. 'Maar meestal niet. Ik heb nooit begrepen waarom hij de richting koos die hij uiteindelijk gekozen heeft.'

'Ze hadden taalkundigen nodig,' zegt ze. 'Bij de inlichtingendienst. Dat heeft hij mij verteld. Vooral degenen die ook een wetenschappelijke opleiding gedaan hadden. Hij zei dat een oude vriend van de voorbereidingsschool hem gerekruteerd heeft.'

'Toen ik zes was liet hij me op feestjes Homerus in het Grieks voordragen,' zegt Lowell. 'Als een kleine papegaai. Zijn persoonlijke dwerg die kunstjes deed. Toch deed hij toen minder vreemd tegen me dan later.'

'Hij zei dat het was alsof hij in parallelle universums leefde. Altijd. Tegelijkertijd.' Elizabeth zucht en draait de steel van haar wijnglas rond in haar vingers, met de klok mee, drie keer om. 'Ik was er nooit zeker van in welk universum hij zat als hij bij mij was.'

'Hij was altijd ergens anders. Zelfs als hij bij ons was, was hij niet bij ons. Ik heb hem nooit echt gekend.'

'Ik ook niet,' zegt ze.

'Ik wilde hem zo graag tevredenstellen, maar hij bleef de lat steeds hoger leggen. Ik kon nooit aan zijn verwachtingen voldoen. Dus natuurlijk koos ik ervoor juist minder te gaan presteren. Gemakkelijkere manier om zijn aandacht te krijgen.'

'Ik had hetzelfde probleem,' zegt ze. 'Ik kon ook nooit aan zijn verwachtingen voldoen.'

'Dat is niet waar.' Lowell staart haar aan. 'Hij vertelde me dat jij de ideale gastvrouw voor Washington was. Alles wat mijn moeder niet was, zei hij.'

'Ik heb het geprobeerd,' zegt ze. 'Ik vond het jammer dat je niet meer op onze uitnodigingen inging.'

'Niet jouw schuld,' stelt hij haar gerust.

'Jij en ik hebben nooit de kans gehad om elkaar te leren kennen.'

'Nee. Nou. Heeft niets met jou te maken.'

'Wat was de reden dan?'

'Nou, hij maakte me gewoon te zenuwachtig. Ik voelde me altijd alsof ik weer twaalf jaar oud was, alsof ik niet aan zijn verwachtingen voldeed. En toen, Rowena... ik bedoel, mijn eigen huwelijk dat op de klippen liep. Ik wilde niet een van de mensen worden die hij als derderangs beschouwde.'

'Je vader was ook verdrietig. Toen je niet meer kwam, bedoel ik.'

'Dat is onzin. Mijn vader kon verdriet niet uitstaan. Mijn moeder was jarenlang verdrietig, en dat irriteerde hem. Het irriteerde hem dat ik in de buurt was.'

'Volgens mij vergis je je,' zegt ze. 'Volgens mij miste hij je. Hij was erg trots op je.'

'O, nee, geloof me, hij schaamde zich voor me. Hij stuurde me naar zijn eigen kostschool...'

'Ja, dat weet ik.'

'...maar ik verknalde het. *Loser* in een school voor winnaars. De naam van mijn vader op alle prijzenborden, Mather Lowell Hawthorne, gouden medaille voor dit, gouden medaille voor dat, Latijn, Grieks, wiskunde, natuurkunde, sport, zangvereniging, toneelvereniging. Verschrikkelijk. Als een molensteen om mijn nek. De duurste privé-school in Massachusetts, en ik kon hem altijd "varkensoor" zien denken als hij naar me keek.'

'Hij had een foto van jou op de ladekast in de slaapkamer staan.'

'Is dat zo?'

'Je draagt je schooljasje en je houdt een zilveren beker vast.'

'O, ja. Dat. Veldlopen. Enige prijs die ik ooit gewonnen heb. Ja, ik kan goed rennen. Wegrennen is mijn specialiteit. Maar zo is het. Zoals mijn vader het noemt: je wint of je verliest. Hij was een winnaar, ik een verliezer. Zoals mijn moeder.'

'Ik vind dat je erg op je vader lijkt,' zegt ze. 'Scherpe geest en verfijnd en verdrietig.'

'Verfíjnd? Ik?' Lowell lacht. Nieuwsgierig kijkt hij naar zijn spiegelbeeld in het donkere spiegelglas achter de bar.

'Hij kon zo zachtaardig zijn,' zegt ze. 'Het is niet waar dat hij zijn gevoelens nooit liet zien. Hij was altijd verdrietig. Altijd vol demonen.'

'Hij zát ook vol demonen,' stemt Lowell in. 'Dat kwam door mijn moeder. Je weet toch dat ze hem voor een andere man verliet vóór de... ik heb het haar nooit vergeven. Ze zaten allebei in dat vliegtuig.'

'Nee, dat wist ik niet,' zegt ze. 'Je bedoelt dat ze samen zijn neergestort, je moeder en haar...'

'Niet néérgestort. Je kent de details. De kaping, de explosie.'

'Kaping?' zegt ze, vooroverleunend, gretig. 'Ik ken de details níet. Ik weet bijna niets. Hij zei nooit iets over... Hij zei alleen maar dat ze bij een vliegtuigramp is omgekomen.'

Lowell is verbluft. 'September '87,' zegt hij. 'Van Parijs naar New York, de zenuwgaskapers...'

'O, mijn God. Die kaping.'

'Air France Vie... ik kan het niet uitspreken. Ik ben bijgelovig over het getal.'

'Geen overlevenden.' Elizabeth drukt haar hand tegen haar lippen. 'Toch?'

'Behalve de kinderen.'

'O, de kinderen, dat is waar ook, nu weet ik het weer. Ik weet nog dat ik die kleine kinderen op tv zag.'

'Ongelofelijk dat je er niets van wist.'

'Nee. Niets. Hij zei nooit iets over het verleden. Ik ben er altijd nieuwsgierig naar geweest.'

'Luister,' zegt hij, niet op zijn gemak. 'Het is niet iets waar ik over kan praten.'

'Nee, natuurlijk niet. Het spijt me.' Ze speelt met haar wijnglas, maakt wat gemorste wijn troebel met haar vinger. Ze tekent een S in de vloeistof op de lage tafel. 'Heette die man Sirocco? De man voor wie je moeder hem verliet?'

Lowell fronst. 'Hij heette Levinstein. Violist.'

'Wie was Sirocco?'

'Geen idee.'

'Hij werd gekweld door Sirocco,' zegt ze. 'Hij riep de naam in zijn slaap.'

'Mijn vader?'

'Heeft hij het woord Sirocco nooit tegenover jou laten vallen?'

'Zegt me niets. Maffia misschien? Ze verzamelden inlichtingen over allerlei soorten mensen.'

'Wat was de rol van Mather precies?' wil ze weten.

'Dat wist ik nooit echt. Niet precies. Waarschijnlijk informatie en desinformatie verzamelen en besluiten wat wat was. Hij was een spion, en na de kaping, toen hij ophield over de hele planeet zijn eigen feestjes te vieren, tráinde hij spionnen. Dat is alles wat ik weet. Misschien ging hij ook door met andere dingen, dat weet ik echt niet. Hij zei altijd dat iemand het smerige werk moet opknappen om het land veilig te houden. Veel meer details kreeg ik niet uit hem.'

'Ik ook niet,' zegt ze.

'Toen ik klein was vloog hij altijd weg om met "contactpersonen" te praten. Hij vertelde ons nooit waarheen, maar ik ving aanwijzingen op, als je begrijpt wat ik bedoel. Hij bracht dan cadeautjes mee en zei: "Dat heb ik in een bazaar in Caïro gevonden" of: "De vrouwen van de kamelenmannen in Afghanistan maken deze." Dat soort dingen.'

'We reisden nooit ergens met het vliegtuig naartoe. En hij liet me ook niet alleen vliegen.'

'Na '87 maakten vliegtuigen hem bang. En ik denk ook dat hij een of ander semi-pensioen ingedwongen is. Volgens mij waren ze bang dat hij gek begon te worden. Ze hielden hem in Washington.'

'Er was altijd een auto met chauffeur,' zegt ze. 'Elke dag. En toen was er opeens geen officiële limo meer, en moest hij zijn eigen auto gebruiken. Meestal sloot hij zichzelf op in zijn studeerkamer, met zijn computer en zijn boeken.'

'Ze zetten hem op stal,' zegt Lowell. 'Korte levensduur bij de inlichtingendienst, dat zei hij altijd.'

'Het knaagde aan hem,' zegt ze. 'Het waren niet alleen de nachtmerries. Soms verdween hij de hele nacht. Dan reed hij volgens mij alleen maar wat in de stad rond.'

Lowell staart haar aan.

'Dat zag ik aan de afstanden,' zegt ze. 'Dan bekeek ik de kilometerteller. Soms reed hij wel tachtig, negentig kilometer in één nacht.'

'Ik zei al dat hij een vreemde voor me was. Ik kende de postbode nog beter.'

'Er was niemand die ik er vragen over kon stellen,' zegt ze. 'Alles was geheim; dat was althans zijn excuus.'

'Vraag me niets, dan zal ik niet tegen je liegen,' zegt Lowell. 'Ik weet hoe het gaat.'

'Hij zei dat onze levens gevaar liepen als ik er met iemand over praatte. Ik wist nooit of ik hem moest geloven of niet.'

'Ik ook niet,' zegt Lowell. 'Dat roepen in zijn slaap... deed hij dat vaak?'

'Tegen het einde elke avond. Hij maakte ruzie met Sirocco. Schreeuwde tegen hem. Of met Salamander. Zegt die naam je iets?'

'Nee.'

'Ze achtervolgden hem. Maakten hem doodsbang. Vooral Sirocco.'

'Eigenlijk dacht ik al dat hij gek begon te worden. Maar hij hield zichzelf zo goed in bedwang.'

Uit de zak van haar zwarte jasje haalt ze de gardenia die Lowell haar bij de begraafplaats gegeven heeft en houdt hem op haar handpalm. De randen van de blaadjes zijn bruin geworden. Ze grijpt Lowells hand en vouwt hem open en legt de gardenia erin. 'En nu hebben we Mather allebei verloren,' zegt ze. 'Voor altijd.'

Dan kan hij opeens huilen; nou, niet echt huilen, niet huilen op een gerieflijke of extravagante of troostgevende of zelfs zichtbare manier, maar hij wordt zich er wel van bewust dat zijn traanbuizen functioneren, dat hij opgezwollen begint te raken, en hij wordt diep geroerd door het gevoel dat hij overvloeit. Het verschijnsel rouw roert hem, als een kostbaar object dat hij lang kwijt was. Hij wordt overmand door zijn hernieuwde kennismaking met de ervaring van emotie op zich, en hij beschouwt die als een atmosfeer die Elizabeth uitstraalt. Ze rijdt hem terug naar het vliegveld en hij draagt een donkere bril en staart gedurende de hele rit uit het raam.

'Je kunt blijven slapen, Lowell,' biedt ze aan.

Dan kijkt hij haar aan, maar hij houdt zijn donkere bril op. Op de vijfde verdieping van de parkeergarage op het vliegveld zitten ze een tijdje bij elkaar zonder een woord te zeggen. Als ze de sleutel in het contact omdraait, alsof er overeenstemming bereikt is, zegt hij:

'Dank je, Elizabeth, maar dat kan niet. Rowena denkt dat Amy en Jason in paniek zullen raken als ik morgen niet terug ben, en ik weet dat ze gelijk heeft. De kinderen... weet je, ik heb een slechte invloed op ze, maar ze moeten me zien. Ze moeten weten dat het goed met me gaat. Ik heb beloofd ze morgen mee te nemen naar de Public Garden.'

'Je moet de spullen van je vader nog uitzoeken,' zegt ze, 'en beslissen wat je wilt hebben. Bel me maar als je er klaar voor bent. Je kunt thuis blijven slapen.'

'Goed,' belooft hij. 'En wanneer je ook maar in Boston bent...'

Maar weken verstrijken, en ze nemen niet opnieuw contact op, en dan wordt Lowell gebeld door dr. Reuben.

5

Een maand na de begrafenis krijgt Lowell een soort brief en enkele documenten in het handschrift van zijn vader. Dr. Reuben levert het pakketje af, en de omstandigheden zijn vreemd. 'Ik ben net met het vliegtuig uit Washington gekomen,' zegt dr. Reuben. 'Uw vader wilde dat ik dit in eigen persoon deed.'

Lowell probeert een gezicht aan de stem in de telefoon te koppelen. 'Ken ik u?'

'Nee, u kent mij niet, en ik ben bang dat ik Boston niet ken. We moeten elkaar ergens halverwege ontmoeten, op een zeer openbare plek. Waar stelt u voor?'

'Ik begrijp het niet,' zegt Lowell later. Ze lopen zij aan zij in de Public Garden. Lowell bewondert de glans op de zwarte leren schoenen van dr. Reuben. Zijn eigen sportschoenen zijn erg versleten.

'Ik was uw vaders psychiater,' legt dr. Reuben uit.

'Op die manier. Ik wist niet dat hij... ik had nooit gedacht dat hij voor zoiets tijd had.' Lowell is betoverd door de flits van zwart leer naast zijn eigen loopschoenen met de verfspatten. Hij en zijn vaders psychiater lopen niet synchroon. Zijn sportschoenen maken een versneld pasje, huppelstap, om zichzelf op één lijn te krijgen, maar plotseling staat dr. Reuben stil – verbaasd of misschien beledigd door de beweging – en kijkt over zijn schouder. Als ze weer verder gaan, lopen ze nog steeds niet synchroon.

'Ik moest voorzorgsmaatregelen treffen,' zegt dr. Reuben. Hij lijkt zich te schamen, en krijgt een hoestbui alsof de woorden te scherp voor zijn mond zijn. Zijn ogen worden waterig. 'Tenminste,' zegt hij, 'dat vond uw vader.' Hij geeft zich over aan een nieuwe hoestaanval en lacht dan vol zelfspot. 'Uw vader was zeer overtuigend. U weet wel wat ik bedoel.'

'Dat weet ik niet zeker,' zegt Lowell.

'Om heel eerlijk te zijn, weet ik niet of dit allemaal nodig is, of dat ik aangestoken ben door zijn kwaal.' Dr. Reuben kijkt Lowell van opzij afwachtend aan.

'Zijn hartkwaal? Hartverlamming door vaatvernauwing, zeiden ze...'

'Nee,' zegt dr. Reuben. 'Ik bedoel paranoia.'

Lowell denkt na: dit is een valstrik. Mijn vader heeft dit opgezet. Hij heeft iemand betaald om me in de gaten te houden en verslag uit te brengen. Zelfs na zijn dood houdt hij dossiers bij.

'Hij geloofde dat hij op het punt stond vermoord te worden,' zegt dr. Reuben. 'Staat u daarvan te kijken?'

'Wat?' zegt Lowell.

'Moord is niet hoe hij het noemde. "Geëlimineerd," zei hij. Ik heb geprobeerd het politierapport in handen te krijgen, weet u, om te zien of de remleidingen doorgesneden waren, zoiets. Maar hij had het altijd al gezegd: de politierapporten waren geheim. Toch denk ik dat zelfmoord even waarschijnlijk is.'

'Hij heeft achter het stuur een hartaanval gekregen,' zegt Lowell. 'Er was een medisch rapport.'

'Hmm. Misschien. Ik was niet in staat een exemplaar van dat rapport in te zien.'

Lowell fronst. 'Nou, ik heb het wel gezien.' Dan denkt hij erover na. 'Misschien ook niet. Ze hebben het me verteld en het kwam niet bij me... Was het ook geheim?'

'Geheim.'

'Wist u dat het zoveel jaar geleden was dat...'

'Natuurlijk. Daarom geloof ik dat het zelfmoord was. Ik zal u zeggen wat ik denk. Ik denk dat hij de maatregelen trof die ik zo dadelijk met u zal bespreken, en toen was zijn geweten schoon. Hij moest het doen, en toen kon hij zichzelf elimineren. Maar hoe dan ook is het... nou, ja, ik heb een gelofte afgelegd. Er bestaan maar twee heilige relaties, nietwaar? Priesters en psychiaters. Misschien was hij gek, of misschien had hij gelijk. Ik zou degene moeten zijn die het onderscheid kan maken.' Dit keer heeft zijn lach iets triests.

Hij heeft maatregelen getroffen, denkt Lowell wantrouwig. Wat een verrassing. Dus er zullen voorwaarden zijn. Er zullen verwachtingen zijn. En daar zal Lowell nog steeds niet aan voldoen.

Een maand, een kalme maand lang, heeft hij bijna in vrede geleefd.

'Een situatie als deze heb ik nog niet eerder meegemaakt,' zegt dr. Reuben. In de Public Garden kleuren de bomen rood en goud. 'En zelfs nu zou ik niet kunnen zweren dat ik niet aangestoken ben door zijn... kwaal. Ik bedoel, ik kan mezelf observeren terwijl ik paranoïde word, wat voor een psychiater een interessant en curieus verschijnsel is om bij zichzelf waar te nemen. Ziet u die man die naar ons zit te staren?'

'Waar?'

'De man op dat bankje daar.'

'Die de krant leest?'

'Hij staart naar ons.'

'Hij houdt dat kleine kind op de driewieler in de gaten.'

'Misschien,' zegt dr. Reuben. 'Maar begrijpt u wat ik bedoel? Nu hij verdwenen is begin ik als uw vader te denken. En toch lijkt het beter om het zekere voor het onzekere te nemen. En ik heb uw vader iets beloofd. Ik heb hem inderdaad iets beloofd. En ik zag dat er, toen ik die belofte eenmaal gedaan had, iets in hem veranderde. Zijn geweten was schoon. Althans, zo schoon als de gebeurtenissen in het verleden dat toelieten. Laten we hier even gaan zitten.'

Vanaf een bankje aan de rand van de vijver kijken ze hoe de rondvaartboten met hun lading toeristen zachtjes in elkaars kielzog schommelen. Wilgen hangen in het water. Gezinnen gooien broodkruimels naar de eenden. 'U kunt met dit bericht doen wat u wilt,' zegt dr. Reuben. 'U moet goed begrijpen dat zelfs ik de banden of het dagboek niet gezien heb.'

'Er is iets van hem dat u aan mij moet geven.'

'Indirect. Ik heb een sleutel die ik u moet geven. Ik zal hem op dit bankje achterlaten en ik wil dat u uw hand eroverheen legt, zeer non-chalant, en zo een volle tien minuten blijft zitten nadat ik weg ben ge-lopen.' Opnieuw lacht hij beschaamd. 'Ik herhaal uw vaders woorden letterlijk. In elk geval had hij een zeer ontwikkeld gevoel voor drama.'

Lowell denkt hierover na. Plotseling herinnert hij zich een regel, die uit een wilg komt vallen: *de noodzakelijke rituelen van het risico.*

Waar ga je heen, papa?

Dat mag ik je niet vertellen, zoon, maar ik neem een cadeautje voor je mee. Eén voor mama en één voor jou.

Wanneer kom je terug?

Dat mag ik je niet vertellen, Lowell.

Op school moeten we vertellen of onze papa op reis is en we moe-ten foto's laten zien.

Sorry, Lowell, maar ik mag je niet vertellen waar ik naartoe ga.

Wat zeg ik dan op school? Moet ik zeggen dat mijn papa niet mag zeggen waar hij heen gaat?

Nee, nee, je mag niet zeggen dat ik dat niet mag zeggen.

Wat zeg ik dan?

Je zou kunnen zeggen dat papa op zakenreis is naar Hawaï.

Ga je naar Hawaï?

Nee, ik ga niet naar Hawaï, maar dat mag je op school zeggen.

Mag ik tegen ze liegen?

Soms, als je voor het hele land moet zorgen, is een leugen niet echt een leugen. Dat zijn de noodzakelijke rituelen van het risico, Lowell. Begrijp je dat? Als je iets zegt, breng je misschien levens in gevaar.

Het was een catechismus die Lowell vaak in zijn eentje oefende. Ik mag nooit zeggen dat ik het niet mag zeggen.

'Deze sleutel?' vraagt Lowell. Deze verdomde sleutel van een doos van Pandora van geheimen die hij niet eens wil kennen.

'Het is de sleutel van een kluis op Logan Airport,' zegt dr. Reuben. 'Internationale terminal. Kluis B-64.'

Lowell krijgt geen lucht meer.

'Gaat het?'

'Dat was het vluchtnummer,' zegt Lowell.

'Air France 64, ja. U ziet dat dit grondig voorbereid is. Ga niet met de auto en neem geen taxi. Ga met de metro. Ik citeer uw vader opnieuw.'

'En ik mag nooit, maar dan ook nooit zeggen waarom ik het niet mag zeggen.'

'Pardon?'

'Zijn regels,' zegt Lowell. 'De noodzakelijke rituelen van het risico.'

'Hij dacht dat er jacht op hem gemaakt werd. Dat mag ik u wel vertellen. Hij was een man die doodsangsten uitstond. Misschien maakt dat het makkelijker het hem te vergeven. Het voorbereiden hiervan gaf hem aan het einde van zijn leven wat meer vrede.'

'En wat zit er dan in die kluis?'

'Dat weet ik niet precies. Een dagboek, geloof ik. En wat papieren, mogelijk geheime papieren. En een paar videobanden – ik weet niet waarvan – maar de banden zijn van cruciaal belang. Cruciaal, zei uw vader. Ik heb niets van dit materiaal gezien. Ik heb het daar niet in gelegd. Uw vader heeft het daarin gelegd en de sleutel aan mij gegeven, en hij liet me beloven dat ik u de sleutel persoonlijk zou overhandigen.'

'Wanneer heeft hij het daar gelegd?'

'Dat weet ik niet precies. Maar duidelijk recent.'

'Was mijn vader kort geleden in Boston?'

'Ja. Hij heeft u gezien, zei hij.'

Lowell voelt een oceaangolf van woede en verdriet. 'Hij kon goed kijken. Het was zijn sterkste punt.'

'Hij voelde zich zelf altijd bekeken.'

'Hij was een *control freak*,' zegt Lowell. 'Een spion. Een poppenspeler. Ik weet niet waarom ik dacht dat hij daar in het graf mee zou ophouden.'

'Hij was een gekweld man,' zegt dr. Reuben. 'Ik denk dat de sleutel u alles duidelijk zal maken wat u wilt weten.'

Lowell zucht. 'De sleutel is bedoeld om mij voor altijd op te sluiten. Ik zit aan hem vastgeketend.'

'U hebt een hoop woede in u zitten.'

Lowell lacht. 'Godverdomme. Wauw. Dat is slim. Betalen mensen u daarvoor?'

'De sleutel ligt nu onder mijn hand op het bankje.'

'En wat als ik de sleutel weggooi?'

'Dat moet u natuurlijk zelf weten. Maar ik raad het u af.'

'De heilige laatste wil en het testament. Eer uw vader.'

'Nee. Ik zou het u om veel pragmatischer redenen afraden. Omdat een weggegooid bericht dat vanuit het graf verstuurd is u de rest van uw leven zal achtervolgen. Als u al in labiele toestand verkeert, en dat bespeur ik bij u... nou, ik weet dat u labiel bent. Ik weet natuurlijk erg veel over u, want uw vader... Hoe dan ook, dat soort reactieve impulsiviteit kan de genadeklap zijn, het kan u krankzinnig maken. Ik stop mijn hand nu terug in mijn zak en ga dan weg. Leg uw eigen hand alstublieft over de sleutel heen. Er zou geen contact meer tussen u en mij meer hoeven zijn, maar mag ik u ten zeerste aanraden professionele hulp te zoeken?' Hij doet zes stappen en keert terug. 'Ik zou echter ook graag van u vragen of u, als u professionele hulp zoekt, wat u zeker moet doen, mijn naam dan nooit ofte nimmer wilt noemen.'

Hij loopt weg en kijkt niet om.

Lowell legt zijn hand op de sleutel en zit naar de rondvaartboten te kijken tot het donker wordt.

6

Kluis B-64 heeft zich spookachtig in Lowells slaapkamer gevestigd. Soms droomt hij dat hij erin zit, en hij bonst op de deur zodat de eigenaar van de sleutel hem eruit zal laten. Soms verschuiven de wanden van zijn kamer precies en kwaadwillend, ze vouwen zich en stellen zichzelf in formatie op, en er ontstaat een steile canyon van afgesloten dozen rondom zijn bed, als een honingraat. Stalen kubussen in aaneengesloten rijen, hoog als een wolkenkrabber, elk met zijn eigen sleutelgat en luchtgaten, terwijl hij, Lowell, neerstort, sneller en sneller, steeds verder omlaag, en hij grijpt naar handvatten die in zijn handen afbreken en hij komt nooit onder of achter de eindeloze deuren. Hij valt door kelders, door ondergrondse boekenrekken, door grotten die tien etages diep zijn en gecamoufleerde tanks en brandende vliegtuigen bevatten; hij valt, hij blijft vallen, maar hij bereikt nooit de diepste kern van het raadsel van Kluis B.

In zijn slaap heeft hij zijn auto vaak in de buurt van Union Square Station in Sommerville neergezet, de Rode Lijn genomen, dan de Blauwe, en uiteindelijk de gratis shuttle. Als de chauffeur 'Terminal?' vraagt – gewoonlijk praat hij zonder zijn lippen te bewegen – zegt Lowell altijd: 'Ja. Daar lijkt het wel op. Dat is de kern van het raadsel van Kluis B, nietwaar?' en de chauffeur zegt altijd lachend: 'En of dat terminaal was, ja meneer, en waar wilt u het liefst opgeblazen worden?'

Lowell heeft de reis ook gemaakt als hij wakker was, en overdag. Hij zit met zijn gezicht naar de rij van stalen kluisjes in de internationale hal en staart naar nummer B-64. In zijn broek- of jaszak spelen zijn vingers met de sleutel, bedreven spelletjes, duistere spelletjes, steeds gecompliceerdere spelletjes. Hij geeft de sleutel boven en onder zijn vingers langs en dan weer terug, een geweven wachtwoord. In het begin gaat hij één keer per week, op zondag, dan ook op zaterdag, behalve tijdens de weekeinden wanneer de kinderen bij hem zijn. In de Amy-en-Jasonweken gaat hij in plaats daarvan op woensdag, dan op woensdag en donderdag, en uiteindelijk elke dag.

'Waar gaan we heen, papa?' vraagt Amy.

'Naar het vliegveld,' zegt hij. Hij heeft de kinderen nog niet eerder meegenomen, maar maandag is te ver weg. 'Jullie kunnen kijken hoe de vliegtuigen opstijgen en landen.'

Op het promenadedek laat hij Amy achter met nauwkeurige instructies. 'Jij blijft hier bij Jason tot ik terugkom, oké? Ik moet even iets doen. Ik blijf niet lang weg.'

'We willen met jou mee.'

'Nee, dat kan niet. Ik heb een afspraak met een meneer voor een schilderklus. Ik blijf niet al te lang weg, en dan kom ik terug om jullie te halen, oké?'

'Hoe lang blijf je weg?'

'Tien minuten,' zegt hij. 'Hooguit vijftien. Jij blijft hier met Jason naar de vliegtuigen kijken.'

Maar als hij van zijn wake voor kluis B-64 overeind komt, ziet hij hoe ze naar hem kijken, zich half verschuilend achter een fontein. Hij weet dat hij schuldig is.

'Amy,' zegt hij verwijtend, 'wat heb ik nou tegen je gezegd?'

'Jason huilde,' zegt ze. 'Is die meneer niet gekomen?'

'Welke meneer?'

'De meneer die je moest zien voor dat schilderen.'

'O,' zegt hij. 'Nee. Hij is niet komen opdagen.'

'Waarom was je naar de kluisjes aan het staren, papa?'

Langzaam zegt hij: 'Ik heb iets in een kluisje laten liggen, maar ik ben de sleutel kwijt.'

Amy kijkt naar zijn hand, verborgen achter de spijkerstof, die hij dichtknijpt en weer opent. 'Misschien zit hij in je zak,' zegt ze.

'Wat zullen we nou krijgen,' zegt hij lachend. 'Kleine tovenares. Je hebt gelijk. Hier is hij dan toch, in de voering. Er zit een gaatje in en hij is bijna... wil je het kluisje voor me openmaken?'

'Oké.'

Hij moet haar optillen. Haar lippen zijn lichtjes geopend, het puntje van haar tong beschrijft boogjes van concentratie terwijl ze de sleutel in het slot steekt en hem omdraait. Ze helt achterover om de deur te kunnen openen. 'Het is een tas,' zegt ze. 'Is die van jou, papa?'

'Ja,' zegt hij. 'Nou, nee. Maar ik pas er voor iemand op.'

'Voor de meneer die niet kwam opdagen?'

'Juist.' Uit de kluis trekt hij een blauwe sporttas met een logo van Nike op de zijkant. De tas is verrassend zwaar. 'Amy,' zegt hij. 'Blijf hier met Jason wachten. Ik moet even naar de wc.'

'Jason wil met je mee,' vertelt Amy hem.

'Papa, ik met jou mee,' echoot Jason met de brabbelende uitspraak van een kind van twee.

Lowell drukt een kus op Jasons kruin. 'Papa heeft erg veel haast,' zegt hij. 'Jij blijft hier met Amy, oké? Ik ben zo terug.'

Jason jammert luid. 'Met jou mee,' eist hij.

'Nee,' roept Lowell over zijn schouder, rennend. 'Papa heeft erg, erg veel haast. Blijf hier wachten.'

Hij wil zichzelf in een hokje opsluiten, maar er zijn te veel mensen en dat maakt hem nerveus, hoewel hij geen aandacht wil trekken door weg te gaan zonder gepist te hebben. Hij is bang om de tas neer te zetten. Besluiteloos gaat hij tussen een zakenman en een naar gin ruikende zwerver in staan. Hij staat met de tas tussen zijn benen, zijn voeten vlak bij elkaar, en ritst zijn gulp open.

Niemand besteedt de minste aandacht aan hem en hij pakt de blauwe tas op en vertrekt.

'Papa, papa!' hoort hij Amy roepen, en hij draait zich om. Buiten adem rennen de kinderen achter hem aan. Jason huilt. Lieve God, denkt Lowell. Wat gebeurt er met me? Met een zwaai van zijn rechterarm tilt hij Jason op. De blauwe tas draagt hij met zijn linker. 'Je dacht toch niet dat ik je vergeten was, of wel?' vraagt hij, terwijl hij Jason met kusjes overlaadt. 'Malle Jason. Oké, we gaan naar huis.

Eerst de shuttle, dan de metro, dan naar huis. Wie weet nog waar de halte van de shuttle is?'

'Ik,' zegt Amy.

'Oké, kapitein. Ik volg jou.'

Een stem in zijn hoofd zoemt: 'Waarom de internationale terminal?' Hij probeert zich zijn vader, de elegant geklede academicus, voor te stellen aan boord van de shuttle uit New York. Hij kan zijn vader niet met een blauwe sporttas voorstellen. Zat die ergens anders in? Is zijn vader een toilethokje in de binnenlandse terminal in gevlucht, om zich daar in een spijkerbroek en baseballpet om te kleden en vervolgens de blauwe tas naar de kluisjes in de internationale terminal te dragen? Is het een hint dat Lowell op reis zal moeten als hij de inhoud van de tas heeft gezien? Of is dit puur een *memento mori* voor de vlucht die nooit zijn geplande bestemming heeft bereikt, de vlucht waar Lowells moeder nooit uit is gestapt? Tenzij ze een van de gijzelaars was. Tenzij er gijzelaars wáren, tien gijzelaars, zoals de kapers beweerden.

'Het gijzelaarsbedrog,' zei het ministerie van Buitenlandse Zaken, 'is de laatste list van een stelletje wanhopige terroristen...'

Dat weet Lowell nog. Hij weet nog dat hij naar het journaal keek toen dat gezegd werd.

'Er is geen bewijs,' zei de president in september 1987 tegen het volk, 'dat er overlevenden zijn van Air France vlucht 64, behalve de kinderen die in Duitsland uit het vliegtuig gelaten zijn. De laatste landing was in Irak, waar het vliegtuig is opgeblazen. Hoewel Irak het Rode Kruis geen toestemming heeft gegeven om... niettemin hebben onze inlichtingenbronnen bevestigd dat...'

Lowell merkt dat hij stilstaat bij de monitor waar de aankomsten op te zien zijn, en dat hij naar vluchten zoekt die uit Parijs komen.

'Papa.' Amy trekt aan zijn mouw. 'Kom méé.'

'Heel even wachten, Amy.' Air France lijkt zijn nummeringssysteem veranderd te hebben. Hij ziet AF 002, AF 006... maar natuurlijk ging vlucht AF 64 naar New York, niet naar Boston.

'Hé.' Iemand botst tegen hem op. 'Zijn er al mensen langsgekomen?'

'Wat?' zegt Lowell. De man die tegen hem op is gebotst ziet er onverzorgd en buiten adem uit. Hij wijst op de monitor.

'De vlucht uit Frankfurt. Die is geland. Al mensen langskomen?'

'Dat weet ik niet,' zegt Lowell.

'Op welke vlucht staat u te wachten?'

'Ik wacht niet. Ik ben alleen...' Waarom ondervraagt hij me? 'Kijk.' Lowell wijst op de grote automatische matglazen deuren. 'Er komen nu mensen aan.' Maar als hij de terminal verlaat kan hij de verleiding niet weerstaan om over zijn schouder te kijken, en de man die op de vlucht uit Frankfurt staat te wachten beweegt zich niet in de richting van de glazen deuren maar kijkt nog steeds naar Lowell. Natuurlijk betekent dit niets.

Hoewel het iets zou kúnnen betekenen.

Misschien betekent het iets.

Lowell besluit niet meteen met de kinderen naar de metro te gaan, voor het geval hij in de gaten gehouden wordt. 'Daar is onze bus,' zegt hij tegen Amy, en ze stappen in de gratis shuttle die tussen de terminals heen en weer gaat en bij terminal C stappen ze weer uit.

'Dit is onze halte niet,' zegt Amy. 'De metro is twee haltes verder.'

'Jason heeft honger,' zegt Lowell. 'Wil je patat, Jason? Wil je cola?'

'Patat!' grinnikt Jason. 'Jammie jam.'

'Jammie jam jam,' zingt Lowell. 'Wil je patat, Amy?'

'Oké,' zegt ze wantrouwig.

Er zijn meerdere fastfoodkraampjes, en niet één is er aantrekkelijk, maar hij koopt patat en twee cola's voor de kinderen en koffie voor zichzelf. Hij zet de blauwe tas op de grond en houdt hem stevig tussen zijn voeten geklemd, hoewel een groot aantal mensen er in het voorbijgaan tegenaan lijkt te stoten. Hij probeert zich zijn vader voor te stellen die met een sporttas tussen zijn enkels koffie drinkt uit een plastic beker. Hij kan het niet visualiseren.

'Oké, jongens,' zegt hij. 'We gaan.'

Ze nemen de shuttle naar de MBTA-halte, dan de Blauwe Lijn naar State. Ze stappen over op de Groene Lijn, stappen weer over bij Park Street, en nemen de Rode Lijn naar Union Square.

Lowells auto, een licht beschadigde pick-up met een stalen laadkoffer achterop, staat waar hij hem op de parkeerplaats achtergelaten heeft. Hij opent de stalen koffer. Er ontbreekt niets. Hij legt de sporttas erin, draait de sleutel om in het hangslot, verandert van gedachten, opent het weer, neemt de tas mee de cabine in. 'Voetenbank,' zegt hij. 'Kussen voor jullie voeten.'

'Wat zit er in de tas, papa?' vraagt Amy, terwijl ze haar veiligheidsgordel dichtklikt.

'Gewoon wat spullen. Kun je Jason zijn gordel even omdoen?'

Hij zou er een vluchtige blik in kunnen werpen, denkt hij, en dan, mocht het nodig zijn, als hij het nodig vindt, kan hij de blauwe tas en de inhoud in een afvalcontainer gooien. Hij blijft even met zijn hand op de contactsleutel zitten nadenken. De eigenaar van de auto in het volgende parkeervak komt aanlopen en de deur van zijn witte Nissan bonkt zachtjes tegen de zijkant van Lowells auto. Met opzet? De chauffeur van de Nissan draagt een ruitjesoverhemd en heeft een kale plek op zijn hoofd. Lowell wacht tot hij weg is, terwijl hij het ruitjesmotief analyseert: verticale en horizontale strepen, groen, zwart, grijs, een dunne verticale rode lijn.

'Papa,' zegt Amy. Ze trekt aan haar haar.

'Goed.' Hij start de auto. 'Amy, schat, doe dat niet met je haar.'

De soundtrack van *Babe* klinkt zachtjes door de muur van de slaapkamer.

'Pardon,' zegt het varkentje met zijn schorre, lieve stem tegen de schapen, 'maar zoudt u dames er bezwaar tegen hebben…' En dan lacht Jason op hoge toon, en doet Amy op haar grote-zussentoon de voice-over: 'Hij denkt dat hij een hond is.' Dit moet de vierde keer dit weekend zijn, maar de video van het varkentje dat het allemaal klaarspeelde gaat de kinderen nooit vervelen.

Van buiten, uit het nachtelijke Sommerville, komt het geluid van remmen die bijna te laat ingetrapt worden, van ruzies, geschreeuw, de klokken van St. Anne op de heuvel. Lowell kijkt met de glazige blik van een man die in de bioscoop zit te masturberen. Hij staart naar de muur. Zijn hand in de blauwe sporttas specificeert drie objecten, hoekig, omvangrijk, met harde randen: twee dikke ringbanden en iets wat beweegt en onregelmatig van vorm is in een zak met touw-sluiting die misschien ooit een kussensloop was. Lowell trekt de kussenslooptas te voorschijn en staart ernaar. Rijen ridders, met hun lansen paraat en wimpels op hun helmen, galopperen in het strijdperk naar elkaar toe: dit was zijn eigen kussensloop toen hij zes jaar oud was en voor het eerst naar school ging. Hij hoeft het versleten katoen alleen maar aan te raken om zijn slaapkamer te ruiken, het gewicht van zijn vader op het voeteneind van zijn bed te voelen, zijn moeders parfum te ruiken als ze zich over hem heen buigt om hem welterusten te kussen. 'Lang geleden,' begint zijn vader. 'Lang geleden, in de lente van de wereld, werd Persephone, de beeldschone dochter van Zeus en Demeter, die samen met haar dienstmeisjes bloemen in het veld plukte, door Hades, koning van de onderwereld, ontvoerd en meegenomen...'

Lowell bestudeert de kussensloop.

Aan het trekkoord zit een bagagelabel vast, slordig beschreven met een zwarte viltstift. Hij herkent het handschrift van zijn vader.

AF 64

OPERATIE ZWARTE DOOD

BUNKERBANDEN & DECAMERONEBAND

Grof geschut. Stomp wapen, denkt Lowell, en het voelt alsof hij de ontploffing van Air France 64 in zijn maag geabsorbeerd heeft. Hij buigt zich over de sporttas heen en de rits blijft steken en de banden weigeren teruggepropt te worden; ze glibberen rond in hun stoffen omhulsel – hoeveel? hoeveel zijn het er? vijf? zes? – tegen elkaar tikkend plastic, levend in de kussensloop, kilometerslange nylon draad, het zijn videobanden, dat voelt hij door de stof heen, maar van wat? Bekentenissen? Obscene openbaringen? Sterfscènes? De kussensloop is vochtig en voelt nu klam aan, walgelijk. Hij schuift de hele giftige blauwe bundel onder zijn bed en ijsbeert door de kamer. Hij telt langzaam tot tien, naar voren en terug, diep ademhalend. Zijn hartslag is snel en onregelmatig. Door de muur heen hoort hij de muziek van *Babe* naar een climax leiden; de film is bijna afgelopen.

Avondeten, denkt hij. Ze zullen willen eten. Ik kan ze niet mee uit eten nemen. Ik kan de tas niet thuis achterlaten. Pasta, besluit hij.

Hij heeft spaghetti, hij heeft een pot tomatensaus ergens achter in de koelkast staan.

Hoe kan hij de kamer uit gaan en de tas onbewaakt achterlaten?

Hij ligt op de vloer en trekt het verdomde ding van onder het bed vandaan. De armen en benen spreiden zich uit, het zware uiteinde bungelt als een gebroken nek, de tas met trekkoord waar de banden in zitten steekt door de spleet naar buiten. Hij trekt aan de vastzittende rits en krijgt de tas weer open. Zijn handen voelen bloederig aan. Hij duwt de lompe kussensloop keurig terug de tas in en ziet de twee andere objecten, ringbanden, allebei zwart, allebei nauwelijks in staat hun dikke pak papier te bevatten. Hij neemt er een uit en maakt hem open.

Op de eerste pagina is hij gelabeld: RAPPORTENDOSSIER: GE-HEIM. Lowell bladert wat door de pagina's. Bijna allemaal zijn ze getypt, maar vaak staan er maar één of twee alinea's op een pagina. Rechts onder aan elke pagina staat een korte aantekening – *rapport ingediend* – in het handschrift van zijn vader. Boven aan elke pagina staat een datum. Hij leest een willekeurige:

19 FEBRUARI 1977

Aang. Air France 139 (van Tel Aviv naar Parijs) gekaapt naar Uganda, 27 juni 1976: Nimrod bevestigt betrokkenheid van Sirocco; bevestigt waarneming van Sirocco in Entebbe op 30 juni. Nimrod geloofde dat Sirocco op 4 juli tijdens Israëlische reddingsoperatie gedood werd, maar ontving vervolgens betrouwbaar bewijs dat Sirocco betrokken was bij wapenleverantie van Libië aan IRA (november '76). Denkt dat Sirocco Saudi-Arabisch is, maar mogelijk Irakees of Algerijns. Bezit vier paspoorten die bij ons bekend zijn: uit Saudi-Arabië, Irak, Algerije, Pakistan, ten minste één hiervan waarschijnlijk echt. Spreekt vloeiend Arabisch, Urdu, Engels en Frans. In bezit van vervalste *carte de séjour* voor Frankrijk. Was in de vroege jaren '70 instructeur in Moejahedienkampen in Pakistan en Afghanistan. Onlangs is hij ook geïdentificeerd in nieuwsbeelden van Dal Khalsa, separatistische Sikh-demonstraties in Amritsar eind '76. Zeer onderlegd in explosieven en chemische oorlogvoering. Een briljant huurling maar geen fundamentalistische zeloot, denkt Nimrod. Denkt dat Sirocco gekocht kan worden, maar beveelt behoedzaamheid aan. Sirocco is een gevaarlijk schietgraag kanon. Raadt ontmoeting tussen Sirocco en Salamander aan. Ondernomen actie: informatie hogerop doorgegeven.

En op de volgende pagina:

16 MAART 1977

Instructie van hoogste echelon ontvangen: Sirocco staat bekend als gevaarlijk en onbetrouwbaar, maar gebruik van criminele agent gerechtvaardigd, gezien de huidige situatie; noodzakelijk ritueel van risico; behoefte aan accurate informatie over terroristencellen in Midden-Oosten en over opleidingskampen op Pakistaans/Afghaanse grens groter dan andere zorgen.

Ondernomen actie: Nimrod zal Sirocco benaderen, ontmoeting met Salamander voorbereiden.

En op de volgende pagina, in het handschrift van zijn vader, een korte aantekening:

19 MAART 1977

Ontmoeting voorbereid. Waarschijnlijke locatie van eerste ontmoeting: Peshawar.

Lowell pakt een pak papier van een paar centimeter dik en slaat een pagina om.

4 NOVEMBER 1981

Sirocco's rapport over aanslag op Sadat ontvangen.

Uitgevoerd door islamitische fundamentalisten. Agent in kwestie kwam nog niet in onze dossiers voor, maar onderhoudt bekende contacten met 10 mensen uit onze dossiers, allen getraind in Afghanistan, 3 nu in dit land.

Sirocco bereid moordenaars voor Begin of Arafat te rekruteren, indien gewenst; suggereert dat chaos in Midden-Oosten rechtvaardiging zou opleveren voor protectoraat bewaken van oliekartels, wat hij aanbeveelt, maar eist zeggenschap over eigen oliebedrijf. Salamander opgedragen te zorgen voor geld en wapens voor project in Afghanistan.

Lowell bladert door pagina's en nog meer pagina's, en Sirocco lekt als gemorste zwarte motorolie door de ringband heen. Net als Salamander.

'Hij werd gekweld door Sirocco,' had Elizabeth gezegd.

Nachtmerries, zei ze. Tegen het einde elke avond. Ruziën met Sirocco. 'Of met Salamander. Ze achtervolgden hem. Ze maakten hem doodsbang. Vooral Sirocco.'

Nerveus sluit Lowell de ringband en stopt hem terug in de tas. Hij slaat het omslag van het tweede exemplaar open en leest op de titelpagina: DAGBOEK VAN S: GECODEERD. Hij bladert haastig door de pagina's. Ze zijn allemaal in een soort code geschreven, in verticale kolommen van Griekse letters en cijfers, onbegrijpelijk. Hij duwt het dagboek terug in de blauwe tas en ritst hem dicht. Hij duwt hem terug onder het bed. Hij wenst dat hij de kluis niet opengemaakt had. Hij wenst dat hij de sleutel weggegooid had.

'Papa!' roept Amy.

'Ik kom eraan.' Bij de deur struikelt hij bijna over de kinderen. 'Raad eens wat we gaan eten,' zegt hij opgewekt.

'Macaroni met kaassaus.'

'Fout.' Hij zet een grote pan water op het fornuis. 'Maar bijna goed. Oké, wie pakt de spaghetti voor me?'

'Ik,' roept Jason, opgewonden. 'Ik, ik, ik.'

'En wie pakt de spaghettisaus?'

'Ik pak hem wel,' zegt Amy. Haar stem klinkt verwijtend.

'Vind je spaghetti niet lekker?'

'Gaat wel.'

Maar ze wil wel graag degene zijn die het vergiet vasthoudt en degene die de Parmezaanse kaas uitstrooit met de Kraft-strooibus.

'Oké,' zegt Lowell. 'Eet smakelijk. Ik ben zo terug. Ik moet iemand bellen.'

Op de gang haalt hij een klein zwart adressenboek uit zijn zak en zoekt een naam op. Hij belt het nummer van zijn stiefmoeder in Washington en wacht. Als hij haar antwoordapparaat krijgt, denkt hij, dan laat hij geen bericht achter maar gaat hij met de kinderen eten, ze dan naar Blockbuster meenemen, dan nog een film met ze kijken (ja, hij blijft bij ze in de kamer) en dan gaan ze allemaal slapen, *slapen, wellicht om te dromen*, en daarom nee, hij denkt dat hij maar eens tien nachten niet gaat slapen, maar als Elizabeth niet opneemt, dan zal hij zeker de kamer op en neer moeten lopen, dan zal hij zeker agressieve push-ups op het tapijt in de woonkamer moeten doen, dan zal hij de kinderen zeker mee moeten nemen naar de sportschool in de Y.

'Elizabeth,' zegt hij. 'Goddank. Ik ben het, Lowell.'

'O, Lowell. Hallo.'

'Gaat alles goed met je?'

'Ik denk het wel, zo ongeveer. Het lijkt alsof ik niet kan... meestal voel ik me raar. Er zijn vreemde dingen gebeurd.'

'Hoezo vreemd?'

'O, gewoon... het is eigenlijk niets. Hoe gaat het met je kinderen?'

'Prima. Het gaat prima met ze. Nou, Rowena ziet me als een gevaar voor hun gezondheid, en natuurlijk heeft ze gelijk. Jason plast voortdurend in bed.'

'O, schat, dat spijt me. En jij? Hoe gaat het met jou?'

'Op dit moment erg gammel,' zegt hij. 'Eigenlijk voel ik me op dit moment alsof...'

'Lowell?'

'...ik ergens ingeluisd ben.' Ja, dat was het. 'Weer een van zijn pionnen. Hij is niet opgehouden.'

'Wat is er gebeurd?'

'Weet je nog dat je me naar Sirocco vroeg? En Salamander? Ik ben erachter gekomen wie het zijn. Had het moeten weten. Het zijn codenamen voor geheim agenten.' Hij kan haar horen inademen. 'Elizabeth?' Hij hoort een klik en dan wordt de verbinding verbroken. Hij belt meteen terug en krijgt haar antwoordapparaat.

Nu wenst hij vuriger dan ooit dat het weer gisteren was.

Hij verwacht half dat de blauwe Nike-tas verdwenen is, maar hij staat er nog, onder het bed. Hij propt hem in een geruite kussensloop en verbergt het hele ding achter in zijn kast met beddengoed, achter een kussen, en daar legt hij nog een stapeltje opgevouwen handdoeken voor.

Zijn telefoon gaat en hij rent er struikelend heen om op te nemen, voordat Amy hem pakt.

'Lowell?' De stem van Elizabeth trilt. 'Ik bel vanuit de telefooncel bij de benzinepomp bij mij in de buurt. Een paar dagen geleden kwamen er twee mannen bij me thuis. Ze zeiden dat ze van de beveiligingsdienst waren, en toen ik vroeg wat voor beveiliging, welke dienst, toen zeiden ze de staatsveiligheidsdienst. Ze zeiden dat ze me alleen maar een paar vragen wilden stellen, maar ze bleven uren. Het was gruwelijk. Het was alsof Mather verdacht werd van een of andere misdaad en of dat mij ook verdacht maakte, of een medeplichtige of zoiets. Ik bedoel, dat zeiden ze niet, maar zo voelde het wel. Ik ben waarschijnlijk paranoïde, maar volgens mij wordt mijn telefoon afgeluisterd. Daarom wilde ik niet dat je, nou ja, nog iets zei. Ik probeer later nog wel te bellen, maar bel mij niet, oké?'

'Elizabeth,' zegt hij. Maar ze heeft al opgehangen.

Amy trekt aan haar haar. 'Ik wil mammie bellen,' zegt ze.

De telefoon gaat weer en Lowell springt ernaartoe. 'Lowell?' zegt een vrouwenstem. 'Met Samantha. Kunnen we even over de kaping praten?'

Lowell hangt op. 'Niet opnemen,' zegt hij tegen Amy als hij weer overgaat.

'Luister gewoon even naar me, oké?' zegt Samantha tegen zijn antwoordapparaat. Lowell doet zijn ogen dicht. Hij denkt dat hij staand zou kunnen slapen. Uitputting, denkt hij, is als je geen energie meer hebt om weerstand te bieden. 'Ik was aan boord van Air France 64, wat me een soort recht geeft, oké? Ik was zes jaar oud en allebei mijn ouders kwamen om. Dit zeg ik alleen maar zodat je begrijpt waarom ik er zo obsessief over doe. Oké?'

Ze lijkt te wachten tot hij opneemt, maar hij staart alleen maar naar het knipperende lampje op zijn apparaat.

'Bedankt dat je de verbinding niet verbreekt,' zegt ze. 'Ik heb mezelf begraven in aanvraagformulieren van de Openbaarheid van Bestuur, wat er ook maar vrijgegeven wordt, wat natuurlijk bijzonder weinig is...' Ze haalt diep adem. 'Ik weet zeker dat de Amerikaanse inlichtingendiensten over informatie beschikten voordat het geb...' De digitale timer onderbreekt haar midden in haar woord, maar Lowell weet al dat Samantha niet makkelijk af te schrikken is. Ze belt opnieuw. 'We waren wegwerppionnen in een aanvalsoperatie, maar nu zijn we kippen die thuiskomen om op stok te gaan zitten. Denk er maar eens over na, oké, want je hebt waarschijnlijk aanwijzingen in huis waarvan je niet eens weet dat je ze hebt.'

Lowell drukt op de wisknop op zijn apparaat.

Amy zegt: 'Ik wil mammie bellen.'

'Ja,' zegt Lowell. 'Oké. Misschien is dat het beste.'

Terwijl Amy met haar moeder praat zit Lowell op de bank met Jason in zijn armen naar de muur te staren.

II

MIST

'De dood vrezen?
De nevel in mijn keel te voelen,
de mist in mijn gezicht...'

– Robert Browning

1

Salamander

Ik spioneer.

Met mijn meerledig oog.

Dit is de ochtendlijke lofzang van Salamander.

Hij leunt naar voren tot vlak bij de spiegel in de badkamer en zijn woorden keren weelderig terug, volledig gearrangeerd, vol tandpasta en douchedamp. Hij knijpt zijn ogen toe en ziet sterrenstelsels: heldere drijvende punten, manen, meerdere planeetringen. Hij heeft de ogen van een vlieg of een god. De dingen die hij weet, gewichtige zaken van leven en dood – geen natuurlijke dood, of snelle dood – beschrijven banen in zijn bewustzijn, maar hij mag er niet over praten.

Dit is hoe Samantha zich hem voorstelt. Ze heeft hem geconstrueerd, als een strikvraag, uit ongewiste halfzinnen in documenten. De ochtend put hem uit, zo stelt ze zich voor. Zijn ogen in de badkamerspiegel moeten bloeddoorlopen zijn. Dromen, uiteengaand maar nog steeds ondoorgrondelijk, bewolken de kamer. Hij kan zich de dromen waarschijnlijk niet herinneren, hoewel ze een huidlaagje ongemakkelijk gevoel achterlaten dat hij onder de douche schrobt en afwerpt.

In het vak, en voor degenen die onderzoek doen naar dossiers die voorheen geheim waren, staat hij bekend als Salamander, of S, en dat is voorlopig voldoende – voorlopig, en het maakt Samantha kwaad.

SALAMANDER: een mythisch schepsel dat vuur ongeschonden kan doorstaan; een elementair wezen dat volgens de theorie van Paracelsus in vlammen woont; enig exemplaar van verscheidene amfibieën die oppervlakkige gelijkenis vertonen met hagedissen maar geen schubben hebben en een zachte, vochtige huid bezitten en in het larvenstadium door kieuwen ademen.

Hij is al het bovenstaande, denkt Samantha terwijl ze het woordenboek dichtklapt. Ze stelt hem zich voor terwijl hij voor de badkamerspiegel staat. Hij moet zichzelf aankijken zonder met zijn ogen te knipperen, zoals reptielen dat doen.

Onopvallend, zo zacht als een slang, glijdt hij onder en rondom vele levens. Rondom Samantha's leven. Rondom dat van Lowell. Rondom dat van jou. Rondom dat van mij. We laten eindeloos gegevens achter. Hij verzamelt ze: telefoongesprekken, e-mails, vliegtickets, aankopen met creditcards, inkomens- en belastinggegevens, bezochte websites, koopgedrag, smaken en excentriciteiten. Hij heeft foto's: van banken, winkels, liften, openbare toiletten, voetgangersoversteekplaatsen, parkeerplaatsen, luchthavens.

Degenen die hij ter observatie uitkiest kent hij tot in het kleinste detail.

Hun zenuwsystemen zijn digitaal in kaart gebracht.

Wat vliegen voor kwajongens zijn, dat zijn de uitverkorenen voor Salamander.

Als hij er zin in heeft, duwt hij ze zachtjes deze kant op, of die kant op, afhankelijk van de tactiek die hij gebruikt. Hij bepaalt de regels naargelang het spel vordert.

Samantha is een van zijn subjecten. In het begin gebeurde dat onopzettelijk, maar toen raakte hij geobsedeerd door haar en zij door hem.

Zij laat gegevens achter. Hij propt zichzelf ermee vol.

Ze bestudeert de patronen waarmee hij zich volpropt, en stelt zich hem voor.

Ze stelt zich hem voor want haar eigen bestaan vereist dat. Haar eigen bestaan? Van dag tot dag voelt het voor haar als iets onzekers, zonder stabiele markeringspunten of vaste tekens. Op sommige dagen, als ze toekijkt hoe kinderen in het park spelen, kan ze de grond onder zich voelen wegzakken. Jullie hebben geen idee, wil ze tegen de kinderen zeggen. De schommels, de zandbak: het zijn allemaal illusies. Jullie hebben er geen idee van hoe onbetrouwbaar de dingen zijn, of hoe snel de lucht in vuur kan veranderen. De speelplaats loopt hellend af en slingert voor haar ogen. In de mist verschuift alles met het licht mee, alles drijft.

Op andere dagen, als ze college heeft op Georgetown University, kijkt ze tijdens een werkcollege naar haar medestudenten die rond de tafel zitten en denkt: ik leef op een andere planeet dan jullie.

Ze is negentien, heeft als hoofdvak Amerikaanse geschiedenis en staatsinrichting, maar hoe zou ze moeten beginnen haar leven te vertalen, haar innerlijke leven, om het voor haar leeftijdgenoten begrijpelijk te maken? Ze nemen veiligheid voor lief, zo weet ze, en ze weten zeker dat twee plus twee altijd vier is, maar dit zou kunnen veranderen. Zo denkt ze erover: dat we allemaal bestaan uit een breekbare streng van aangeleerde reeksen (we herkennen ons eigen gezicht in een spiegel, we kennen onze eigen naam, we kunnen zonder nadenken onze schoenen aantrekken, we weten hoe we de liefde moeten bedrijven, en we weten – ongeveer – wat we moeten doen als we acute fysieke pijn hebben), en deze stukjes die samen de puzzel van het zelf vormen worden bijeengehouden door de lijm van de herinnering. Bepaalde oplosmiddelen kunnen deze lijm ontbinden: een hersenbloeding, catastrofale gebeurtenissen. Dan worden we gedwongen aaseters van ons eigen verleden te worden, zoekend, vindend, opnieuw lerend, terwijl we het zelf opnieuw in elkaar zetten.

Samantha komt verschillende stroken licht op het spoor, nauwgezet, één voor één, en ze volgt hun stralen de nevelsluier in. Hier en daar, stukje bij beetje, kunnen gebeurtenissen gecatalogiseerd en met vlaggetjes gemarkeerd worden, en uiteindelijk hoopt ze dat ze in staat zal zijn de onbekende hoeveelheden van zichzelf opnieuw te berekenen, en ook die van Salamander, die haar gemaakt en afgebroken heeft. Ze construeert hem aan de hand van sporen die hij in de levens van anderen achterlaat. Ze stelt hem als een legpuzzel samen om te kunnen verklaren wat er in september 1987 gebeurde en hoe het gebeurde en waarom.

Ze brengt een ontsnappingsroute uit de mist in kaart.

Kijk Samantha eens: daar is ze dan, op de dag dat de wereld veranderde, op de grens tussen Vóór en Na, in vervagende kleuren op Kodakpapier. Ze is zes. Ze draagt een blauwe wollen jas met een fluwelen kraag, die nog blauwer is, en een katoenen jurk (wit, mooi gemaakt met vergeet-mij-nietjes, met een kielachtig keurslijf en pofmouwen; zichtbaar door haar open jas). Ze draagt ook witte, met kant afgezette sokjes en zwarte lakleren schoentjes. Op het bord boven haar staat PORTE 12 want deze foto is in september 1987 genomen op luchthaven Charles de Gaulle. Ze wordt omlijst door de deuropening van de boardingtunnel en draait zich om om te zwaaien. Haar linkerhand houdt stevig de hand van een jongeman vast, geen knappe man, niet bijzonder knap, maar een man wiens huid hem nauwelijks lijkt te kunnen bevatten. Zelfs op de foto verspreidt hij een aura van intensiteit. De man is haar vader, Jonathan Raleigh. Een teddybeer met één arm, ooit van Samantha maar een paar weken eerder aan haar broertje gegeven, bungelt aan haar rechterhand, en als ze zwaait gaat hij als een vlag op en neer. Ze lacht, en aan één kant heeft ze een kuiltje vlak naast haar mond. Ze voelt hoe het vuur van haar vaders hand overslaat op die van haar. In de druk van zijn vingers zitten hoge en krankzinnige noten besloten, berichten die ze ontvangt maar niet kan vertalen. Haar vader lacht en zwaait ook. Naast hem houdt een vrouw, misschien vermoeid, Matthew omhoog voor degenen die gekomen zijn om het gezin uit te zwaaien. Haar glimlach is gespannen.

'Je moeder heeft je jas voor je gemaakt,' zegt Samantha's tante tegen haar.

'O ja?'

'Ze maakte al je kleren. Zo'n soort moeder was ze.'

Zo'n soort moeder. Samantha bewaart die zin. Ze bewaart elk fragment, elke snipper informatie.

'Het keurslijfje van je jurk was met de hand gesmokt,' zegt haar tante. 'Vandaag de dag moet je naar een museum om zoiets te zien.'

'Dat jurkje heb ik nog steeds,' zegt Samantha.

'Je moeder was niet bang om ouderwets te zijn.'

Soms, 's nachts, als Samantha niet kan slapen, haalt ze het jurkje uit het tissuepapier en houdt ze het tegen haar wang, maar het behoudt zijn geheimen. 'Het is gescheurd,' zegt ze tegen haar tante. 'Er zit een scheur in het rokje.'

'Ja. Dat weet ik nog.'

'Van de zoom tot aan het smokwerk op het keurslijfje. Maar op de foto is het niet gescheurd.'

'Nee.'

'Het moet ergens achter zijn blijven haken toen ze ons in het noodluik hebben gezet.'

'Of misschien later,' zegt haar tante.

'Ik kan me niet herinneren dat het scheurde.'

'We kregen die jas niet van je af, je wilde er zelfs in slapen.'

'Maar ik moet hem hebben uitgetrokken,' zegt Samantha. 'Uiteindelijk. Mijn moeder moet me hebben overgehaald.' Ze bestudeert de vrouw op de foto – haar moeder, Rosalie Hamilton Raleigh – met een vergrootglas. Op het moment dat de foto genomen wordt is haar moeder eigenlijk niet veel meer dan een meisje, zesentwintig jaar oud. 'Hij moet in de bagageruimte aan boord hebben gezeten.' Samantha denkt zich te kunnen herinneren hoe haar vader de jas erin stopte. Soms kan ze zich dat herinneren. Het hangt er helemaal van af hoe ze zichzelf het verhaal vertelt. 'Misschien tijdens de eerste landing,' zegt ze.

'Marokko,' zegt haar tante.

'We wisten niet waar we waren.'

'Marokko. Ik zie elke landing nog zo voor me, tot aan de laatste in Irak. Op tv bleven ze maar landkaarten en vluchtroutes in beeld brengen.'

Om de een of andere reden maakt dit Samantha duizelig. De kamer helt over. Ze doet haar ogen dicht en grijpt de armleuning van de bank vast want een bochtige spiegelhal lijkt omlaag van haar weg te lopen en aan het einde kan ze bijna haar moeder met een baby in haar armen zien staan, erg klein.

'Het was verschrikkelijk,' zegt haar tante. 'Alleen maar kijken en kijken, compleet hulpeloos. Het was verschrikkelijk.'

'Ach, ja?' Samantha kan de woede niet uit haar stem houden, evenmin als iets anders, een onderdrukte opwinding die haar tante opmerkt en die Samantha niet wil opgeven. Als een terriër werkt ze in op de groeiende opwinding van haar tante. 'Was dat zo, Lou?' prikt ze. Ze zegt nooit 'tante Lou', alleen Lou. Ze kijkt naar haar tante zoals een kat kijkt: gespannen, klaar om toe te slaan.

'Sam,' zegt haar tante. Ze klinkt erg moe. 'Ik probeer geen wedstrijdje met je te doen. Het spreekt voor zich dat het aan boord van het vliegtuig veel en veel verschrikkelijker was.'

Maar het is de andere invalshoek die Samantha opwindt en stoort. Als ze dat kleine meisje in haar blauwe jas binnen de kaders van iemand anders zou kunnen zien, als ze haar zou kunnen bestuderen, zou het raadsel zichzelf dan oplossen? 'Vertel eens hoe het was om ons op tv te zien.'

Lou knijpt haar verstrengelde vingers samen en de knokkels maken zacht krakende geluiden die Samantha in haar eigen botten voelt. Lou's handen krijgen de kleur van in de zon verbrande huid. Dan tilt ze haar ellebogen op, als vleugels, en haar vingers strekken zich en trekken aan elkaar, haar handen in een touwtrekwedstrijd. Geen van beide handen laat los. Haar ellebogen hangen langs haar zijden. 'Soms, vooral tijdens de landing in Marokko, zoomde de camera erg dichtbij in,' zegt Lou met lage stem, 'en kon je een gezicht door een raam heen zien.'

'Het was ontzettend warm,' zegt Samantha. Bij de nek van haar katoenen jurkje maakt ze verschillende knoopjes los. 'Mensen vielen flauw van de hitte, dat weet ik nog.' Ze kan zich een kleine vrouw met grijs haar herinneren die aan de andere kant van het gangpad zat. 'Ik heb een kleindochter die net zo groot is als jij,' zei de vrouw met de grijze haren tegen Samantha. Dat was nog voordat er iets ongewoons gebeurd was. De vrouw droeg een zwarte jurk. Samantha kan zich herinneren dat ze later, toen het vliegtuig weer aan de grond stond, toen het steeds heter werd, naar haar toe boog en aan haar mouw trok. 'Water,' zei de vrouw, 'water, water,' hoewel ze geen enkel geluid voortbracht. Samantha hoorde de vorm van de woorden. 'Mijn beertje heeft ook dorst,' zei Samantha tegen haar, en de kleine vrouw opende haar mond en toen werd ze zacht en gleed op de vloer als een handdoek die in een zwembad valt en Samantha's moeder zei: 'uitgeput door de hitte, en Sam, als je je jas niet uitdoet', en toen deed ze hem uit, denkt ze, en misschien stopte haar vader hem in het bagagerek of misschien schopte Sam hem onder de stoel. Waar hij ook was, de jas bleef aan boord. Hij gleed niet met Sam mee het noodluik uit.

Meer dan dertien jaar later knaagt de verloren jas nog steeds aan haar dagen en nachten. Hij heeft haar opgegeten. In haar dromen kijkt ze onder haar stoel en opent ze het bagagerek, maar haar jas is weg, en een salamander glibbert eruit, met een huid als een naaktslak en de geur van een verstopte afvoerpijp. Hij heeft bloeddoorlopen ogen. Hoeveel weet je? vragen zijn ogen.

Ik weet meer dan je denkt, zegt Samantha tegen de bloeddoorlopen ogen, en wat ik nog niet weet daar kom ik nog wel achter.

'Dagenlang heb ik de tv niet uitgezet,' zegt haar tante.

'Dat hebt u me nooit eerder verteld.'

'Je wilde er nooit over praten.'

'Nu wel,' zegt Samantha. 'Vertel eens hoe het was om ons op tv te zien.'

'Ik sliep niet. Ik at voor de televisie. Maar jou zag ik nooit. Ik zag niemand van jullie; tenminste niet toen jullie aan boord zaten. Toen de kinderen eruit gelaten werden, zocht ik je als een roofvogel. Je kwam bijna als laatste naar buiten. Ik was bang dat je niet van boord zou gaan.'

'Dat wilde ik ook niet. Ze moesten me eruit duwen.'

'Toen kwam je in close-up, boven aan de glijbaan. Ik zal je ogen nooit vergeten.' Lou raakt de wang van haar nichtje aan en slaat haar armen om Sam heen en omhelst haar stevig. 'Ik was zo bang geweest,' zegt ze. 'Ik barstte in tranen uit toen ik je zag. Ik kon er niet mee ophouden.'

Samantha maakt zichzelf los en wendt zich af. 'Het was zo heet in het vliegtuig. Het was zo heet. We konden geen lucht krijgen.' Ze voelt koortsachtig aan. 'Hebt u iets kouds? IJsthee of zoiets?' Ze wappert zichzelf verkoeling toe met een van de tijdschriften van haar tante. Het papier voelt vochtig aan. 'Hebt u geen airconditioning?'

Haar tante is verbaasd. In oktober? zegt ze niet. 'Ik heb de verwarming laag staan, Sam, want het is de bedoeling dat we energie besparen, maar ik kan hem uitzetten, als je wilt. De burgemeester zal me dankbaar zijn. In Manhattan kan de stroom altijd uitvallen.'

Samantha is duizelig van de hitte, maar als Lou de thermostaat lager zet begint ze te huiveren. 'Kunt u hem weer hoger zetten?' vraagt ze. Ze kan een baby zeurderig horen huilen. 'Gaat dat niet op uw zenuwen werken?' vraagt ze. 'Komt dat van de buren?'

'Ik hoor niets,' zegt Lou.

'Het klinkt als Matthew.' Aan boord van het vliegtuig ging haar broertje maar door en door en door met huilen. Haar moeder zong zachtjes voor hem en drukte haar lippen op zijn gloeiende wangen, maar hij wilde niet stoppen. 'Hij had uitslag van de hitte,' zegt Samantha. 'Hij had zijn flesje helemaal leeggedronken en ze wilden ons geen...'

'Niet doen,' zegt haar tante. 'Samantha, doe dat alsjeblieft niet.'

Maak je geen zorgen, er komt een blinde bocht aan, had Samantha haar kunnen zeggen. Ze kan niet een van haar verhalen afmaken, ze zitten vol gaten. En wat het bindweefsel betreft: ze weet niet of ze zich de gebeurtenis zelf herinnert, of de fragmenten van nieuwsuitzendingen, of de gebeurtenissen zoals ze die nageplozen heeft in documenten die voorheen geheim waren, documenten die ze met veel ijver en list in handen gekregen heeft. Een groot deel van het verleden komt in gedrukte vorm bij haar terug, met regels en halve regels en hele alinea's die onleesbaar gemaakt zijn.

Tijdsbestek bij benadering bekend XXXXXXXXXXXX verwachte aanval op belangrijke luchthaven XXXXXXXXXX Parijs of Londen XXXXXXXXXXX XXXXXX vlucht naar New York City, Amerikaanse en joodse passagiers XXXXXXXXXXXXX XXXXXXXXXXXXX XXXXXXXXXXXXX codes gekraakt, verbindingen totstandgebracht XXXXXXXXXXXXX offensieve

operatie, codenaam Zwarte Dood, beperkte schade XXXXXXXXXXXXXXX
XXXXXXXXX Salamander heeft leiding over operatie XXXXXXXXXXXXX
XXXXXXXXXXXXXXXXXXXXXXXXXX

Daar heeft ze Salamander ontmoet. In een document. Het was obsessie op het eerste gezicht.

Maar Salamander heeft een geheim nummer.

Het nummer dat u gebeld heeft kan niet doorgeschakeld worden, aldus de opnames. Controleert u alstublieft uw informatie en probeer het opnieuw. Dit is de antwoorddienst, informeert een stem. Laat een bericht achter en wij bellen u terug. Dat is niet onze afdeling, zeggen mensen. Die persoon werkt hier niet meer. Dat gebeurde allemaal vóór onze tijd. Alle zaken die binnen het kader van de staatsveiligheid vallen bevinden zich buiten ons bereik... We hebben geen verslagen, we kunnen het niet bevestigen, die informatie kunnen we niet vrijgeven, wij zijn niet verantwoordelijk voor daden van God, terreurdaden, de daden van dubbelagenten, daden van criminele personen die werkzaam zijn voor buitenlandse overheden, oorlogsdaden. *Criminele agent*, leest ze in andere documenten, terwijl ze het spoor van Salamander volgt.

Salamander zal met Sirocco onderhandelen XXXXXX XXXXXX regelingen
voor bedragen over te maken in XXXXXXXXXXXX Sirocco gevaarlijk en
onbetrouwbaar maar bruikbaar XXXXXXXXXXXXX XXX schietgraag,
waarschuwt Salamander, maar op de manier waarop criminele agenten dat
zijn, voor Zwarte Dood kunnen we gebruiken XXXX XXXXXXX heimelijke
contacten in de paleizen en heeft bruikbare informatie over de prinsen die
zelfs XXXXXXXXXXXXXX

Soms veranderen mensen met wie Samantha praat voor haar ogen in blokletters en zwartgemaakte regels. Op andere momenten flikkeren afbeeldingen met gescheurde randen, fragmenten, zonder waarschuwing op het scherm van haar geest: kolf van machinegeweer, afgerukte arm, kind op opblaasbare glijbaan, gasmaskers (ogen als van een insect), ademsnuiten. Ze slaat koortsachtig naar ze, ze veegt ze weg, maar ze schieten weg en steken haar. De films in haar dromen zijn altijd haastig gemonteerd. Ze zijn onbegrijpelijk. Als zij en Jacob – tegen wie ze onder aan de vliegtuigglijbaan als eerste opbotste, met wie ze samenkroop op een veldbed in Duitsland – als zij en Jacob iemand vinden, als ze een nieuw aanknopingspunt op het spoor komen, behandelen ze de stukjes als scherven van een kostbare mozaïek – uit Byzantium, bijvoorbeeld, of Pompeji of Ravenna – uit een of andere verloren gegane wereld, sprookjesachtig en misschien onmogelijk te reconstrueren. Samantha zoekt fragmenten kobalt, jagend op het kind in het vergeet-mij-niet-jurkje, maar de blauwe tonen verdwijnen altijd. Zij en Jacob puzzelen gezichten in elkaar maar de randen zijn nooit scherp en ze drijven de mist in. Het werk maakt ze duizelig.

Ze bevinden zich binnen in ons, zegt Jacob tegen haar. We zouden ze kunnen vinden als we ons lang genoeg zouden concentreren. De hersenen zijn een gigantisch opsporingssysteem, benadrukt hij, een grote computer van elektronische impulsen. Alles is aanwezig, zo stelt hij haar gerust, als we de juiste zenuwuiteinden maar zouden kunnen beroeren. Hij harkt zijn vingers door zijn haar en over zijn schedel. Hij grijpt strengen krullen vast en trekt eraan alsof dat hem verlichting zal brengen. Ik heb een menigte in mijn hoofd, zegt hij.

'Ik kan het gezicht van mijn broertje niet meer reconstrueren,' zegt Sam tegen haar tante. 'Ik heb het geprobeerd. Ik kan hem in mijn armen voelen. Ik heb bepaalde soorten fysieke herinnering die behoorlijk intens zijn, maar niets visueels. Ik kan me zijn gewicht herinneren, en het geluid als hij huilde, en de koorts die van hem af kwam, en hoe zijn huid bobbelig aanvoelde als bolletjesplastic dat ze gebruiken om dingen in te verpakken, maar als ik kijk, heeft hij geen gezicht.'

Haar tante legt een foto in het album recht. 'Doe dit alsjeblieft niet, Sam.'

'Geloof me,' zegt Sam tegen haar. 'Ik probeer het einde beter te maken. Dat doen we allemaal. De migraines van Jacob worden zo erg dat zijn medicijnen niet meer helpen.'

'Wie is Jacob?'

'Jacob Levinstein. Hij hoort bij ons.'

'Hij hoort bij...?' Lou's ogen worden groot. Ze lijkt ongerust. Ze lijkt kwaad. Ze schuift van Sam weg alsof die misschien een besmettelijke ziekte heeft. 'Ik dacht dat,' zegt Lou met gespannen stem, 'dat contact... dat het de... zou verergeren...' Ze houdt het fotoalbum stevig tegen haar borst geklemd. 'Ik heb ergens gelezen,' zegt ze verwijtend, 'dat overlevenden van de *Titanic* elkaar ontweken. Journalisten hebben geprobeerd reünies te organiseren, maar de overlevenden verzetten zich. Dat kon ik goed begrijpen.'

Het ís ook goed te begrijpen, denkt Samantha, vooral voor de overlevenden, vooral voor de kinderen van Air France 64, maar het soort intense band dat haar soort deelt – fysieke nabijheid is irrelevant – is niet iets waar Samantha gauw over praat. 'We hoeven geen circusact voor de media te zijn,' zegt ze tegen haar tante. 'Maar we zoeken contact. Er is nu een website, en we vinden elkaar. Dat moeten we doen, net als oorlogsveteranen dat doen.'

'Een website.' Lou ijsbeert van raam tot raam, met het fotoalbum als een schild tegen haar borst gedrukt. 'Hier sta ik wel van te kijken, Samantha. Natuurlijk begrijp ik... als ik erover nadenk, begrijp ik hoe nodig, hoe onvermijdelijk...'

'Het is gewoon zo dat er dingen zijn die ik niet weet,' zegt Samantha verdedigend, 'en ik word...' *Je moet extreem voorzichtig zijn*, heeft Jacob gewaarschuwd, *met wat je vertelt*. 'De gaten in het verhaal houden me soms uit mijn slaap,' zegt ze. 'Dat is alles. Eigenlijk lig ik er best vaak van wakker. Ik hoopte dat u een paar gaten zou kunnen opvullen.'

Lou's hand beeft. Lou is de zus van Samantha's moeder en Sam weet alles en niets van haar.

'Samantha, voor mij...' zegt Lou, maar haar stem sterft weg.

'Mag ik de foto nog eens zien?'

'Dit is moeilijk voor me.'

Samantha trekt het fotoalbum uit de handen van haar tante.

'Het is niet wat ik verwachtte,' zegt Lou met diepe stem. 'Toen je belde. Na zo'n lange tijd.'

'Wat verwachtte u dan?'

Lou wendt zich af en maakt een wegwerpgebaar dat Sam vertaalt met: dat maakt nu niet uit. Ze verlaat de kamer zo abrupt, dat ze over het kleed struikelt en bijna de gang op valt. Sam hoort dat ze de deur in de badkamer achter zich op slot draait. Ze besluit te wachten.

Lou en Sam hebben een turbulent verleden samen. Er is nog iets complexers en explosievers dan tante en nichtje, en hoe kan het ook anders? Toen Lou Sam in Duitsland kwam afhalen van het warenhuis vol veldbedden en bange kinderen trapte Sam naar haar, alleen maar omdat ze Lou was. Ze was Sams moeder niet. Daar heeft Sam haar tante altijd aan herinnerd, in kamers van schoolhoofden en psychologen, op politiebureaus en wanneer leraren bij hen thuis kwamen. 'Lou is mijn voogd,' zei Samantha dan chagrijnig. Ze rolde erbij met haar ogen. 'Maar ze denkt dat ze mijn moeder is.' Haar tantes verdraagzaamheid is oneindig geweest. Het is alsof haar tante de etiketten van Sam als een boetedoening gedragen heeft: wegloper, getroebleerd kind, getroebleerde tiener.

Tien minuten gaan voorbij, vijftien, en dan klopt Sam op de badkamerdeur. 'Lou?' zegt ze. 'Gaat het?'

Stilte.

'Lou?'

'Ik kom zo,' zegt Lou, maar haar stem klinkt vreemd.

In de woonkamer praat ze weer op rustige toon. 'Wil je nog wat thee?'

'Ik moet het steeds opnieuw beleven,' zegt Samantha defensief.

'Dat weet ik, Sam. Terwijl ik dat juist niet probeer. Ik probeer hier in het fotoalbum te blijven, voordat het gebeurde.' De spieren in de rug en schouders van Lou staan strak. 'Gewoon verschillende manieren van verwerken.'

'U hebt meer vóór dan ik,' zegt Sam op beschuldigende toon.

Lou haalt langzaam adem. Samantha kan zien hoe ze in stilte aan het tellen is om haar opwinding onder controle te houden. 'Sam, denk je niet dat dit zinloos is? Je hebt de gouden medaille voor lijden al gewonnen – ik wil anders wel een certificaat ondertekenen – en ik kom nog niet eens in aanmerking voor de tweede plaats. Niets wat we doen zal het verleden kunnen veranderen, denk je wel?'

'Ik zou alleen graag een verleden willen hébben.'

Samantha's tante drukt haar vingertoppen tegen haar wenkbrauwen, zoals Jacob doet als zijn migraines beginnen. Ze drukt hard tegen de zijkant van haar schedel. Ze drukt de kussentjes van haar duimen tegen haar slapen.

Ze praat zo zacht dat Sam voorover moet buigen om haar te kunnen verstaan. 'Het spijt me, Sam. Ik weet niet wat ik je nog meer kan vertellen. Ik kan het niet. Ik kan je niet geven wat je nodig hebt.'

'Wil niet, bedoelt u.'

'Waar het om gaat is dat ik je zes maanden lang niet zie, ik mis je, ik ben dolblij als je belt om te zeggen dat je wilt langskomen, en dan moet ik weken herstellen van je bezoek.'

'Oké, dan kom ik niet meer op bezoek.'

'Ik denk dat dat inderdaad het beste is,' zegt Lou, en Samantha raakt een beetje in paniek.

'Goed,' zegt ze bitter. 'Dan zoek ik het ontsnappingsluik maar weer eens op.'

'Sam, Sam.'

Zelfs Sam schaamt zich voor zichzelf, hoewel ze zich inderdaad onpasselijk voelt. Ze kan het donkere niets onder het luik zien, van voordat ze het vliegtuig uitgeduwd werd. 'Het spijt me. Dat was te makkelijk. Het was niet mijn bedoeling...'

'Natuurlijk niet, natuurlijk niet. Ik zal het proberen, Sam. Wat wil je dit keer precies weten?'

'Wat deden we met z'n allen in Parijs? Dat heb ik nooit geweten.'

'Van jou mocht ik er nooit over praten.'

'Nu wel. Wat deden we daar?'

'Jij was daar omdat ik daar was,' zucht Lou. 'Officieel studeerde ik Franse schilderkunst.'

'Wij waren daar omdat u daar was. In al die jaren hebt u dat nooit verteld.'

'Jij stormt altijd naar buiten voor ik daaraan toekom.' Lou loopt naar haar boekenplanken en pakt werken over het Louvre en het Musée d'Orsay, grote boekdelen met kleurenfoto's. 'Ik was vierentwintig. Als je vierentwintig bent, denk je dat niets meer glamour heeft dan in Parijs wonen. Je denkt dat je naar de zevende hemel gaat, maar eigenlijk woon je in een of ander armetierig appartementje in het dertiende arrondissement omdat het daar goedkoop is, en je moet het delen met iemand die je niet echt mag, en je bent zo eenzaam dat je de volgende vlucht naar huis wilt nemen maar dat kan niet want je trots en je studiebeurs houden je daar.' Ze staart lang naar *Witte pioenrozen met tuinscharen* van Manet. 'Ik deelde het appartement met een Frans meisje en we konden niet zo best met elkaar opschieten. Ze was buiig en vreemd en ze haatte Amerikanen.'

'Waarom?'

'Ze zei dat ze een Amerikaanse vader had. Waarschijnlijk had ze geen hoge dunk van hem, maar hij was er niet, dus reageerde ze het op mij af.'

'En daarom voelde u zich rot.'

'Françoise was me niet bepaald tot hulp, maar het was niet haar schuld.' Met haar vingertoppen traceert Lou de tuinscharen van Manet. Alleen de zwarte bladen zijn zichtbaar; de handvatten staan buiten de lijst. 'Toen ik ging was ik depressief en ik belandde in een van die...'

'Depressief.'

'...neerwaartse spiralen...'

'Waarom was u depressief?'

Lou bestudeert Sam een tijdje zonder iets te zeggen, en haar melancholische ogen irriteren haar nichtje. 'Eigenlijk was ik weggegaan om iemand te vergeten,' zegt ze.

'O. Een gebroken hart.' Sam legt er een sardonische ondertoon in. 'Ja.'

Op de tekstpagina tegenover de pioenrozen kan Samantha lezen: *Olympia* van Manet zorgde in 1865 voor een enorm schandaal vanwege de subversieve interpretatie van het verleden en de bijna satirische echo van Titiaans...' Haar tante slaat de pagina om. *Olympia* beslaat twee pagina's, de vouw in het midden loopt dwars door de crèmekleurige dijen van de vrouw die op satijnen lakens rust. 'Als je wanhopig bent,' zegt Lou, 'doe je dingen die je...'

'Ik weet wat wanhopig is.'

'Ik neem aan van wel, Sam.' Maar Lou is verdwaald in de verlatenheid van dertien jaar geleden in Parijs.

'Wat deed u toen?' vraagt Sam.

Lou wendt zich af en drukt haar voorhoofd naast de penseelstreken van Manet, maar Samantha laat niet los. 'Wat deed u toen?' vraagt ze met meer nadruk.

'Ik bond in en belde mijn grote zus.'

Grote zus. Samantha wordt gegrepen door opwinding: een nieuwe invalshoek, een nieuw puzzelstukje, iets wat een tweedimensionaal beeld tot leven zou kunnen wekken.

'Jullie waren close.' Samantha houdt haar stem neutraal. 'Mijn moeder en u.'

'Natuurlijk. We waren ooit zo close dat niemand tussen...'

'Ooit.'

'Voordat jij kwam. Vóór ze trouwde.'

'U nam het me kwalijk.' Samantha plaatst een aanval op de ondertoon en laat niet meer los. 'U nam het mij en mijn vader kwalijk.'

'Het ligt allemaal niet zo simpel, Sam.' Lou bestudeert haar nichtje, afwegend wat ze zal vertellen. 'Ik wilde je zo graag weer zien...'

'Mij?' vraagt Samantha verbaasd.

'Ik bedoel jullie allemaal. Toen je moeder Matthew kreeg raakte ik in de war. Ik kan het niet uitleggen. Ik moest gewoon... Rosalie en jij, en de nieuwe baby, en Jonathan, voordat jullie allemaal verdw...' Lou's hand schiet naar haar mond. 'Het was zo lang geleden.'

'U wilde "verdwenen" zeggen.' Samantha houdt Lou nauwlettend in de gaten, gefixeerd. Ze gelooft niet in het lot of in toeval. Haar ervaring is dat elke draad naar de knoop leidt.

'Ik wilde zeggen: "uiteindelijk de respectabiliteit in verdwenen." Dat zou je toch niet begrijpen.'

Vanuit het niets keren woorden bij Samantha terug. Een slechte reputatie. Je zus heeft zo'n slechte reputatie.

'Had u een slechte reputatie, Lou?'

Lou kijkt haar nichtje bevreemd aan. 'Waarom zeg je dat?'

'Mijn vader zei het. Oma en opa zeiden het.'

Lou kijkt alsof Samantha haar geslagen heeft. Ze rekt haar vingers helemaal uit en bedekt *Olympia* ermee. Haar aderen lopen kriskras als draden over de ruggen van haar handen. Ze pakt het fotoalbum op en slaat de pagina's om. Ze stopt. Ze wijst een foto aan. De moeder en de tante van Sam, haar vader tussen hen in – een gelukkig trio – staan tot aan hun enkels in wit zand. Alle drie dragen ze zwemkleding. De moeder van Sam draagt een ingetogen zwempak; haar tante draagt een bikini en heeft een bloem in haar haren. Haar vader, in het midden, heeft zijn armen om beiden heen geslagen. 'De goede zus en de zus met de slechte reputatie aan het strand op Isle of Palms, South Carolina,' zegt Sams tante sardonisch. 'De zomer na mijn eindexamen van de middelbare school. Rosalie en Jonathan waren al verloofd. Kijk, op de foto draagt ze haar ring. En het was de bedoeling dat ik me klaarmaakte om in de herfst naar de College of Charleston te gaan, maar in plaats daarvan vluchtte ik naar New York.'

Ze wijst op een andere foto. Lou moet ongeveer achttien zijn, Rosalie twintig. Ze staan voor een kerk. 'Het huwelijk van iemand anders,' zegt Lou. 'Later diezelfde zomer.' Op de foto heeft Lou felrode slechtemeisjeslippen en ze draagt een jurk die haar schouders bloot laat. Haar ogen zijn met oogpotlood omlijnd. De moeder van Sam ziet er lief en verlegen uit. 'Degene met de slechte reputatie,' zegt Lou, terwijl ze haar eigen afbeelding op het hoofd tikt. 'En jij staat er ook op, hoewel niemand het nog weet, zelfs je moeder niet. Wist je dat je ouders sneller moesten trouwen dan ze van plan waren?'

Samantha doet haar ogen even dicht, om de speldenprik van kwaadaardigheid nog een keer te kunnen horen.

'Ik was er al achter,' zegt ze. 'En dus? Wat is daar zo belangrijk aan?'

'Toen was het wel belangrijk. Geloof me, in Charleston, South Carolina was zoiets heel erg belangrijk. Tenminste, in de betere families. Je grootmoeder was radeloos toen ze erachterkwam dat je moeder zwanger was. Ze werd zelfs in het ziekenhuis opgenomen met een "zenuwinzinking."'

'Is dat de reden waarom ik in New York ben geboren?'

'Ja. En daarom moest je moeder afzien van haar huwelijk in Charleston, wat je grootmoeders hart brak. Daarom zijn je ouders in Manhattan voor de wet getrouwd, en daarom zijn ze daarna meteen naar

Atlanta verhuisd, en daarom ben ik in New York gebleven.'

'Orkaan Sam, dat ben ik,' grapt Samantha, om haar verwarring te verbergen. 'Oorzaak van evacuatie op grote schaal uit Charleston' – en misschien, zo heeft ze altijd irrationeel gevreesd, van de dood van haar ouders.

'Zo was het wel ongeveer,' zegt haar tante. 'Zeker wat je ouders – je grootouders – betrof.'

Samantha bestudeert de drie mensen op de foto, haar moeder Rosalie en haar tante Lou en haar eigen onzichtbare zelf.

'Wie is dit?' vraagt ze, terwijl ze op een foto wijst waarop haar tante en een andere vrouw voor de Eiffeltoren staan. De vrouw fronst.

'Dat is Françoise. Degene met wie ik een appartement deelde.'

'Ze ziet er nogal sip uit.'

'Ik verdroeg haar omdat ik maar heel weinig huur hoefde te betalen. Zij betaalde het grootste deel, en alle vaste lasten. Natuurlijk was er ook een keerzijde. Soms kwam haar vriendje opdagen en dan moest ik ergens anders een slaapplaats zien te vinden.'

'Françoise,' zegt Samantha. 'Dat is een grappig toeval. Ene Françoise heeft net via de website contact met me opgenomen, de website van vlucht 64. Ze woont in Parijs.'

'Die naam komt daar heel veel voor.'

'Heb ik haar ontmoet? Uw huisgenoot? Hebben we uw appartement bezocht?'

'Nee, jullie logeerden in een hotel.'

'Zou ze hebben geweten – uw Françoise – dat u familieleden aan boord had?'

'Het was haar tv waar ik dagenlang voor zat, maar toen ben ik vertrokken om je in Duitsland op te halen.'

'En toen vlogen we terug naar Charleston,' zegt Sam.

'Weet je dat nog?'

Ze herinnert zich veranda's, verandaschommels, jasmijn. Ze herinnert zich vliegtuigen die elke nacht ontploften. Ze herinnert zich woedeaanvallen. Ze herinnert zich dat ze dingen naar haar grootouders en naar haar tante gooide. 'Ik herinner me dat we het niet lang in Charleston uithielden.'

'Nee.'

'En toen hadden u en oma Hamilton een gigantische ruzie, en bracht u me naar New York.'

'Ja,' zegt Lou triest.

'U had moeten weten dat het nooit zou werken,' zegt Samantha.

Ze herinnert zich dat ze jarenlang op en neer pendelde tussen haar tante Lou in New York en haar grootouders in Charleston, dat ze met iedereen ruzie maakte, altijd buiig was, altijd problemen had op school, tot haar grootouders de kostschool in Vermont betaalden, wat hun een voldoende aanzienlijk en verafgelegen instituut toescheen, en daar ontdekte Samantha Amerikaanse geschiedenis en staatsinrichting, en toen ontdekte ze wat obsessie was. Ze raakte geobsedeerd door de politieke afhandeling van vliegtuigkapingen en door het vermogen van de pers en het publiek om gebeurtenissen snel te vergeten, en door het stille wissen van voorvallen uit overheidsarchieven. Ze besloot dat ze in Washington D.C. moest zijn, en ze meldde zich aan voor Georgetown University en werd aangenomen.

Samantha houdt het vergrootglas nog een keer tegen de foto van het gezin dat aan boord van het vliegtuig gaat. 'Waarom kijkt mijn vader u zo aan?'

'Ik hield de camera vast,' zegt haar tante.

'Waarom kijkt mijn moeder mijn vader zo aan? Ze maakt zich ergens zorgen over. Waar maakt ze zich zorgen over?'

'Je moeder was nooit echt dol op reizen,' zegt haar tante.

Samantha springt op en loopt de kamer uit in de richting van Lou's keuken en kijkt in haar koelkast en rommelt erin alsof een ander mogelijk verleden ergens achter het pak melk schuilgaat. Haar hoofd bevindt zich diep binnen in de wit geëmailleerde kou. 'Als ze hem niet gesmeekt had naar Parijs te komen, zouden we nooit aan boord van die vlucht gezeten hebben,' zegt Samantha met een lage stem tegen de achterwand van de koelkast, terwijl ze de woorden uitprobeert. Ze stuiteren terug van een boterkuipje. Ze doet de deur van de koelkast dicht. Ze gaat terug naar de woonkamer en pakt het fotoalbum op en legt het neer en gaat weer terug naar de keuken. Ze loopt naar de gootsteen. Ze draait de koude kraan open, dan de warme. Ze laat ze beide voluit lopen. Ze kijkt toe hoe haar leven door de gootsteen wegstroomt.

Haar tante volgt en legt haar handen op Samantha's schouders. Plotseling wil Samantha Lou's handen erg graag de Cuisinart in duwen en het apparaat aanzetten. 'Oma Hamilton noemt u het zwarte schaap van de familie,' zegt ze in een poging een wond te openen. 'U sliep met meerdere mannen.' Het kraanwater stort wild de gootsteen in. 'Er zou zelfs een baby geweest zijn, zegt oma, als de familie de zaak niet afgehandeld had.'

Sam kan een plotselinge pijn in de ogen van Lou zien, maar niettemin rusten die ogen op het gezicht van haar nichtje, kalm en taxerend, misschien teleurgesteld. Schaamt ze zich voor me? vraagt Sam zich af. Dat maakt haar furieus.

Ze houdt haar hoofd onder de waterstroom en hoort het lot. Het buldert als de Niagara. Ze kan de mist zien, kwaadgekleurd, die over PORTE 12 hangt, tussen de camera van haar tante en zichzelf in. De camera heeft iets dat ervoor zorgt dat raketten van woede onder Sams huid door scheren. Deze woede bonst als een grote trommel in haar oren naar binnen en naar buiten en kondigt oorlog aan, maar eerlijk gezegd begrijpt ze niet echt waarom ze zo verschrikkelijk kwaad op haar tante is en het ongemakkelijke gevoel dat het onterecht is maakt haar nog kwader.

'Laat het los, Sam,' zegt Lou. 'Laat ze rusten. Laat ze in vrede rusten.'

'Dat kan ik niet,' zegt Samantha.

Ze wil de wereld foto's laten zien die niet bestaan. Kijk hiernaar, wil ze zeggen: de ogen van mijn moeder. Dit zijn de ogen van mijn moeder op het moment dat Matthew uiteindelijk helemaal ophield met huilen. En hier is nog iets, wil ze zeggen: dit zijn de ogen van de kinderen overal om me heen, iets later (dagen later, vliegvelden later, onderhandelingen, ultimatums, deadlines later) toen we samengepakt naar de televisie zaten te kijken – we zaten met een grote groep op geïmproviseerde bedden in een of andere enorme ruimte, volgens mij was het een gymzaal van een school, in elk geval was het ergens in Duitsland – veertig paar ogen, wijdopen, niet knipperend, die op één klein scherm naar het lot van hun ouders keken. Het vliegtuig, voordat het in een onderwaterzon veranderde, voordat het zich in rood en oranje koraal vertakte, leek als een vis in een blauwe nevel te zwemmen. We wisten dat men ons als piepkleine eitjes uit de buik had laten vallen, we wisten niet precies wanneer. Pauw, pauw, zei een jongetje, terwijl hij zijn vingers op het scherm richtte. Toen huilde niemand. Alle ogen waren zo droog dat ze prikten. In de kamer hing een angstwekkende stilte.

Dit is een foto, wil Samantha tegen de wereld zeggen. Dit is een foto, nooit gemaakt, die ik u graag wil laten zien: de ogen van veertig angstige kinderen terwijl ze van de rand van een afgrond af stappen.

2

Chien Bleu

Op het podium, weer terug in Washington D.C., schittert Sam van het licht en ze kijkt de duisternis in. Chien Bleu wordt somber verlicht. Dit is een kelderbar; parfum en blues en jazz en de hete geur van illegale afspraken hangen zwaar in de lucht. Chien Bleu is er voor de lagere klassen, om het zo maar te zeggen, maar de verdorvenheid is exclusief. Binnen de Washington Beltway is alle seks duur en de entreeprijs voor de Chien Bleu is hoog. De tafels staan zo dicht op elkaar dat de obers er zijdelings tussendoor moeten lopen, hun dienbladen hoog in de lucht. Stelletje voor stelletje, zelfs één voor één sijpelen de cliënten langs de portiers. Staan mag niet. In de hitte van de spotlight boven haar hoofd dept Samantha haar voorhoofd – ze heeft tissues in haar beha gestopt – maar ze voelt de make-up op haar gezicht smelten. Ze wacht tot het geluid van de saxofoon backstage aanwelt en over het geroezemoes heen spoelt en ze surft op de golf.

'Hai,' zegt ze hees, terwijl ze zich mee laat voeren op een arpeggio. Een zachte golf aandacht spoelt naar haar terug.

'Ik kan niet zingen,' zegt ze, terwijl ze de microfoon bijna met haar lippen aanraakt. 'Ik ben het pauzenummer tussen de muziek.' Ze laat dit als een aanzoek klinken, laag en sensueel.

Ze haalt een speld uit haar haar en laat hem over haar schouders vallen. Ze knoopt de manchetten van haar lange witte mouwen los. (Ze gaat gekleed als een lerares of een bibliothecaresse: keurige witte blouse met hoge kraag, een effen grijze rok die tot op haar enkels komt en eenvoudig is.) Ze geeft een korte ruk aan elke mouw, en terwijl ze van het schoudergat loskomen ontdoet ze zich van de mouwen, dan werpt ze ze het publiek in. 'Ahh,' zegt ze loom. 'Dat is beter.' Er wordt vluchtig gelachen als de mannen de zwevende mouwen proberen te vangen en dan is er een verscherpte aandacht die ze zelfs in het donker kan voelen. Ze knoopt haar blouse zeer langzaam open. Van achter het podium klinkt een riff cool jazz op als mist. 'Nee, ik zing niet,' zegt ze. 'Ik ben een *stand-up comedian.*'

Met een snelle beweging stapt ze uit de blouse en de rok. Eronder draagt ze een smerig armloos onderhemd en een grijze geruite lange onderbroek uit een bak van het Leger des Heils. 'Ik ben een zwerver,' zegt ze. 'Ik woon een paar kruispunten van het Capitool vandaan. Kent u die grenslijn waar de grondbelasting omlaag duikelt en waar er een soort transformatie is in het soort mensen dat je ziet? Iemand bood me twintig dollar als ik wilde strippen terwijl de trompettist de spuug uit zijn instrument laat lopen. "Doe er een maaltijd en een bed bij," zei ik, "en we hebben een deal." En hier ben ik dan.

Nu is de vraag,' prevelt ze in de microfoon, terwijl ze het podium af stapt en zich op de tast tussen de tafels door beweegt, 'nu is de vraag: wiens bed gaat het worden? Wie wordt de gelukkige?' Ze tikt een paar mannen op de schouder. ' Jij niet, jij niet, jij niet,' zegt ze. Aan elke tafel waar ze langsloopt wordt gelachen. 'Ik ben nogal kieskeurig,' zegt ze, 'als het gaat om de mannen met wie ik het bed in kruip. Ik ben gevoelig voor de geur van macht. Nou, het is een afrodisiacum in deze stad, of niet? Zonder kan ik niet wakker worden.'

Vanuit het kaarslicht doemen gezichten op; Samantha snuift uitgebreid en demonstratief naar ze. Soms ziet ze een van haar hoogleraren van de universiteit van Georgetown, maar niet vaak. Het is meer een stamkroeg voor congresleden, senatoren, lobbyisten, publiciteitsagenten, hoge officials van het Pentagon, de hele kliek van Pentagon Hill. 'Deze man,' zegt ze, terwijl ze hem op de schouder tikt, en plotseling draait de spotlight naar hen toe en belicht hij een bekend gezicht, 'deze man heeft meer overheidsgeheimen in zijn ondergoed verstopt dan u bijen in uw kamperfoelie hebt. Maar hier hebben we ook zo onze geheimpjes.' En het licht beweegt iets opzij om de vrouw met de kussenachtige lippen naast hem in wit licht te laten baden. Ze gaat duur gekleed – misschien is 'verpakt' een beter woord – in iets straks en zilverachtigs. 'Aluminiumfolie,' maakt Samantha bekend, terwijl ze een beetje stof tussen haar vingers verkreukt. Het metaalachtige geluid van folie klinkt door de luidsprekers. Mensen lachen. 'Gelukkig voor onze vaste klanten,' zegt Samantha, 'zijn camera's hier niet toegestaan. Anders zouden ze hun pleziertjes duur moeten betalen.' De spot blijft op de naakte schouders van de jonge vrouw rusten en volgt de split die van de zoom van haar jurk tot haar dij loopt. 'Hoe dan ook…' Samantha zorgt voor een dramatische pauze, en de spotlight keert terug naar het gezicht van de senator. 'Ik weet zeker dat hij al genoeg voor haar betaald heeft.' Veel gelach, terwijl de lamp en Samantha verdergaan.

Ze slingert tussen de tafels door, ze beweegt zich tussen donker en licht. Elke strook duisternis is immens. Ze schuift haar voet over de tegelvloer naar voren en zoekt de leegte. Hij kan zich overal splijten, met niet meer dan een seconde waarschuwing vooraf. Soms moet ze zich staande houden door een rugleuning of iemands schouder vast te grijpen. Ze denkt dat Salamander er misschien is. Hij is haar kompas en haar magnetische noordpool. Ze zal hem vinden. Ze gelooft dat ze hem aan zijn geur zal herkennen. Ze fantaseert erover dat ze Salamander pijn doet, en als hij schreeuwt zal ze hem dwingen haar naar Sirocco toe te leiden, want Sirocco heeft misschien de lont aangestoken. Maar beiden wisten ervan, beiden planden, en Sam is niet van plan de voorkennis te vergeven. 'Halloween was een week geleden,' zegt ze, 'maar hier is het altijd Halloween, of niet? Hier zit het altijd vol geestverschijningen. Een snoepje of je leven, dat is de vraag. Wie is de geestverschijning van de week?

Jij niet, jij niet, jij niet,' zegt ze, terwijl ze in het voorbijgaan op schouders tikt. 'Als in Washington de lichten uitgaan, bespelen de machtige mensen muzikale geheimen en muzikale bedden. Kent u die van die gozer van de inlichtingendienst die zijn eigen leugen fabriceerde en er toen mee naar bed ging? Hij zorgde voor de geboorte van een internationaal incident maar de CIA en de NSA zetten hem onder druk om het ter adoptie af te staan. Het incident groeide op en werd een grote oorlog en toen – want zo gaan die dingen tegenwoordig – ging het op zoek naar zijn biologische vader. Er waren bloedtests, DNA, alles. Alles wees in de richting van een hooggeplaatst figuur bij de inlichtingendienst, die alles ontkende, want hij rommelde nooit met de ligging van het land, zei hij. Bleek dat hij een dubbelagent was, dus ze maakten een driedubbelagent van hem en stuurden hem naar Pakistan en regelden dat weer een andere dubbelagent hem per ongeluk met opzet afmaakte.'

Zo gaan die dingen. Samantha houdt van de nervositeit van het gelach. Ze wordt er high van. 'Wie komt er vandaag op de erelijst?' zingt ze zachtjes. Ze houdt ervan mensen gek van verlangen te maken. De spotlight zwerft rond en pikt hier en daar gezichten uit het publiek. 'Alle zondaars samen, is dit niet gezellig?' vraagt ze. 'Allemaal in hetzelfde schuitje. Het is net als wanneer je met zijn allen in hetzelfde gekaapte vliegtuig samengepakt zit.

Weet u,' neemt ze de zaal in vertrouwen, 'ik ga alleen maar naar bed met mannen die machtig genoeg zijn om codenamen te hebben. Ik ben eens naar bed geweest met een man wiens codenaam Goliath was, maar hij was me te Filistijns. Een andere keer had ik seks met Arctic Fox, maar hij liet me koud. En dan was er nog Salamander, wauw, wat een glijer, wat een voetzoeker, komt als een raket. Ik moest hem met een tuinslang afblussen, maar het doofde zijn vlammen geen moment. Die kerel staat in brand, brand, brand, eerste neef van de woestijnwind. Hou je brandblusser bij de hand als Salamander in de buurt is want hij weet van explosies af voordat ze zich voordoen, en hij weet waar de hete sirocco waait.

Hebt u die mop gehoord over het voormalige hoofd van de CIA die een deal sloot met Bin Laden? "Kijk," zegt hij tegen Bin Laden, "het is het jaar 2000, en we weten dat je handen jeuken om iets met het millennium te doen. Je hebt wereldwijde publiciteit en sympathie nodig. Wij moeten je pakken. Geen van ons kan een zet doen, want wij zijn op de hoogte van je plannen voordat je ze uitvoert, en jij kent elke tegenzet die wij voorbereiden. We staan pat. Dus dit is ons voorstel. Wat dacht je ervan als wij een film financieren, *Getting Osama*, met een acteur die als twee druppels water op jou lijkt? In de film wordt de grot waarin je je schuilhoudt geïnfiltreerd door Bruce Willis en Harrison Ford. Jullie jongens pakken ze. Onze jongens overleven barbaarse islamitische overredingstechnieken. Eerst worden hun handen afgehakt, dan hun oren. Ze praten niet. Ze ontsnappen en blazen jouw basis en het hele leger van de Taliban op. In de film overleeft alleen jouw zoontje de explosie, en Harrison Ford geeft hem zijn pakje baseballkaarten en neemt hem mee terug naar Californië. Als je zoon Sammy Sosa om een handtekening vraagt, houdt niemand in de zaal het droog. Jouw kleine jongen wordt net zo'n icoon als Elian Gonzalez. Man, denk eens aan de slag die je slaat met je public relations. Wat de wereldopinie betreft, natuurlijk afhankelijk van politieke voorkeuren, sterf jij als een tragische held of krijg je je verdiende loon. Hoe dan ook: het geweld houdt op, de honger houdt op, het lijden houdt op, en de hele wereld houdt van jouw zoontje."

"Wat is het addertje onder het gras?" wil Bin Laden weten.

"Het addertje is, dat we op locatie in Afghanistan filmen.'"

En zo gaan die dingen, en zo gaan die dingen.

Zelfs bij kaarslicht zijn er mannen die in dictafoontjes fluisteren. Maar stand-up comedians zijn als de narren aan de hoven van middeleeuwse koningen. Ze kunnen zich bepaalde vrijheden permitteren. Ze komen met een moord weg, bij wijze van spreken. Ze kunnen de machtigen voor gek zetten, en de machtigen beminnen hen erom. De machtigen dingen naar hun hand. Ze doen aanbiedingen en bieden bekoringen. Ze zijn op zoek naar gelegenheden om een fotografisch dossier aan te leggen voor het geval chantage in de toekomst nodig mocht zijn.

'Lieve schat,' zegt een zilverharige man, terwijl hij Samantha's dij streelt. 'Wat heb je toch een heerlijk duivelse geest. Mag ik je wat te drinken aanbieden?'

(Kom je in mijn salon? zegt de spin tegen de vlieg.
Achter me heb ik een microfoon en een verborgen camera-oog.)

'U mag alles voor me kopen wat u maar wilt,' prevelt Samantha, terwijl ze hem smachtend aankijkt en bij hem op schoot gaat zitten.

'Pardon,' zegt een of andere boerenlul die tegen haar opbotst. Ze wordt kletsnat van ijsklontjes en whisky, en de dronken kluns grijpt haar pols vast.

'Sam,' zegt hij, laag en intens, 'heb je je verstand verloren?'

'Jacob,' prevelt ze, haar lippen tegen zijn oor, 'bemoei je godver-domme met je eigen zaken.'

'Daar ben ik mee bezig,' fluistert hij.

'Je bent bezig wéken voorbereiding te verknallen.'

'Ik ben bezig je leven te redden. Ik zie je over een kwartier buiten op straat. Ik heb geen zin in wachten.'

Samantha schudt ongelovig haar hoofd. 'Kunt u dit geloven?' zegt ze tegen het zilverharige heerschap, terwijl ze whisky van haar zwer-vershemd veegt. 'Ik ben kletsnat. Ik moet me even omkleden.'

3

Feniks één, Feniks twee

'Je zeilt veel te hoog aan de wind, Sam. Het is stom en gevaarlijk wat je doet.'

'Hoort bij de fall-out, of niet? We zijn allemaal verslaafd aan het risico.'

'Is dat zo?' Jacob zet kartonnen onderzetters op een rijtje, aan zijn linkerkant drie ronde, aan zijn rechterkant twee diamantvormige. Hij verplaatst een ronde van zijn linker- naar zijn rechterkant en legt hem tussen de twee diamanten in. Hij fronst, terwijl hij over de vergelijking nadenkt, en legt hem weer terug. De kroeg waarin ze zitten is klein en zwak verlicht, wat hun goed van pas komt. Ironisch genoeg lijken ze kleine ruimtes nodig te hebben.

'Het is algemeen bekend,' zegt Samantha spottend. Ze doet haar uiterste best om spottend te doen als ze met Jacob is, om zichzelf ervan te weerhouden in hem te glijden. Soms passen hun randen zo exact op elkaar dat een ober ze maar één drankje komt brengen. Voedingsfusie, noemt Jacob dat. Nee; egoverwarring, houdt Sam vol. In hun groep staan ze bekend als Feniks Eén en Feniks Twee – soms voor bepaalde soorten communicatie, soms in het kader van een geheim zwart grapje – maar ze zijn als een Siamese tweeling uit dezelfde houtskoolgroeve gekomen, twee geroosterde erwten in een dop. Hun groep is klein en exclusief. De leden noemen zichzelf de Feniksclub, en ze onderhouden het contact meestal via internet.

'Verslavingen aan risico komen bij ons soort veel voor,' zegt Samantha. 'Bij alle overlevenden. Overlevenden van aardbevingen, verkrachtingen, wat dan ook. In boekhandels hebben ze nu een speciale sectie: overlevingsliteratuur. Overal artikelen. Je hebt er vast wel een paar gelezen.'

'Niets voor mij.'

'Nou, ik zeg het je, of je het nu wilt weten of niet, verslaving aan risico is een onderdeel van het syndroom. Er is statistisch bewijs, er zijn conferenties, papers, gerechtelijke acties, God mag weten wat. Het is interessant om over de redenen te speculeren, vind je niet? En als je wilt weten waarom ik zo zit te ratelen: het is omdat die afkeurende blik van je me van streek maakt.'

'Sommige risico's mág je niet nemen.'

'Waarom niet?'

'Omdat ze ons allemaal in gevaar brengen, daarom.'

'We lopen allemaal toch al voortdurend gevaar. Hebben we dat niet allang geaccepteerd?'

'Daarom hebben we ook iets afgesproken.'

'Juist,' snauwt Samantha. 'We hebben afgesproken dat we het allemaal op onze eigen manier zouden rooien en dat we niet over elkaar zouden zitten te oordelen. Ik oordeel niet, jij oordeelt niet, hij oordeelt niet, wij oordelen niet...'

'Maar we passen op elkaar. Dat is onderdeel van de afspraak.' Hij raakt Samantha's wang aan. 'Je bent manisch,' zegt hij ongemakkelijk. 'Wat gebruik je? Waar ben je aan verslaafd?'

'Aan iets bereiken. Aan het spoor dat tot leven komt. Aan het vastpinnen van antwoorden.'

'Sam, Sam, er zijn geen antwoorden. Tenminste geen antwoorden die er ook maar in de verste verte toe doen.'

'Het is ongelofelijk wat ik van mijn familie te weten kom. Het is ongelofelijk wat er via de website binnenkomt.'

'Je bent jezelf aan het opbranden.'

'Ik sta in vuur en vlam,' erkent ze. 'maar ik leer genoeg. Ik doe dit voor de toekomst. Ik doe dit voor het historische archief. En niet te vergeten voor mijn scriptie voor Amerikaanse geschiedenis. Het is als een landkaart die steeds scherper in beeld komt.'

'De Feniksclub is tot daaraan toe. We hebben elkaar nodig. Het helpt, contact houden, we hebben er allemaal baat bij. Maar jij gooit het vangnet te breed uit. Je trekt een gevaarlijk soort aandacht.'

'Ik móét ook vuur aantrekken. Ik weet precies wat ik doe en ik ben voorzichtig.'

'Je bent roekeloos.' Hij knijpt zijn handen samen. Hij leunt over de tafel naar voren, zijn onderarmen over de opstelling van onderzetters. Hij ziet eruit als een gokker die een rij kaarten beschermt. 'We hebben elkaar nodig om te overleven, Sam. We hebben elkaar te veel nodig. Als jou iets zou overkomen...'

'Dat gebeurt niet.'

'Als het toch...'

'Wat kan iemand overkomen die het niet uitmaakt wat er gebeurt?'

'Hou maar op.'

'We zijn immuun voor gevaar, Jacob, anders zouden we hier niet zijn. Een feniks kun je niet uitschakelen.'

'Helaas wel.' Hij trekt aan zijn vingers en de knokkels maken een onheilspellend geluid. Hij ziet er nog zwaarder geteisterd uit dan normaal. 'Ik ben gisteren bij Cassie geweest.'

'Ah,' zegt Samantha ongemakkelijk. 'Hoe gaat het met haar?'

'Het wordt erger, denk ik.'

'Dus daar heeft dit allemaal mee te maken.'

'Niet alleen.'

Jacob knippert, langzaam en zwaar. Hij doet Samantha aan een uil denken en die gedachte zorgt voor een nerveuze tic in haar hand. Haar duim doet op eigen houtje een serie gymnastiekoefeningen. 'Je had die blik in je ogen,' zegt ze, 'toen het nieuws bekend werd...'

'Waarom fluister je? Ik kan je niet verstaan.'

'Je zat tegenover me op het veldbed. In Duitsland. Toen we het vliegtuig zagen opstijgen. Zo keek je.'

'Hou op, Sam.'

Ze was niet van plan geweest om erover te beginnen, maar alle wegen leiden terug naar de landingsstrook op het tv-scherm.

In zijn handen draait Jacob een onderzetter in het rond.

De veldbedden en de dekens ruiken muf, vindt Samantha. Ze moeten uit een of ander magazijn in een vochtige kelder gehaald zijn. Dat moet in grote haast gebeurd zijn. Naast Samantha zit een jongen op de punt van een deken te zuigen, en tegenover haar zit een jongen – hangende oogleden – met het schroefdeksel van een glazen pot te spelen. Samantha weet nog niet dat hij Jacob heet. Hij draait het deksel in het rond. *We onderbreken deze uitzending voor een nieuwsbulletin…*

Samantha trekt de onderzetter ruw uit Jacobs handen. 'Je maakt me nerveus.'

'Je zou ook nerveus moeten zijn. Je trekt het vuur aan, Sam. Weet je wat er gaat gebeuren? Iemand wordt zenuwachtig en beperkt de toegang tot de documenten weer, maar dat zal niet het ergste zijn.'

'Wat zal dan het ergste zijn?'

'Steeds meer van ons zullen ongelukken krijgen.'

'Meer? Wat bedoel je?'

'Richt jij je nou maar op Georgetown, op afstuderen,' zegt hij. 'Hou op met dat gekke bijbeunen van je. En als stand-up comedian ben je niet grappig.'

'Studenten moeten bijbeunen om te kunnen overleven, en dit verdient beter dan de horeca. Wat bedoelde je met méér?'

'Meer dode feniksen. Chien Bleu is geen goede manier om het aan te pakken. Ik heb er een slecht voorgevoel over.' Hij draait zich om om de ober te wenken. Als hij zich omdraait schuift zijn mouw omhoog over zijn arm. De manchetten zijn niet dichtgeknoopt maar teruggeslagen, bleek blauw katoen tegen zijn lichtgebruinde huid, en de sporen op zijn onderarm lijken wel voetafdrukken van het beest, denkt Sam.

'O, Jacob.' In blinde paniek grijpt ze zijn pols. 'Waar ben je mee bezig?'

'Het is niet gevaarlijker dan waar jij mee bezig bent,' zegt hij. Hij trekt zijn pols terug en knoopt zijn manchetten dicht. 'En veel minder dom.'

'Hoe kun je dat nu zeggen?' Als ze haar ogen dichtdoet, voelt ze de leegte onder de tafel. Haar evenwicht verdwijnt. 'Je hebt gelijk,' zegt ze. 'We zijn niet veilig.'

Jacob leunt voorover en neemt haar beide handen in de zijne. 'Kijk me aan, Sam.'

'Wat schiet ik daarmee op als je helemaal onder de naaldensporen zit?'

'Dus overheden doen dubieuze dingen wanneer de staatsveiligheid in gevaar is. Ze maken fouten. Staat iemand daarvan te kijken?'

'O, vergeef me. Ik dacht dat verantwoording afleggen voor dubieuze praktijken, zelfs in oorlogstijd, een van de pijlers van onze democratie was. Ik dacht dat ik dat op de middelbare school geleerd had. Wat doe ik toch weer raar. Ik dacht dat een geheime dienst die aan niemand verantwoording hoeft af te leggen bij nazi-Duitsland en het kwade sovjetrijk hoorde.'

'O, in godsnaam, kom van je preekstoel af,' zegt Jacob. 'Overheden maken fouten en ze verdoezelen ze en ze houden er niet van als ze aan het daglicht komen. We maken meer kans om het te halen als we daar eens van uitgaan.'

'O, goed,' zegt Samantha bitter. 'Ik zie dat dat beginpunt echt wonderen voor je doet.'

'Het is een slechte week geweest,' geeft hij toe. 'En hij zal nog slechter worden als je jezelf niet afremt.'

'Dat heb je al eerder gezegd. Je zei dat steeds meer van ons ongelukken zullen krijgen. Wat bedoelde je met meer van ons?'

'We zijn weer iemand kwijt.'

Ze staart hem aan.

'Nog een feniks. We zijn hem in augustus kwijtgeraakt, maar ik heb het net pas gehoord.'

'Wacht,' zegt Samantha. Het is niet dat ze niet aan slecht nieuws gewend zijn, maar de nodige voorbereidingen moeten getroffen worden. 'Wacht. Ik moet – ik zal gewoon...'

Ze gaat naar de wc en doet de deur op slot. Haar handen trillen. Ze begint van honderd terug te tellen. Ze telt terug door rituele lagen, dwars door het Cenozoïcum en het Mesozoïcum en het Paleozoïcum en het Precambrium. Onder het Precambrium bevindt zich de tijd voordat het vliegtuig in een vuurbal verdween, en er is daar een ruimte, een ruimte die Samantha met haar gedachten kan betreden als ze maar ver genoeg terugtelt. In die ruimte leeft iedereen nog. Ze stelt zich hem voor met kandelaars en een dansvloer. Haar moeder draagt een strapless jurk van bleke blauwe zijde, haar vader kust haar moeder in haar hals. De dansers bewegen in slow motion, de toekomst werpt geen enkele schaduw over het tafereel, en er is muziek. Samantha kan het binnenhengelen als een lint van de viool van Jacobs vader, Avi Levinstein, die met zijn hele lichaam speelt; en 'Jacob,' zegt hij, terwijl hij zich over zijn instrument en zijn strijkstok buigt, 'Jacob, ik ben zo blij dat jij en Samantha... En Samantha,' zegt hij, 'het is me een groot genoegen je voor te stellen aan een paar van onze vrienden aan boord van dit vliegtuig,' en de inventarislijst rolt zichzelf af, een goudbebladerde lijst van de begaafde, flamboyante en intense mensen, de cellist Izak Goldberg en zijn vrouw Victoria belcanto sopraan, en Cassie, hun dochter; Yasmina Shankara, de filmster uit Bombay, en Agit, haar zoon; enzovoort enzovoort, tot Samantha zich tot Jacob wendt en zegt: 'Kent je vader iederéén?' en ze bekijkt de patronen die mensen maken met de wendingen van hun levens, terwijl ze elkaar zachtjes aanraken als ze elkaar passeren, soms weten ze het, soms niet. Ze kan iedereen zien die aan boord van het vliegtuig zat. Zo houdt ze hen in gedachten.

Als ze bij de tafel terugkomt zit Jacob met zijn hoofd omlaag. Zijn haar raakt een mosterdglaasje. 'Hé,' zegt Samantha. 'Slaap je?'

'We zijn Agit kwijt.'

Samantha beweegt zich niet.

'Agit Shankara,' zegt hij. 'We zijn hem op acht augustus kwijtgeraakt, precies één maand voor de verjaring van de kaping.'

'Nee.' Plotseling heeft Samantha een herinnering van zichzelf en Agit toen ze in Duitsland op een veldbed tegen elkaar aan zaten. Ze zaten tot aan de nieuwsonderbreking kindercartoons te kijken. Ze moesten een deken delen, en Agit had één hoek in zijn mond gepropt, hoewel zijn zachte snikjes er nog steeds doorheen lekten. *We onderbreken dit programma voor het laatste nieuwsbulletin...* Toen ze het vliegtuig zagen werd Agit stil. Hij nam de deken uit zijn mond en veegde zijn neus ermee af en stopte hem toen terug in zijn mond. Samantha sloeg hem. 'Dat is vies,' zei ze tegen hem.

'Agit vestigde de aandacht op zichzelf,' zegt Jacob.

'Hoe?'

'Hij publiceerde een boek met korte verhalen. Niet hier. In India. Maar toch.'

'Verhalen?'

'Een bundel met als titel: *Vlucht in het duister*.'

'Niemand in overheidskringen of bij de inlichtingendiensten besteedt ook maar enige aandacht aan fictie.'

'Het is in juni gepubliceerd. In juli stuurde hij me een exemplaar en sindsdien heb ik niks meer van hem gehoord. Hij beantwoordde geen e-mails meer.'

'Is dat alles?' vraagt Samantha, euforisch van opluchting. 'Hij heeft zich teruggetrokken. Dat heb ik gedaan, jij hebt het gedaan. Dat stelt niets voor.'

'Het is niet niets. Ik ben erachter wat er gebeurd is.'

'Ik wil het niet weten.'

'Ik ga het je ook niet vertellen.'

'Hoe ben je erachter gekomen?'

'Online, uit de *Indian Express*. Niet meer dan een opvulartikeltje. Ik heb uren zitten scrollen voordat ik het vond. Zoon van mooie voormalige filmicoon Yasmina Shankara, die omkwam bij de tragische kaping, enzovoort.'

'Dan zijn we nu met z'n zessen.' Samantha slaat haar armen om zich heen. Ze heeft het koud.

'Dit raakt ons,' zegt Jacob.

'Ja. Wat is er met hem gebeurd?'

'Dat wil je niet weten.'

'Ik weet dat ik dat niet wil. Maar vertel het me.' Samantha leunt over de tafel en grijpt de revers van Jacobs jasje beet. Zijn jasje is versleten aan de randen. Hij ziet er slordig uit, Jacob. Hij is assistent-hoogleraar wiskunde en ziet er ook zo uit. Bij wiskunde, zegt hij, kunnen onbekende kwantiteiten berekend worden. Antwoorden zijn moreel neutraal en kunnen vastgepind worden. Kans kan voorspeld worden en per fractie uitgedrukt worden.

'Vertel me wat er met Agit is gebeurd,' dringt Samantha aan.

'Volgens de krant is hij voor een trein gesprongen. Honderden mensen hebben hem gezien. Op het centraal station van Bombay.'

'Gesprongen? Of werd hij geduwd?'

'Dat is de vraag, nietwaar?'

Ze weten niet welk einde ze liever zouden hebben. Wat voor soort operatie, zo vragen ze zich af, gaat zoveel jaren na het voorval nog door met het uit de weg ruimen van overlevenden en getuigen? Ze houden elkaar vast, Jacob en Samantha.

'Je rilt,' fluistert ze.

'Ik heb het koud.'

'Maar je gloeit,' zegt ze. 'Je hebt koorts.'

'Kom met me mee naar huis.'

'Goed.'

In het appartement van Jacob liggen ze lang naar het plafond te staren, zij aan zij. Jacob heeft het zwart geverfd, en er de sterrenkaart van de noordelijke septemberhemel aan toegevoegd in fosforescerend wit en volkomen accuraat. 'Door mijn raam kon ik Polaris zien,' zegt hij. 'Tijdens die eerste landing.'

'Marokko.'

'Kwam Egypte niet eerst? Toen Marokko.'

'Het was Marokko. Volgens mijn tante.'

'Waar dan ook. Ik kon Polaris de hele tijd zien. En ik wist dat alles verder zou gaan. Want Polaris was er toen Jericho viel, en toen Troje viel, en toen Rome viel, en toen Hitler viel. Ik wist dat alles verder zou gaan.'

'En hier zijn we dan,' zegt Samantha. 'Aan het verdergaan. Twee feniksen.'

'De willekeurig uitverkorenen,' zegt hij.

'Maar nog altijd de uitverkorenen.'

'Behalve dat het niets betekent. En als het dat doet, dan zullen we nooit weten wat het betekent.'

'Dit betekent iets,' zegt Samantha, terwijl ze zich naar hem toe draait, en ze bijten en kreunen, uitgehongerd, en dan slapen ze. Ze dromen.

'Ik droom iedereen,' zegt ze tegen Jacob. 'Ik ken ze nu zo goed, dat ik hun dromen droom.'

4

Feniks drie

Het verlaten botenhuis waar de plaatselijke leden van de Feniksclub samenkomen is spaarzaam ingericht. Samantha en Jacob vinden het prachtig. Soms zitten ze in de roeiboot en soms klimmen ze de ladder op en zitten ze op de verweerde planken van de vliering waar de meeuwen nestelen. De meeuwen vliegen weg, Chesapeake over, verontwaardigd krijsend en met veel kabaal van hun vleugels. In patrouilles van twee vliegen ze in rondjes langs de gevel en de open A van de daklijn waar de windas voor de boten zich vroeger bevond. Ze slaken verwensingen. Met hun zwarte kraaloogjes kijken ze Jacob en Samantha en Cassie aan, maar de leden van de Feniksclub zijn eraan gewend dat ze in de gaten gehouden worden. Ze weten hoe ze onder surveillance moeten leven en hoe ze eronderuit moeten komen. Ze gaan op de rottende balen visnet zitten. Aan de dakspanten hangen touwen en houten drijvers en een anker. Overal liggen achtergelaten roeiriemen, zacht als zeepsteen, heerlijk om aan te raken, overdekt met een patroon van houtnerven.

Cassie gespt zichzelf in een van de reddingsvesten, hoewel die allemaal beschimmeld en gescheurd zijn en er drijfmiddel uit de naden steekt. Het vest van Cassie is Day-Glo oranje, nu verbleekt, en bedekt met een rasterwerk van zout dat naar afgewende scheepsrampen ruikt. Cassie vindt de geur geruststellend. Met z'n drieën luieren ze daar, tussen de visnetten, en ze luisteren naar het water dat beneden zachtjes tegen de bakens klotst. Soms zitten ze uren zo zonder een woord te zeggen. Niemand stoort ze, want dit is het impopulaire gedeelte van de baai, een onstabiel landschap van zoutmoeras en moddervlaktes dat zelfs door de meeste vissers gemeden wordt.

Ze hebben de plek uitgekozen omdat hij afgelegen ligt, maar ook omdat ze van afgesloten ruimtes houden. Ze hebben het water graag in de buurt. Hier zou vuur hen kunnen raken, maar ze zouden het over de zoutvlakte horen aankomen en de nodige voorbereidingen kunnen treffen. Indringers zouden hen kunnen bereiken, maar de meeuwen zouden hen aankondigen, en dan zouden ze zich de boot in laten zakken en wegglijden, geluidloos, door de lange bruine stoppels van het moeras, een labyrint waarin weinigen de weg weten. Varen is gevaarlijk voor degenen die de getijden en stormvloeden niet kennen. De nauwe kanalen veranderen elk uur van vorm en richting. Hier zijn de leden van de Feniksclub veilig. Cassie weet dat intuïtief. Jacob heeft het botenhuis gevonden, en van tijd tot tijd nemen ze Cassie mee want het is afgezien van haar kamer in de psychiatrische inrichting de enige plek waar ze rustig is. In elkaar gedoken kunnen ze op de vliering hun ogen sluiten en zich in de staat begeven die ze Vóór noemen.

'Als Papa de boot heeft...' zegt Cassie. De anderen draaien zich naar haar toe en wachten, maar normaal gesproken maakt ze haar zinnen in zichzelf af, of misschien vergeet ze waar ze heen gingen.

'Cass?' Samantha souffleert, maar ze is ver van hen verwijderd; ze gaat helemaal op in de moerasvogels.

'Volgens mij hadden haar ouders ergens een huisje aan de baai,' zegt Jacob. 'Ze ging hier altijd in de zomer naartoe.'

'Hoe weet je dat?'

'Ik weet nog dat ik eens op bezoek was, toen ik klein was. Ik weet niet meer waar, natuurlijk, maar de agent van mijn vader vertelde me dat het ergens in de buurt van de baai was. Hij was ook de agent van de ouders van Cassie, voor het strijkkwartet en voor de concerten van haar moeder.'

Opeens zegt Cassie: 'Mijn moeder heeft een prachtige stem.'

Jacob leunt voorover om Cassies hand vast te pakken en hij houdt hem tussen zijn eigen handen vast en streelt haar arm. 'Ja,' zegt hij. 'Jouw moeder had inderdaad een heerlijke stem. Een buitengewone stem.' Hij heeft opnamen waarop de moeder van Cass Renaissanceen troubadoursliederen zingt, door de vader van Cass begeleid op cello, en door zijn eigen vader op viool. Hij heeft krantenknipsels. Hij heeft de herinneringen van familieleden en vrienden van de familie. En toch komen zijn ogen tot leven – Samantha ziet het – want er is een kans, klein, onvoorspelbaar, dat hij een nieuwe scherf voor de mozaïek kan oppikken. Cass is zevenentwintig: drie jaar ouder dan Jacob, die vijf jaar ouder is dan Sam. Cassie herinnert zich – als het niet allemaal in de mist schuilgaat – meer van Vóór.

Maar de herinnering van Cass komt in enkelvoudige dunne lichtstralen die een of twee seconden een beeld aanraken en zichzelf dan uitdoven. Ze kijkt toe hoe Jacob met een air van abstracte nieuwsgierigheid haar arm streelt. Ze begint te neuriën, een geluid dat laag vanuit haar keel komt en aanzwelt, hoewel de melodie een trieste mineurtoon heeft. Samantha herkent het lied van een van de opnamen van Jacob. Jacob knippert op zijn eigen uilachtige manier, met zware oogleden. Hij begint in harmonie met Cass mee te neuriën. Samantha doet haar ogen dicht en laat het duet om zich heen drijven, en Victoria en Izak Goldberg en Avi Levinstein – ze kent hen van foto's en nieuwsuitzendingen en van de hoes van een oude langspeelplaat – rijzen eruit op, als geesten.

Als het neuriën ophoudt volgt er een lange lange stilte, en dan zegt Jacob: 'Ze maakten zulke goede muziek samen.' Maar zijn stem is onvast. Als het aankomt op het verbinden van de ene kraal uit het verleden met de andere, is hij net zo schichtig als Cass.

Cass zegt: 'Papa zei: doe de cello geen pijn, maar de man met het masker sloeg hem kapot met zijn... hoe noem jij dat, Jacob?'

'Kalasjnikov.'

'Kalasjnikov. Wat een grappig woord.' Cass begint met een hoge noot te weeklagen en voor- en achterover te wiegen.

'O, shit,' mompelt Samantha. 'Hoe komt dit opeens?' Ze kan zich het kapotslaan van de cello herinneren. Ze weet nog in slow motion hoe het gebeurde, hoe hij als een vlieger leek te zweven voordat hij op de landingsbaan viel, en toen schreeuwde Cassie en spreidde ze haar armen en vloog ze erachteraan, en ze schoot met haar hoofd naar voren langs de glijbaan omlaag.

'Cass,' zegt Jacob. Hij streelt haar haren. 'Het spijt me zo, Cass.'

'Ik heb foto's gezien,' zegt Cass. 'Toen we in Parijs waren. Je vader had geen kleren aan, Jacob. En Lowells moeder had geen kleren aan. De man met de foto's zei tegen papa dat hij een detective was en hij zou papa geld geven als papa hem dingen kon vertellen. Maar papa verscheurde de foto's en de man zei: "Daar krijgt u spijt van."'

Samantha staart Jacob aan. 'Waar gaat dat over?' wil ze weten.

'Mijn moeder zat niet in dat vliegtuig,' zegt Jacob kortaf. 'Mijn vader was met een andere vrouw.'

'Waarom heb je me dat nooit verteld?'

'Waarom zou ik? Ik probeer het te vergeten.' Het ergste waar hij mee moet leven, denkt hij, is dat zijn vader verliefd was en dat het hem kwaad maakte. Hij was kwaad om het geluk van zijn vader. Hij voelde zich buitengesloten. 'Ik was van streek. Nadat we waren opgestegen wilde ik niet naast hem zitten.'

'Lowells moeder,' herhaalt Sam verbluft. 'Wilde je niet bij je vader en Lowells moeder zitten?'

Jacob begint met zijn vingers zijn schedel te kammen, een tic die Samantha herkent: het eerste teken dat een van zijn migraines op komst is.

'Je vader en de moeder van Lowell,' zegt Cass. 'Op een foto. Zonder kleren aan. Papa verscheurde hem maar ik zag hem.'

'Cass,' zegt Samantha teder. 'Ken je Lowell? Hoe ken je Lowell?' Maar de geest van Cass is bij de vogels in het moeras.

'Ze heette Isabella Hawthorne,' zegt Jacob. 'Ik weet dat ze een man en een zoon achterliet. Verder weet ik niets van haar en dat heb ik ook nooit gewild.'

Samantha voelt hitte opkomen, ze voelt de laag trillende bromtoon van nieuwe gegevens die vanuit nieuwe richtingen binnenkomen, wat betekent dat nieuwe curven op de grafiek ingetekend kunnen worden. 'Dit is zo raar,' zegt ze. Ze kent de passagierslijst van de vliegtuigmaatschappij uit haar hoofd: *Isabella Hawthorne. Familie: Lowell Hawthorne, zoon.* 'Het is raar, omdat ik de zoon een paar weken geleden opgespoord heb. Ik heb Lowell Hawthorne opgespoord, maar hij belt niet terug.'

Jacob staart haar aan. 'Hou je erbuiten, Sam.' In een verwoed tempo begint hij de voorkant van zijn schedel te masseren. 'O, God,' kreunt hij. 'Heb je iets dat ik om mijn... Ik moet het licht tegenhouden.' Hij beweegt zijn hoofd tegen een van de balken heen en weer.

'Misschien helpt dit.' Ze trekt het linnen jasje dat ze draagt uit en vouwt het op, eenmaal, tweemaal, een dik verband. Ze legt het over Jacobs ogen heen en knoopt het met de mouwen achter zijn hoofd vast. 'Helpt dat?'

'Mmm,' kreunt hij. 'Dank je. Kun jij rijden?'

'Ja, natuurlijk,' zegt ze. 'Jacob? Denk je dat het zou helpen als je Lowell Hawthorne zou ontmoeten?'

Hij trekt het jasje van zijn ogen en staart haar gekweld aan; zijn linkeroog is bloeddoorlopen. 'Nee,' zegt hij. 'Ik denk niet dat dat zou helpen. De repercussies van wat je doet maken me doodsbang, Sam.' Kreunend dekt hij zijn ogen weer toe. 'Je kunt net zo goed een mededeling op internet zetten: ik ga achter geheime documenten aan. Ik ga keten. Kom me maar halen.'

'Maar ze kunnen ons dingen vertellen, alle familieleden kunnen dat. Er zijn dingen waarvan ze niet weten dat ze ze weten.'

'Ik weet al meer dan ik wil weten. Ik verga van de pijn, Sam.'

'Het is onverwerkt verdriet, en dat weet je. Luister even naar me, Jacob. Het is vreemd hoeveel verbanden en kruisverbanden er tussen de passagiers bestonden, en tussen de families van de passagiers. Het spot met de statistiek. Het moet iets betekenen.'

'Ik wil niet weten wat het betekent,' zegt Jacob. 'Sam, Sam.' Gekweld beweegt hij zijn hoofd heen en weer. 'Ik heb mijn medicijnen nodig. Ik smeek het je.'

'Sorry,' zegt ze. 'O, God, sorry. Laat me eerst Cass even omlaag helpen, en dan gaan we.'

5

Lowell

Zelfs voordat Lowell iets zegt heeft Samantha een voorgevoel dat het telefoongesprek gewichtig zal zijn, maar dat is omdat ze al in een staat van koortsachtige en verhoogde paraatheid verkeert. Als mensen praten hoort ze de onder- en boventonen. Ze stelt zich voor dat een aura van elektromagnetische voelsprieten onzichtbaar uit haar huid steekt en als engelenhaar om haar heen golft, als het voedingssysteem van bepaalde zeedieren op tropische riffen: terwijl het water door hun onzichtbare zijden filtermazen stroomt, blijft alles achter wat ze nodig heeft. Informatie valt naar haar toe. Het blijft kleven.

'Samantha?' zegt Lowell, en ze herkent zijn stem meteen. Ze heeft hem vaak genoeg op zijn antwoordapparaat gehoord. Ze heeft toekomstige gesprekken tussen hen uitgeschreven.

Een lawine begint met een kiezelsteen. Samantha ziet het willekeurige zoeklicht van Cassies helderheid als puin dat aan het rollen gebracht wordt, als losse massa's die verspreid liggende gegevens in hun kielzog meeslepen. Ze winnen aan dichtheid en snelheid. Clusters detail rollen over elkaar heen en blijven aan elkaar kleven. Ze genereren kracht en de kracht wordt intenser. Ongelijksoortige stukken informatie krijgen samenhang, verbindingen winnen aan kracht, nieuwe feiten worden blootgelegd. Samantha heeft een voorgevoel dat de kritische massa bereikt is, dat het accumuleren van gegevens geïsoleerde circuits aangesloten heeft, dat elektriciteitsgolven rond het uitgebreide raamwerk en de verbindingslijnen van haar onderzoek sissen, vonken die over kloven heen springen, ontbrekende informatie die het zwarte gat van haar intense verlangen om te weten ingezogen wordt.

'Eh... met Lowell,' zegt hij.

Samantha houdt haar adem in.

'Dit is niet makkelijk,' zegt hij.

'Ik weet het.' Ze kan nauwelijks praten, en een innerlijk catechismus waarschuwt: niet ademhalen. Maak hem niet bang. 'Voor niemand van ons. Het is alsof je aan een korst op een wond peutert.'

'Ja,' zegt hij. 'Ja, zo is het.' Zo is het precies, denkt hij. Zo gauw hij aan de kaping begint te denken begint het opnieuw te bloeden.

Het is merkwaardig hoe een stilte aan twee mensen kan zuigen en hoe hij tussen hen in kan vibreren en hoeveel informatie verstuurd en ontvangen kan worden, alleen maar door het geluid van lucht die longen in en uit gaat. En omdat ze met zijn tweeën al iets samen begrijpen – dat het ding zelf, het opgeblazen vliegtuig, de verschrikkelijke doden – alle verstand te boven gaat en niet met taal uit te drukken is, voelen ze zich niet ongemakkelijk in de aanhoudende stilte.

Samantha wacht.

'In mijn geval,' zegt Lowell, 'was de dood... de dood zelf... de dood van mijn moeder niet het belangrijkst.' Zijn adem, die zwaar wordt, klinkt hard in Samantha's oor. 'Moet je luisteren,' zegt hij. 'Ik denk dat ik dit toch niet kan. Ik denk niet dat ik erover kan praten.'

Samantha luistert naar het explosieve ritme, snel en onregelmatig, van lucht die zijn longen binnen komt en weer uit gaat. Ze neemt het risico te zeggen: 'Komt dat door Avi Levinstein?'

Lowell maakt een kort en heftig geluid – hij is aan het hyperventileren – en Samantha is bang dat hij zal ophangen.

'Hoe weet jij van Levinstein?' vraagt hij eindelijk.

'Ik ken zijn zoon. Ik heb net pas gehoord dat de vrouw die Avi Levinstein met zich meenam naar Parijs jouw moeder was, dus ik weet dat dit een pijnlijke...'

Lowell hangt op. Een week gaat voorbij en dan belt hij opnieuw.

'Je hebt geen idee hoe kwaad ik was,' zegt hij zonder inleiding tegen Sam. 'Ik wilde dat ze allebei stierven.' Zijn stem is zwak, en Samantha moet haar best doen om hem te horen. 'Zoiets wensen en dan meemaken dat het uitkomt. Begrijp je wat dat van mij maakt?'

Samantha zegt niets.

'Begrijp je wat dat van mij maakt?' houdt hij vol.

'Ik begrijp wat je vréést dat het van je maakt. Maar het was logisch dat je kwaad was...' Ze kan bijna horen hoe Lowell kronkelt in het vuur van zijn heftige schuld. 'Luister,' zegt ze, 'ik weet niet of dit zou kunnen helpen, en misschien wil je dit wel niet. En ik weet ook helemaal niet zeker of hij het wil. Maar ik ken Jacob Levinstein goed. Hij is een Feniks. Ik bedoel, hij is een van ons, de kinderen die het overleefd hebben. We hebben een internetclub. We noemen onszelf Feniksen omdat we uit de as herrezen zijn, om het zo maar te zeggen. Jacob is de zoon van Avi...'

Lowell maakt een geluid alsof hij stikt, ergens tussen lachen en pijn in. 'Ben je gek?'

'Volgens mij voelt hij ongeveer hetzelfde als jij. Misschien klaart het de lucht voor jullie allebei op als jullie...'

'Ik bel niet om over mijn moeder te praten.'

Plotseling vraagt Samantha zich af of Lowells moeder een van degenen was die haar streelden toen ze voorbijliep, toen de kapers de kinderen de gangpaden door duwden, toen de kinderen werden samengepakt, met geweren gepord, toen de ruwe handen van de mannen met de geweren hen sloegen, toen de mannen met de geweren lappen stof in hun huilende monden propten. Samantha merkt dat ze zich afvraagt welke handen van Lowells moeder geweest kunnen zijn, want toen de kinderen voorbijkwamen waren handen overal vandaan gekomen, handen die hen aaiden, aanraakten, zegenden, berichten verzonden die ze nog steeds in haar lichaam kan voelen.

'Ik bel eigenlijk,' zegt Lowell kalmer, 'omdat je zei dat je informatie over mijn vader had.'

'Misschien is het niet de informatie die je zoekt.'

'Dat weet ik wel zeker,' zegt Lowell. 'Maar je zei dat er een vrouw in Parijs was die mijn vader kende, die beweert dat ze... je zei dat ik een halfzus heb.'

'Volgens mij wel, ja.'

'Beweert zij dat, of jij?'

'Zij. Maar ze zegt dat ze bewijs heeft. Wist je dan niet van haar bestaan?'

'Nee. En ik geloof haar niet, maar ik ben nieuwsgierig.'

'Ik begrijp het als je hier niet klaar voor bent,' zegt Samantha, maar alsjeblieft, denkt ze, hang alsjeblieft niet op, geef me alsjeblieft iets, nog een kruimel, twee kruimels, ik kan op het spoor wachten.

'Mijn vaders eerste vrouw is overleden,' zegt Lowell. 'En ze hebben nooit kinderen gekregen. Mijn moeder was zijn tweede vrouw en ik was enig kind.' Hij pauzeert even, terwijl hij mogelijk bewijsmateriaal taxeert, voor en tegen. 'Maar hij was wél een paar jaar in Parijs gestationeerd,' geeft hij toe. 'Tijdens zijn eerste huwelijk.'

'Hij had een relatie met een Française. Ik heb dit half bevestigd gekregen uit vrijgegeven documenten. De CIA hield dossiers bij over een vrouw die op de Amerikaanse ambassade werkte, omdat ze haar als een veiligheidsrisico beschouwden. Ze kreeg een dochter van een Amerikaan, een diplomaat of een agent, het is niet duidelijk welke van de twee. Françoise beweert dat dat je vader was. Ze zegt dat ze foto's heeft waarmee ze het kan bewijzen. Als je wilt kun je via onze website contact met haar opnemen.'

'Ik moet er even over nadenken.'

'Ze lijkt veel over je vader te weten. Ze zegt dat hij bij de inlichtingendienst zit.'

'Dat zat hij.'

'Zat?'

'Hij is twee maanden geleden omgekomen bij een auto-ongeluk. September.'

'O,' zegt Samantha. Ze voelt zich buiten adem. Ze voelt hoe een gloeiend heet spoor uitdooft. 'Welke datum?'

'Vier dagen voor de verjaring,' zegt hij. 'Dus je weet niet alles.'

'Er is veel te veel waar ik niets van weet.'

'Je had mijn vader niet opgejaagd zoals je mij hebt opgejaagd?'

'Het spijt me dat ik je heb opgejaagd. Ik was waarschijnlijk uiterst... onaangenaam. Het spijt me.'

'Nou, niet onaangenaam,' zegt hij. 'Maar meedogenloos, ja.'

'Het spijt me. Zo word ik elke september.'

'Ja,' zegt hij, en hij wordt milder. 'Ik word ook gek. Elk jaar.'

'Waarschijnlijk ben ik er dwangmatig-obsessief mee bezig. Met alles wat met de kaping te maken heeft.'

'Ik ook, maar op de tegenovergestelde manier. Dwangmatig ontwijken. Maar als je, nou, zo obsessief bent, waarom heb je mijn vader dan níet opgejaagd?'

'Ik heb net pas voor het eerst over hem gehoord, van Françoise. Mensen als jouw vader staan niet in het telefoonboek.'

'Hoe wist je van mijn bestaan?'

'De passagierslijst is altijd al beschikbaar geweest. Elke passagier heeft bij de luchtvaartmaatschappij de naam van één familielid als contactpersoon opgegeven. Jouw moeder gaf jouw naam op.'

'Ja, dat verbaast me niets. Hoe heb je die Françoise gevonden?'

'Ik heb haar niet gevonden. Zij heeft contact met mij opgenomen. Op de website van vlucht 64.'

'Dat soort dingen ga ik uit de weg,' zegt Lowell.

'Dus. Lijkt het je wat om mij te ontmoeten en te praten?'

'Dat weet ik niet zeker. Waar is dit netnummer? D.C., is het niet? Woon je daar?'

'Ja. Maar ik zou een weekend naar Boston kunnen komen. Of we zouden ergens tussenin kunnen uitkiezen, bijvoorbeeld New York.'

'Misschien,' zegt hij. 'Ik weet het niet zeker. Ik moet voorzichtig zijn.'

'Waarom? Wat bedoel je?'

'Niets,' zegt Lowell nerveus. 'Ik bedoel niets.'

Een piepklein café in Penn Station is niet wat Samantha uitgekozen zou hebben, maar Lowell dringt erop aan. Hij heeft een slappe weekendtas bij zich en houdt hem op zijn schoot. Hij kijkt om zich heen.

'Verwacht je iemand?' vraagt Sam.

'Wat? Nee. Nee, nee. Ik kijk gewoon wat rond. Het is als lood in verf.'

'Lood in verf?'

'Oude verf. Voordat ze lood verboden hebben? Als je er eenmaal iets van weet, zie je het overal. Ik heb gezondheidsklachten gehad,' zegt hij. 'Zelfs muren worden gevaarlijk, begrijp je?'

'Nah-ah,' zegt ze weifelend, terwijl ze probeert hem te begrijpen.

'Ik ben huisschilder,' zegt hij. 'Veel oude huizen in Boston, afbladderende verf. Ik moet ze afkrabben. Het loodgehalte in mijn bloed is te hoog.'

'Nah-ah. Ik weet niet veel van...'

'Hartproblemen. Zenuwstelsel. Ik word elke maand gecontroleerd. Je leert ermee leven.' Met schichtige ogen bekijkt hij elke stroom New Yorkse forensen die de stationshal van Penn binnen komt. 'Je gaat gevaar verwachten. Het kan vanuit elke richting komen.'

'Nu begrijp ik wat je bedoelt,' zegt ze. 'Maar, ah, het is geen loodvergiftiging waar je hier op beducht bent.'

'Nee.' Hun ogen maken even contact, en laten elkaar dan weer los.

'Boodschap ontvangen,' ademt ze. Plotseling wil ze Jacob bellen. Ze wil even poolshoogte nemen, kijken of alles goed met hem is. 'Ik kan een fles voor ons bestellen,' zegt ze tegen Lowell. 'Ik heb een drankje nodig, jij niet? Maar ik vertrouw de huiswijn hier niet. Gezoet schoonmaakmiddel.'

Lowell knippert naar haar. 'Wijn? Nee, niet mijn soort vergif. Wat jullie ook maar op de tap hebben,' zegt hij tegen de ober.

'Je vader zat bij de inlichtingendienst.' De stem van Sam is zo ver gedaald dat ze fluistert.

Lowell zegt behoedzaam: 'Voor het geval je hoopte dat je daar informatie over zou krijgen, die heb ik niet.'

'Je halfzus denkt...'

'Die Françoise?'

'Inderdaad. Ze denkt dat je vader – haar vader – van vlucht 64 wist. Van tevoren, bedoel ik.'

Lowell klemt zijn weekendtas stevig tegen zijn borst. Met zijn vingers bevoelt hij onophoudelijk de buitenkant van de tas, alsof hij zich ervan wil vergewissen dat alle interne organen er nog steeds zijn. Hij prikt ergens tegenaan, en stelt zichzelf gerust over de omtrek, een rechthoekige. Een boek, denkt Samantha, of misschien een doos. Een van Lowells voeten tegen de poot van de bistrotafel doet het metaal tegen de vloer ratelen.

'Het verbaast je niet,' fluistert Sam, terwijl ze hem nauwlettend in de gaten houdt. 'Je wist dat je vader ervan wist.'

Lowell beweegt heftig en de tafel kantelt en Sam grijpt haar wijn.

Een amberkleurige golf klotst over de rand van Lowells bierglas. 'Wat? Het verbaast me wél,' fluistert hij heftig. 'Natuurlijk verbaast het me. Waarom zou ik niet verbaasd zijn? Trouwens, dat is een belachelijke bewering. Vluchten naar de vs lopen altijd gevaar, voortdurend. Mijn vader wist dat, zoals we dat allemaal weten, alleen was hij zich er meer van bewust dan de meeste mensen. Natuurlijk.'

'Françoise beweert dat dit nogal specifiek was. Er was een tip over vlucht 64.'

De bistrotafel ratelt zo luidruchtig dat Lowell en Sam allebei op het marmeren tafelblad leunen om het kabaal met hun gewicht te dempen. Sam voelt de trilling haar vingertoppen bereiken. Als Lowell praat kan ze het wolkje lucht van zijn lippen voelen. 'Elke week komen er ontzettend veel tips binnen,' zegt hij. 'Meestal zijn het grappen.'

'Maar deze niet. De Franse politie was op Charles de Gaulle in hoge staat van paraatheid, maar de passagiers werd niets verteld. Françoise denkt dat je vader het wist. Ze denkt dat zijn informatie behoorlijk specifiek was.'

Waarom? Lowells lippen vormen de vraag, hoewel er geen geluid uit zijn mond komt. Hij begint te hyperventileren.

'Ze had een ticket voor vlucht 64, maar ze is niet aan boord gegaan want...'

Lowell lacht op nerveus hoge toon. 'Dit heeft vast iets met afpersing te maken,' zegt hij.

Sam drukt haar voet op die van Lowell, om het trillen te laten ophouden. 'Dat lijkt niet haar doel te zijn,' zegt ze. 'Ze heeft last van haar geweten; dat is mijn indruk. Ze wil iets rechtzetten. Ze wil contact met je opnemen.'

Lowell deinst terug. 'Je hebt haar toch niet verteld hoe ze me kan bereiken?'

Zijn ogen houden voortdurend de mensenmassa van Penn Station in de gaten. Soms gaat hij verzitten om zijn wachtdienst vanuit een andere hoek voort te zetten. Van tijd tot tijd ritst hij zijn weekendtas open en steekt hij er een hand in om de inhoud onderzoekend te bevoelen.

'Wat zit er in je tas?' vraagt Samantha zacht.

'Niets,' zegt hij. 'Mijn spullen. Hoeveel informatie heb je haar gegeven?'

'Ik heb haar niets gegeven, maar ze kan het makkelijk zelf vinden.'

'Geweldig,' zegt Lowell. 'Dat is gewoonweg geweldig. Wacht. Waar ga je naartoe?'

'Ik moet even bellen,' zegt Samantha. Haar eigen paniekreflex is sterk. In een hokje met een betaaltelefoon belt ze Jacob eerst op zijn werk, en probeert het dan bij hem thuis. Beide keren krijgt ze zijn antwoordapparaat.

'Jacob,' zegt ze. Haar stem klinkt onzeker. 'Met Sam. Ik wilde alleen even zeker weten dat alles goed met je gaat. Niet schrikken, maar ik heb nu een afspraak met Lowell, je weet wel, de zoon van de vrouw... We zitten in een fastfoodrestaurant in Penn Station, en hij weet meer dan hij loslaat. Ik bel je later nog, oké? Ik wilde alleen dat je weet waar ik ben.'

Terug bij de tafel heeft Lowell zijn weekendtas tussen zijn knieën geklemd. Hij houdt zijn bierglas met beide handen vast. 'Er zijn mensen die verslaafd zijn aan de Burgeroorlog,' zegt hij, 'en Titanic-junkies, en mensen die verslaafd zijn aan berichten dat Elvis gesignaleerd is.' Hij slaat zijn bier achterover. 'Ik zie dat jij een kapingjunkie bent. Iemand die elk wild gerucht verzamelt dat de gekken op het web zetten.'

Samantha is gepikeerd. 'Ik mag dan een junk zijn, maar ik ben grondig. Ik lees vrijgegeven documenten, ik lees de vluchtverslagen, ik lees krantenarchieven, ik neem contact op met overlevenden en families. Ik doe dit voor een afstudeersscriptie voor Amerikaanse geschiedenis. Alles moet gedocumenteerd worden.'

'En wat heb je zoal gedocumenteerd?'

'Nog niet veel,' geeft ze toe. 'Maar ik ben ermee bezig. En ik denk dat de kans bestaat dat je inderdaad een halfzus hebt, ook al is Françoise misschien niet haar echte naam.'

'Oké, dus ik heb misschien een halfzus. En oké, misschien had ze een ticket voor dezelfde vlucht – heb je dat bevestigd gekregen?'

'Nog niet. Maar dat lukt wel. Ik heb een beurs aangevraagd om in de voorjaarsvakantie in Parijs onderzoek te gaan doen. Ik wil Françoise ontmoeten. Ik wil haar ticket zien. Ze zegt dat ze die nog steeds heeft.'

'Vliegtickets zijn makkelijk te vervalsen. Ze is alleen maar een naam op het web. Sommige mensen krijgen daar een kick van. Ze verzinnen namen, ze lopen de websites langs...'

'Dat weet ik. Daarom wil ik ook naar Parijs. Ik wil haar ontmoeten, haar identiteitsbewijs controleren, haar geboortecertificaat, geboortedatum, haar rijbe...'

'Dit heeft vast met het testament te maken,' zegt Lowell. 'Mijn vaders testament. Verdacht dat ze nu opeens boven water komt, net zoals ik weet niet hoeveel vrouwen beweerden dat ze Anastasia waren, de dochter van de tsaar.'

'Misschien. Maar ze nam in augustus contact op, vóór je vader stierf.'

'Misschien wist ze wat er ging gebeuren,' zegt Lowell.

Ze staren elkaar aan.

'Ik zal je nog iets engs vertellen,' fluistert Samantha. 'Mijn moeder zat aan boord van dat vliegtuig, ja? Mijn moeders zus woonde op dat moment in Parijs en deelde een appartement met een vrouw die Françoise heette. Ik weet het, ik weet het, het is een veelvoorkomende naam. Maar toch krijg ik er een beetje de kriebels van. Dat is nog een reden waarom ik naar Parijs wil. Mijn tante heeft een foto van háár Françoise.'

'Dertien jaar,' zegt Lowell. 'Mensen veranderen.'

'We kunnen Françoise vragen wie in '87 haar huisgenote was. Als ze de naam van mijn tante noemt...'

'Het zou kunnen betekenen dat ze net zo goed is in het uitvissen van informatie als jij. Beroepsoplichters – of oplichtsters – zijn briljant in die dingen.'

'Dat weet ik. Ik weet dat dat misschien alles is. Maar aan de andere kant betekent het misschien dat je halfzus een appartement met mijn tante deelde.'

'En wat zou dat bewijzen?' vraagt Lowell.

'Ik weet niet wat het zou bewijzen, maar het zou ontzettend eng zijn.'

'Heb je ooit van Sirocco gehoord?' fluistert Lowell, voorover leunend.

'Ja.' Samantha kijkt hem gespannen aan. 'Ik heb hem ontmoet in vrijgegeven documenten. Niet al te vaak. Waarschijnlijk alleen als de inspecteur die belast was met het vrijgeven van de documenten hem over het hoofd had gezien bij het zwartmaken van de regels.'

'Wat weet je van hem?'

'Hij had iets met de kaping te maken. Volgens mij was hij de belangrijkste huurmoordenaar. De "criminele agent", zoals ze zeggen.'

'De buitenlander die eigenlijk het smerige werk opknapt,' zegt Lowell.

'Volgens mij wel.'

'Saudi,' zegt Lowell.

'Volgens mij wel. Of misschien Egyptenaar. Dus jij hebt ook aanvragen voor de Openbaarheid van Bestuur ingediend.'

'Nee.' Lowell reikt naar de tas die op de vloer tussen zijn voeten staat en tilt hem weer naar zijn schoot. Hij houdt de zachte handvatten om zijn pols heen gedraaid. 'Ik heb een andere bron voor... Ik stuitte toevallig op informatie uit de eerste hand.'

Samantha leunt over de tafel naar hem toe. 'En Salamander?' vraagt ze. 'Heb je iets over hem?'

'Dat is een Amerikaan.'

'Dat weet ik. Hij is degene die ik wil vinden. Hij speelt de hoofdrol.'

'Ik denk dat mijn vader wist wie Salamander was,' zegt Lowell. 'Ik denk dat hij wist wie Sirocco was. Ik denk dat mijn vader is gestorven omdat hij dat wist.'

'Wat zit er in je tas?'

'Dat kun je beter niet weten.'

'Je vader,' zegt Samantha voorzichtig, 'die augustus en september. Kun je je iets herinneren dat een licht zou kunnen werpen op...'

Lowell kreunt. 'Als je eens wist hoeveel ik heb geprobeerd te vergeten.'

En dan begint hij het teveel uit te leggen dat hij zich te goed kan herinneren.

Lowell herinnert zich nare dromen en natte lakens en zijn moeder, die hem vasthoudt. Hij herinnert zich reuzen met ogen van groen vuur. Hij herinnert zich van blikjes gemaakte monsters die ratelen, als de *Tin Man* die zo groot als een olifant is geworden. De reuzen schudden zijn vader vroeger als een stuk speelgoed door elkaar, ze sneden hem in tweeën. 'Papa, papa,' schreeuwde Lowell dan, en zijn moeder was er altijd om hem vast te houden, te wiegen, zachtjes te zingen.

'Papa is weg, lieve schat,' fluisterde ze dan. 'Maar mama is hier bij je.'

Hij herinnert zich de zoete geur van haar huid en haar haren, de geur van talkpoeder en parfum uit Parijs. Dan knipte ze het licht aan en las ze een verhaal voor, en dan zong ze in het donker.

Hij herinnert zich twee verjaardagsfeestjes waarop zijn vader thuis was: zijn vierde verjaardag en zijn zevende. Hij herinnert zich de drie blije gezichten in de glans van de kaarsen op zijn taart. Hij herinnert zich de verhalen die zijn vader voor het slapengaan vertelde. Hij herinnert zich Odysseus die aan de mast vastgebonden was, en Theseus en de Minotaurus, en Atalanta en de gouden appels, en Leda en de zwaan. Hij herinnert zich zijn eerste schooldag: hoe eenzaam zijn moeder eruitzag toen ze daar stond. Hij kan het nog steeds voelen, als een oceaangroot verdriet dat hem verdrinkt, dat hem onderdompelt, dat aan hem trekt, dat hem zijn lucht ontneemt, de manier waarop haar trieste glimlach over hem heen spoelt, en hij zweert dat hij elke dag van zijn leven zal wijden aan haar gelukkig te maken. Het is zijn vurigste wens. Hij herinnert zich de dag dat ze zonder zich te bewegen aan de keukentafel zat en zei: 'Ben je klaar om naar school te gaan, Lowell? Je lunchtrommel staat in de koelkast,' en hij herinnert zich hoe de vlakheid van haar stem hem bang maakte want het liep tegen de namiddag en hij was na school gebleven om te honkballen. Hij herinnert zich hoe hij naar buiten was gegaan en op zoek was gegaan naar de mooiste bloem in de tuin om hem aan haar te geven. Hij herinnert zich dat hij bad dat de bloem haar zou doen glimlachen, en hij herinnert zich hoe ze de bloem vaag bekeek – het was een witte roos, met een sterke geur – alsof ze niet wist wat het was, en hoe ze toen fronste en er geconcentreerd naar keek en hoe haar ogen vol tranen liepen. Hij herinnert zich dat ze haar lippen op elkaar perste en een tijdje niet kon praten, en dat ze toen tegen hem zei: 'Liefste Lowell, wat ben je toch een geschenk. Wat een geschenk. Je bent alles wat ik heb,' en dat hij het gevoel had dat hij een trechter ingezogen werd die tot in het binnenste der aarde voerde, waar alleen zwartheid en het niets bestonden.

Lowell herinnert zich dat zijn vader met ernstige en vriendelijke stem zei: 'Lowell, je moeder kan er niet tegen dat ik zo vaak weg ben. Ze kan ook niet tegen de vereisten van mijn beroep, namelijk stilte en geheimhouding, waar een speciaal slag voor nodig is. De eerste keer ben ik te jong getrouwd, Lowell, en toen was ik eenzaam na de dood van mijn eerste vrouw, en ik maakte nog een fout, maar jij hebt dat goedgemaakt. Ik reken op je. Ik reken erop dat jij op je moeder past; je begrijpt wel wat ik bedoel.

Ik reken erop,' zei zijn vader, 'dat je zo sterk als Achilles bent, en dat je de Hawthorne-traditie op school voortzet. Het is des te belangrijker, Lowell...

Je moeder,' zei zijn vader, hij herinnert het zich nog woordelijk, 'lijdt aan een lichte angstdepressie, Lowell. Het is niet haar schuld, niet echt, maar ik reken erop dat jij een oogje...' Hij herinnert zich alle dimensies van verdriet, zijn vaders verdriet, dat van zijn moeder, en dat van zichzelf, en hij herinnert zich de keren dat zijn vader afwezig was, de eenzaamheid, het geluid van zijn moeder als ze 's avonds huilde. Lowell herinnert zich, herinnert zich, met zijn hoofd in zijn handen. Lowell herinnert zich te veel, en de stiltes tussen zijn openbaringen worden lang.

'Was ze dat?' moedigt Samantha hem aan. 'Je moeder? Was ze klinisch depressief?'

'Ik neem aan van wel. Volgens mij was ik dat ook, als ik terugkijk. Ze was niet disfunctioneel. Ze deed alle dingen die ze moest doen. Als mijn vader thuis was, waren er feestjes en recepties en soirees en kleine kamermuziekorkesten. Het was allemaal een schitterende drukte, en mijn moeder was daar de gastvrouw van. Maar er was...' Overal waar hij keek, werden hun levens overschaduwd door verdriet en Lowell stikte er bijna in, het maakte het huis somber. 'Altijd was er die mist,' zegt hij. 'Ik kon hem niet verdrijven.' Het putte hem uit.

En toen, plotseling, was hij op een dag kwaad in plaats van verdrietig, en dat was makkelijker. Dat was zoveel makkelijker. Hij ging naar kostschool, en hij zag ertegen op naar huis te gaan. Hij nam uitnodigingen van andere gezinnen aan, hij bleef zelfs lange weekends op school. Het was zoveel eenvoudiger om niet thuis te zijn. Om de afwezigheid van zijn vader niet op te merken en de verdrietige glimlach van zijn moeder niet te zien.

En toen, tijdens een voorjaarsvakantie, was hij door zijn opties heen en moest hij naar huis. Zijn vader was voor de verandering eens een keer thuis en zijn ouders gaven een receptie voor een strijkkwartet...

Lowell vóélde de chemie, hij voelde haar de eerste keer dat zijn moeder en Avi Levinstein elkaar aankeken, en het brak zijn hart. Al zijn levensenergie, als zijn gebeden als kleine jongen, al zijn wensen met Kerstmis en tijdens thanksgivingmaaltijden, waren eraan gewijd geweest haar te bevrijden van die zwarte verdrietwolk, en Avi Levinstein kwam binnenwandelen en deed het door haar domweg aan te kijken.

'Ik haatte Levinstein. En ik heb het mijn moeder nooit kunnen vergeven.'

Hoe levendiger en hoe mooier ze werd, hoe kwader Lowell werd. Ze zei tegen hem dat ze in mei weg zou gaan. 'Lowell,' zei ze stralend, 'ik ben verliefd.'

'Wil je daar een gouden medaille voor?' vroeg hij grof. Hij was net zestien geworden.

'O, Lowell,' zei ze. 'Wees alsjeblieft blij voor me,' en hij herinnert zich dat ze tegen hem zei dat zijn vader een goed man was, een lieve man, zo'n lieve man, en hoe ze zijn vader niet wilde kwetsen of ongelukkig maken, maar Lowell wist toch zeker, hij begreep toch zeker dat de dingen tussen hen, tussen zijn vader en zijn moeder, niet goed hadden uitgepakt, Lowell moest dat toch weten. En hij herinnert zich dat ze tegen hem zei dat zij – dat zijn moeder en Levinstein – een tijdje naar Parijs zouden gaan, en dat zijn vader een scheiding aanvroeg en dat ze zich daar niet tegen zou verzetten, ze zou ermee instemmen dat zij de schuldige partij was, dat zou ze zijn vader schenken, maar dat zij en Avi Levinstein na de scheiding naar New York terug zouden komen en zouden trouwen. 'Maar voorlopig blijven we in Parijs,' weet hij nog dat ze zei met snelle stem. 'Kom je ons in Parijs opzoeken? Alsjeblieft, Lowell. Dat zou ik erg graag willen.'

'Ik draaide me om en liep weg,' zegt Lowell. 'Ik weigerde haar gedag te kussen.

Dat was in mei. Mei 1987. Ik heb haar nooit meer gezien.'

Vier maanden later belde ze hem vanuit Parijs om te zeggen dat ze met het vliegtuig naar huis zouden komen. Het najaarssemester was net begonnen en Lowell voerde het gesprek op de gang van de slaapzaal op de kostschool, een sombere bruine tunnel zonder licht aan de uiteinden. Zijn moeder klonk hartstochtelijk gelukkig. Ze gaf Lowell haar vluchtnummer en aankomstdatum, en Lowell hing midden in een zin van haar op. Hij belde Washington en liet een bericht achter op het antwoordapparaat van zijn vader. Hij zei alleen maar: 'Ze komen terug.'

Twee dagen later voerde hij een ander gesprek op dezelfde gang. 'Hoe gaat het met je, Lowell?'

'Prima, pa.'

'Ik heb het erg slecht aangepakt met mijn leven,' zei zijn vader.

Lowell zei ongemakkelijk: 'Dat is niet waar, pa.'

'Zorg ervoor dat je niet dezelfde fouten maakt als ik, Lowell,' zei zijn vader. Hij klonk opgewonden. Toen zei hij: 'Zou je iets voor me willen doen?'

'Tuurlijk,' zei Lowell.

'Het is erg belangrijk,' zei zijn vader. 'Het is erg, érg belangrijk, Lowell.'

'Goed, pa.'

'Ik wil dat je je moeder belt en tegen haar zegt dat ze niet terug moet komen. Nog niet. Niet op dit... Het komt me erg slecht uit. Zeg haar dat het me erg slecht uitkomt.'

Lowell zei aarzelend: 'Ik denk niet dat ze zich daar erg veel van zal aantrekken, pa.'

'Dat móét ze,' zei zijn vader. 'Je moet ervoor zorgen dat ze zich er wel wat van aantrekt, Lowell. Zeg tegen haar dat ze nog een maand moet wachten. Dit is ontzettend belangrijk, Lowell.'

'Oké, pa. Ik zal het proberen.'

Lowell belde het hotel van zijn moeder in Parijs om een bericht achter te laten, en raakte in verlegenheid toen hij rechtstreeks met haar verbonden werd. 'Pa is erg van streek,' zei hij ijzig. 'Hij wil niet dat je terugkomt. Hij wil dat je nog een maand wacht.'

Na een korte stilte vroeg ze hem: 'Wat wil jij, Lowell?'

'Ik wil dat je ophoudt pa te kwetsen.'

'Goed,' zei ze. 'Dat doe ik, Lowell. Zeg tegen je vader dat we een andere vlucht nemen. We komen niet voor oktober terug.'

Lowell belde meteen het kantoor van zijn vader. 'Je vader is het land uit,' zei de secretaresse, 'maar hij checkt elke dag zijn berichten. Wat wil je dat ik tegen hem zeg?'

'Zeg tegen hem dat ze akkoord gaat,' zei Lowell. 'Ze komt niet voor oktober terug. Hij weet wel wat dat betekent.'

De secretaresse herhaalde het bericht. 'Ze gaat akkoord. Komt niet voor oktober terug. Ik zal het hem zeggen.'

'Waar is hij?' vroeg Lowell.

'Je weet dat ik je dat niet mag zeggen,' zei de secretaresse. 'Maar ik heb een vlucht naar Parijs voor hem geboekt.'

'Weet u waar hij logeert? Hebt u een telefoonnummer?'

'Dat laten ze ons nooit weten,' zei de secretaresse. 'Dat weet je, Lowell. Misschien is hij wel naar Moskou of Timboektoe gevlogen. Ik weet nooit waar ze vandaan bellen, ze hebben een code. Maar hij krijgt je bericht,' beloofde ze.

Pas dagen na de kaping kreeg Lowell het briefje dat iemand anders in zijn huis neergekrabbeld had. *Je moeder heeft gebeld en wil dat je haar terugbelt. Ze zegt dat ze geen andere vlucht kan nemen want ** (sorry, kon de naam niet verstaan) want een of ander iemand heeft concert geboekt.*

Lowell kon zichzelf er nooit toe zetten dat briefje aan zijn vader te laten lezen. Hij was te geschokt, te verbluft, toen hij Mather weer zag. Zijn vader leek in één week twintig jaar ouder te zijn geworden. Uitgemergeld, dacht Lowell. Zijn vader was de belichaming van dat woord. Bij zijn slapen zat een plukje wit haar. Zijn gezicht leek tegen zijn schedel aan gekrompen te zijn, zijn wangen waren ingevallen.

'Je zei dat ze ingestemd had.' De stem van zijn vader brak. Zijn vader, voelde Lowell, stond op het punt hem te omhelzen. Zijn vader wankelde, hervond toen zijn balans en stak zijn rechterhand uit.

Lowell schudde hem. 'Pa,' zei hij.

'Zoon.'

'*Liever was ik dagloner op het veld van een arm meester,*' zei zijn vader, '*dan koning over alle schimmen in het dodenrijk.* Herken je dat, Lowell?'

'De *Odyssee,*' zei Lowell.

'Dit is verschrikkelijk,' zei zijn vader. 'Verschrikkelijk.'

'Ja,' zei Lowell.

'*Verdraag het, o mijn hart, je hebt al zwaarders verdragen.* Je zei dat je moeder ermee akkoord was gegaan tot oktober te wachten.'

'Dat was ze ook,' zei Lowell. Hij voelde zich net zo ziek als zijn vader eruitzag. Hij was duizelig van schuldgevoel. 'Ze was ook akkoord gegaan. Ik begrijp gewoon niet wat er gebeurd is.'

'Ik heb het geprobeerd,' zei zijn vader. 'Ik heb gedaan wat ik kon.'

Het was de enige keer dat Lowell zijn vader zag huilen.

III

ZWARTE DOOD

'Er zijn in de wereld evenveel pestepidemieën geweest als oorlogen en toch zijn de mensen op beide
even weinig voorbereid.'

    – Albert Camus, *De pest*

'De dood heeft ieder van ons alleen maar even aan
de elleboog geschud, of in het voorbijgaan aan de
mouw getrokken, als het ware, om ons te zeggen
dat we ons moeten voorbereiden op de volgende
keer dat hij deze kant op komt.'

    – Daniel Defoe, *A Journal of the Plague Year*

[Noot: In de week van 12-19 september 1665 stierven in de
stad Londen 7165 mensen aan de pest, veruit de ergste
week van de epidemie die bekendstaat als de Zwarte
Dood. Daniel Defoe was vijf jaar oud. De rest van zijn leven bleef hij op een obsessieve manier bang dat de pest
terug zou komen.]

1

Codenaam: Tocade

De politieagent bestudeert Tristans paspoort. 'U bent monsieur Charron?'

'Ja.'

'Tristan Charron?'

'Ja.'

'Uw ticket en boardingpas, alstublieft.'

Tristan neemt zijn reistasje uit zijn binnenzak en de twee gendarmes vragen hem met hen mee te komen. Nauwgezet bestuderen ze zijn ticket: *Air France, vol 64. Paris (CDG) à New York (JFK). 8 Septembre, 1987. Embarquement: Porte 12.* Hun ogen bewegen zich van zijn paspoort naar zijn gezicht en weer terug. Het is duidelijk dat zijn identiteit niet overtuigt. Ze bladeren door pagina's en bestuderen stempels en data. 'U reist erg veel,' zeggen ze, *'monsieur* Charron.' Hun toon heeft iets vreemds, de bedekte toespeling die ze aan zijn naam lijken toe te voegen. Gespeelde eerbied, besluit hij. Maar waarom? Hij is willekeurig uit de menigte in de hal van de luchthaven gepikt, schijnbaar willekeurig. Hij heeft overwogen een verklaring te eisen – hij is immers in Parijs, niet in Praag – maar hij weet dat deze tactiek hem niet zal helpen als hij wordt toegepast op de Franse gendarmerie.

Hij reikt zijn hals om de Silk Route-winkel te zien, hij ziet dat iemand aan het rekje met sjaaltjes draait, hij ziet een klein meisje in een blauwe jas met een vrouw die hem vaag bekend voorkomt, hoewel hij zich niet kan herinneren waarom, hij ziet verscheidene mannen die op zoek zijn naar last-minute cadeaus voor vrouwen en vriendinnen, maar Génie – of de vrouw die op Génie lijkt – is uit het zicht verdwenen.

Ze heeft een gave voor verdwijnen, ze is er geniaal in.

Als ze opnieuw opduikt, in een droom of in zijn geheugen, verlaat ze altijd het kleine hotel aan de rue de Birague en steekt ze de Place des Vosges over, en dat is de reden waarom hij zijn zintuigen niet vertrouwde toen hij haar daar twee dagen geleden zag. Het vierde arrondissement is waarschijnlijk blijvend van haar aanwezigheid doordrenkt, en dus dacht hij dat hij haar te voorschijn getoverd had, vooral omdat hij nog steeds gedesoriënteerd en gespannen was. Hij is net uit Praag teruggekeerd, waar men een manuscript gevonden heeft dat in zijn koffer verborgen zat. Het manuscript werd in beslag genomen. De schrijver van het manuscript, een romancier, zit nu in de gevangenis. Niettemin is hij nog steeds geschokt, en grote angst zorgt voor fantasieën. Dat weet hij. Hij weet hoe glanzende boodschappers te voorschijn kunnen komen om naar een deur te wijzen. VERLOSSING, staat erop.

Daarom weet hij beter dan een schijnverlokking te volgen als een visioen van Génie zich voordoet zo gauw hij veilig terug is in Parijs. Toch houdt hij zichzelf met grote moeite in de hand als hij haar de Place des Vosges ziet oversteken.

In plaats daarvan stapte hij in de naglans van het visioen van haar het kleine kantoor binnen van waaruit hij Editions du Double beheert. Hij probeerde drukproeven na te kijken, hij werkte aan eerste versies van nieuwe persberichten, hij gaf zijn assistent een lijst boekhandels om te bellen. Zijn assistent gaf hem een lijst met berichten van een week – faxen en telefoonmemo's – maar hij propte ze in zijn koffer zonder naar ze te kijken. Zijn concentratievermogen was gering. Hij had slaap nodig. In Praag had hij de hele nacht schelverlicht doorgebracht, terwijl hij in een zonnevlek staarde van waaruit vragen als elektronen naar hem toe waren gestroomd. Hij moest naar huis en slapen. Hij droomde dat hij weer in de verhoorcel zat en dat Génie als een schaduwplekje op de zon verscheen. Volg mij, zei ze, verdwijnend.

De volgende ochtend werd hij wakker met een licht gevoel in zijn hoofd. Hij schoor zich en ging naar zijn kantoor en werkte een paar uur. Halverwege de ochtend ging hij op de Place des Vosges een espresso drinken en zag hij Génie weer (of haar dubbelgangster). Dit keer volgde hij haar discreet, maar in het drukke metrostation van Bastille raakte hij haar kwijt. Dat was gisteren.

Vandaag zag hij haar voor de derde keer.

'We moeten u verzoeken met ons mee te komen,' zeggen de politieagenten, 'deze kamer in.'

Ze stellen vragen, hij geeft antwoord. Heeft Interpol hiermee te maken? vraagt hij zich af. Is dit toeval of gaat dit om Praag? Door een dun glazen paneel probeert hij de hal in de gaten te houden. 'Monsieur?' vragen ze hem ongeduldig.

'Er moet een verklaring zijn,' zegt hij, terwijl hij over de drievoudige verschijning van Génie nadenkt. Misschien, gezien de merkwaardigheden van tijd en ruimte, gezien de surreële verbanden die wetenschappelijk aangetoond zijn, blijven moleculen van voorbije gebeurtenissen samengroeien rondom de plekken waar ze voor het eerst voorgekomen zijn, zij het in een andere dimensie. Hij denkt dat een speling van het licht of het geheugen ze opnieuw kan samenbrengen.

'U lijkt erg opgewonden, *monsieur*. Wordt u door iets afgeleid?'

Het was de manier waarop ze liep, dat was wat zijn aandacht trok, die merkwaardige scheve gang, de manier waarop ze nooit een pad of een rechte lijn kon volgen, de manier waarop ze naar links afweek. Het is een politieke dwangbehoefte, grapte ze dan, hoewel ze zich ervoor schaamde dat ze alles vanuit een scheef gezichtspunt zag. Je bent gewoon geniaal in het afdwalen van het rechte pad, zei hij dan altijd terug, *ton génie pour t'égarer*. Op haar paspoort, Australisch, heet ze Genevieve Teague, maar hij heeft haar altijd Génie genoemd. Ze kan als rook uit een droom te voorschijn komen. Hij kan een herinnering opwrijven en daar is ze. Dus nu, drie dagen achter elkaar, drie keer op dezelfde plek: hij moet toegeven dat dit onwaarschijnlijk is, hoewel hij toch het terugleggen van zijn paspoort in de gesloten kluis in zijn kamer uitgesteld heeft. Het paspoort is sinds Praag in zijn borstzak gebleven voor het geval hij haar weer ziet, voor het geval hij plotseling een taxi naar het vliegveld moet nemen en haar naar Rome of Timboektoe moet schaduwen.

De laatste keer dat hij haar zag is minder dan – wat? – drie uur geleden (als hij tijd in de normale dimensie zou meten): hij zag haar de Place des Vosges oversteken terwijl ze een vliegtuigkoffertje op wieltjes achter zich aan trok. In de stenen boog aan de zuidkant, vlak bij het Victor Hugo-museum, stond ze stil om naar een zwarte jazzmuzikant te luisteren. Een kleine menigte had zich om hem heen verzameld. Tristan keek toe van achter een stenen pilaar. De man speelde *Caravan* van Duke Ellington op tenorsax. Tristan vond dit toeval zo uitzonderlijk – zijn eerste cadeautje aan haar was een cassettebandje van Duke Ellington geweest, het eerste van haar aan hem Thelonious Monk, en *Caravan* had op beide bandjes gestaan – dat de muziek voor hem het bewijs was dat hij zijn greep op de werkelijkheid verloren had. Hij zag dat Génie naar voren stapte en munten in de hoed van de saxofonist gooide, en toen volgde hij haar de rue de Birague af, langs het kleine hotel, twee sterren, op nummer 12, waar ze voor het eerst de liefde hadden bedreven. Daar stopte ze even. Of was dit iets wat zijn verbeelding haar verschijning liet doen? Hij zag dat ze de bistro op de hoek met de rue Saint Antoine binnenstapte. Hij hing wat rond achter een kar met groenten en fruit en keek toe toen de ober haar een espresso bracht. Net toen hij bezig was moed te verzamelen om de straat over te steken en aan de vrije tafel naast haar te gaan zitten, maakte iemand een foto. Waarschijnlijk scheen het tafereel de toerist typisch Frans toe – interieur van een bistro in de Marais – maar Tristan had het ongemakkelijke en ongetwijfeld onlogische gevoel dat het de bedoeling was een dossier bij te houden over de vrouw die op Génie leek. Klaarblijkelijk dacht de vrouw er zelf ook zo over. Ze schoof een briefje van twintig franc onder haar schoteltje en vertrok plotseling. Tristan volgde haar naar de Place de la Bastille. Toen ze opeens in een metrostation afdaalde en toen bij de Place de l'Opéra weer de straat op kwam, was hij een discrete schaduw. Hij keek heimelijk toe toen ze aan boord van de Roissybus stapte. Hij riep een taxi.

'Vliegveld,' zei hij, opgewonden. 'Kunt u die bus blijven volgen?'

Een flitslicht ging af. Een toerist leunde voorover tot vlak bij de achterruit. In de hand van de toerist bevond zich een videocamera en het apparaat snorde.

De taxichauffeur lachte. 'Is dit een film?'

Was het dat? vroeg Tristan zich af. Hij was duizelig. Hij had een ongemakkelijk gevoel van déjà vu. Maar wiens film was het?

'U loopt geen risico een ster te worden,' zei hij geïrriteerd. Het zweet stond hem in de handen. Hij moest weten of hij aan het hallucineren was of niet. Zijn hartslag was onregelmatig geworden. Hij voelde zich licht in het hoofd, hij voelde een soort klem boven zijn ribben. 'Mijn hart,' zei hij, terwijl hij in paniek zijn borst greep. '*Cas d'urgence*. Zorg dat u die bus niet uit het oog verliest.'

De chauffeur lachte opnieuw. '*Vraiment une affaire du coeur, monsieur? Ou de la bite?*' Hoe dan ook – of het nu werkelijk een zaak van het hart was, of van lust – de taxichauffeur beloofde dat hij de aangewezen man voor de klus was. Hij reed door elk rood licht. Hij kwam bij de Air France-terminal aan toen de Roissybus reizigers en bagage als spoelwater uitstortte.

'Zij is er, *monsieur*?' vroeg hij.

Tristan kon haar niet zien. Toen opeens wel. Maar was het Génie?

Vanuit sommige invalshoeken was Tristan er behoorlijk zeker van; vanuit andere minder. Ze had een ander kapsel. Ze was magerder. Sinds hij haar gezien had waren vijf jaar verstreken – sinds ze samenwoonden; sinds ze verdween – en toch dacht hij in die jaren vaak dat hij haar zag, vooral in het begin. Dan volgde hij een vrouw door drukke straten, en dan... '*Pardon*,' zei hij dan, maar de vrouw leek nooit ook maar in de verste verte op Génie, niet van dichtbij, en dan voelde hij zich stommer dan stom. Triest, dacht hij dan. Ik ben een triest geval. Hij wilde zichzelf niet op het vliegveld in het openbaar voor schut zetten.

Hij gaf de taxichauffeur een royale fooi en bleef toen in de buurt van de Air France-balie rondhangen en toekijken terwijl de vrouw die op Génie leek incheckte. Ze checkte haar tas niet in. Toen ze wegliep om het grote bord met aankomst- en vertrektijden te bekijken, probeerde hij op een discrete manier bij haar in de buurt te blijven maar het zat hem tegen. Vijftig Japanse toeristen kwamen als stijgend vloedwater opzetten. Tristan werd overspoeld. Hij zat in de val. De toeristen staarden omhoog naar de monitor. 'Aah, aah, aah,' zongen ze in kleine hoge rifs terwijl de cijfers knipperden en veranderden. De toeristen droegen allemaal dezelfde rode schoudertassen en op elke tas stond een logo van de rijzende zon. Opeens stond Tristan tegenover een vrouw met witte handschoenen. Ze droeg een felrood pak met een speldje van de rijzende zon op haar revers en hoog boven haar hoofd hield ze met haar handen in de witte handschoenen een bord omhoog. FUJI TRAVEL, stond er in Japanse karakters en in het Engels op. WIJ VOLGEN DE RIJZENDE ZON. Haar zonsopkomstzoekers kwamen in een dichte kring om haar heen staan.

'Pardon, pardon,' zei Tristan.

'U hoort hier niet,' zei de vrouw berispend. 'U heeft geen Fuji-tas.'

'Ik hoor niet bij u,' stelde Tristan haar gerust, terwijl hij zich vrijvocht. Maar hij had de vrouw die op Génie leek uit het oog verloren.

Hij voelde zich belachelijk. Alles wat hij bij zich had was een koffertje. Hij kocht een espresso, zat op een hoge kruk aan een koffiecounter in de bovenste hal en begon door de berichten van de afgelopen week te bladeren. Hij negeerde de telefoonmemo's – hij redeneerde dat belangrijke mensen terug zouden bellen – en richtte zich op de faxen. Toen hij bij het derde bericht kwam schudde het kopje in zijn hand hevig en een draad zwarte koffie kwam als een vraagteken omhoog. Even trilde hij in de lucht en vormde toen een donkere asterisk op de fax.

Tristan, stond er op de fax. *Kom vrijdag aan. Zelfde retourvlucht als jij. Génie.* Hij keek naar de datum en het tijdstip van ontvangst. Toen de fax aankwam zat hij in Praag. Hij zat in een cel in Praag en droomde van Génie. Zelfde retourvlucht als jij. Wat bedoelde ze in 's hemelsnaam?

Hij bekeek de volgende fax: van zijn drukker in Singapore. Hij bladerde snel door nog een paar berichten: van zijn distributeur, van een tijdschrift dat een artikel over een van zijn auteurs wilde plaatsen, van een vertaler, en toen...

De fax was die ochtend op zijn kantoor aangekomen.

Tristan, las hij. Jammer dat je niet kwam opdagen voor de afspraak bij ons hotel, no. 12, rue de Birague. Ik vlieg op 8 september terug naar New York, AF 64, vertrek om 16.00 uur. Als je op tijd op CDG kunt zijn, kunnen we nog iets drinken op de goeie ouwe tijd.

Het bericht was ongetekend, maar Tristan wist wat hij wist.

Wie anders dan Génie zou het hotel aan de rue de Birague als code kunnen gebruiken?

Hij keek op zijn horloge: tien over twaalf. Waarom zou ze zo vroeg naar het vliegveld komen? Waarom zou ze hier vier uur voor vertrek naartoe komen? Hij schoof alles terug zijn koffertje in en rende naar de Air France-balie, hij botste tegen mensen op, hij gleed uit over platgestampte *pommes frites*, iemand in uniform keek hem fronsend aan en stuurde hem langs een andere route. Een zee van rode schoudertassen week uiteen, en hij rende er ongedeerd doorheen.

Hij ontdekte dat er voor vlucht 64 naar New York nog maar drie stoelen beschikbaar waren. '*Grâce à Dieu,*' zei hij hartstochtelijk en kocht een ticket. Hoeveel tassen wilde hij inchecken? Niet één. '*Je n'ai pas de bagages.* Ik heb alleen mijn koffertje,' zei hij.

'Alleen maar een koffertje, *monsieur?*' Het ticketmeisje lachte en schudde haar hoofd. '*C'est étonnant!*' zei ze. 'U bent niet de eerste. Dezer dagen reizen mensen met bijna niets de wereld rond. Ik begrijp er niets van. Vooral de Australiërs.' Ze schudde haar hoofd. 'Ik begrijp die Australiërs niet. Ik vraag me af of ze kleren uit lucht weven.'

'Hebt u iemand anders aan boord van deze vlucht die met weinig bagage reist?'

'Er was een vrouw met een Australisch paspoort en niets meer dan handbagage. Voor mij,' zei het meisje – met haar lippen maakte ze een aantrekkelijk pruilmondje – 'voor een Franse vrouw is dat onmogelijk. *Chez nous, la mode compte trop, n'est-ce pas?*'

Tristan glimlachte.

'Ik zeg tegen haar : "Niet één stuk bagage *pour enregistrer, madame?* Niet één koffer als u helemaal vanuit Australië gekomen bent?" En ze zegt tegen me dat ze in New York woont. "*Quand même,*" zeg ik tegen haar, *c'est pas normal."* "*Cas d'urgence,*" legt ze me uit. Ze heeft wel een koffer, maar die heeft ze in het hotel laten staan, want ze heeft opeens besloten te vertrekken. Ze zegt dat er in de koffer *rien de conséquence* zit. *Exactement ça, monsieur. Rien de conséquence.* Kunt u zich dat voorstellen?'

Nu wist hij het zeker. Hoe is het mogelijk, Génie, had hij eens gevraagd, dat je een koffer kwijtraakt?

Ze zei: als er niets in zit dat ertoe doet, hoe kun je dat dan een verlies noemen?

Maar hoe is het mogelijk, hield hij vol, met zo weinig zo veel te reizen als jij?

Hoe is het mogelijk, had ze op haar beurt gezegd, om met zo veel spullen te leven die je niet op kunt pakken en met je mee kunt nemen, zoals jíj? Ze had met haar vingers geknipt. Trouwens, zei ze, ik ben toch een geest? Als je in een lamp woont, heb je niet veel plek.

Nu hij een ticket voor haar vlucht had, wilde hij niet wachten met haar te vinden tot het tijd was geworden om aan boord te gaan, maar hij bedacht geïrriteerd dat je op de drukke luchthaven Charles de Gaulle, die altijd werd verbouwd en uitgebreid, maar aan een chronisch ruimtegebrek leed, je eigen schaduw uit het oog kon verliezen.

'Die Australische vrouw,' vroeg hij aan het ticketmeisje. 'Hebt u gezien waar ze naartoe ging? Ik ga binnenkort voor zaken naar Australië, en ik zou haar graag om wat advies vragen.'

'Ze ging die kant op, *monsieur.*' Het meisje wees naar de roltrap die naar de ondergrondse promenade leidde. '*Bonne chance, monsieur.*'

Hij doorzocht elke bar en bistro en boekwinkel in dat ondergrondse voorportaal van de hel – zonder haar te zien. Hoewel ze pas over uren zouden vertrekken, concludeerde hij dat ze terug omhoog gegaan moest zijn naar de incheckverdieping, dat ze al langs de beveiliging gegaan moest zijn. Hij bevond zich op de roltrap omhoog, van waar hij een goed overzicht had, toen hij een glimp van haar opving, beneden, nog steeds op het ondergrondse niveau. Ze stond aan het uiteinde van de promenade, aan het begin van een lange tunnel die naar de binnenlandse terminals leidde. Plotseling voelde hij zich gewichtloos en vrij. Even geloofde hij dat hij kon vliegen. Hij rende terug naar beneden over de roltrap die omhoogging.

Terwijl hij tussen de fastfoodtafels door zigzagde botste hij tegen een man op die een baby in zijn armen hield. Een klein meisje in een blauwe jas gilde. Hij week uit om een man met een emmer en een zwabber te ontwijken. Hij kon Génie nog steeds zien. Ze bekeek de sjaaltjes op een rekje bij een Silk Route-boetiek.

Op dat moment werd hij aangehouden en naar een kleine kamer gebracht.

'Het zou geen moeilijke vraag moeten zijn, *monsieur*.'

'Wat?' Hij knippert met zijn ogen naar de politieagent. 'Eh...' Hij wacht op een geheugensteuntje, maar zijn ondervrager biedt hem geen hulp. 'Het spijt me. Wat vroeg u precies?'

'We zijn erg geïnteresseerd in de reden waarom u zoveel reist.'

'Zoveel...' Hij speelt de zin voor zichzelf terug en merkt dat hij het antwoord weet. 'Mijn werk. Voor mijn werk moet ik veel reizen.'

'U komt net terug uit Praag.'

'Ja.'

'Waarom?'

'Zaken. Er was daar een literair festival. Ik ben uitgever.'

'En vóór Praag, Duitsland.'

'Ja.'

'Waarom?'

'De Frankfurter Buchmesse is volgende maand. Ik moest voorbereidingen treffen voor onze uitstalling. Zoals ik zei, ik ben uitgever.'

'Ach, ja. Dat staat inderdaad in uw papieren. We hebben nog niet eerder van deze uitgeverij gehoord.'

'Nee. Het zou me verbazen als u dat wel had gedaan.' Monsieur Charron probeert geen aanstoot te geven. 'Ik kan me niet voorstellen dat het soort boek dat ik uitgeef u zou interesseren.'

'En wat voor soort boek is dat, monsieur Charron?'

'Niet het soort dat u op een vliegveld kunt kopen.' Hij mijdt een rechtstreekse opmerking over de leesgewoontes van de gendarmerie. 'Intellectueel,' zegt hij.

'Ach, ja, natuurlijk. Literatuur.' De politieagent laat het woord wellustig en vagelijk louche klinken.

'*Belles lettres*. Ja.'

'En dat festival in Praag. Waarom interesseert u zich daarvoor?'

'Ik geef verscheidene Oost-Europese schrijvers in vertaling uit.'

'Ach, ja, natuurlijk. U ontmoet de vertalers.'

'Nee. Ik ontmoet de schrijvers. De vertalers wonen allemaal hier in Parijs.'

'Ze onderhouden natuurlijk nauwe banden met Oost-Europa?'

'De vertalers? Waarschijnlijk wel. Ik weet niets over hun privé-leven. Ze freelancen voor alle uitgevers, groot en klein.'

'En u bent klein.'

'Zeer klein.'

'Maar gerenommeerd, natuurlijk.'

Monsieur Charron trekt zijn wenkbrauwen op, maar zegt niets.

'En toch is er, ondanks uw kleinschaligheid, altijd geld.'

Tristan fronst. 'U lijkt mij dus toch te kennen, heren.'

'We koesteren slechts een vermoeden,' zegt één van de gendarmes, 'op basis van zoveel reizen.'

'Zoals alle kleine literaire uitgeverijen overleef ik op rook en spiegels en cultuursubsidies.'

'Subsidies van buitenlandse overheden.'

'Als ik geluk heb. Ook subsidies van ons eigen ministerie van Cultuur.'

'Om Praag dezer dagen te kunnen bezoeken, *monsieur*, moet men ofwel nauwe contacten met de communisten onderhouden, of met de dissidenten, die nauwe banden hebben met bepaalde dissidentenbewegingen in Frankrijk. Uw boeken, *monsieur*' – en er is duidelijk een provocerende ondertoon, een spoortje minachting – 'uw zeer literaire boeken gaan allemaal over politieke onderwerpen.'

'Normaal gesproken niet, nee. Tenminste niet op een gewone manier. Ik geef fictie uit.'

'O, natuurlijk, fictie. En Algerije. Waarom Algerije?'

'Ik heb een paar Algerijnse schrijvers. Ze wonen in Parijs.'

'Algerijnen in Parijs hebben een gewelddadige staat van dienst, *monsieur*.'

'Een handjevol Algerijnse extremisten wel. Daar zitten geen schrijvers bij, voorzover ik weet.'

'Ze hebben vele sympathisanten, *monsieur*. Dus wat is de reden voor uw bezoek aan Algerije?'

Tristan trekt zijn wenkbrauwen op. 'Ik ga niet naar Algerije.'

'Ogenschijnlijk niet, *monsieur*, zoals we aan uw ticket kunnen zien. Hoewel één van uw Algerijnse schrijvers, de vrouw, die oorspronkelijk geboekt had voor deze vlucht, enigszins in de war lijkt te zijn geweest over de bestemming. Daarom heeft ze haar reservering geannuleerd, maar we hebben een bericht van haar onderschept.'

Tristan staart ze aan. 'Ik weet niet waar dit over gaat,' zegt hij. 'Ik heb de schrijfster zelf maar één keer ontmoet. We hebben over Camus gesproken.'

'U weet dat ze banden heeft met de extremisten?'

'Nee. Dat kan ik moeilijk geloven. Hoe dan ook, ik houd me niet bezig met de politiek van de boeken die ik uitgeef. Ze heeft een voortreffelijke roman geschreven.'

'Over een klein Arabisch jongetje dat in het achttiende arrondissement opgroeide.'

'Ik moet u complimenteren, heren,' zegt Tristan droogjes. 'U bent zeer belezen.'

'In deze roman wordt een Algerijn naar een Franse gevangenis gestuurd, waar hij een rel veroorzaakt.'

'Het gaat over seksualiteit,' zegt Tristan. 'Niet over zijn politieke ideeën.'

'Ah, ja. Zijn gewelddadige seksualiteit. En uw eerdere bezoeken aan Algerije?'

'Ik ben nog nooit in Algerije geweest.'

'En Marokko?'

'Marokko? De laatste keer dat ik in Marokko was, was als kind op zomervakantie met mijn ouders.'

'Ik vrees dat ik u moet vragen met ons mee te komen, *monsieur*.'

'Maar ik begrijp het niet. Waar gaat dit over? Mijn Algerijnse schrijfster?' Het schijnt Tristan, nu hij om zich heen kijkt, toe dat er op het vliegveld veel meer politie is dan gewoonlijk. 'Wat gebeurt er allemaal?' vraagt hij.

'Voorzorgsmaatregelen, *monsieur*. Standaard voorzorgsmaatregelen.' Hij dient de gendarmes te vergezellen over een behoorlijke afstand door de lange tunnel die naar de parkeerplaats leidt, en dan in een lift nog een verdieping omlaag, en dan door een schijnbaar eindeloze gang met meerdere bochten. In de kleine verhoorkamer doen de politieagenten de deur op slot. 'Het valt ons op, monsieur Charron, dat u uw ticket waarmee u naar New York wilt vliegen pas in het afgelopen uur gekocht hebt. Wat is daar de reden voor?'

Zal ik ze de waarheid vertellen? vraagt hij zich af. Zal ik zeggen: vanwege een vrouw. Want gisteren zag ik een vrouw die ik vijf jaar niet gezien had. Want gisteren, en vandaag, en de dag daarvoor, zag ik een vrouw op de Place des Vosges... nee; ik dénk dat ik een vrouw zag met wie ik ooit op een intieme manier omging. Maar de nacht daarvoor werd ik in Praag afgetuigd en daarom is het mogelijk – en hij probeert zich voor te stellen dat hij het toegeeft – is het mogelijk dat ik haar uit een gevoel van verlies en verlangen opgeroepen heb.

Hij is niet van plan te zeggen wat er in Praag gebeurd is.

Zal hij zeggen: ik heb een ticket gekocht omdat ik net een geheim bericht van deze vrouw gekregen heb. Ik heb geen idee hoe het mij bereikt heeft, maar ik ben tot op het lachwekkende af bijgelovig (dat komt door mijn Catalaanse grootmoeder, en ik lijk mezelf niet te kunnen genezen, hoewel ik zou sterven van intellectuele schaamte als de neiging bekend zou worden gemaakt in de uitgeversdistricten van de boulevard St. Germain); want ik ben bijgelovig, en driemaal is een teken.

Hij fronst. Hoe weten ze dat hij zijn ticket net heeft gekocht? Melden de luchtvaartmaatschappijen last-minute aankopen? Maar als dat het geval is, hoe kunnen ze dan in zo korte tijd zoveel over hem te weten zijn gekomen? Hielden ze voor hem de ticketbalies in de gaten? Vanwege zijn Algerijnse schrijfster? Vanwege Praag? Vanwege de manuscripten uit Oost-Europa die hij onder pseudoniem uitgegeven heeft? Miniem onderzoek zou ze leren dat uitgevers – onder bepaalde omstandigheden, ter bescherming van zichzelf, omdat ze het nu eenmaal zo geregeld hebben – weinig weten over de details van de privé-levens van hun schrijvers. Dus ze hebben hem kennelijk gevolgd, maar hoe lang? Hij herinnert zich de klik van de camera op de Place de l'Opéra.

'We wachten op een verklaring, *monsieur* Charron.'

'Ik was me er niet van bewust,' zegt hij kwaad, onbezonnen, 'dat Franse staatsburgers een reden voor hun reis moeten opgeven.'

'Onder uitzonderlijke omstandigheden, *monsieur*, dienen Franse staatsburgers verantwoording af te leggen aan de politie.'

'En hoe ben ik een bijzondere omstandigheid geworden?' wil monsieur Charron weten.

'Wij mogen de bijzondere details van de bijzondere omstandigheden niet aan u bekendmaken, *monsieur*. Maar wij raden u aan ons de reden te geven van deze zeer plotselinge beslissing om naar New York te vliegen.'

'Zo snel,' zegt de tweede politieman, 'nadat u bepaalde schrijvers in Frankfurt en Praag hebt ontmoet.'

'En zo snel nadat uw Algerijnse schrijfster haar reservering voor deze vlucht geannuleerd heeft,' brengt de eerste hem in herinnering.

'Daar weet ik niets van,' zegt Tristan.

'Dus wat is de reden dat u deze vlucht gekozen hebt, *monsieur*?'

'Geen reden,' zegt hij. 'Een opwelling.'

'Ah,' ze wisselen een veelbetekenende blik uit. Ze inspecteren zijn paspoort opnieuw. 'Een opwelling. Zoals in uw naam.'

'Dat klopt,' zegt hij, geamuseerd. '*Une tocade.*'

'Tristan Tocade Charron. Een merkwaardige naam, *monsieur*.'

'Is dat zo? Tocade is mijn moeders achternaam.'

'We hebben zo onze redenen te denken, *monsieur*, dat het een codenaam is.'

Monsieur Charron staart ze aan. 'Wat?' Hij wacht op een lach, en als niemand lacht begint hij te verwachten dat de gendarmes zullen gaan zweven. Hij begint te verwachten dat ook de kleine tafel in de kamer zal gaan zweven. Hij begint te denken dat Génie als sigarettenrook uit iemands zak zal opstijgen. Hij begint te denken dat hij zou moeten opstaan en uit deze droom zou moeten weglopen. Hij staat op.

'Gaat u alstublieft zitten, *monsieur*.'

Hij lacht ongemakkelijk. 'Is dit een of andere grap?'

'U hebt een verhouding gehad met een vrouw die voor een inlichtingendienst werkt.'

'Is dat zo?' Tristan Charron lacht opnieuw. 'U bedoelt mijn Algerijnse schrijfster.'

'Nee, *monsieur*. U weet wie wij bedoelen.'

Ze kijken hem onbewogen aan, afwachtend. De merkwaardigheid van de laatste twintig minuten komt hem nu onheilspellend voor. Een vrouw die voor een inlichtingendienst werkt? Génie toch zeker niet? Génie kan het zeker niet zijn. Het hele idee is belachelijk. Maar aan de andere kant, wat zou een betere dekmantel zijn dan Engels als tweede taal doceren, bij wijze van spreken over de hele wereld oproepbaar zijn, met als klanten vaak politici, managers en de kinderen van presidenten? En is dat wat ze werkelijk doet? Is dat een financiële ondersteuning voor de reisboeken, of andersom? Is het schrijven over reizen simpelweg een hobby, een amusante bijbaan, zoals ze beweerd heeft? Of is het een gecompliceerd masker, dat eindeloze updaten van informatie voor een of ander bizar succesvolle uitgeverij van gidsen voor de frank-en-vrijen? Vakmatig heeft hij grote bewondering voor de *Wandering Earthling*-reeks, een wereldwijd succesverhaal van een onderneming met een erg klein budget, een Australische nog wel, van alle onwaarschijnlijke...

Nu hij erover nadenkt is er in de uitgeverswereld veel over gepraat, veel over gespeculeerd. Hoe heeft dat buitenbeentje zo snel zo ver kunnen komen? Wie financiert de reeks?

Hij probeert zich Génie voor te stellen als de *Wandering Earthling* die informatie van een heel andere soort verzamelt. Hij probeert zich haar voor te stellen als de brenger van boodschappen van de ene overheid naar de andere, berichten die overgebracht worden als gecodeerde grammaticaoefeningen in een klas van Engels als tweede taal. Het lijkt onwaarschijnlijk. *The rain in the Ukraine falls mainly on the hijacked plane. Do you think the weather is propitious? I do not think so, we do not think so, they do not think the weather is propitious.* Tristan vindt dit alles onwaarschijnlijk.

De Génie die hij kent, of kende, kon tussen de Pont Louis Philippe en de Pont Marie in verdwalen. Ze kon twintig minuten lang in de gangen van de metro ronddolen, tussen het uit het treinstel stappen en het vinden van de uitgang naar de straat. Ze kon door kinderen op een binnenplaats staande gehouden worden, of door een oude man die met een baguette naar huis liep. 'Waar kun je in 's hemelsnaam zo lang over praten?' vroeg hij dan geïrriteerd. 'Met volslagen vreemdelingen nog wel!'

'Stel je voor,' zei Génie dan. 'Die oude man is zijn hele leven al *randonneur*. Vorig jaar heeft hij nog drie dagen in de Pyreneeën rondgewandeld. Hij is tachtig! En hij heeft me de naam van een boerderij gegeven waar wandelaars kunnen overnachten.'

Het is een absurde gedachte dat Génie informatie verzamelt die interessant is voor iemand anders dan een low-budgetreiziger. Aan de andere kant: waarom was ze dan verdwenen?

Nou, daar wist hij het antwoord op.

Ze was verdwenen omdat hij een stompzinnig ultimatum gesteld had. Ik kan niet samenleven met een schrijfster van reisgidsen, had hij gezegd. Ik kan niet samenleven met een vrouw die zo vaak níet bij mij in bed ligt. Als je weg bent, vraag ik me af met wie je die nacht slaapt. Ik kan niet slapen. Het is niet uit te houden; het kwelt me. Het is niet normaal dat een vrouw zo leeft. Hij was gewelddadig jaloers geweest. Hij had dingen door de kamer gesmeten.

Je geeft me het gevoel dat ik in een kooi zit, zei ze. Je hebt gelijk, zei ze. Zo veel wantrouwen is onverdraaglijk.

Of je houdt op met die reisgidsen, schreeuwde hij, of je vertrekt.

En ze was vertrokken. Ze was spoorloos verdwenen.

Maar ze was weggegaan omdat hij stompzinnig was geweest, niet vanwege spionage. Toch? Nee. Niet Génie. Maar wie dan wel?

'U weet wie wij bedoelen, *monsieur*,' herhaalt de politieagent. 'U weet dat heel goed.'

Is dat zo? Het slaat allemaal nergens op. Sinds Praag heeft hij aan vrij weinig nog een touw kunnen vastknopen.

Plotseling herinnert hij zich Françoise, die hij soms nog steeds tegen het lijf loopt. Lang geleden – nou, tien jaar geleden, toen ze allebei aan de Sorbonne studeerden – had hij vaak het idee gehad dat ze samen gevolgd werden. Een jaloerse ex-vriend, dacht hij. Nu komt één moment in het bijzonder met zo veel kracht terug dat hij naar adem snakt. Ze zitten in een bistro aan de rue Clovis, achter het Panthéon, en Françoise heeft haar rokje uitdagend een stukje opgetrokken. Ze schuift twee vingers onder de bovenkant van haar kous. Haar jarretel maakt een kort petsend geluid tegen haar huid. Ze doet dit zedig. Ze draagt alleen maar kousen en jarretels omdat hij haar dat heeft gevraagd, maar ze laat hem duidelijk weten dat het verzoek haar irriteert, en daarom straft ze hem, plaagt ze hem in het openbaar. Onder de bistrotafel laat hij zijn hand over haar dij glijden, over de kous. En dan is er opeens een zachte plof van een flitslicht. Maar als hij zich omdraait, ziet hij alleen maar een Amerikaanse toerist met een camera in zijn handen. Hij heeft een nietszeggend gezicht.

'Iemand maakte een foto,' zegt hij kwaad tegen Françoise.

'Dat doen toeristen nu eenmaal,' zegt ze.

'Nee. Dit was anders.' Er zijn andere keren geweest en die herinnert hij zich nu. 'Iemand volgt ons,' zegt hij.

'Dat is belachelijk.' Paranoia of jaloezie van zijn kant, impliceert Françoise. Maar dan, later, ergens tijdens de twee jaar van hun niet-zo-heel-erg-bevredigende relatie, laat ze zich ontvallen dat haar vader banden heeft met de Amerikaanse ambassade. 'Papa liet het voor me overkomen met de diplomatieke post,' zegt ze over een boterzacht lederen koffertje dat hij bewondert. 'Het komt uit Bangkok.' Ze is bang voor haar vader. Ze wuift Tristans vragen weg. 'Hij is een Amerikaan,' zegt ze. 'Hij was hier eind jaren vijftig gestationeerd. Hij begon toen een relatie met mijn moeder, maar hij liet zich weinig aan haar gelegen liggen. Hij komt en gaat wanneer het hem uitkomt.'

Tristan vraagt scherp: 'Is hij een diplomaat? Of bij de CIA?'

'Hij doet onderzoek voor de Amerikaanse overheid, of voor het leger, of zoiets. Hij reist. Ik weet het niet. Ik hou me niet bezig met zijn leven. We hebben geen tijd voor hem, mijn moeder en ik.'

'Maar hij betaalt je appartement,' zegt Tristan. Het is klein en elegant, in het zevende arrondissement, vlak bij Les Invalides, en hoewel ze elkaar daar zo nu en dan voor afspraakjes ontmoeten is hij nooit blijven slapen.

'Wie heeft je dat verteld?' Ze ergert zich aan hem en ze is verontrust.

'Jij.'

Ze steekt een sigaret op en inhaleert. Haar vingers trillen licht. 'Het is een *control freak*,' zegt ze. 'Hij betaalt omdat hij denkt dat hij dan weet waar ik ben. Daarom slaap ik er niet vaak. Mijn vrienden mogen het gebruiken.' Ze inhaleert gretig. Soms denkt hij dat ze op rook en wijn leeft.

Hij vraagt rustig: 'En waar slaap je als je niet in je appartement bij Les Invalides of bij mij bent?'

Ze is in de weer met het uitdrukken van haar sigaret, maar steekt er dan meteen nog een op. 'Ik logeer bij mijn moeder,' zegt ze. 'Of bij vrienden.'

'Op die manier.'

Haar ongrijpbaarheid en intensiteit vindt Tristan aantrekkelijk. Haar bezitterigheid vleit hem. Haar jaloezie windt hem eerst op maar irriteert hem vervolgens.

'Ik kan er niet tegen als ik niet weet waar je bent,' zegt ze tegen hem. 'Ik heb gezien wat dat met mijn moeder deed. Mijn vader was er nooit, maar hij wilde altijd dat mijn moeder zat te wachten als hij weer eens kwam,' zegt ze. 'Dat ze alleen maar op hem zat te wachten. Hij wilde altijd weten waar ze zat. Hij belde haar twee keer per week en o wee als ze er niet was! Na een tijdje werd ze er gek van.

Ze zei dat hij haar nodig had omdat ze bereid was dingen te doen die zijn Amerikaanse vrouw niet wilde doen. Amerikaanse seks is zoutloos, zei hij tegen haar. Met Amerikaanse vrouwen is er alleen maar babyvoedingseks. Geen smaak, geen gevaar, geen risico.

"Ga dan bij je Amerikaanse vrouw weg," zei mijn moeder tegen hem.

En hij zei tegen haar: "Amerikaanse vrouwen zijn er om mee te trouwen en voor overdag, Franse vrouwen zijn er voor 's nachts. Jij bent mijn gevaar. Jij zou tegen me gebruikt kunnen worden als iemand me wilde chanteren. Dat windt me op, en daarom moet ik weten waar je bent."

"Nu zie je me," zei mijn moeder tegen hem, "en nu niet. Je zult niet weten waar het gevaar vandaan komt."

'Ze wilde niet meer met hem slapen, ze wilde hem niet zien, maar ze wist dat hij altijd andere vrouwen had. Hij hield er altijd reservegevaren op na.'

Toen, tien jaar geleden, dacht Tristan dat haar vader weliswaar in de schaduw opereerde maar dat hij wel machtig was. Die wetenschap had hem een ongemakkelijk gevoel gegeven. Daarna, vooral in het appartement vlak bij Les Invalides, vond hij het steeds moeilijker om in vleselijk opzicht het beste in hem naar boven te krijgen. In zijn hoofd ging steeds een flitslicht af. Hij voelde zich bekeken.

Hij heeft er geen idee van wat Françoise tegenwoordig allemaal doet. Als ze elkaar toevallig ontmoeten is hij oppervlakkig en wil hij zo snel mogelijk weer weg. Hij merkt dat hij zich inbeeldt dat de waakhonden van haar vader om haar heen sluipen, dat ze haar in de gaten houden en hem ook. De laatste keer was misschien drie maanden geleden en ze was samen met een of andere vrouw – haar huisgenote, zei ze; een Amerikaanse uitwisselingsstudente – en ze had ze aan elkaar voorgesteld, en toen had ze gevraagd...

Onverwachts komen twee beelden nauwkeurig samen in zijn geest en ze passen exact op elkaar, en er komt licht van ze af. Hij had Génie bij de boetiek van Silk Route gezien, hij had een kind in een blauwe jas gezien met een vrouw die hem vaag bekend voorkwam... die vrouw was de Amerikaanse studente die Françoise bij zich had gehad.

Betekende dat iets?

Hoe kon dat iets betekenen?

En er was nog een bizarre ontmoeting, hoe lang geleden? Jaren geleden, zeven jaar geleden, de eerste keer dat Génie hem bij haar thuis in het dertiende arrondissement had uitgenodigd, voordat ze naar zijn appartement in het vierde verhuisden. Ze waren door de zware houten deur die op de Avenue des Gobelins uitkwam gegaan, waren het pleintje overgestoken, en hadden de tijdschakelaar in het donkere trappenhuis van *escalier A* ingedrukt. Voordat ze de tweede verdieping bereikt hadden was het licht uitgegaan en twee mensen, die naar beneden kwamen, waren bijna tegen hen aangebotst.

'Tristan!' zei een vrouwenstem vanuit het donker.

In de schemering kneep hij zijn ogen toe. 'Françoise.'

'Kennen jullie twee elkaar?' vroeg Génie.

Wat een bizar toeval, had hij toen gedacht. Met heel Parijs om uit te kiezen wonen twee vrouwen die ik intiem ken in hetzelfde gebouw. In hetzelfde trappenhuis. Het stoorde hem. Iemand drukte weer op de lichtknop en hij staarde Françoise en haar vriend aan. Hij concludeerde dat haar seksuele smaak veranderd was sinds haar tijd aan de Sorbonne. Toen had ze een voorkeur voor boekenwurmen, intellectuelen. Deze vriend had de intelligente arrogantie van een straatjongen en de stijl van een macho. Misschien was hij Egyptisch? Algerijns? Hij trakteerde Tristan op een brutaal glimlachje dat Tristan vertaalde met: Als je haar aanraakt vermoord ik je. En toen praatte de vriend tegen Génie. *'Ton ami?'* vroeg hij, en Tristan draaide zich woedend om, klaar om uit te halen, vanwege het intieme voornaamwoord. Wat een schaamteloosheid.

Génie legde haar hand op zijn arm. 'Negeer hem maar,' fluisterde ze. 'Geef hem niet wat hij wil.'

'Waarom gebruikte hij *tu?*' vroeg Tristan. Zijn jaloezie kwam vaak net zo snel opzetten als huiduitslag. Hij wist dat zijn bezitterigheid Génie stoorde, en soms amuseerde, maar hij kon er niets aan doen. 'Waarom sprak hij je zo intiem aan?' Hij moest het weten.

'Omdat hij kon zien dat jij je eraan zou ergeren,' zei Génie.

De politieagenten houden Tristan nauwgezet in de gaten. Hij wordt zich ervan bewust dat hij beide handen tot vuisten gebald heeft. 'Ik ben met vele vrouwen omgegaan, *monsieur*,' zegt hij nonchalant, terwijl hij zijn handen ontspant. 'Ze zijn allemaal een raadsel voor me. Als het op spioneren en ondervragen aankomt is Torquemada met die vrouwen vergeleken een amateur.'

Een van de gendarmes lacht kort en scherp. Het gezicht van de ander blijft uitdrukkingsloos. 'Waarom vliegt een uitgever naar New York als hij op het punt staat volgende maand Amerikaanse collega's in Frankfurt te ontmoeten? Waarom zou hij dat doen?'

Tristan haalt zijn schouders op. 'Zoals ik zei. Een opwelling.'

'Une tocade.'

'Ja.'

'Dezelfde vlucht als uw Algerijnse schrijfster die geannuleerd heeft. Dezelfde vlucht als de schrijver uit Belgrado.'

'Wat? Welke schrijver uit Belgrado?'

'Degene die u in Praag ontmoet hebt.'

Tristan plukt aan zijn wenkbrauwen. 'Ik heb verschillende schrijvers uit Belgrado ontmoet. Welke bedoelt u?'

'Wie hebt u allemaal ontmoet, *monsieur*?'

'U zult me een juridische reden moeten geven,' zegt monsieur Charron behoedzaam, 'waarom ik daar antwoord op zou moeten geven. De lichamelijke veiligheid van die schrijvers zou op het spel kunnen staan.'

'Lichamelijke veiligheid is een onderwerp dat ons zeer na aan het hart gaat, *monsieur*, vooral op een vlucht met aan boord een joodse schrijver uit Belgrado, een joods strijkkwartet, en een groep Israëli's die op weg is naar een conferentie over Jiddische literatuur. Een zeer interessante en ongebruikelijke vlucht voor een uitgever die beweert zich niet met politiek bezig te houden.'

'U maakt een grapje.' Tristan staart de twee gezichten beurtelings aan. 'Maakt u geen grapje?' Dat verbaast hem.

'Natuurlijk zult u beweren dat u op weg bent naar de conferentie over Jiddische literatuur.'

'Ik wist daar eigenlijk niets van,' zegt hij. 'Hoewel het me zeker interesseert. Ik zou graag de details van u horen.'

'Ongetwijfeld, *monsieur*. Ongetwijfeld zou u dat. Maar u zult ons eerst een eerlijker antwoord moeten geven op de vraag waarom u plotseling voor deze vlucht gekozen hebt.'

Monsieur Charron zet een pruilmondje op en draait zijn handpalmen naar boven. Kat en muis kun je met z'n drieën spelen, denkt hij, en de waarheid is altijd de beste verdediging, vooral aangezien ze hem niet zullen geloven. 'Vanwege de oudste reden die er bestaat,' zegt hij. 'Ik ben een Fransman. Ik zag een vrouw. *J'ai une tocade pour elle.*' Ik ben gek op haar. Nog steeds.

'Dank u, *monsieur*. De Australische schrijfster van reisgidsen, de vrouw met de codenaam Geneva. Dat weten we. Het pleit in uw voordeel dat u de connectie toegeeft.'

'Codenaam? Heeft ze een codenaam?' vraagt Tristan met stomheid geslagen.

'Nog één ding, monsieur Charron. U weet ongetwijfeld dat een zekere Françoise Galette, met wie u vroeger een relatie had, haar reservering voor deze vlucht eveneens geannuleerd heeft.'

'Wat?' Tristan is duizelig.

'Een paar uur geleden,' zeggen ze tegen hem. 'Per telefoon. Ze heeft haar vlucht geannuleerd.'

'Dit is ongelofelijk. Dit slaat allemaal nergens op.'

'Het is duidelijk dat íemand, *monsieur*, de sleutel tot al deze raadsels in handen heeft. U kunt gaan.'

Tristan is verbluft. Het plotselinge wegsturen komt hem nog merkwaardiger voor dan de ondervraging.

Terwijl hij geflankeerd door zijn ondervragers de kamer verlaat, komen drie mensen uit de kleine kamer ernaast te voorschijn: twee mannen in uniform en een vrouw.

'Génie,' zegt Tristan struikelend, en één van de gendarmes heft een afwerende hand op.

De vrouw staart hem vol ongeloof aan. 'Tristan!'

'*C'est vraiment toi*,' zegt hij. '*Je t'ai vraiment vue.*' Je bent het echt. Ik heb je echt gezien. Hij steekt zijn hand uit om haar aan te raken, en ze tilt de hare op om die van hem te ontmoeten. Hun vingertoppen raken elkaar zacht. Zijn tong voelt dik en log in zijn mond. '*Comment vas-tu?*'

'*C'est toi, Tristan*,' zegt ze terneergeslagen, alsof een of ander oneindig pleit in haarzelf beslecht is. 'Ik had het kunnen weten.'

2

Codenaam: Geneva

Dus nu komt Tristan te voorschijn, in hechtenis, geflankeerd door mannen in uniform, na drie dagen van afspraken maken en ze niet nakomen. Genevieve heeft nooit zeker geweten of hij volgens de regels van ordeloosheid leeft of volgens een plan dat zo labyrintisch is dat zelfs hij misschien de weg naar buiten vergeten is. Zelf heeft ze de gewoonte dingen kwijt te raken: landen, koffers, mensen die haar dierbaar zijn. Ze ziet zichzelf als iemand die een virus van verlies met zich meedraagt. Ze denkt dat het in haar genen zit. Ze denkt dat ze ermee geboren is aangezien ze zo vroeg al mensen begon te verliezen: eerst haar ouders, toen de rondzwervende oom die haar meenam op zijn foto-expedities. *'Je vader en ik,'* zei hij altijd tegen haar, *'je vader en ik konden er nooit tegen lang stil te blijven staan. Het zit in de bloedcellen van de Teagues, Gen. We hebben rusteloos bloed. Onze harten pompen niet als ze lang op één plek moeten blijven.'* Tijdens een moment van onachtzaamheid stortte hij met zijn Leica een bergspleet in. Toen het gebeurde was hij met een team van bergbeklimmers bezig aan een opdracht, en Génie zat in Australië op school. Ze herinnert zich de manier waarop het schoolhoofd vanuit de deuropening van het klaslokaal gebaarde dat ze bij haar moest komen. Ze herinnert zich de manier waarop de andere meisjes naar haar keken, en toen naar elkaar. Op kostscholen verspreidt het nieuws zich via het optrekken van een wenkbrauw. Ze herinnert zich dat ze het meteen wist, nog voordat het schoolhoofd iets gezegd had. Ze weet dat elke deur op het niets kan uitkomen. Ze verliest altijd van alles. Het defect is als malaria: het sluimert in het bloed, slaapt soms, en dan flakkert het zonder waarschuwing op.

Ze heeft de gewoonte ontwikkeld om weg te gaan voordat iemand bij haar weggaat – dat is haar beveiligingssysteem – maar soms wordt ze midden in de nacht wakker van het onregelmatige kloppen van haar hart. Dan is ze ergens alleen in een kamer, het zou overal kunnen zijn, gewoonlijk kan ze zich in eerste instantie niet herinneren in welk land ze is. Ze hoort alleen de krankzinnige gesyncopeerde rifs van haar hart dat nummers van Billie Holiday zingt. *In my solitude...* als ze zou verdwijnen, wie zou het dan merken?

Misschien zou de *Wandering Earthling* een overlijdensadvertentie van twee regels plaatsen. Meer dan een jaar sinds de reizende freelance schrijfster Genevieve Teague... vermist, waarschijnlijk omgekomen bij een ongeluk... geen familie bekend... haar gedetailleerde reisverslagen zullen node...

En wat als Tristan – aasetende uitgever, alleslezer – dit kleine bericht zou zien?

Ze mag graag denken dat hij even aangeslagen zou zijn. Ze mag graag denken dat hij spijt zou hebben van de laatste ruzie, van het laatste ultimatum. Ze mag graag denken dat hij zich zou herinneren dat ze elkaar ooit schriftelijk beloofd hebben, half gemeend, half voor de grap, dat ze, zelfs als ze allebei nieuwe minnaars zouden hebben, nog steeds als de bliksem bij elkaar terug zouden komen, *comme une traînée de poudre*, als de ander daar dringend om vroeg.

'Over vijftig jaar, als je me dan belt, als je zegt: ik loop aan het einde van de wereld gevaar,' had Tristan uitbundig op een kaartje geschreven dat bij drie dozijn rozen had gezeten, '*pouff! En un clin d'oeil*, dan ben ik er in een oogwenk.'

Génie had een fles voortreffelijke wijn met daarop een lampenkap teruggestuurd, een handgeschreven briefje was met tape aan de kap vastgeplakt. 'Je hoeft alleen maar "Ik ben in extremis" te zeggen terwijl je de lamp opwrijft, en abracadabra: Génie komt te voorschijn.'

De herinnering aan deze uitwisseling stelt haar gerust tijdens eenzame nachten, en tijdens die nachten waarin de telefoon in dromen overgaat maar altijd zwijgt tegen de tijd dat haar hand hem vindt. In dromen komen er ook faxen uit Europa aan, evenals diep in de nacht, en tijdens een slapeloze laatste paar uur voor zonsopkomst in augustus 1987 hoorde ze eens het hoge zoemen van haar apparaat en keek ze toe terwijl een fax zichzelf als een tong ontrolde.

Lieve Génie: ik ben in extremis. Kom je? Liefs, Tristan.
ps: Antwoord alsjeblieft per fax naar bovenstaand nummer.

Zo gebeurt het: een bepaalde naam, een bepaalde zin, een gezicht in een menigte – kleine, onvoorspelbare dingen – en ze voelt het verdriet in haar knokkels, oksels, liezen. Het komt opzetten als een koortsaanval. Het zwelt aan en klopt, een besmettelijk virus van verlies. Dus probeert ze niemand te missen. Ze probeert niet te dicht bij iemand te komen die ze zou kunnen gaan missen. Ze werkt lang door, ze probeert onderweg te blijven, ze blijft in beweging, en gaat door, ze blijft van geheim nummer veranderen, ze doet haar best om onbereikbaar te zijn en niet te lang op één plek stil te blijven staan.

Maar twee regels waren door deze hindernisbaan heen geglipt.

Ze kreeg het voor elkaar een heel uur te wachten, en toen verstuurde ze een antwoord.

Lieve Tristan: natuurlijk kom ik. Aan je faxnummer te zien ben je nog
steeds in Parijs. Zelfde adres? Krijg ik een week om de nodige voorbereidin-
gen te treffen en een goedkope vlucht te boeken, of is het daar te dringend
voor? Liefs, Genevieve.
ps: Hoe ben je in 's hemelsnaam aan mijn nummer gekomen?

Een week lang checkt ze dwangmatig om de paar uur haar fax. Van Tristan kwamen er geen berichten meer. Ze belde zijn appartement in Parijs. Dat wil zeggen: ze belde een nummer dat ooit, en misschien nog steeds, het nummer van zijn appartement was, van hun oude appartement in het vierde arrondissement. Een antwoordapparaat sprak haar toe. Een vrouwenstem zei in kordaat Frans: 'Dit is het antwoordapparaat van Luc en Sylvie. Momenteel kunnen we de...' Genevieve hing op.

Ze belde zijn uitgeverij. De receptioniste had nog nooit van monsieur Charron gehoord. De receptioniste legde uit dat ze er nog maar een paar maanden werkte. Ze verbond Genevieve door met een redactrice. Ze legde uit dat Tristan Charron daar al een paar jaar niet meer werkte. Tegenwoordig had hij zijn eigen uitgeverij, waarvan ze zich de naam niet kon herinneren, maar het ging behoorlijk goed. Ze dacht zich te herinneren dat hij zich in vertalingen aan het specialiseren was, dat hij niet-Franse schrijvers in Frankrijk introduceerde. Ze had positieve artikelen gelezen in *Livres-Hebdo*, in *Le Nouvel Observateur*, in andere vakbladen. Agence France zou hem waarschijnlijk wel kunnen vinden.

Genevieve bekeek haar faxenmap om Tristans bericht opnieuw te lezen. Op het glanzende thermische papier was het al aan het vervagen. Ze trok een trainingspak aan en ging hardlopen. Ze liep acht kilometer, tot de steken in haar zij zo fel werden dat ze alle gedachten domineerden. Ze douchte en sloeg een handdoek om zich heen en belde een half dozijn bekenden en organiseerde een etentje. Pas op de dag na het etentje faxte ze een verzoek naar Agence France, en pas twee dagen later kreeg ze het adres en telefoonnummer van een kleine uitgeverij: Editions du Double. Toen ze belde nam een assistent op. Hij legde uit dat monsieur Charron op een festival in Praag was, maar als *madame* een bericht wilde achterlaten... 'Vertel hem maar dat Génie gebeld heeft,' zei ze, 'en dat...' Maar toen veranderde ze van gedachten en liet ze geen bericht achter.

Praag? Hoe kon hij haar dan vanuit Parijs gefaxt hebben?

De volgende ochtend kwam er nog een bericht.

Lieve Génie: kun je hier volgende week vrijdag zijn? Neem een nachtvlucht;
je komt vóór de ochtendspits aan en ik ontmoet je dan om elfhonderd uur
precies in de boekwinkel van het Hôtel de Sully. Kom niet vanuit de rue
St. Antoine naar binnen. Ga door de Place des Vosges, de zuidwesthoek,
de pleintuin aan de achterkant in. De boekwinkel is op de begane grond.
Het zal er vergeven zijn van de toeristen, en daarom veilig. Communicatie
is niet gemakkelijk, elkaar ontmoeten ook niet. Als ik wat later ben, wacht
dan op me. Als je 3 dagen kunt blijven, kunnen we samen terugvliegen

naar New York. Ik heb een paar vergaderingen staan. Ik vlieg op 8 septem-
ber, Air France 64. Probeer dezelfde vlucht te boeken.
Liefs,
Tristan

Waar normaal gesproken het nummer van de afzender staat, stond alleen maar een rij nullen. Ze probeerde een antwoord te sturen naar hetzelfde nummer als de laatste keer, maar de fax kwam niet door. Ze belde de kleine uitgeverij en liet een bericht achter. 'Zeg tegen hem dat Génie gebeld heeft. Zeg tegen hem dat ik eraan kom.' Ze maakte reserveringen en faxte naar Editions du Double.

Tristan: kom vrijdag aan. Zelfde retourvlucht als jij.

Op vrijdagochtend was ze in Parijs aangekomen, drie dagen geleden, zoals haar was gevraagd. Ze had de Roissybus van luchthaven Charles de Gaulle naar de Place de l'Opéra genomen, en vandaar de metro naar Bastille. Ze was naar de Place des Vosges gewandeld en had in de boekwinkel van Hôtel de Sully gewacht. Ze had rondgesnuffeld. Ze had vluchtig een facsimile editie van de schetsen van Viollet le Duc voor de restauratie van de Notre Dame bekeken. Ze had nagedacht over zijn ontwerp voor de tengere houten spits tussen de torens en voor de preekstoel. Ze had de opmerkingen in zijn notitieblokje gelezen over de restauratie van de Sainte Chapelle. Ze las over de snelheid waarmee dat prachtige kleine kerkje gebouwd was, ze las over de ontwikkeling vanaf het eerste begin in het hoofd van Louis IX tot spitsen met filigraanwerk en roosvenster en veelkleurig glas, allemaal in een tijdsbestek van drie jaar bewerkstelligd, en in 1248 was de hele gotische juwelenkist voltooid.

Het is nauwelijks voor te stellen, schreef Le Duc, dat dit werk, zo verbluffend wat betreft de veelheid en verscheidenheid aan details, de zuiverheid van de uitvoering, en de schoonheid van de materialen, in een dergelijk kort tijdsbestek tot stand kon worden gebracht.

Het is nauwelijks voor te stellen, dacht Genevieve, dat een dergelijk dringend verzoek om een ontmoeting, met zulke precieze instructies over tijd en plaats, na een dergelijk lang tijdsbestek, zo vaag en zo onzeker kon blijven wat betreft de vervulling. Ze bekeek nog meer kunstboeken. Ze las meer dan ze wilde weten over het architectonische detail in het Musée de Carnavalet, het huis van madame de Sévigné dat op een steenworp afstand lag van de plek waar Genevieve zich nu bevond. Ze had indruk kunnen maken op de gasten van een soiree met de ideeën van de ontwerper, Pierre Lescot, en de roddel van 1550. Na een uur verliet ze de boekwinkel door de achterdeur. Perplex en ongerust en geïrriteerd ging ze op een lage stenen muur onder een overhangende kastanje in de tuin van Sully zitten. Een jonge werknemer van de boekwinkel kwam haar achterna.

'*Madame*,' zei hij. 'U hebt dit laten liggen.'

'Ik heb niets gekocht,' zei ze. 'Het moet iemand anders geweest zijn.'

'Ik zag dat u het neerlegde.'

'U vergist zich,' zei Genevieve.

'Dan mag u het toch hebben, *madame*,' zei de jonge bediende gul, 'want ik zag hoe prachtig u dit boek vond, en hoe kan ik de persoon nu opsporen die het wel heeft laten liggen?'

Hij legde het boek naast haar op het muurtje. Het was een kleine monografie over het glas-in-lood in de Sainte Chapelle, rijkelijk geïllustreerd en met veel kleurenfoto's. Bij de pagina over het roosvenster was er als boekenlegger een velletje uit een notitieblok tussen gestoken. Er stond op getypt:

Moeilijkheden. Zal het uitleggen. Morgen, zelfde plaats, zelfde tijd.

Gisteren en vandaag opnieuw: zelfde plaats, zelfde tijd, min of meer dezelfde gang van zaken (Pardon, madame, u hebt iets laten vallen...), op de tweede dag een ietwat ander briefje, en op de derde: ik kan je misschien pas op het vliegveld ontmoeten. Had dit iets met Tristan te maken? De briefjes waren niet geadresseerd en niet ondertekend.

En de faxen? Ze begon zich af te vragen of verlangen – verdicht, uit het zicht gevaagd – ze had opgeroepen. Aan de andere kant: als ze echt waren, zou iedereen ze verstuurd kunnen hebben. Maar waarom? En wie behalve Tristan zelf zou kunnen weten dat een urgent bericht, op een bepaalde manier geformuleerd en met zijn naam erop, ervoor zou zorgen dat ze meteen naar Parijs kwam? Nou, dacht ze, zijn ex-vriendin Françoise zou dat weten, maar Françoise zou er al jarenlang niet meer in geïnteresseerd zijn, en ze zou Genevieve onmogelijk kunnen opsporen.

En als Tristan ze toch zelf stuurde? Wat als hij ergens toekeek, wat als hij haar probeerde te bereiken en haar smeekte te wachten? Waarom zou hij dat kunnen doen? *In extremis*: wat betekende dat? In wat voor soort crisis zat hij?

Soms vroeg ze zich af of hij een volledig afgescheiden ondergronds leven leidde, of misschien wel meerdere andere levens. Op sommige momenten kwam de gedachte bij haar op dat hij misschien voor een inlichtingendienst werkte, waarschijnlijk voor de Franse overheid, hoewel hij ook eens iets had gezegd waardoor ze dacht dat zijn band met de Amerikaanse overheid nogal ongebruikelijk was. Als het niet zo moeilijk was om een verblijfsvergunning voor je te krijgen, had ze gezegd, dan zouden we in New York kunnen wonen. Dat zou niet al te ingewikkeld zijn, zei hij. Ik heb nog wat gunsten uitstaan. Ze vroeg: Hoe bedoel je? en hij zei: Niets. Ik maak maar een grapje. Een ex-vriendinnetje van me zei altijd dat haar vader Carlos de Jakhals nog een verblijfsvergunning zou kunnen bezorgen als zij hem erom vroeg. Welke ex-vriendin? had ze gevraagd. Bedoel je Françoise? En hij had verbaasd gekeken. Ik was vergeten dat je haar kende.

Op andere momenten had Genevieve gedacht dat hij misschien banden had met een of andere duistere organisatie aan de verkeerde (maar niet onfatsoenlijke) kant van de wet, een of ander deftig witteboorden dubieus soort grensgeval: kunstsmokkel misschien. Of iets nobelers: het smokkelen van manuscripten uit totalitaire landen. Telkens als ze zelf een nieuwe opdracht van Caritas aannam was deze gedachte bij haar opgekomen, telkens als ze privé-correspondentie vervoerde vanuit regio's waar de post scherp in de gaten gehouden werd of waar de omstandigheden door een oorlog bemoeilijkt werden. Moeders schreven aan zonen en dochters die hadden weten te vluchten; echtgenoten in het democratische Westen stuurden dwars door gordijnen van ijzer en bamboe heen geheime brieven terug aan vrouwen en kinderen; geliefden die door de verschrikkelijke toevalligheden van de geschiedenis van elkaar gescheiden waren geraakt stuurden brandende beloften over en weer. Ze vertelde nooit aan iemand, zelfs niet aan Tristan, dat ze voor Caritas werkte. Ze beschouwde het werk als persoonlijk en meelevend, niet als politiek, maar een te groot aantal kleine en gewone levens achter te veel gevaarlijke barrières hing van geheimhouding af. Bij nader inzien was het zeer wel mogelijk dat Tristan hetzelfde soort werk deed.

Ook dacht ze over zijn mogelijke clandestiene activiteiten na op die momenten – soms vond ze dat ze opvallend vaak voorkwamen – waarop fotografen op straat foto's hadden gemaakt, niet van Tristan en Genevieve alleen, zelfs niet met hen als middelpunt, maar van straattaferelen, pleinen en caféterrasjes, met Tristan en Genevieve ergens in beeld. Waarschijnlijk gebeurde dat soort dingen voortdurend in Parijs, een stad waar 's zomers meer toeristen dan inwoners rondliepen, hoewel het haar toescheen dat het vaker gebeurde als ze met Tristan was. En er was altijd een aura van het clandestiene: ze wist nooit of de redenen daarvoor rationeel waren of niet.

Op de tweede dag, nadat Tristan niet was komen opdagen, nam ze contact op met Caritas en er werd een ontmoeting geregeld in de tropische kas van de Jardin des Plantes. De vrouw van Caritas overhandigde haar een exemplaar van *Le Monde*. Te midden van de overlijdensadvertenties en de sportieve triomfen van *les bleus* waren brieven op dunne vellen van cellofaan tussen de pagina's gestoken. Génie kon geen verschil in textuur onderscheiden tussen het papier van de brieven en de pagina's van *Le Monde*.

Op het plein van de Sully, derde dag, voelde ze een koude rilling. Nog steeds geen Tristan. Een briefje waarop stond: Ik kan je misschien pas op het vliegveld ontmoeten.

Génie voelt zich thuis op vliegvelden, en ze heeft een gave voor het laten verdwijnen van mensen. Ze voelt pijn in haar knokkels en in de zachte plooien van haar armen. Als ze niet blijft bewegen zullen haar gewrichten stijf worden en opzwellen. Ze kuiert naar de Place de la Bastille. Intuïtief loopt ze de boulevard Henri IV af, in de richting van de Ile St. Louis, en ze wandelt langs de Quai d'Anjou. Ze heeft het gevoel dat ze gevolgd wordt. Ze draait zich snel om en even denkt ze in een schaduwrijke boog van een brug Tristan te zien, maar als ze teruggaat zit er alleen maar een oude man met een krant te slapen.

Ze loopt verder langs de Quai d'Anjou. Eerbiedwaardige bomen laten hun kronen naar de Seine toe hangen en ze raakt half gehypnotiseerd door de weerspiegelingen in het water (zowel van de bomen als van haar). Bij een gietijzeren meerring in de muur bij de Pont Marie blijft ze even staan. Ze laat haar vingers erover glijden, raakt hem dan lichtjes met haar voorhoofd aan, vooroverbuigend, bijna als iemand die aan het bidden is.

Ze vertrekt uit haar hotel op het Île St. Louis en laat haar koffer voorlopig bij de conciërge achter. Maar ze besluit het koffertje op wieltjes mee te nemen want ze is van plan boeken te kopen, en boeken maken haar schoudertas te zwaar. Ze snuffelt in de boekwinkels en bij de *bouqinistes* langs de Seine. Ze koopt met een roekeloos genot. Ze besluit naar de Place des Vosges terug te gaan, voor het geval dat. Ze wil met een vroege uitgave van Chrétien de Troyes en een glas wijn op het terras van een café vlak bij Hôtel de Sully gaan zitten.

Ze sleept de kleine koffer de rue de Birague af en door de gewelfde zuilengalerij van de Place des Vosges heen, en dat is het moment waarop het verleden, dat ze zo intens opgeroepen heeft, in een lied uitbarst. Ze hoort *Caravan* op een tenorsax. Ze staat stil om te luisteren. De jonge zwarte muzikant moet een Amerikaan zijn; de stijl is puur New Orleans. Ze staat onder de stenen gewelven, maar wat ze ziet is de maan door het raam van het appartement dat zij en Tristan ooit deelden, en de nachten waarin ze in het donker zaten, met wijn en vijgen en een bordje Rosette de Lyon. Ze luisterden naar Duke Ellington.

Tristan moet wel dichtbij zijn. Ze kan hem voelen. Ze draait zich om en kijkt het plein rond tot ze zich belachelijk voelt. Ze knikt in de richting van de muzikant en laat een paar francs in zijn hoed vallen en gaat door het stenen gewelf weg. Bij de rue de Birague nummer 12 staat ze even stil, en dan zit ze een tijdje in de bistro op de hoek van de rue St. Antoine.

Ze wil weg. *Ik kan je misschien pas op het vliegveld ontmoeten.* Misschien zal Tristan er zijn, misschien ook niet. Hoe dan ook, wat heeft het voor zin om rond te hangen? Het duurt nog uren voor vlucht 64 vertrekt, maar ze heeft haar retourticket in haar handtas.

Een langskomende toerist maakt een foto door de deur van de bistro: van de tafeltjes die er verspreid staan, van mannen met kranten en espresso, van verliefde stelletjes, van Genevieve. Een duif landt op een van de bistrotafeltjes en pikt naar een gescheurd suikerzakje. Er prikkelt iets in Genevieves nek. Ze voelt gevaar.

Het instinct, voortgekomen uit alleen leven en reizen, is zo sterk dat ze besluit niet naar het hotel terug te gaan om haar koffer te halen, want alles wat belangrijk is – waaronder een tandenborstel en schoon ondergoed en de brieven van Caritas – bevindt zich ofwel in haar grote schoudertas die ze nooit neerzet of in de koffer op wieltjes. Ze besluit de Roissybus te nemen. Ze neemt zich voor om op het vliegveld bij een kop koffie de lessen van de volgende week voor te bereiden.

Op Charles de Gaulle heeft ze het gevoel dat ze gevolgd wordt. Ze wordt ongerust. Ze verwacht niet meer dat ze Tristan zal zien. Ze loopt mijlenver, het lijken mijlen, door een van de ondergrondse tunnels. Ze kan niet stil blijven staan. Ze loopt helemaal naar een van de binnenlandse terminals en weer terug en schuift dan een zithoek van een bistro in. Ze nipt van haar koffie en maakt aantekeningen voor de komende colleges aan NYU, drie weken van totale onderdompeling met Zuid-Koreaanse zakenlieden. Ze zullen door een Amerikaans bedrijf overgevlogen worden. Sommigen zullen met brieven komen die van hand tot hand gegaan zijn, langs geheime en gevaarlijke routes, van Noord-Koreaanse staatsburgers aan familieleden elders in de wereld. Niemand wil die kostbare brieven per gewone post versturen, zeker niet in Noord-Korea, maar ook niet in de Verenigde Staten, welke garanties er ook gegeven worden. Genevieve zal de brieven weer doorsturen en hun andere ervoor in de plaats geven. De brieven staan op doorschijnend papier, en de Zuid-Koreanen zullen ze op allerlei ingenieuze manieren verbergen – soms tussen twee samengeplakte bladzijden van een boek in – om ze via bepaalde omkoopbare kanalen aan de grens weer door te geven, Noord-Korea in. Genevieve, die moeite heeft zich te concentreren, bereidt haar lessen voor de komende week voor.

Nog uren te gaan tot ze aan boord kunnen.

Ze kijkt naar een gezin aan het tafeltje naast haar: een moeder met een zeurderige baby, een klein meisje in een blauwe jas, de vader helemaal opgaand in een gesprek met een jongere vrouw die kennelijk is gekomen om ze uit te zwaaien. Genevieves polsen doen pijn, alsof ze gekneusd zijn. Ze wil de baby vastpakken, evenals het kleine meisje dat helemaal tegen haar vader op klimt. De vader zet het kind afwezig op de grond. 'Gooi je kartonnen beker in de afvalbak,' zegt hij tegen haar, wijzend.

Het kleine meisje bekijkt de kartonnen beker. Als ze langs de tafel van Genevieve loopt zegt ze plechtig: 'We gaan naar huis. We moeten in New York overstappen, en dan gaan we naar Atlanta.'

'Dan zitten we vast in hetzelfde vliegtuig,' zegt Genevieve. 'Hoe heet jij?'

'Samantha,' zegt het kleine meisje. 'En jij?'

'Ik heet Genevieve.'

'Sam,' zegt haar vader. 'Val die mevrouw niet lastig. We gaan nu naar de veiligheidscontrole. Opschieten.'

Genevieve voelt zich rusteloos. Ze weet niet hoe lang ze loopt of waar naartoe. Ze staat stil om de zijden sjaaltjes in een kleine boetiek te strelen. Als twee geüniformeerde mannen haar vragen met hen mee te komen, denkt ze eerst: dus. Iemand weet van de brieven af. Ze weet dat de kantoren van Caritas in Parijs doorzocht zijn. Ze vraagt zich af of Caritas door de Franse overheid als een subversieve organisatie beschouwd wordt, of, wat waarschijnlijker is, door een of andere rechts-extremistische groepering, door een van de ultranationalistische cellen. Ze vraagt zich ook af of ze zo meteen benaderd zal worden om als koerier te dienen voor iets wat heel wat gevaarlijker is dan die brieven.

Haar tweede gedachte is: heeft dit iets met Tristan te maken? Of is het Tristan die me in de gaten houdt?

En dan wordt hij door die gedachte werkelijkheid. 'Tristan,' zegt ze droef. 'Ik had het kunnen weten.' Hij was altijd op zijn hoede, denkt ze. Altijd. 'Vier bewakers met wapens,' zegt ze spottend, gebarend naar zijn bewapende escorte en dat van haarzelf. 'Vind je dat niet wat overdreven?'

'Génie.' Hij brengt een hand naar haar wang en hun vingers raken elkaar zacht. Een tic vertrekt haar mond. Ze wendt zich enigszins af, maar hij buigt zich impulsief naar haar toe en kust haar vol op haar mond. 'Op de Place des Vosges hoorde ik iemand *Caravan* spelen,' fluistert hij, zo zacht dat de politieagenten het niet kunnen horen, 'en daar zag ik je, maar ik vertrouwde mijn ogen en oren niet.'

Ze staart hem aan. 'Is dat jóuw spelletje, Tristan, of dat van hen?'

'U moet met ons meekomen, *madame*,' zegt een politieagent.

'Ben je me aan het stalken, Tristan?'

'Wat?'

Veelbetekenend zegt ze: 'Ik ben bezig aan een stuk over het glas-in-lood in de Sainte Chapelle.' Ze bestudeert zijn gezicht. Ze zegt: 'Voor de *Wandering Earthling*.'

'*Madame*.'

Ze wendt zich tot de politieagent en maakt een koket gebaar, zeer Gallisch. 'Een oude vlam, *monsieur*.' Ze zet een bedroefd pruilmondje op. 'Twee minuten, na al die jaren?'

'Twee minuten, *madame*.'

'Je bleef stilstaan bij rue de Birague nummer 12 ,' zegt Tristan. 'Ik hield je in de gaten.'

'Je hield me in de gaten.' Ze houdt haar stem neutraal.

'Ik heb je gevolgd.' Hij glimlacht wrang. 'Maar je bent erg goed in verdwijnen. Wat doe je hier?'

'Dat zou jij toch moeten weten.'

'Ik bedoel: waarom ben je naar Parijs gekomen?'

Wiens code gebruiken we, vraagt ze zich af. Omwille van wie? Wie vertaalt er?

'*Madame*,' zegt de politieagent. 'Ik moet u dringend verzoeken.'

'Op naar de *conciergerie*,' zegt ze luchtig.

'Wat bedoel je?' wil Tristan weten. 'Wat is er aan de hand?'

Even staat ze stil en ze draait zich om om hem aan te kijken. Is hij onschuldig? Is hij simpelweg een volmaakte acteur? Ze voelt een onmetelijk verdriet.

'Ik heb geen idee wat er aan de hand is,' zegt hij. 'Jij?'

3

Codenaam: S

Genevieve denkt aan de brieven in haar handbagage; sommige zitten tussen de pagina's van *Le Monde* verstopt, andere tussen bladzijden van boeken. Het zijn brieven van verwanten en er staat nieuws in over de dood van een grootvader en de trouwerij van een neef. Een andere staat vol verdrietig verlangen naar een echtgenoot in Ohio, afkomstig van zijn vrouw die nog steeds in Iran is, een dorpsvrouw, een echtgenote die nieuws over haar opgroeiende zoons verstuurt wanneer ze maar kan. De contactpersonen van Genevieve in New York hadden tegen haar gezegd: het is kort dag, maar als je naar Parijs gaat hebben we brieven die Algerije in moeten, en een brief die voor Iran bestemd is. En onze contactpersoon in Parijs kan je weer andere brieven meegeven. Genevieve stelt zich de fantastische ingewikkelde omstandigheden voor waaronder die brieven gereisd hebben, ze traceert ze langs het gerimpelde voorhoofd van de Franse politieagent – hij heeft zulke borstelige wenkbrauwen – en boven zijn rechteroor en langs de arm die haar ruime schoudertas en de koffer op wieltjes doorzoekt. Als hij de brieven vindt, zal een handvol families die gewend is het ergste te verwachten doorgaan met het leven van alledag, wachtend, wachtend, wachtend op nieuws, levend van een herinnering aan hoop en van het kleine beetje energie dat ze krijgen van de pertinente weigering de hoop op te geven. Genevieve denkt niet dat ze ergens bang voor hoeft te zijn, behalve voor frustratie en vertraging. Er is niets opruiends aan het werk dat ze doet, behalve misschien dat het ergens onderweg, op die plekken waar verboden grenzen overgestoken worden, omkoping en samenzwering met zich meebrengt. Waarschijnlijk. Maar dat zijn haar zaken niet. Ze weet niets over de manier waarop dat deel afgehandeld wordt.

'U bent Australische, *mademoiselle*.'

Genevieve glimlacht.

'De Australiërs zijn onruststokers,' zegt hij. 'Ze hebben terroristische aanvallen uitgevoerd op Franse schepen in de Stille Zuidzee.'

'Met alle respect, *monsieur*,' zegt Genevieve, 'de Australiërs waren ongewapend en zaten in rubberboten, en de Franse schepen vervoerden kernkoppen.' Ze weet dat dit geen wijs antwoord is. Ze weet dat ze beter zou kunnen zwijgen, maar op discrete wijze zwijgen is nooit naar de smaak van Australiërs in het algemeen geweest, noch naar die van Genevieve in het bijzonder. 'En waren het geen Franse officieren,' vraagt ze beleefd, 'die berecht en veroordeeld zijn voor het opblazen van een schip van Greenpeace en het doden van burgers?'

'Bent u lid van Greenpeace, *mademoiselle*?'

'Nee. Maar geweldloze demonstranten doden is...'

'U lijkt geïnteresseerd in politiek.'

'Niet meer dan gemiddeld, denk ik.'

'U reist bijzonder veel.'

'Ik schrijf reisgidsen en ik doceer Engels als tweede taal aan instituten over de hele wereld. Ik breng het grootste deel van mijn leven reizend door.'

'U bent twee jaar in Parijs gebleven.'

Genevieve kamt met haar vingers door haar haren. Het gebaar is er een van bestudeerde zelfbeheersing, hoewel haar vingers licht trillen omdat deze aanwijzing dat ze nauwlettend in de gaten gehouden wordt haar stoort. Dan herinnert ze zich de *carte de séjour* en het stempel in haar paspoort. Natuurlijk weten ze dat ze hier gewoond heeft. Dit is routinematig veiligheidswerk. 'Niet twee hele jaren,' zegt ze. 'En ik reisde nog steeds rond, ik had nog steeds opdrachten waarvoor ik moest reizen. Maar ja.'

'Waarom deed u dat?'

'Waarom bleef ik reizen?'

'Waarom woonde u in Frankrijk?'

Ze zegt ronduit: 'Ik was verliefd op een Fransman.'

'Ach, ja. De uitgever. Degene die voor een inlichtingendienst werkt en er een smokkelhandel op na houdt.'

Een zenuw trilt vlak naast Genevieves rechteroog. 'Dat doen schrijvers en uitgevers nu eenmaal,' zegt ze spottend. 'Ze werken met inlichtingen en handelen in ideeën.' Ze is bang dat het trekken van haar mondhoek zichtbaar zal worden. Haar rechtervoet begint te tikken, uit zichzelf, een zachte paukenroffel.

'Dat soort inlichtingen bedoelen wij niet, *mademoiselle*.'

Genevieve volgt de beweging van de hand van de gendarme in haar schoudertas. Hij trekt *Le Monde* eruit zonder hem open te vouwen; hij ziet niet dat het de krant van gisteren is. Hij haalt de boeken er één voor één uit en ritselt met een hand langs de bladzijden. In Genevieves oren klopt een geluid als van het gedreun van een basdrum en het wordt steeds sneller. Eén voor één worden de boeken teruggestopt, *Le Monde* wordt teruggestopt, de make-upkoffer en de toilettas voor op reis worden teruggestopt, het ondergoed wordt tegen het licht gehouden, het voorspelbare zelfgenoegzame lachje wordt uitgewisseld, haar beha en slipjes worden in haar tas teruggestopt, en de flap wordt dichtgeklikt.

'Uw minnaar houdt zich bezig met spionage,' zegt de politieagent.

Dus, denkt Genevieve. Daar is de bevestiging.

Toch trekt ze haar wenkbrauwen op. 'Voor de Franse overheid, *monsieur?*'

De politieagent fronst. 'We weten dat u naar Parijs bent gekomen om uw minnaar te ontmoeten.'

'Mijn ex-minnaar,' corrigeert ze. 'Maar we hebben jarenlang geen contact gehad. Ik heb zijn adres niet eens. Het was een grote verrassing dat ik hem net tegenkwam.' Ze praat gepassioneerd, zich wentelend in de luxe van waarheid.

'Waarom gebruikt u de codenaam Geneva?'

'Ik begrijp niet wat u bedoelt.'

'We moeten u verzoeken, *mademoiselle*, hier te wachten tot u aan boord kunt gaan,' zegt de politieagent.

'Wat is het probleem?' vraagt ze.

'Dat mogen we u niet vertellen, *mademoiselle*. Iemand komt straks terug om u naar uw gate te brengen als het zover is.'

Als ze weggaan doen ze de deur op slot.

Wachttijd kent geen grenzen.

Als ze het slot hoort klikken, zweeft Genevieve weg uit de kleine kamer, ruim twee bij twee meter, en ze ziet zichzelf weer staan in de boekwinkel in de buurt van de Place de la Bastille, zes jaar? zeven? bijna acht jaar geleden. In de winkel staan meer tweedehands boeken dan nieuwe. Er ligt net zoveel troep als dat er onverwachte schatten zijn en ze vindt dit een heerlijke bezigheid – *chiner*, zeggen de Fransen – rondsnuffelen op zoek naar literaire vondsten, zeldzame eerste uitgaven, curiosa. Ze bladert door het logboek van een negentiende-eeuwse reiziger in Australië – een Franse reiziger – en lacht plotseling hardop.

In de hofstede van een veeboer – hij noemt zichzelf een veefokker (*un grand agriculteur*) en bezit honderdduizend hectare, een welgesteld man – kreeg ik wat ik slechts een lap rundvlees (*une dalle de boeuf*) kan noemen die toepasselijker geweest zou zijn als hoofdmaaltijd in de hel. Ik weet niet of de hitte en de droogte er de oorzaak van zijn geweest dat men in dit land geen smaak meer heeft, of dat de voorvaderen van deze veefokkers – zijnde Engels, en daardoor behept met een achterstand op het gebied van smaak, en bovendien afkomstig uit de laagste regionen der Engelse samenleving (velen kwamen geketend aan) – een aangeboren onvermogen overgedragen hebben om zaken met hun smaakpapillen te onderscheiden. Het vlees was in een open vuur gegooid en daar hadden ze het laten liggen tot het verkoold was. Ik wees mijn gastheer erop dat het de smaak van het vlees zeer ten goede zou komen als het vierentwintig uur in rode wijn en kruiden gemarineerd zou worden, en dan gesmoord in knoflook en morieljes. Hij antwoordde: 'We zouden er een half dozijn *frogs* bij kunnen gooien, als u wilt,' een antwoord dat me verblufte en me voor een raadsel plaatste. Nee, antwoordde ik, dat zou ik niet lekker vinden. Dat is een erg raar idee. Men moet geen wit vlees samen met rood vlees bereiden.

'*C'est tellement drôle, ce livre?*' vraagt een mannenstem, en ze draait zich om en ziet een man over haar schouder meelezen.

'Voor mij wel,' zegt ze. 'Voor een Australische. Hilarisch.'

Ze laat hem het boek zien.

'Komt u uit Australië? Ik heb nog nooit iemand uit Australië ontmoet.'

'We zijn zeer zeldzaam,' zegt ze plechtig tegen hem. 'Net als eenhoorns. We eten kangoeroes en drinken wijn die we van eucalyptusbladeren maken. Het smaakt naar schoonmaakmiddel.'

'Dat is mij inderdaad verteld,' zegt hij, en ze lacht weer. 'U lacht me uit,' protesteert hij.

'Mij is verteld dat de Fransen helemaal geen gevoel voor humor hebben. Ze kunnen niet om zichzelf lachen.'

'Die misvatting heerst bij de Engelsen,' zegt hij ernstig, 'want *les doubles sens* in het Frans zijn te ingewikkeld voor Engelsen. De Fransen hebben *beaucoup d'esprit.*'

'Dat is mij inderdaad verteld,' zegt ze. 'Door veel Fransen. De Engelsen hebben moppen, maar de Fransen hebben gevatheid en linguïstische finesse.'

'Gevatheid en finesse, ja. Uw Frans is zeer goed.'

'Erg aardig van u. Maar ik ga vooruit. Ik woon nu twee maanden in Parijs.'

'*Vraiment?* U bent dus geen toerist? Waarom woont u hier?'

'Ik geef voor Berlitz Engelse les aan Franse zakenlieden. Maar ik schrijf ook reisgidsen. Daarom interesseer ik me voor andere schrijvers van reisverhalen, vooral de geschiedenis van het reisverhaal.'

'Mijn eigen interesse,' zegt hij, 'ligt op het gebied van biografie en fictie.'

'Reisverhalen zijn allebei.'

'*Comment?*' vraagt hij verbaasd.

'Reisverhalen onthullen meer over de observerende persoon dan over de plek die hij observeert. In die zin is het een autobiografie, denkt u niet? Een boek als dit... het doet me afvragen hoeveel blinde vlekken en onwetendheid ik van mezelf verraad elke keer als ik schrijf. U weet wel, over twintig jaar, als een Fransman mijn artikelen over Parijs in een boekwinkel vindt en niet meer bijkomt van het lachen...'

'Een schrijfster van reisgidsen en een filosofe,' zegt hij geamuseerd. 'Wat een bijzonder groot toeval. Ik ben uitgever.'

'Stel je voor,' zegt ze droogjes. 'Een schrijver en een uitgever in een boekwinkel, en allebei kijken ze naar boeken van anderen. Wat een verrassing.'

Dit keer is het zijn beurt om te lachen. '*Touché.* Voor een Engelse hebt u *beaucoup d'esprit.*'

'*Monsieur*,' zegt ze met gespeelde verontwaardiging. 'U mag nooit tegen een Australische zeggen dat ze Engelse is. Dat beledigt ons in onze ziel.'

'*Vraiment?* Is het net zoiets als een Corsicaan Frans noemen?'

'Daar heeft het bijzonder veel van weg, zou ik zo denken.'

'*Mademoiselle l'Australienne, enchanté*,' zegt hij, terwijl hij haar hand neemt en er zich gespeeld formeel overheen buigt. '*Je me présente: Tristan Charron, éditeur.*'

'Tristan! Wat een naam voor een uitgever. U zult het niet geloven, maar ik heet Genevieve.'

'*C'est génial.*' Hij heeft haar hand niet losgelaten en Genevieve verbaast zich erover dat zo veel gevoel, waarvan ze niets kan vertrouwen, tussen huidlagen overgedragen kan worden. '*Et aussi un peu provocant, n'est-ce pas?*'

'Een verkeerde combinatie, zou ik zo zeggen' – beleefd ontdoet ze zich van zijn hand – 'aangezien ze beide slachtoffers van grootse passie waren, maar niet voor elkaar.'

'*Comment?*'

'Tristan en Genevieve, zoals ze door Chrétien de Troyes aan ons overgeleverd zijn. Beiden gedoemd. Beiden slachtoffers van passie.'

'Slachtoffers!' Hij is geschokt. 'Waarom zijn de Engelsen toch zo bang voor passie? Slachtoffers? *Au contraire.* Ze hadden een gave voor de liefde, Tristan en Genevieve. Ze waren juist voor grote liefde voorbestemd.'

'In de literatuur. Daar vindt de liefde normaal gesproken op een grotere schaal plaats.'

'Hier vlak bij zit een Brasserie Camelot,' zegt hij. '*Vraiment*. We zouden over dit onderwerp kunnen debatteren.'

'Camelot eindigde als een ruïne,' zegt ze ontwijkend. Ze vindt dat zijn ogen, en de manier waarop hij ze gebruikt – Fransen zijn hier zo goed in, zo geoefend – hem een oneerlijk voordeel geven. 'En de bliksemflits van de passie maakte Tristans leven kapot, dus pas op.' Ze is zich bewust van onrustbarende fysieke reacties in haar lichaam: bewegingen van bloed, congesties, zaken die vloeibaar worden. Ze stelt zich voor hoe haar tong Tristans lippen likt. Ze stelt zich voor hoe hij smaakt. Ze raakt in vervoering van een vaag moedervlekje onder een van zijn ogen. 'Deze ontmoeting zit vol riskante voortekens,' zegt ze spottend, 'maar jij bent tenminste geen Lancelot, godzijdank.' De opmerking vliegt als een champagnekurk omhoog en maakt haar beschaamd. Ze richt zich bewust op de ruggen van boeken, streelt met haar vinger over titels, trekt een exemplaar uit de kast en bladert erdoor. Ze ziet niets, zet het terug, en trekt een ander boek uit de kast.

'In de literatuur,' zegt hij, 'zoals Shakespeare zo treffend heeft geformuleerd, is de wereld terecht wanhopig op zoek naar liefde.'

'Ja, in de literatuur. Daar komt waanzin er ook nog goed vanaf.'

'*Ça, c'est l'amour*. Goddelijke waanzin. Tristan nam een paar slokken van de liefdesdrank en was op een goddelijke manier waanzinnig gelukkig. Hij was voorbestemd voor de liefde.'

'En hij en Isolde leefden nog lang en tragisch. Zijn Fransen altijd zo...'

'Ja,' zegt hij. 'Dat zijn we.'

Ze zegt nerveus, te luchtig: 'Nou, als we in deze boekwinkel een uitgave van Chrétien de Troyes zouden kunnen vinden, zou dat ongetwijfeld het lot zijn, en bij de volgende *coup de foudre* zou een pot met goud liggen te wachten.'

'Elke goede boekwinkel in Parijs heeft ten minste één exemplaar van Chrétien de Troyes,' verzekert hij haar, 'en ik zal er zeker een vinden.' Wat hij inderdaad doet.

'Indrukwekkend. Krijg je altijd wat je wilt?'

'Ja,' zegt hij. 'Inderdaad. Dat is een van mijn stelregels. Luister.' Hij slaat bladzijden om tot hij bij de tragische liefdesgeschiedenis van sir Lancelot du Lac komt, hij leest een beetje voor in oud Frans, vertaalt het dan vrij naar hedendaags Frans en gebroken Engels en *franglais*. 'Hij is *tout à fait comblé* door de goudkleurige haren van Genevieve, hij is *prostré*, hij heeft *chair de poule* – hoe zeg je dat?'

Ze proest het uit. 'Kippenvel.'

'Ja. Hij is ziek van de passie.'

'Zie je wel? Dat is belachelijk. Ziek van passie door een paar haren in een kam. Kun jij je een man voorstellen die...'

'Ja,' zegt hij. 'Fransen kunnen zich dat zonder enige moeite voorstellen. De liefde is de eindbestemming.'

'Ah, de Macktruck van de bestemming.' Ze maakt een extravagant gebaar, zoals Sarah Bernhardt, met de hand over haar hart. 'Als je het teken draagt, kun je hem niet ontlopen.'

'Macktruck?' vraagt hij verward.

'Eh... lorry; bakbeest... *camion*, dat is het woord. *Le grand camion du destin*.'

'*C'est vrai*,' zegt hij. 'Men moet zich overgeven en het ondertussen vieren. *Voulez-vous une coupe de champagne?*'

'Wat een doorzettingsvermogen.' Ze lacht. 'Oké, jij wint.'

En zo begint het, van boekwinkel naar brasserie naar meer boekwinkels en cafés, een flirterige vriendschap tussen twee mensen die veel lezen en discussiëren, en dan nodigt Tristan haar uit op een klein uitgeversfeestje, *un cocktail* ter gelegenheid van een boekpresentatie, en midden in het gedrang van recensenten en schrijvers en aanhang, ingekapseld door roddel, lawaai, champagne, sidderende stromen van seksuele uitnodiging, voelt ze iets. Ze brengt een hand naar haar wang, ze voelt hitte, ze voelt een magnetische aantrekkingskracht. Aan de andere kant van de kamer staat Tristan naar haar te kijken en hij heeft God mag weten hoe lang al naar haar gekeken. Ze wordt draaierig, ze grijpt naar iets om zich aan vast te houden, en het is Tristan die het glas champagne uit haar hand pakt en het leegdrinkt. 'Dat is gevaarlijk,' zegt ze met onvaste stem, want plotseling weet ze zich zonder grenzen of scherpte, en het lijkt alsof ze bij de Seine zijn, vlak bij de Pont Marie en ze voelt de meerring tegen haar rug drukken en Tristan draagt haar de trap van een klein hotel aan de rue de Birague op en ze vallen op het bed, en dan bonst iemand op de deur en zegt: 'Het is tijd om in te stappen, *mademoiselle*. U kunt naar gate 12 gaan.'

Genevieve neemt aan dat de politieagent haar gebracht heeft, want hier is ze dan bij gate 12, zonder enige herinnering aan de tocht van de wachtkamer naar de boardingruimte. De woorden van de politie-agent gaan als een vastgelopen langspeelplaat rond in haar hoofd (uw minnaar werkt voor een inlichtingendienst... smokkel... spionage) en de kleine twijfels van zeven jaar, alle bange vermoedens, alle mysterieuze stiltes en afwezigheden die niet helemaal klopten, alle uitvluchten, alle plotselinge verschijningen van fotografen, allemaal smelten ze samen tot iets dat dreigend boven haar uit torent, met het gezicht van een waterspuwer.

Ze staart door het raam van spiegelglas naar het vliegtuig, maar ze ziet niets.

'Génie,' zegt Tristan, terwijl hij haar op haar schouder klopt.

Ze is verbaasd. 'O, Tristan, jij bent het. Ik dacht dat het weer de politie zou zijn.' Ze heeft moeite hem aan te kijken. 'Nou, in zekere zin is het dat ook.'

'*Tu blagues!*'

'Nee, ik maak geen grapje. Hoewel het íemands idee van een grapje lijkt te zijn. Waarom ben je hier eigenlijk?'

'Ik ga naar New York.'

'Waarom?'

'Omdat jij gaat. Omdat je me een fax stuurde om te zeggen dat je eraan kwam, maar ik kreeg hem pas een paar uur geleden.' Eindelijk kijken ze elkaar aan, behoedzaam, en dan strak en intens. 'Ik heb je drie dagen lang gevolgd.' Hij brengt zijn hand omhoog om haar wang aan te raken en ze bedekt hem met de hare. 'Zo gauw ik je fax gelezen had heb ik een ticket voor deze vlucht gekocht.' Hij pakt haar andere hand, en daar staan ze, als twee kinderen, hun vingers verstrengeld.

'Waarom ben je niet naar me toe gekomen bij het Hôtel de Sully?'

'In het Sully?'

'In de boekwinkel.'

'Hoe bedoel je?'

'Je vroeg me je daar te ontmoeten.'

'Wacht even,' zegt hij. 'Dit is te verwarrend. Even terugspoelen. Waarom ben je in Parijs?'

'Omdat jij me vroeg te komen.'

'Kun je mijn wensen horen?'

'Je hebt me niet gefaxt?'

'Jou gefaxt? Hoe zou ik je kunnen faxen?'

'*In extremis*, stond erop. Kom alsjeblieft meteen. Getekend, Tristan.'

'Ik weet zelfs nooit in welk land je bent. Je was verdwenen. Geen adres, geen telefoonnummer. Dat was zo wreed, Génie, zo onnodig...'

'Zweer dat je me niet gefaxt hebt.'

'Ik zweer het hierop' – instinctief, roekeloos kust hij haar, een lange, hongerige, tongzoen – 'dat ik je niet gefaxt heb.' Hij kust haar opnieuw. 'Als ik je nummer had, zou ik je elke dag faxen en bellen.'

Haar hoofd leunt tegen zijn borst. Ze komt net tot aan zijn schouder. 'Tristan,' zegt ze, terwijl ze naar hem opkijkt. 'Lieg alsjeblieft niet tegen me. In godsnaam, doe me dat plezier. Lieg niet tegen me.'

'Ik zweer op elke keer dat we het gedaan hebben dat ik niet tegen je lieg.'

'Volgens de politie zit je in de spionage, en smokkel je ook.'

'Wat? Smokkel! Dat is onzin.' Hij lacht. 'Ze bedoelen manuscriptensmokkel. Vorige week ben ik in Praag opgepakt omdat ik een manuscript het land uit probeerde te smokkelen. Kennelijk heeft de politie in deze stad informanten in Praag.'

'En spionage?'

'Alleen als het ontmoeten van Tsjechische schrijvers spionage is. En ik heb je geen fax gestuurd.'

'Wie dan? Wie kent ons goed genoeg om te weten dat ik al mijn werk neer zou leggen en naar Parijs zou vliegen? Ik bedoel, als je het op die manier zou zeggen: ik ben in extremis.'

'Niemand.'

'Kennelijk toch iemand. Iemand die ons kende toen we samenwoonden. Françoise bijvoorbeeld?'

Hij fronst. 'Ze heeft waarschijnlijk dat kaartje gezien dat je met de lamp meestuurde. Ze doorzocht altijd mijn zakken.' Hij opent zijn portemonnee en trekt er een groezelig stukje perkament met ezelsoren uit. Génie leest haar eigen vervaagde handschrift: 'Je hoeft alleen maar "ik ben in extremis" te zeggen terwijl je de lamp opwrijft, en abracadabra: Génie komt te voorschijn.' 'Zie je wel?' zegt Tristan. 'Ik heb het nog steeds. Ik draag het als een talisman bij me.' Hij grijnst naar haar. 'In de gevangeniscel in Praag wreef ik erover, en kijk eens wat er gebeurd is.'

'Doorzocht Françoise je zakken?'

'Ja, maar we hebben al jaren geen contact meer.'

Door de luidsprekers worden de rijen vijftig en hoger opgeroepen om aan boord te gaan.

'Welk stoelnummer heb jij?' vraagt Tristan.

'11A.'

'Ik heb 29B. Ik weet dat de vlucht bijna vol zit. Toen ik mijn ticket kocht waren er nog maar vier stoelen over. Maar misschien kunnen we met iemand van plaats ruilen.'

'Misschien na het opstijgen.'

'Pardon,' zegt een jonge vrouw met een camera, terwijl ze hen opzij duwt. 'Zoudt u misschien even een stapje...' De jonge vrouw drukt één keer op het knopje, twee keer, om het gezin te vereeuwigen dat op het punt staat aan boord te gaan: een vader, een moeder met een baby, een klein meisje met een teddybeer. Het kind, dat een blauwe jas met een blauwe fluwelen kraag draagt, zwaait naar Genevieve en Genevieve zwaait terug. 'Hoi, Samantha.'

'Ken je die mensen?' vraagt Tristan scherp.

'Ik ken ze niet. Ik heb ze in de koffiebar gezien.'

'Die vrouw met de camera,' zegt Tristan. 'Ik heb haar al eens eerder gezien. Volgens mij woont ze met Françoise samen. Ze delen een appartement, bedoel ik.'

Genevieves wenkbrauwen gaan een stukje omhoog. 'Dus je houdt wél contact met Françoise?'

'Nee. God, nee. Ik ben haar een paar weken geleden tegen het lijf gelopen, en ze was samen met die Amerikaanse vrouw.'

'Lopen jullie elkaar vaak tegen het lijf?'

'Nee. Bijna nooit.' Hij fronst. 'Maar Françoise...' Hij schudt zijn hoofd. 'Ik weet het niet. Ze wilde me nooit loslaten. Ik weet bijna zeker dat ze in dat appartement aan de Avenue des Gobelins is gaan wonen omdat jij in hetzelfde gebouw woonde. Dat is echt iets voor haar.'

'Zou ze me in de gaten gehouden kunnen hebben?'

'Vroeger gaf je haar de sleutel van je appartement.'

'Om de planten water te geven, ja, als ik op reis was, maar dat is eeuwen geleden.' Ze denkt erover na. 'Ze zou het adres van de *Wandering Earthling* gevonden kunnen hebben...'

'Ze geven geen informatie over hun schrijvers aan derden,' zegt Tristan. 'Dat heb ik zelf geprobeerd, maar ik ving bot.'

'Maar je hebt het geprobeerd?'

'Wat denk jij dan? Ik werd gewoon gek.'

'Je had me zeer duidelijk afgewezen.'

'Je wist toch dat ik dat niet méénde. Niet letterlijk.'

'Ik ben er het type niet voor om te zitten wachten tot ik word weggestuurd.'

'Ik draaide bijna door.'

'Ik was er zelf ook niet al te best aan toe.'

'Als je gebeld had... of zelfs maar een briefkaart gestuurd had...'

'Ik moest mezelf beschermen.'

'Dat was zo fout, wat je deed. Je had nooit weg moeten gaan.'

'Ik heb heel vaak gewenst dat ik het niet gedaan had. Maar je probeerde me te kortwieken, Tristan, en ik kan niet... ik kan gewoon niet... Kortwieken? Wat zeg ik? Je probeerde mijn vleugels er gewoon helemaal af te hakken.'

'Ik weet het, ik weet het, ik was stom bezig, *con et fou à la fois*. Maar ik heb mijn lesje geleerd.' Hij legt zijn hand op zijn hart. 'Ik zweer het. Kunnen we niet opnieuw beginnen?'

'Misschien wel.'

Vijf minuten later, als hun rijen worden opgeroepen, staan ze nog steeds hand in hand. De stewardess die hun boardingpassen inspecteert is overstuur. 'We liggen ontzettend achter op schema,' legt ze uit, 'vanwege de extra beveiliging.'

'Waarom is die er?'

'Ons vertellen ze nooit iets. Normaal gesproken blijkt het altijd om een valse bommelding te gaan, maar we willen ook niet dat ze een risico nemen, of wel? Op deze manier mis je misschien een aansluiting, maar je weet wel dat je veilig bent.'

Als ze bij rij 11 gekomen zijn, kust Génie hem. 'Als we zijn opgestegen,' zegt ze, 'kijk ik mijn buurman wel even zo lief aan dat hij met je wil ruilen.'

Maar de man die komt aanlopen om op 11B te gaan zitten ziet er niet veelbelovend uit.

Hij komt laat aan, nadat verder bijna iedereen is gaan zitten.

'Hallo,' zegt Genevieve. 'Bent u ook ondervraagd?' Hij negeert haar zo compleet dat ze denkt dat hij doof is. Hij heeft helemaal geen handbagage. Hij concentreert zich op het vastmaken van zijn veiligheidsgordel, en zijn linkerarm steekt bijna helemaal over de armleuning heen, waardoor hij op haar helft komt. Het is een kleine, gedrongen man met een zongebruinde huid, een dikke bos donker haar voor zijn ogen, een knappe man. Hij straalt intensiteit uit – of misschien concentratie, ongeduld, nervositeit, of woede. Hij komt haar vagelijk bekend voor, en Genevieve vraagt zich af of hij een voetballer zou kunnen zijn, een van de Algerijnse *bleus*, of misschien van het team van Marseille? Ze denkt dat ze hem op televisie of in de krant moet hebben gezien.

Ze probeert het opnieuw. 'Moest u uw handbagage inchecken?' En dan kijkt hij haar aan. Vol. Intens. Ze zou bijna kunnen zeggen dat hij haar met zijn ogen aanvalt, met een uitdrukking die zo koud is dat hij naar het vijandige neigt. Hij wacht, zegt niets, en ze vraagt zich af of zijn botheid welbewust is geweest, of dat hij het gewoon niet begrijpt.

'*Vous avez dû enregistrer vos baggages à main?*' probeert ze opnieuw. Dan glimlacht hij, maar op een manier die het hart van Genevieve doet wegzakken als een lift waarvan de kabel doorgesneden is. De glimlach is macho, met een ondertoon van gewelddadigheid. Genevieve deinst terug. Is hij misschien Egyptisch? Algerijns? Saudi-Arabisch? Ongeveer veertig, denkt ze. Hij houdt haar blik een paar seconden te lang vast, en dan verdwijnt het gevoel van dreiging plotseling en is hij charmant, vol warmte en berouw. Hij raakt Genevieves arm aan. 'Vergeef me,' zegt hij, in uitstekend Engels. Zijn accent is Brits. 'Ik heb nogal veel aan mijn hoofd gehad. Mijn taxi stond in een file en ik dacht dat ik de vlucht zou missen.'

'Bent u in Engeland naar school geweest?' vraagt ze nieuwsgierig.

Hij lacht. 'Engeland. Riyadh. Parijs. New York. Ik ben een nomade, net als u.'

Ze is verbaasd. 'Net als ik? Waarom zegt u dat?'

'Ik raad maar wat. Maar ik ben erg intuïtief ingesteld. U spreekt Engels, maar uw Frans is zeer goed. Daarom reist u.'

'Zeer scherpzinnig. Ik schrijf reisgidsen. En ik heb een paar jaar in Parijs gewoond.'

Hij zegt: 'Ik ook. Meerdere jaren.'

'Waar woont u nu?'

'O, hier en daar.'

'Wat doet u voor werk?'

'Import, export. Ik vertegenwoordig de belangen van mijn cliënten in het buitenland.'

'Ik heet trouwens Genevieve.'

'Mohammad.'

Misschien heeft ze hem op de economiepagina's gezien. 'Kan ik uw foto misschien in de krant gezien hebben?'

'Mogelijk.' Een vluchtig glimlachje speelt om zijn lippen. Hij vindt het leuk dat hij herkend wordt; nee, besluit ze, het is meer dan dat. Hij is er zowel geamuseerd als verrukt over. Hij maakt de indruk dat hij een binnenpretje heeft. 'Ik ben op tv geweest,' zegt hij.

'Dat dacht ik al. Ik wist dat ik u ergens gezien had.'

Tijdens het opstijgen en de twintig minuten daarna zitten ze zonder te praten te lezen, maar wanneer het cabinepersoneel pretzels en drankjes uitdeelt is ze zo vrij te zeggen: 'Zou ik u misschien om een gunst mogen vragen?'

Opnieuw, even, geven zijn ogen – basilisk, dat is het woord, denkt ze – haar een onbehaaglijk gevoel, maar de kilte vervliegt, hij is charmant, hij is aandachtig, hij raakt haar pols aan, en ze twijfelt aan haar eerdere waarneming. Ze is in de war.

'Ja?' zegt hij.

'Ik heb een vriend die ergens achterin zit. We hebben elkaar al jaren niet gezien en we vroegen ons af...'

Ze worden gestoord door een stewardess en als Mohammad haar de bloody mary aangeeft die ze heeft besteld, ziet ze de S die op zijn pols getatoeëerd staat. Een vluchtige herinnering licht op, blijft even hangen, verdwijnt weer, zweeft halfgezien aan de achterkant van een doorzichtig gordijn, en dooft zichzelf uit. Ze heeft die tatoeage eerder gezien. Ze weet het zeker, al kan ze zich niet herinneren in welke context. Het gevoel is om gek van te worden. Het gevoel ruikt naar beslapen lakens en dromen die met het getij meegaan. Het is alsof je probeert een droom vast te houden waarin zich cruciale openbaringen hebben voorgedaan. Je wordt wakker in het bewustzijn, de zekerheid, dat zojuist hoogstbelangrijke waarheden zijn ontvouwd, maar wat? Maar wat zijn ze? Ze verdwijnen, de ochtend in, en hoe stevig je het beddengoed ook vastgrijpt: ze zijn niet blijvend.

'Die vriend van je?' dringt Mohammad aan. 'Die je al jaren niet gezien hebt?' Maar hij spreekt Frans. *Ton ami? Que tu n'as pas vu depuis des lustres?*

Ton ami... En dan gaat haar een licht op.

Een licht als Paulus zag op weg naar Damascus. In één klap is ze buiten adem en blind. Het is niet alleen de onbeleefdheid van een volslagen vreemdeling die haar aanspreekt met *tu. Ton ami...* de willekeurige samenvoeging van de woorden zelf en de onbeschaamdheid werpen een wit licht op de splinters van de herinnering, ze ziet het hologram in zijn geheel, het veranderlijke verleden, het halflicht, de bocht in het trappen...

Tristan, Mohammad, een donker trappenhuis.

Aan de Avenue des Gobelins, in het dertiende district, is Tristan op bezoek en hij zal blijven slapen. Het is nog vroeg in hun relatie, de eerste winterachtige maanden van 1980, voordat ze in Tristans appartement in het vierde is getrokken; soms slapen ze bij haar, soms bij hem. Als ze bij de tweede verdieping komen gaat het met een tijd-klok ingestelde licht in haar trappenhuis zoals altijd uit. In het donker stuiten ze op bewoners die van hogere verdiepingen naar beneden komen. *Bonjour,* Genevieve. *Bonjour,* Françoise, en ze merkt op dat Françoise de vriend bij zich heeft die met tussenpozen verschijnt, de vriend die komt en gaat. De vriend wordt nooit voorgesteld, hij spreekt zelden, ze heeft hem in het donker nog nooit duidelijk gezien, maar als altijd ziet hij kans om en passant tegen Genevieve aan te strijken. Hij draait zich om om naar haar te kijken. Dat doet hij altijd. Hij is het soort man dat iedere vrouw met zijn ogen uitkleedt en ze heeft de indruk dat Françoise, die ze nauwelijks kent, ongelukkig van hem wordt en dat ze ook bang voor hem is. Met zijn linkerarm en vuist maakt hij een obsceen gebaar, hoewel de obsceniteit verzacht wordt door een knipoog die impliceert: dit is allemaal maar een grap. Op zijn linkerpols staat een S getatoeëerd. 'Tristan!' zegt Françoise in het donkere trappenhuis. Tristan draait zich om en iemand drukt op de lichtknop en verbluft zegt hij: 'Françoise!'

'Kennen jullie elkaar?' vraagt Genevieve verbaasd.

'Het is een tijdje geleden,' zegt Françoise. '*Tu vas bien,* Tristan?'

'*Ça va,*' zegt hij. '*Et toi?*'

'*Ça va.*'

De vriend kijkt knipogend de trap omhoog. '*Ton ami?*' zegt hij met een zelfgenoegzaam lachje tegen Genevieve.

Tristan verstijft, beledigd door de vrijpostigheid van een louche vreemdeling die de intieme aanspreekvorm gebruikt.

'Niet op ingaan,' fluistert Genevieve. 'Hij doet het om je te provoceren.'

Je vriend? vraagt de vriend opnieuw, geluidloos de lippen bewegend, in het Frans, achter Tristans rug. Met zijn wijsvinger maakt hij langs zijn eigen hals een gebaar van een keel die doorgesneden wordt. Genevieve staart hem aan.

'Hoe ken je Françoise?' vraagt ze Tristan later.

'Een oud vriendinnetje.' Ongelovig schudt Tristan zijn hoofd. 'In hetzelfde gebouw als jij, *c'est incroyable!* Hoe lang woont ze hier al?'

'Een paar maanden.'

'Wat een raar toeval.'

'Haar vriend is raar.'

'Er is iets vreemds aan Françoise. Ze is… Ze laat niet graag los. Ze gaf me altijd het gevoel dat ik in de gaten gehouden werd. Hoe goed ken je haar?'

'Vaag. We groeten elkaar elke dag in het trappenhuis. Als ik weg ben geeft ze mijn planten water en als zij weg is geef ik haar kat te eten. Ik ben blij dat die vriend er niet vaak is. Hij maakt me bang.'

'Een echte crimineel, maar ik ben blij dat ze iemand anders gevonden heeft.' Toen hij haar de eerste keer verliet, vertelt Tristan, belde ze hem midden in de nacht op om met zelfmoord te dreigen.

'Wat deed je?'

'Wat kon ik doen? Ik ging een paar keer naar haar toe, en dan deden we het weer, tot ze gekalmeerd was. Toen heb ik een ander telefoonnummer genomen, geheim.'

'Je vriend,' zegt Mohammad, in stoel 11B, in het Engels.

'Wat?'

'Je wilde me iets vragen in verband met je vriend.' Mohammad maakt zijn gordel los en leunt voorover. Hij ontspant zich, trekt zijn schoenen uit, kijkt haar vast aan, zonder met zijn ogen te knipperen. Ze voelt zich bedreigd en het gevoel is intens. Hij glimlacht weer, in afwachting van haar antwoord. Hij herinnert zich haar, beseft ze. Hij weet wie ze is, en uit dat feit bestaat de kern van de dreiging. Hij weet nog niet dat zij nu ook over een context beschikt, dat ze hem heeft geïdentificeerd, maar misschien zou hem dat niet kunnen schelen. Misschien zou dat een onderdeel van zijn sinistere grapje zijn, wat dat dan ook is. Speels stompt hij met zijn vuist tegen haar schouder en de getatoeëerde S stopt even bij het puntje van haar neus. Ze weet dat hij de spot met haar drijft.

Sullig vraagt ze: 'Waar staat die S voor?'

'Die staat voor Sirocco,' zegt hij glimlachend. 'De wind die vanuit de Sahara komt. Zandstormen. De hete wind die alles verbrandt waar hij waait.' En dan komt er een mededeling dat de passagiers vanwege de turbulentie hun stoelen niet mogen verlaten, en in Genevieves oren begint een geraas dat het hele opdienen van de maaltijd aanhoudt en dan gaat het lampje van de veiligheidsgordels eindelijk uit en ze staat op en zegt 'pardon', en het toerental wordt opgevoerd tot een duizelingwekkende hoogte en daalt dan omdat Mohammad, codenaam Sirocco, een greep in zijn schoen doet en er iets flitst, iets dat zilverkleurig en zo dun als een grasspriet is, en het prikt tegen haar keel. Hij tilt haar op zoals een ruwe minnaar dat zou kunnen doen en trekt haar het gangpad op. Op haar hals voelt ze een snee als van papier, voelt ze iets nats. Ze heeft het gevoel dat ze gechoreografeerd wordt. Ze maakt deel uit van een pas de deux in slow motion, die zich door het vliegtuig heen naar voren beweegt terwijl vreemde figuren de business class uit komen zwermen, mannen die maskers met snuiten dragen, mannen met varkenskoppen, mannen met machinegeweren in hun handen, en er wordt geschreeuwd en er is tumult en klauwende handen en dan, als Genevieve valt, duisternis.

4

Codenaam: Zwarte Dood

In het donker kan Tristan het wilde tasten van handen horen.

Niet doen, smeekt hij in stilte, maar de vrouw is niet alleen onhandig maar ook wanhopig, en blijft aan haar gasmasker rukken. Hij neemt aan dat het een vrouw is; die lijken lagere paniekdrempels te hebben. Hij zal snel moeten handelen. Hij kan het gedempte scheuren van de klittenbandsluiting horen, haar kraag die los begint te komen. Ze vecht om te ontsnappen, zoals een drenkeling naar het water klauwt. Dan zal ze uit haar groteske hoofddeksel te voorschijn komen en oprijzen, van gedaante veranderd, de dood in.

Stoel 27D, berekent hij. Twee rijen vóór hem. Is dat niet dat Oost-Indiase gezin, die hele rij? Dus dan zal het de moeder zijn. Of misschien die kleine oudere vrouw, de grootmoeder, die een witte sari droeg. Niet dat iemand in het donker iets kan zien. Het is nacht en de airconditioning en alle elektrische systemen zijn uitgevallen, hoewel de damp van hitte en zweet niet het ergste is.

Niet doen, smeekt hij, en op wilskracht zendt hij het bericht het gangpad door.

Denk aan je kinderen, in godsnaam.

Denk aan ons allemaal.

Dan volgt er een stilte, een korte stilte, alsof de Indiase vrouw zijn gedachte hoort en haar waanzin een halt toegeroepen wordt. Is dat zo'n gekke gedachte? Het schijnt Tristan toe dat bij iedereen de grenzen verdwenen zijn, dat ze zijn begonnen als één wezen te denken en te handelen. Ze lijken elkaars gedachten te horen, of liever gezegd: te voelen, ze op de een of andere intuïtieve manier in hun geheel te ontvangen, zoals een zwerm bijen denkt, of een kudde vee. En iedereen onderschrijft zeker deze grondregel: dat het onacceptabel is je aan hysterie over te geven want ze zijn nu allemaal onderdeel van één breekbaar organisme, dat een ondraaglijk risico loopt. Toch kent hun zwermbrein de verleiding van het toegeven maar al te goed: een paar korte minuten van vreselijk lijden en het is voorbij. Toegeven is net zo volkomen begrijpelijk en te vergeven als het ontoelaatbaar is.

Tristan vormt deze gedachten om tot een projectiel en richt ze op stoel 27D. Denk eens aan het besmettingsgevaar, roept hij in stilte. Hij stelt zich voor hoe zijn woorden, zo hard en snel als een kleine steen, het gasmasker van de vrouw raken. Hij stelt zich de inslag voor: de manier waarop haar nek zal breken en slap zal gaan hangen. In het algemene belang, wil hij haar laten weten.

Hij probeert haar te overreden. Denk eens aan je kinderen, smeekt hij.

Ergens, zo smeekt hij haar zich te herinneren, ergens zien je kinderen ons bijna zeker op een televisiescherm. Kijk, zeggen de journalisten in de wereld tegen hen, daar is het vliegtuig, dat doffe zilveren schijnsel in het donker, aan de uiterste rand van de landingsbaan, net buiten het bereik van het licht. We kunnen niet dichterbij komen, leggen de journalisten uit, zonder dat we ze tot een impulsieve daad aanzetten. De nieuwslezer zegt: we kunnen er niet op rekenen dat de kapers zich rationeel of logisch of met enige herkenbare vorm van menselijk medelijden zullen gedragen. Het zijn extremisten. Het zijn psychopaten. Het zijn ideologische gekken.

En daar, op de bank van een vreemde, brengt Tristan haar in herinnering, of op een of andere stretcher in een kerkhal, zitten je kinderen dicht op elkaar gepakt te kijken. Er is hun een psycholoog toegewezen. Een tweede neef van je oomskant wordt vanuit Bombay overgevlogen. Je kinderen zuigen op de wollen hoeken van dekens die door een plaatselijke kerk gedoneerd zijn, en ze kijken naar het scherm, rillend en met wijdopen ogen. Ze schamen zich te erg om de aandacht op hun ondergoed te vestigen, dat heet en nat is en vol ammoniak van de angst. Mammie en pappie zitten er nog steeds in, zeggen hun wijdopen ogen, met die Varkensmannen van wie we de glijbaan af moesten. Je jongste begint luidruchtig te snikken. 'De Varkensman raakte me aan,' schreeuwt ze, en een psycholoog houdt haar vast.

Denk eens aan je kinderen, smeekt Tristan. Ze hebben verschrikkelijke dingen meegemaakt. Ze zien op televisie nog meer verschrikkelijke dingen gebeuren. Doe ze dit niet aan: het beeld van je lichaam dat uit het vliegtuig gegooid wordt.

Tristan verstuurt zijn argument, gepassioneerd, intens, van synaps tot synaps, en hij heeft een rechtstreekse verbinding, hij weet het zeker, maar tot zijn afgrijzen beginnen de geluiden van gefrummel en scheuren opnieuw. Ze escaleren. Dan voelt hij in zijn opgewonden nood zijn eigen lichaam in steen veranderen. Hij voelt zijn harde randen. Hij draait rond zijn eigen massa. De Indiase vrouw bevindt zich maar twee rijen vóór hem. Hij verandert zichzelf in een projectiel. Hij zal haar hoofd tegen de stoel kapotslaan.

Maar het is te laat. De paniek is al als een waterstraal boven 27D aan het stijgen en kronkelen, als een springtij, als een vloedgolf, en langs de bovenrand zwelt hij aan en dreunt hij en krult hij om en klotst hij over de middenrij stoelen heen en het vliegtuig door, naar de achterkant. In het donker sluit Tristan zijn ogen. Vlak voordat de wilde golf over hem heen spoelt heeft hij net genoeg tijd om zichzelf met echte nieuwsgierigheid af te vragen: waarom is dat nodig, je ogen dichtdoen, als niets het enige is dat ieder van ons kan zien?

Hij houdt zich stevig aan het rondhout van deze vraag vast.

Aan alle kanten hoort hij mensen onder water verdwijnen. Hij voelt de trekkracht van de getijdenstroom en komt zelf in de verleiding om zijn masker af te rukken.

Op zulke momenten is de keuze grimmig: overleven of vrede.

Op zulke momenten koestert niemand de illusie dat overleven iets anders is dan een gruwelijke beproeving, en toch kiezen de meesten ervoor.

Tristan klemt zich vast aan het rondhout van zijn vraag.

Hij beseft dat het instinct zegt dat je je ogen moet sluiten. Donker of niet, achter onze oogleden kunnen we ons beter concentreren en horen we scherper. Tristan begrijpt dat het instinct zegt – denk ergens anders aan, snel, snel – ja, het instinct zegt dat je je ogen moet sluiten, zoals toen op het strand, de eerste keer, zijn debuut op de oceaan, en hij maakt zich weer kleiner en zet zijn kleine lichaam schrap – hij is nog maar net dertien en bevindt zich aan de verkeerde kant van de groeistuip – terwijl de golf als een immense onverbiddelijke wand over hem heen hangt. Doodsangst. Boven zich ziet hij de gegroefde groene frons overhangen, volslagen onverschillig. Je bent niets, jongen, niets, zegt hij, verveeld. Tristan werpt zichzelf neer voor Golf, de vernietiger, de God van Klap. Hij ziet het schuimende wit van zijn ogen. Ik ga je tot schelpengruis stampen, sist de golf, een schuimachtige romende shwoeshende geluidsveeg die zijn longen binnenkomt. Hij braakt linten zeezout.

Zijn broer Pierre blijft schreeuwen: 'Zo, zo, hou je ogen open. Je moet over je schouder kijken, kijk of je hem ziet aankomen, zie je? Zo. En rol jezelf op in zijn oksel, geef jezelf eraan over, zo, zodat jij de golf bent.'

En dat doet hij, want hij weet dat hij overgestoken is, hij is hulp en redding voorbij, hij is zee, hij is zout water, hij is kracht. Hij is oceanische onstuimigheid zelf. En dan bevindt hij zich ergens op hard nat zand en Pierre slaat hem op zijn rug. Zie je wel? Zie je wel? Pierre lacht, en Tristan lacht ook, een moment van puur en opwindend genot, en hij sjort aan de hand van zijn oudere broer en sleurt hem mee terug de golven in.

Nog een keer, nog een keer! Tristan is buiten adem op de wilde Marokkaanse kust...

Marokko.

Zouden ze nu niet in Marokko kunnen zijn? vraagt hij zich geschokt af, terwijl hij zijn handen hard tegen de armleuningen van de vliegtuigstoel drukt, door zijn handschoenen heen want de paniek is over hem heen gegaan en hij heeft er niet aan toe gegeven. Zouden ze niet op het vliegveld van Rabat kunnen zijn? Of misschien Tangiers? Ja, dat is meer dan waarschijnlijk, of misschien was Marokko pas de eerste landing en misschien zijn ze ergens anders, nou, het zou overal kunnen zijn, want er zijn te veel nachtelijke landingen geweest en ze zijn te vaak 's nachts opgestegen – zelfs te vaak voordat de gasmaskers werden uitgedeeld – om het aantal keren bij te kunnen houden, maar is het niet waarschijnlijk dat ze in kleine rondjes vliegen want wie gaat de kapers nu toestemming geven om te landen? Dus dit betekent misschien dat ze verder weg zijn, in luchtruimte die de kapers vriendelijker gezind is: Libië? Syrië? Irak? Hij weet dat hij over alle nodige aanwijzingen beschikt.

Hij gelooft dat hij de koers van Air France 64 in kaart zou kunnen brengen, de vlucht die op tijd uit Parijs vertrokken is maar haar geplande bestemming New York nooit bereikt heeft. (Of wel? Nee. Het is onmogelijk, denkt hij, dat ze in New York aan de grond zouden kunnen staan. En toch... Hij weet niets meer zeker. Hij weet dat hij in een ernstige staat van zintuiglijke desoriëntatie verkeert.) Een gigantische hoeveelheid details zit in de draagtas van zijn geest gepropt. Wat hij nodig heeft zijn tijd en kalmte om ze uit te zoeken. Hij moet ze één voor één uitpakken, ze classificeren en sorteren: de taalfragmenten die hij bij beide landingsbanen heeft gehoord, de beklemmende hitte van de eerste twee landingen, waarschijnlijk ergens in Noord-Afrika, de geur van een toevallige stroom frisse lucht: bijvoorbeeld toen de kinderen van boord gezet werden, wat in Europa geweest moet zijn want de verschrikkelijke hitte was verdwenen. Het van boord zetten zou in Marseille gebeurd kunnen zijn, denkt hij; hij weet zeker dat hij de zilte lucht kon ruiken, hoewel het de Noord-Italiaanse kust geweest zou kunnen zijn. Of zelfs, denkt hij, op een plek met industriegeuren, zoutwerken, fosfaatwerken in de buurt. Frankfurt, misschien? De beveiliging in Frankfurt is notoir slecht. Die stad staat erom bekend dat er terroristencellen zitten. Ja, denkt hij, het zou Frankfurt geweest kunnen zijn waar de kinderen van boord werden gezet.

De Varkensmannen (in hun ruimtepakken en gasmaskers zien ze eruit als varkens; ze zien eruit als aapvarkens, buitenaardse varkens; sciencefiction varkenskopmensen) spreken zowel Frans als een andere taal, waarvan hij denkt dat het Arabisch is. Als ze in het Engels over de geluidsinstallatie bevelen blaffen is hun uitspraak merendeels gebroken en moeilijk te begrijpen, hoewel één van hen, duidelijk de leider, twee keer een mededeling heeft gedaan en als een nieuwslezer van de BBC praat. Tristan herkent het accent. In zijn ijver om zijn Engels bij te spijkeren heeft hij regelmatig naar de Europese uitzendingen van de BBC geluisterd. De andere kapers – degenen die zo slecht Engels spreken – zijn waarschijnlijk *pied noirs*, vermoedt hij; Algerijnse Fransen, of moslims met een Frans staatsburgerschap, met andere woorden: hetzelfde oude liedje, dezelfde oude fuga, variaties op een uitgekauwd thema. Hij stelt zich de krantenkoppen over de volle paginabreedte voor: ALGERIJNSE JIHAD SLAAT OPNIEUW TOE.

Tijdens een andere landing was er de geur van regen en iets dat lekker rook: jasmijn? Gardenia? Peperboompje? Dus, Martinique? Mauritius? Kan dat? Toch zeker te ver weg? De Kaapverdische Eilanden misschien?

Hij heeft tijd nodig om de stukken samen te voegen.

Tijd en kalmte. Die zaken zal hij voor elkaar moeten krijgen. Tijdens de korte periodes van kalmte tussen de paniekgolven door, tussen de aanvallen van claustrofobie door, zal hij een tempo moeten zien te vinden. Hij moet het gas, de wetenschap dat er voortdurend brand kan uitbreken, het aanstaande inferno helemaal uit zijn gedachten bannen.

Het wanhopige klauwen van handen overal om hem heen is als gedempte donder. Over nog eens vijf minuten, schat hij, zal de Indiase vrouw zichzelf in een schreeuw bevrijd hebben, en dan zal de sterke lichtbundel uit het donker te voorschijn komen en haar als de vinger Gods aanraken. O ja, ze zullen allemaal gedwongen worden toe te kijken, dat weet hij. Ze zullen gedwongen worden opnieuw getuige te zijn van het hele verschrikkelijke schouwspel: de blaren, het overgeven, het kronkelen, de doodsstrijd. Sarin, denkt hij, hoewel de Varkensmannen niet de moeite hebben genomen om kenbaar te maken welk gifgas ze hebben losgelaten. De Indiase vrouw zal de derde dode zijn, nog maar de derde, maar haar sterven zal besmettelijk zijn, vreest Tristan. Er zal een uitbarsting van sterfgevallen zijn, een epidemie, misschien een dozijn, in het volgende uur misschien nog meer, en dan zullen de dingen weer even tot rust komen.

Dit is te overleven, zegt Tristan tegen zichzelf. Het is niet in het belang van de Varkensmannen om er te veel te laten sterven (hoewel hij hier een cruciale fout zou kunnen maken, geeft hij bij zichzelf toe: de fout te veronderstellen dat er een verband bestaat tussen sluwe intelligentie enerzijds en logisch gedrag anderzijds) maar de Oost-Indiase vrouw is het nu gelukt haar gasmasker af te rukken, en de spotlight zwaait en blijft op haar rusten, en nu blijkt ze helemaal niet van het Indiase subcontinent afkomstig te zijn. Het is niet eens een vrouw maar een man, groot, stevig, blank, waarschijnlijk Amerikaans, waarschijnlijk van formaat, iemand die aan autoriteit gewend is, denkt Tristan, misschien een bankier, of misschien (het is tenslotte de economy class) een voorman uit de bouw, iemand die gewend is bevelen te geven, want het is woede, niet angst, waarvan zijn gezicht doortrokken is vlak voordat de doodsstrijd hem in zijn greep krijgt, voordat hij kronkelt en dubbelklapt en verschrompelt, en te midden van de massale paniek en worsteling concentreert Tristan zich op de vraag of dit Marokko is of niet, hij wijdt zich met frisse moed aan het raadsel waarvan hij weet dat hij het moet oplossen. Hij beschikt over veel gegevens. Misschien heeft hij ze allemaal. Het is inderdaad mogelijk dat hij met voldoende zorgzaamheid en toewijding, in een voldoende staat van meditatieve aandacht, details kan opgraven waarvan hij op het moment niet weet dat hij over ze beschikt. In dromen komen dingen naar boven drijven, en ook tijdens momenten van angst. Dat begrijpt hij. Het onderbewuste werpt een breder net uit dan de bewuste geest kan bevatten. Wat hij nodig heeft, tegelijkertijd, zijn puurheid van focus en kalmte. In zijn geest moet hij ontspannen worden.

Hij denkt aan Génie, zijn lichaam richt zich instinctief op de gedachte aan Génie, maar hier wordt hij zeer onrustig van, want waar is ze? Hoe kan hij bij haar komen? Hoeveel uren, hoeveel dagen is het geleden dat ze bij rij 11 uit elkaar gingen? Leeft ze zelfs nog wel...? Aan de uiteinden van zijn zenuwen voelt hij paniek oplaaien als een moerasbrand en hij dwingt zijn gedachten van richting te veranderen.

Hij is bezig geweest een systeem te ontwikkelen waarmee hij kan bepalen hoeveel tijd er verstreken is, een complex logistiek probleem waar hij dankbaar voor is. Hij is dankbaar voor alles wat obsessieve concentratie vereist. Het is geschikt om de tijd mee te verdrijven – een gedachte die hem op een sardonische manier amuseert; zelfs taal kan het niet zonder tijd stellen – en alles wat helpt de tijd te verdrijven is niet onbelangrijk als hij losgeslagen in een nachtmerrie ronddrijft, als hij gevangenzit in een droom waarin gemaskerde mannen met machinegeweren te voorschijn komen maar waarin hij niet kan wegrennen, waarin de wereld in slow motion boven op hem instort en hij weet dat hij geplet gaat worden, waarin hij weet dat hij verpulverd gaat worden, tenzij hij vliegensvlug kan rennen, maar hij komt erachter dat hij door stroop rent. Zijn benen zijn gemaakt van iets wat nog zwaarder is dan lood. Deze doodsangst, weet hij, zal voortduren tot hij wakker wordt, maar uit deze droom kan hij niet wakker worden. Hij moet een manier zien te vinden waarop hij terug kan denken tot het moment waarop de nachtmerrie begon.

Op een blanco witte pagina in zijn hoofd zet hij markerings-streepjes, zoals Robinson Crusoë.

Dag 1. Take off. Bijna meteen de bekendmaking van de piloot dat de passagiers vanwege verwachte turbulentie in hun stoelen moeten blijven tot toestemming wordt gegeven om op te staan.

Interessant is dat, denkt Tristan achteraf gezien. De piloot moet erbij betrokken zijn, tenzij er al een geweer tegen zijn hoofd gedrukt werd. Maar hoe konden ze die machinegeweren aan boord krijgen? Hoe kon dat allemaal langs de beveiliging gesmokkeld zijn als het vlucht- en luchthavenpersoneel er niet bij betrokken was?

We verwachten extreme turbulentie… Alle passagiers dienen in hun stoelen te blijven zitten…

Maar er is geen turbulentie.

Een uur gaat voorbij. De maaltijd wordt opgediend; de stewards en stewardessen zien er nerveus en bleek uit; de passagiers mogen niet opstaan en rondlopen. En dan, eindelijk, verbreekt Tristan de regels en zoekt hij zijn weg naar rij 11, maar de stoel van Génie is leeg en 11B ook. 'Pardon,' zegt hij tegen de man aan de overkant van het gangpad, 'weet u waar…' en precies op dat moment breekt de hel los. Figuren met machinegeweren komen uit de business class te voorschijn,

Varkensmannen met gasmaskers, drie in elk gangpad, zes in totaal, en Tristan krijgt de loop van een geweer tegen zijn borst gedrukt en hij wordt terug het achterste deel van het vliegtuig in gedwongen.

Over de geluidsinstallatie blijft een stem in gebroken Engels zeggen: 'Dit is Zwarte Dood. Als u precies gehoorzaamt, zult u ongedeerd blijven. Dit is Zwarte Dood die vele eeuwen onrecht wreekt. Gehoorzaam of u wordt doodgeschoten. Iedereen is gevangene van Zwarte Dood. Gehoorzaam of u wordt doodgeschoten. Dit is de terugkeer van de pest. Gehoorzaam of u wordt doodgeschoten. Dit is Zwarte Dood.'

Dan komt het eerste schot. De eerste moord. Het is een willekeurige, voor de show, en de kapers zwaaien met hun geweren boven hun hoofden, triomfantelijk als vechtersbazen op het schoolplein. Kijk eens, pa! Ze hebben van angst in hun broek gescheten.

En dan vervaagt de tijd. Een landing. Uren in verstikkende hitte. Onder bedreiging van een geweer brengt de stewardess water rond. Baby's en kinderen huilen onophoudelijk. Iemand wordt gek – van de dorst? hallucinerend van de hitte? – en rent het gangpad door en wordt neergeschoten. Het lichaam wordt uit het vliegtuig gegooid.

Er wordt onderhandeld. Soms horen ze geschreeuw uit de cockpit: radiostemmen die binnenkomen, geschreeuwde boodschappen die naar buiten gaan.

De avond valt. Kennelijk wordt het vliegtuig bijgetankt. Ze stijgen op. Er zijn nog meer vlieguren, misschien drie, misschien vier, maar niemand mag zijn of haar stoel verlaten, onder geen beding. Het vliegtuig begint te stinken. Mensen vallen flauw. Er wordt opnieuw geland. Nog meer uren lijken in hitte rond te drijven. Voedsel en water worden rondgedeeld. Lichamen zijn de gangpaden in gezakt en liggen op de vloer. De Varkensmannen lopen door het vliegtuig en halen deze lichamen op alsof ze vuilnis zijn. Ze slepen ze de gangpaden door en gooien ze door de voorste deur naar buiten.

Er wordt opnieuw opgestegen.

Hier is Dag 2 ergens begonnen. Tristan zet een streepje op de blanco pagina in zijn hoofd, maar hoe moet hij de tijd bijhouden als het vliegtuig eenmaal in de lucht is? Twee uur, vraagt hij zich af. Drie?

Hij zou net zo goed in dikke zwarte inkt kunnen hangen. Er wordt opnieuw geland: Tristans lichaam voelt het hoogteverlies. Hij voelt de bons als de wielen de grond raken, dan de stuit, dan weer een bons. De landing van een amateur. Hij vraagt zich af wat ze met de piloot gedaan hebben. Hij vraagt zich af of de piloot, bepaald geen vakman, deel uitmaakt van het kapersteam.

'Dit is Zwarte Dood,' maakt de geluidsinstallatie bekend. 'De pest treft de ongelovigen, maar Allah, de Barmhartige, spaart de kinderen. Gehoorzaam of u zult doodgeschoten worden.'

De kinderen worden bijeengedreven en het vliegtuig uit gelaten; moeders met baby's in hun armen mogen van boord gaan, maar niet als de baby's dood zijn. Twee moeders worden naar hun stoelen teruggestuurd met nogal stille bundels in hun armen. Veel kinderen willen niet bij hun ouders weg, maar de mannen met de varkenskoppen en de geweren trekken hen ruw uit hun stoelen. Passagiers strekken hun armen om de kleintjes aan te raken en te liefkozen terwijl ze de gangpaden door gedreven worden. Als het laatste geschreeuw en gehuil – Mammie! Ik wil mammie! – het noodluik uit geduwd is, valt er een verschrikkelijke stilte in het vliegtuig.

Dat, denkt Tristan, moet allemaal op Dag 2 gebeurd zijn.

Dan valt de avond. Bijtanken, opnieuw opstijgen. Hoeveel uren hebben ze gevlogen? Nog een landing. Ze moeten Dag 3 binnen geland zijn.

Het vliegtuig stinkt. Mensen hebben overgegeven. Mensen hebben in hun broek geplast en zich bevuild. Nu mogen ze naar de WC, maar onder toezicht, rij voor rij, en iedereen komt maar drie keer per dag aan de beurt. De toiletten zijn verstopt en de stank is zo erg dat mensen afzien van hun beurt. Telkens als hij van zijn stoel wordt geëscorteerd, probeert Tristan naar de toiletten aan de voorkant te gaan maar hij wordt altijd teruggedwongen. Hij heeft nog geen glimp van Génie kunnen opvangen.

Na de landing op Dag 3 (de vierde landing, tenzij hij de tel is kwijtgeraakt) worden voorraden voedsel en water aan boord gebracht, en de toiletten worden schoongemaakt; weer bijtanken, nog een keer opstijgen, een veel langere vlucht, nog een landing. Hier, denkt hij, begint Dag 4 ergens.

Op Dag 4 wordt meer voedsel en water aan boord gebracht. Het vliegtuig wordt ontsmet, de toiletten worden weer schoongemaakt. Voorraden van een andere soort worden aangevoerd: op dit punt arriveren de gasmaskers, honderden, voor iedere passagier één. Dus dit moet een gebied zijn dat de terroristen als thuis beschouwen, besluit Tristan. Libië? Irak? Marokko? Of misschien verder naar het zuiden, dichter bij de evenaar, want de hitte is extreem. Sudan of Uganda? De maskers worden uitgedeeld, en de passagiers krijgen te horen dat ze ze moeten opzetten. Het effect is grotesk. Een paar mensen geven over in hun gasmaskers en stikken meteen. Hun lichamen worden verwijderd.

De leider, degene die BBC-Engels spreekt, doet een mededeling.

'De wereld heeft zijn ogen op dit vliegtuig gevestigd,' zegt hij. 'De wereld luistert op dit moment naar wat ik zeg.'

Tristan probeert zichzelf in zijn appartement in Parijs voor te stellen, terwijl hij zichzelf op tv bekijkt. Daar in beeld is de reeds lang tot de ondergang gedoemde zilveren cocon van Air France, vaag van omtrek. Hij probeert zich voor te stellen dat hij het bericht leest dat onder aan zijn televisietoestel voorbij komt stromen: GEKAAPT VLIEGTUIG OP LANDINGSBAAN IN UGANDA. (Of misschien in Egypte? Of in Irak?) Tristan knijpt zijn ogen toe. Aan de rand van zijn gezichtsveld kan hij de delen van Proust en Stendhal op zijn boekenplanken zien staan. Als hij zijn televisie duidelijker kon zien, zou hij erachter kunnen komen waar hij zich bevindt.

'Er is nu gifgas in de cabine losgelaten,' zegt de leider van de kapers tegen de passagiers en tegen het televisiekijkende publiek in de hele wereld. 'Uw maskers zullen u beschermen. Als u uw masker af zet, zult u zeer snel sterven, de pijn zal ondraaglijk zijn.

'We keren terug naar Parijs,' legt de leider uit. 'Voordat we landen zullen bussen met zeer vluchtig, zeer brandbaar gas in het vliegtuig worden geleegd, zodat elke dwaze poging tot scherpschieten, ofwel door de luchthavenbeveiliging ofwel door Amerikaanse elitetroepen, een vuurstorm tot gevolg zal hebben. Als aan onze eisen wordt voldaan en als de tien gevangenen, wier namen aan *Le Monde* gegeven zullen worden, vrijgelaten worden, en als deze islamitische vrijheidsstrijders aan boord van het vliegtuig mogen komen, dan zullen alle passagiers ook worden vrijgelaten. We vragen iets kleins: tien islamitische vrijheidsstrijders voor meer dan vierhonderd burgers.'

Er wordt opnieuw geland en dan is er een lange vlucht.

Tristan probeert de uren te schatten.

'We beginnen nu aan onze afdaling op weg naar luchthaven Charles de Gaulle in Parijs,' maakt de leider bekend, en de woorden knallen als donderslagen, maar het vliegtuig beschrijft rondjes, en helt over, komt weer recht te vliegen, en beschrijft weer rondjes. Over de geluidsinstallatie klinkt de stem van de leider bijtend van woede. 'We krijgen geen toestemming om te landen,' maakt hij bekend. 'Idioten. Imbecielen. Achterlijke-domme-NAVO-Amerikaanse snobs!' Zijn woorden struikelen over elkaar. 'Jullie zijn honden!' zegt hij ijzig tegen de passagiers. 'Jullie levens betekenen niets voor jullie overheden. Jullie zijn honden, en als honden zullen jullie sterven.'

We zijn de angst voorbij, denkt Tristan. We zijn de angst voorbij. Sterven als honden, als we al dagen als honden hebben geleefd: het raakt ons nauwelijks.

Als het moment daar is, denkt hij, als het moment zich aandient, zal hij grommend naar die fake-BBC keel springen, hoewel hij voorlopig zijn eigen contactsleutel kwijt lijkt te zijn, en de geluidsinstallatie waarmee zijn hersens berichten naar zijn lichaam verzenden lijkt defect. Hij zegt tegen zijn hand dat hij een vuist moet maken en zijn vingers drijven als zeewier uit elkaar.

Dit is een erg rare droom, denkt hij. Als ik wakker word, denkt hij, wat zal me dit dan een verhaal zijn.

Hij denkt dat het vliegtuig nog steeds boven Parijs vliegt want hij gelooft dat hij de lussen van de Seine en de torens van de Notre Dame kan zien, maar hij weet dat dit een onderdeel van de droom kan zijn. Hij is slaperig. Hij droomt dat zuurstof als een ridder in harnas tegen de muren van zijn masker aan slaat. Op een wolk naast zijn raam ziet hij Génie. Heb je ons dan verlaten? vraagt hij haar, en hij voelt het vliegtuig van verdriet omlaag storten, maar hij weet niet meer hoe verdriet voelt, en het vliegtuig stabiliseert zich weer en vliegt naar het zuiden. Tristan weet dat ze naar het zuiden vliegen want de zon die hij denkt te zien maakt duidelijk dat ze in de buurt van Afrika zijn. Génie roffelt op zijn raam. Maak je klaar voor de landing, zegt ze.

'We hebben toestemming om te landen om bij te tanken,' maakt de leider bekend, en ze staan aan de grond in Toulouse, denkt Tristan. Of misschien zijn ze in Marseille? Hij weet dat hij op de lippen van de mannen bij de benzinepompen Frans ziet. Ze hanteren de rubberslangen zoals slangenbezweerders dat zouden doen, en de ingezogen holle wangen maken Franse woorden. Van achter zijn raam vormt Tristan met zijn mond een vraag en een van de bijtankers kijkt hem recht aan en zegt: Toulouse.

Het vliegtuig stijgt op uit Toulouse en vliegt de vijfde nacht in, denkt Tristan, hoewel het ook de zesde zou kunnen zijn. Er is een lange vlucht en dan nog een landing, misschien – waarschijnlijk – keren ze terug naar de plek waar de gasmaskers aan boord gekomen zijn.

Daar zijn ze nu, meerdere uren van Toulouse verwijderd, erg laat op de vijfde of zesde dag, en de Indiase vrouw die een Amerikaanse man bleek te zijn is klaar met doodgaan, en de paniekgolven in het hele vliegtuig zijn weggeëbd.

Niets beweegt. De passagiers zijn behekst.

Tristan heeft een licht gevoel in zijn hoofd. Hij gelooft dat hij kan vliegen.

5

Triage

Genevieve zweeft door haar koorts. Als ze haar ogen opendoet, is de lucht op een vreemde manier troebel en ondoorzichtig, alsof ze het leven nu verduisterd en door glas moet zien. Ze doet haar ogen weer dicht. Haar adem ruikt naar binnenband. Haar keel doet pijn, haar hoofd doet pijn, achter haar ogen zingt een hoge soort pijn rond. Als ze haar nek voorzichtig met de kussentjes van haar vingers aanraakt, voelt ze een korst opgedroogd bloed, en nog iets, een kraag, een kooi, wat de… Paniek knijpt haar keel dicht, en ze zweeft het zwart weer in.

'Vooruit,' zegt iemand, en ze struikelt. Haar hoofd zit in een glazen pot. 'Vooruit! *Bouge! Bouge!*' En ook andere woorden, buitenlandse woorden, iets raars is… geluid zwelt ooop en is laaaaangzaam, geluid omringt haar als wolken, als een sjaal. Branding is alles wat ze hoort, hoewel ze zwarte spikkels van woorden voor haar ogen kan zien en de woorden zijn lang en dan nog langer, als toffee, en ze bulderen en ze vervagen en klinken na, en ze drommen samen in haar oren en in haar hoofd. Ze bevindt zich diep in een tunnel, ze hoort een trein. Het is nacht. Is het nacht? Een hand duwt, ruw, en ze valt voorover en rolt trappen af.

Asfalt. Een parkeerplaats? Waar is ze?

Waarom heeft ze een helm op haar hoofd?

Een voet trapt haar. 'Opstaan.' Zo voelde het, maar het werd niet met zoveel woorden gezegd. De woorden slaan zich als donder om haar heen, maar niet in een taal die ze begrijpt. De voet trapt haar opnieuw. Ze probeert op te staan, maar haar benen houden het niet en ze glijdt op de grond, zo zacht als een sjaaltje. Ze ziet laarzen, soldaten, machinegeweren, monstermannen met groteske maskers op hun hoofd. Iemand tilt haar op alsof ze een zak is en gooit haar achter in een jeep.

Verschrikkelijke angst. Andere handen, andere lichamen. Ze zweeft het donker in.

Ze is bij bewustzijn, ze verliest het, ze is weer bij bewustzijn, ze worden ergens heen gereden, ze herkent het gezoem van banden en van een motor, ze voelt de schokkende hobbels van het terrein. Ze rijden met hoge snelheid recht de hel in.

Armen helpen haar. Iemand tilt haar halfslachtig op, ze wordt tegen een ander lichaam aangezet, een arm stelt haar gerust. 'Gaat het?' Het is de toon die ze begrijpt. Het geluid klinkt vormeloos na vanuit iemands hoofdkooi. Lichamen kreunen en kruipen samen en houden onwennig handen vast. Dingen beginnen haar op te vallen. Wat ze kan onderscheiden en catalogiseren: de hitte, de stank, het benauwende van het ding op haar hoofd. Nacht. Woestijn. Ze stelt zich miljoenen sterren voor. Een andere jeep volgt. Ze besluit dat ze de film van haar eigen gevangenschap laat op de avond op televisie bekijkt. Voor hen rijdt nog een voertuig, denkt ze, want nu kan ze het andere geluid en de hoge bromtoon van de banden horen. Ze is zich bewust van tasten en betast worden: in dezelfde benauwde ruimte zijn er nog drie andere paren handen, drie andere lichamen, elk met potten op hun hoofd.

En dan whiplash.

Gepiep van banden.

Het geluid volgt een fractie van een seconde op de pijn in haar nek.

Soldaten, kolven van machinegeweren, fragmenten... De passagiers worden de auto's uit geduwd en weggeleid en met hun gezichten naar het noorden toe gezet en gedwongen om toe te kijken.

'Let op, honden,' blaft de leider met de BBC-stem.

Een hand rukt aan de klittenbandkraag om de nek van Genevieve en haar hoofd is vrij. Zuurstof, gezegende frisse lucht, en lieve God, is dat niet Tristan die ze daar ziet? Maar ze krijgt een dreun met een geweerkolf, en in het noorden, aan de rand van de woestijnhemel, rijst een lichtgevende bol op als Jupiter en hij schiet rookpluimen als een meteorenregen omhoog naar de sterren. De stijgende planeet wordt helderder en helderder, kleurt oranje, dan bloedrood, en zijn straling verlicht de halve hemel. Er is een ontploffing alsof het einde van de wereld gekomen is en de kleine groep mensen, net van hun maskers ontdaan en rond drie legerjeeps samengekropen, kan het slaan van de geluidsgolfjes tegen hun voeten voelen. De schokgolven doen de soldaten dansen. Als in een saluut heffen ze hun geweren boven hun hoofden. Ze vuren de nacht in. De anderen – de kleine groep van tien voormalige passagiers – bewegen zich naar elkaar toe, als vijlsel naar een magneet. Ze kruipen samen, lichaam tegen lichaam, heimelijke hand in heimelijke hand, en telegraferen hints van angst naar elkaar door.

De Jupiterzon is een vuurbal geworden en werpt een schaduwachtig licht van bijna-dag over de plek waar de jeeps staan. Een van de robotmannen zet de kooi van zijn hoofd, hoewel zijn gezicht in het schemerlicht niet duidelijk te zien is.

'Dat is het eind van vlucht 64,' zegt hij. 'Welkom in Irak. Welkom op Tikrit Airport.' Zijn Engels is uitstekend, zijn accent is van een Britse particuliere kostschool. Genevieve doet haar ogen dicht en hoort de ijle melodie van de S op zijn pols. Ze herinnert zich flarden van een droom: Tristan, Sirocco, geweren en gasmaskers, huilende kinderen, en dan valt ze een zwart gat in.

Waar is gisteren gebleven? Waar is Genevieve geweest? Waar is Tristan? Een pijn komt opzetten, nog heviger dan het vuur in haar keel en hoofd. Een hand raakt de hare aan, bevoelt hem, grijpt hem vast. De hand van Tristan. Ze leunt tegen hem aan en ze houden zich aan elkaar vast, zwak van vreugde.

'Tien tegen tien,' zegt Sirocco. 'Dat is een eerlijke ruil, en jullie gelukkigen zijn zorgvuldig uitgekozen. Jullie zijn door mij in hoogsteigen persoon geselecteerd. Beschouw het maar als een compliment. Telkens als ze iemand van ons vrijlaten, laten wij iemand van jullie vrij, zo simpel is het en jullie kunnen maar beter beginnen jullie schietgebedjes op te zeggen.'

Een van de kapers vuurt een uitzinnig salvo de lucht in en Sirocco blaft hem drie onbegrijpelijke woorden toe, maar hun betekenis is duidelijk. Er volgt nog een bevel, en elke gevangene wordt ruw beetgepakt, naar voren geduwd, en als spuug behandeld. Iemand scheidt Tristan en Genevieve van elkaar alsof hij een mossel openwrikt. Een geweerkolf drukt tegen Tristans achterhoofd, en Genevieve wordt in haar maag gestompt en slaat dubbel. 'Aantrekken,' beveelt een soldaat, maar ze begrijpt hem niet en hij kleedt haar aan, ruw, bruut, hij duwt haar armen en benen een beschermend pak in, gespt haar dicht, zet opnieuw een kooi op haar hoofd. Canvas laarzen worden met klittenband aan haar voeten vastgemaakt.

'Jullie tien hebben geluk,' zegt Sirocco. 'Jullie blijven misschien leven. Voorlopig is de lucht die jullie inademen weer veilig, maar niet lang. Jullie zullen beroemd worden. Wat er ook gebeurt, jullie namen en foto's zullen in kranten en op de omslagen van tijdschriften in de hele wereld te zien zijn. We zullen jullie pasfoto's naar CNN verzenden. Jullie zullen onsterfelijk worden.

En jullie namen worden misschien toch nog bijgeschreven in het Boek der Levenden. Misschien worden jullie gered. Dat hangt af van de beslissingen die jullie overheden nemen. Tien om tien. Oog om oog, leven om leven.'

Hij spreekt langzaam en duidelijk, maar in de kooi van Genevieve wordt het geluid vaag, en aan de randen van zijn woorden flikkert het vuur aan de horizon. Er zijn net beschermende pakken en handschoenen aan jullie uitgedeeld, hoort ze, en nieuwe gasmaskers met nieuwe filters. Opgesloten in een beschermde ruimte, waarna... zowel sarin als mosterdgas... als een deel van jullie huid wordt blootgesteld... Nu gebaart hij, hij spreekt in mime, en de luisteraars drukken hun beschermde lichamen tegen elkaar aan en zelfs in de hitte slaat het verdriet als stoom van ze af.

...met verschrikkelijke pijn, zoals jullie al weten. Als jullie je gasmaskers afzetten, of welk deel van jullie beschermende kleding dan ook uittrekken, zullen jullie sterven.

Een van Sirocco's mannen lost een salvo in de lucht en zingt iets onbegrijpelijks. Aan het einde valt de rest hem bij in een onverstaanbaar refrein.

'Ik zal het voor jullie vertalen,' zegt Sirocco tegen de gevangenen.

'Dit is Operatie Zwarte Dood, de wraak van Suleiman, Allah de Barmhartige zij geprezen.'

Is het de dood die het geluid verstaanbaar maakt? Is het mogelijk te geloven dat ze op die manier zullen sterven? Als figuranten op een filmset? Genevieve betrapt zichzelf erop dat ze zo denkt. De herinnering aan Tristans hand in de hare, aan zijn lichaam tegen het hare, doet hoop opleven. Welke is hij? Eén voor één bekijkt ze de ingepakte gevangenen en ze kan het niet zien, maar toch voelt ze zich vreemd beheerst. Plotseling is de stem van Sirocco in haar hoofdkooi zo helder en verstaanbaar dat ze zich afvraagt of zintuiglijke deprivatie de kanalen verwisseld heeft. Ze gelooft dat ze het telepathische spoor te pakken heeft.

'Als aan de eisen van Operatie Zwarte Dood wordt voldaan, zal de bunker opengemaakt worden en blijven jullie leven.

'Als niet aan onze eisen wordt voldaan, zullen jullie wegrotten. Jullie uitrusting zal jullie vierentwintig uur lang beschermen, en daarna komt er gif door de filters kruipen: een langzame maar pijnlijke dood. Misschien doen jullie je maskers liever af om de snelle vluchtroute te nemen: tien minuten, dan hevig overgeven en de bibbers, dan *finis*.'

Atmosferische storing. Het telepathische signaal is verloren gegaan. De benen van Genevieve drijven weer van onder haar weg. Hier is een woord voor, weet ze, zinken, ondergaan. Hier is een woord voor, maar ze kan er niet op komen. Onder het zwarte water kijkt ze naar de woorden die voorbij komen zwemmen: Caritas, *Wandering Earthling*, rue de Birague, Camelot, *le destin*, *in extremis*, kom je? *C'est l'amour*, het is waanzin, de hete woestijnwind, Zwarte Dood, de wind die alles verbrandt waar hij waait, Sirocco, de wind die verbrandt en vernietigt, kalasjnikov, gasmaskers, explosie...

Triage, dat is het woord.

IV

VERDWIJNPUNTEN

'En dit keer verdween hij heel langzaam; hij begon met het puntje van zijn staart en eindigde met de grijns, die nog een tijdje bleef hangen, toen de rest al weg was.'

– Lewis Carroll, *Alice in Wonderland*

1

Lowell leest *Alice in Wonderland* voor aan zijn kinderen. Achter hen knipperen de kerstboomlampjes in een willekeurige volgorde. Soms knipperen ze allemaal tegelijk, aan, uit, aan, uit, soms flikkert de stroom langs een draad, als vallende stralende dominostenen. De vader van Rowena zit zachtjes in een leunstoel te snurken. In de keuken stoppen Rowena en haar moeder de vaat in de vaatwasmachine en schrapen ze borden schoon en spoelen ze glazen om. In de open haard knettert een vuur. In de kamer hangt de heerlijke geur van cider.

'Alice voelde zich slecht op haar gemak,' leest Lowell voor. 'Ze had nog wel geen ruzie gehad met de koningin, maar zij wist dat dat ieder ogenblik, gebeuren kon en wat zal er dan van mij worden? dacht zij. Zij schijnen het hier bijzonder prettig te vinden om mensen te onthoofden, ik begrijp eigenlijk niet dat er nog zoveel in leven zijn!

Zij zocht juist een middel om te ontsnappen zonder dat iemand het zou zien, toen zij een merkwaardige verschijning in de lucht opmerkte. Ze kon deze eerst onmogelijk thuisbrengen, maar toen zij een poosje ernaar gekeken had, zag ze dat het een grijns was en ze zei bij zichzelf: "Het is de Kat van de Hertogin, nu heb ik tenminste iemand om mee te praten."

"Hoe gaat het ermee?" zei de Kat...'

'Pappie,' zegt Amy, 'waarom kunnen we dode mensen niet zien?'

Lowells ogen schieten nerveus in de richting van de keukendeur. 'De Kat van de Hertogin leeft nog,' zegt hij. 'Dacht je van niet omdat ze verdwijnt?'

'Nee,' zegt Amy. Ze wijst naar de geïllustreerde grijns die op een boomtak zit. 'Daar zit de Kat van de Hertogin, gekkie. Ik weet dat ze nog leeft.'

'Goed,' zegt Lowell opgelucht. 'Alice wachtte tot zijn ogen verschenen waren en knikte toen. Het heeft geen zin om iets te zeggen, dacht zij, voor zijn oren er zijn of één oor tenminste. Het volgende ogenblik verscheen de hele kop...'

'Maar waar gaan ménsen naartoe als we ze niet kunnen zien?' vraagt Amy.

Lowell wacht gespannen tot de vrouw in de keuken 'Zijn kop eraf!' gaat schreeuwen. Hij wacht tot hij naar de uiterste duisternis van zijn appartement verbannen wordt, ver weg van de warmte van de feestdagen en zijn kinderen. Hij is een strenge verplichting tot goed gedrag aangegaan, en hij is niet van plan zijn kinderen over de dood te laten nadenken, dus zegt hij spitsvondig: 'Dat moeten jullie maar aan mama vragen. Waarom ga je het mama niet even vragen?'

'Ik wil het jóu vragen,' fluistert Amy. 'Waar is opa naartoe gegaan?'

Dit verbaast Lowell. Hoe meer we kinderen afschermen, denkt hij, hoe nieuwsgieriger ze worden. Maar niets kan hem ertoe overhalen het D-woord te zeggen en met zijn verplichting te breken. 'Opa is in de hemel,' zegt hij.

'Kunnen de mensen in de hemel ons zien? Kan opa ons zien?'

'Natuurlijk kan hij dat,' zegt Lowell. 'Ja, dat weet ik wel zeker.'

Eigenlijk heeft hij zichzelf nooit kunnen bevrijden van het gevoel dat hij bekeken wordt. Hij is zich als de pelgrim van Bunyan gaan voelen, de pelgrim die zijn eigen lading schuld op zijn rug met zich meetorst, want hij kan nergens naartoe, hij durft nergens heen te gaan zonder de beangstigende inhoud van Kluis B-64 aan zijn zijde. Hij heeft zes verschillende tassen gekocht, als vermomming, want hij koestert de vage angst dat de blauwe Nike-sporttas buitenshuis herkenbaar is. Vandaag heeft hij – in de geest van de feestdagen – de spullen in een rode tas met een trekkoord gestopt. Toen hij aankwam had hij hem over zijn schouder geslagen. Hij had er plukjes nepsneeuw op bevestigd en er een opstrijkbare kerstman op gestreken. Nadat hij zijn cadeautjes onder de kerstboom had gelegd, zei Rowena nieuwsgierig: 'Er zitten nog steeds dozen in je tas.'

'Cadeautjes voor de jongens,' zei Lowell, razendsnel iets verzinnend. 'Dat wil zeggen: voor de kinderen van de jongens die voor me werken. Ik was van plan ze gisteren af te geven maar ik had geen tijd, dus doe ik het morgen.'

'Dan stop ik de tas wel in de kast,' zei Rowena, en hij werd alleen al angstig van toen hij haar de tas zag oppakken. Hij werd duizelig bij het zien van de manier waarop ze de tas aan het koord liet bungelen. En zelfs nu, nu iedereen slaperig van het eten is, voelt hij een opgewonden behoefte om naar de kast te gaan en de jassen opzij te schuiven en zich te bukken en zichzelf gerust te stellen met de wetenschap dat de tas er nog steeds is. Hij geeft niet aan deze behoefte toe.

'Weet opa dat je ons *Alice* voor kerst gegeven hebt?' vraagt Amy.

'Ja,' zegt Lowell. 'Volgens mij weet hij dat wel. Wil je dat ik nu het hoofdstuk over de Maartse Haas voorlees?'

'Nee. Jason wil de Kat van de Hertogin' zegt Amy. 'Of niet, Jason?'

Jason, die zijn mond vol heeft met een cakeje, knikt heftig. 'Kat van Hertowgin,' zegt hij.

Rowena komt de kamer binnen en Amy zegt tegen haar: 'De koningin gaat de kop van de Kat van de Hertogin eraf hakken.'

'Maar het probleem is,' legt Lowell uit, 'dat het lichaam van de kat onzichtbaar is, en je kunt geen hoofd afhakken als er geen lichaam aan vastzit.'

Amy gilt van pret, en Jason doet mee, en Rowena zegt: 'Misschien moeten ze even buiten spelen om al die energie kwijt te raken. Neem je ze even mee sleetje rijden, Lowell?'

Jassen, denkt hij dankbaar. Kast. Hij kan even kijken. Tussen de chaos van kinderlaarzen en parka's voelt hij de contouren binnen in de tas: ringbanden, videobanden, alles is er. Opgelucht haalt hij adem.

'Je neemt je kerstmantas toch niet mee uit sleetje rijden, of wel?' vraagt Rowena.

'Waarom niet?' zegt hij. 'Ik ben de kerstman, en we gaan een eindje rijden in mijn slede.'

'Kun je de cadeautjes er dan niet beter uithalen?'

'Cadeautjes? O, voor de – ja, je hebt gelijk. Bij nader inzien kan ik de tas beter hier laten.'

Rowena schudt haar hoofd en trekt haar wenkbrauwen op, maar ze glimlacht. 'O, Lowell,' zegt ze. Ze kust hem op zijn wang. Ze vindt zijn excentriciteiten bijna lief, nu ze gaan scheiden. 'Volgens mij ben je de laatste tijd wat rustiger,' zegt ze.

'Dat ben ik ook,' stemt hij in. 'Dat ben ik ook.' Zelfs als hij de rode tas weer achter de *snowboots* stopt, heeft hij het gevoel dat hij zich als een kat in Rowena's keuken zou kunnen koesteren, in de schoot van zijn familie, in de geluiden die zijn kinderen maken. Hier voelt hij zich veiliger. Het voelt voor hem alsof Rowena, en vooral Rowena's ouders, het niet zouden toestaan dat er iets ongewoons gebeurde. Dat is altijd het geheim van Rowena's aantrekkingskracht geweest. Ze is zo gewoon. Gevaar gluurt niet door de ramen van haar huis – dat zou het niet durven – zoals het langs de kozijnen op de derde verdieping zweeft van het gebouw waarin het appartement van Lowell zich bevindt.

Amy en Jason en Lowell glijden op een felrode plastic slee langs de heuvel omlaag, en dan trekken Lowell en Amy Jason weer terug de heuvel op. Ze glijden steeds maar weer omlaag, ze rollen in het zachte witte poeder, ze maken engelen van sneeuw en een sneeuwpop met kiezelstenen als ogen en een stok als neus. Ze spelen tot de kinderen de kou in hun vingertoppen en tenen beginnen te voelen, en Rowena roept ze naar binnen voor warme kalkoensandwiches met cranberrysaus.

'Ik ben je hier zo dankbaar voor, Rowena,' zegt Lowell tegen haar, licht sentimenteel geworden door te veel hete grog en een overvloed aan koude buitenlucht. 'Voor een dag als deze. Het is het beste kerstcadeau dat je me had kunnen geven.'

'Het is voor de kinderen, Lowell,' zegt ze gegeneerd.

Zijn ex-schoonmoeder zegt: 'Het is goed te zien dat jullie de dingen uitpraten,' en Lowell voelt aan al zijn zenuwuiteinden snoeren vol met lampjes aanspringen, hij voelt hoe sterretjes in zijn aderen sissen en zich naar zijn vingertoppen verspreiden, maar dan zegt Rowena: 'Zeg, moeder. Laten we daar niet weer over beginnen,' en plotseling voelen zijn handen verkleumd aan en warmt hij ze bij het vuur.

'Fijn dat je weer terug bent bij de familie, Lowell,' zegt zijn schoonvader.

'Fijn om terug te zijn.' Vanuit zijn ooghoeken gluurt Lowell naar Rowena, maar die deelt de sandwiches uit op kleine borden en ze gaan allemaal informeel bij het haardvuur zitten. Lowells schoonvader, zijn ex-schoonvader, vertelt de kinderen verhalen over de keren dat hij als jongen ging sleetje rijden, en dan speelt de moeder van Rowena op de piano en zingen ze allemaal *White Christmas* en *Jingle bells* en *Let it snow! Let it snow! Let it snow!*

Als Rowena hem laat op de avond eindelijk naar huis stuurt met een groot stuk in folie gewikkelde kersttaart en de kerstmantas naast hem op de stoel, voelt hij zich op zijn gemak. Hij voelt dat alles bijna goed is in de wereld. Hij denkt aan kerstmissen in het verre verleden: de cadeautjes onder de boom, zijn vader die toekijkt terwijl Lowell, trillend van opwinding, het cadeaupapier en de cellofaanstrikken eraf scheurt, zijn moeder met de camera, het verblindende licht en de plof van de flits. Hij wordt overmand door een intense zintuiglijke herinnering aan de geur van het lichaam van zijn moeder, de geur van zijn vader, aan zachte kerstomhelzingen. Instinctief grijpt hij de rode tas op de passagiersstoel en omhelst hem. Hij wrijft hem tegen een wang. Hij besluit dat hij zich aan het laatste cadeau van zijn vader zal overgeven. Hij zal in de enige leunstoel in zijn appartement gaan zitten, zichzelf een biertje inschenken, zijn voeten op de salontafel leggen, en de avond van eerste kerstdag 2000 luister bijzetten door zijn vaders dagboeken te lezen en de videobanden te bekijken.

Op zijn oprit verjaagt een vlaag kou de warmte die hij zo zorgvuldig heeft meegenomen in de cabine van zijn pick-up. Natuurlijk heeft niemand de sneeuw geruimd, maar in het licht van de straatlantaarns ziet hij dat iemand over de oprit heeft gelopen. Waarschijnlijk een kind. Welk kind kan per slot van rekening een dik pak maagdelijke sneeuw weerstaan? Er branden geen lampen want de tijdklok van de verandalamp is kapot. De andere vijf bewoners zijn weg, op bezoek bij familie binnen en buiten de staat, en het kleine gebouw – er zijn zes appartementen, twee op elke verdieping – is helemaal leeg en donker.

Lowell ziet de tochtdeur op de veranda vrijelijk open- en dichtslaan en hij geeft de krantenjongen de schuld. Dan ziet hij dat de voordeur op een kier staat. Zijn zintuigen worden alert. Kerstmis is de ideale tijd om in te breken, dat weet hij: stapels cadeautjes, lege huizen, verlaten straten, de voortdurende dekking van feestgeluiden, het is de tijd van verleiding, het spitsuur voor misdaad. Hij steekt zijn arm door de open deur naar binnen en knipt het licht in de hal aan. 'Is er iemand?' roept hij.

Geen geluid.

Hij doet het licht in het trappenhuis aan.

Hij trekt zijn laarzen uit en loopt zonder geluid te maken op zijn sokken de trap op, naar de derde verdieping, waar hij woont. Op elke overloop controleert hij in het voorbijgaan de deuren van de andere appartementen. Ze zijn allemaal op slot. Die van hem is met extra grendels beveiligd. Hij maakt hem open en doet het licht aan en doet de deur weer achter zich op slot. Hij schuift de onderste en bovenste grendels ervoor. Binnen lijkt alles op zijn plaats te staan. Zijn vuile cornflakeskom staat nog steeds in de gootsteen. Zijn spieren ontspannen zich. Misschien is een van de andere bewoners teruggekomen voor een cadeau dat hij te vroeg gekocht had en toen was vergeten. Misschien heeft hij in de haast de voordeur niet goed op slot gedaan.

Lowell stopt de cd die hij van zijn schoonouders gekregen heeft – *An Olde Tyme Christmas Carol Sampler* – in de cd-speler, schenkt een biertje in, en zinkt in zijn oude leren fauteuil weg. Hij maakt de tas met het trekkoord open.

De inhoud van de ringband waar DAGBOEK VAN S: GECODEERD op staat blijft ondoorgrondelijk, hoewel hij helemaal met de hand geschreven is en Lowell het handschrift van zijn vader herkent. Hij bestudeert de pagina's, die vol staan met nummers en willekeurige groepjes letters. Zijn vader hield van geheimen en codes. Hij herinnert zich dat zijn vader hem over de Steen van Rosette vertelde, de steen die de soldaten van Napoleon in de modder van de Nijl hadden gevonden. Hij dateerde uit ongeveer 200 voor Christus en was duidelijk een grafsteen, en daaruit werd afgeleid dat de drie inscripties identiek waren: één in hiërogliefen, één in laat-Egyptisch, en één in het Grieks. Omdat twee inscripties gelezen konden worden, was daar eindelijk de magische sleutel om de mysteriën van de farao's en de traditionele overlevering over de Steden van de Doden mee te ontsluiten. Toch, zo vertelde zijn vader hem, had Champollion, een briljante Franse taalkundige en codebreker, veertien jaar nodig om de boodschap op de stenen te ontcijferen.

'Een codebreker zoekt patronen, Lowell,' zei zijn vader.

Geeft hij me huiswerk op? vraagt Lowell zich af, zoals ik vroeger Homerus van hem moest lezen? Wat wil hij dat ik hiermee doe, als hij weet dat het voor mij net zo onontcijferbaar is als Grieks?

Als Grieks! Hij doet zijn ogen dicht en voelt het gewicht van zijn vader op het voeteneinde van zijn bed. Als zijn vader beweegt schommelt het matras als een kleine boot, en Lowell wiegt slaperig, gelukkig, op het stijgen en dalen van de stem van zijn vader. Lowell is zeven, misschien acht. Talen die verloren zijn gegaan, zegt zijn vader, kunnen op de oceaan van de tijd stormen doorstaan, net als Odysseus, in een roekeloos geloof. Ze verdwalen, ze lijden schipbreuk, ze komen op vreemde plaatsen aan land, en iedereen denkt dat ze verloren zijn gegaan, maar op een dag komen ze weer te voorschijn met een lading die zo kostbaar is dat er de losprijs van een koning voor nodig is om haar te kunnen kopen.

Neem bijvoorbeeld de Dode-Zeerollen, zegt zijn vader, en Lowell stelt zich voor dat de rollen zichzelf in zijn kamer afrollen als toiletpapier met reliëfpatronen, papier dat bedrukt is met glinsterende boodschappen uit de scheepsruimten van Odysseus. Negenhonderd rollen, zegt zijn vader. Denk daar eens over na, en de rollen met perkament ritselen en bollen op in Lowells dromen als zeilen met juwelen. De Essenen hebben ze tweeduizend jaar geleden begraven, zegt zijn vader, en pas halverwege deze eeuw zijn ze teruggevonden. Stel je dat eens voor, Lowell: een hele bibliotheek, natuurlijk voor een groot deel in fragmenten, afkomstig uit een wereld die verloren is gegaan. In de laatste eeuw voor het begin van het christelijke tijdperk, en in de eeuw daarna, zijn ze door de Essenen geschreven in klassiek Hebreeuws en Aramees en in het Grieks. Denk eens aan de Essenen, Lowell, zegt zijn vader, denk eens aan de manieren waarop ze overleefd hebben, en Lowell probeert de half herinnerde delen van de verhalen van zijn vader aan elkaar te plakken, de verloren gegane fragmenten van de Essenen: een monastieke sekte... joods... Johannes de Doper was een van hen, Jezus misschien ook... Essenen de verloren gegane link tussen judaïsme en het christendom... strenge puriteinse regels... noemden zichzelf de Kinderen van het Licht.

Waarschijnlijk tijdens de plundering van Jeruzalem in het jaar 70, herinnert hij zich dat zijn vader zei... en iets over vervolgingen... en iets over het tegen vernietiging beschermen van de geschriften. Hij weet nog dat de rollen begraven werden. Hij herinnert zich de datum waarop ze in de grotten bij Qumran werden teruggevonden: 1947.

Denk daar eens over na, Lowell, herinnert hij zich dat zijn vader zei: een boodschap die door twintig eeuwen van tijd heen verstuurd is. Wat kunnen we daarvan leren, Lowell, over de wanhoop en het geloof van de Essenen?

Dat ze hun Griekse huiswerk gemaakt hadden, oppert de zeven jaar oude Lowell.

Zijn vader lacht niet. Zijn vader hoort het misschien niet. Zijn vader beantwoordt de vraag zelf.

Daar kunnen we van leren dat de waarheid blijft bestaan, Lowell. We kunnen ervan leren dat, zelfs als je de boodschapper vermoordt, een gevaarlijke boodschap zich kan verschuilen en zijn tijd afwachten tot hij veilig gelezen kan worden.

Hij wil dat ik het verberg, denkt Lowell, tot de boodschap veilig gelezen kan worden.

Hij legt DAGBOEK VAN S: GECODEERD op de vloer naast zijn stoel en pakt het RAPPORTENDOSSIER: GEHEIM op. Hij bladert het vluchtig door. De tekst is getypt en makkelijk leesbaar. Soms staat er maar één alinea op een bladzijde – keren dat Sirocco gesignaleerd is, ontmoetingen met Sirocco, Salamander en Sirocco zullen elkaar in Pakistan ontmoeten, in Egypte, in Parijs, in Afghanistan. Soms worden verslagen van Nimrod gegeven. Soms maant Nimrod tot voorzichtigheid. Soms moet Salamander voor Sirocco een geldbedrag meebrengen van... Salamander dient zorg te dragen voor de zending van... Salamander dient het verslag van Sirocco door te geven...

Hij stopt bij mei 1987, de maand waarin zijn moeder naar Parijs vertrok.

Rapport van Sirocco: vermeende leden van cel zijn extreem discreet. Ze wonen niet bij elkaar in de buurt, maar verspreid over verschillende arrondissementen, niet de meest voor de hand liggende. De meesten mijden de Arabische wijk. Ontmoetingsplek is Café Maroc in 18e arrondissement, maar per keer ontmoeten hooguit twee leden van de cel elkaar. Doorgeefsysteem om boodschappen over te brengen. Leden van de cel zeer bewust van risico van aandacht trekken als groep. Allen zeer hoog opgeleid en zeer goed getraind, allen academici, ingenieurs, computerdeskundigen enzovoort. Twee leden zeer goed getraind in explosieven, één heeft kennis van zenuwgassen, één een genie met high-tech. Verantwoordelijk voor vijf explosies in metro in afgelopen jaar. Tegenwoordig gericht op Franse doelen, maar anti-Amerikaanse sentimenten zeer hevig.

Verslag doorgestuurd door Salamander:

10 MEI 1987

Antwoord van opperbevel: Uitschakelen groep van levensbelang. Salamander dient voorstel te doen voor hulp bij en munitie voor een kaping, bedoeld om gehele groep samen te lokken naar één operatie in één afgesloten ruimte. Gebruik scherpschutters noodzakelijk. Voldoende ruimte voor waarschijnlijk verlies van één of twee kapers door scherpschutters. Verwacht 5 of 6 gevangenen die uitgebreid ondervraagd kunnen worden. Sirocco dient 'per ongeluk' te ontsnappen.

12 JUNI 1987

Operatie Zwarte Dood in gang gezet.

Sirocco dient troepenmacht op *ground zero* te trainen en te leiden. Vliegtuig moet aangewezen worden en één maand van tevoren als doelwit gebruikt worden (Sirocco beschikt over twee man in het onderhoudsteam van de vliegtuigmaatschappij).

Rashid dient videocamera's in het vliegtuig aan te brengen: gehele operatie moet uitgezonden en gevolgd kunnen worden.

Sirocco dient ook ondergrondse ondervragingsbunker in Irak in gereedheid te brengen waar de gevangengenomen kapers vastgehouden zullen worden. CIA-afdeling in Noord-Irak zal ondervraging uitvoeren. In bunker dient afluisterapparatuur aangebracht te worden, evenals videocamera's. Uitzending via satelliet moet rechtstreeks toezicht vanuit Washington mogelijk maken.

Salamander dient zorg te dragen voor zendingen van CO-middelen, inclusief beschermend materiaal.

1 JULI 1987

Nimrod doet aanbeveling voor afgelasting operatie Zwarte Dood.

Noemt ernstige twijfels aangaande Sirocco. Noemt de dood van twee van onze dubbelagenten. Sirocco verantwoordelijk, denkt Nimrod.

Salamander zal overleg voeren met opperbevel.

5 JULI 1987

Operatie Zwarte Dood gaat door, is beste kans op uitschakeling Parijse cel.

Nimrod tekent bezwaar aan; zegt dat risico van burgerdoden te groot is.

Opperbevel antwoordt: risico door continuering functioneren Parijse cel is groter. Deze groepering is zeer goed getraind in explosieven en chemische oorlogvoering. Mogelijkheid dat ze werkterrein uitbreiden buiten Frankrijk; mogelijkheid van banden met bestaande cellen binnen VS, daarom reële mogelijkheid van terroristische dreiging in grote stad als New York of Los Angeles.

Deze cel dient geëlimineerd te worden om onacceptabele risico's vóór te zijn. Operatie Zwarte Dood is beste mogelijkheid.

Nimrod dreigt met anoniem lek naar de pers als OZD niet afgelast wordt voor het te laat is.

18 JULI 1987

Nimrod uitgeschakeld.

Met een ongemakkelijk gevoel slaat Lowell de ringband dicht. Hij is zowel zijn ontspannenheid als zijn bereidheid tot lezen kwijt. Zijn cd met kerstliederen is weer bij het eerste nummer aangeland en begint opnieuw en hij staat op om een nieuwe op te zetten. Hij grijpt naar zijn *Bing Crosby's Christmas Classics* en ziet dan dat de kleine cd-toren – met zijn favorieten – niet op de normale plek staat. Verward kijkt hij de kamer rond. Ah. Daar staan ze, al zijn cd's, netjes opgestapeld boven op de tv. Vreemd. Hij kan zich niet herinneren dat hij ze daar heeft neergezet.

Buiten op straat knalt de uitlaat van een auto en Lowell springt op.

Hij besluit zowel het gecodeerde dagboek van zijn vader als het geheime dossier ergens te verstoppen waar ze ongeveer een eeuw lang veilig zullen zijn, en al het andere – in elk geval de verzameling banden – zal hij in de blauwe Nike-tas stoppen. Morgenvroeg zal hij de tas naar Logan Airport terugbrengen en hij zal een kluis huren en daar zal de tas blijven. Tenslotte beschouwde zijn vader een kluis op een luchthaven als een veilige plek.

Hij gaat naar zijn slaapkamerkast en tast rond in de donkere wirwar van schoenen. Hij voelt de achterwand en leunt voorover in de richting van de hoek waar hij de blauwe Nike-tas bewaart. Sinds september, sinds hij heel de gevaarlijke inhoud over verschillende tassen met trekkoord en vermomde rugzakken heeft verdeeld, heeft hij de oorspronkelijke blauwe Nike volgepropt met t-shirts, oude sportschoenen en een handdoek.

De tas is er niet.

Lowell trekt alles zijn kast uit, gooit voorwerp na voorwerp op zijn bed. Geen blauwe Nike-tas. Hij stopt alles terug in de kast, knipt alle lampen in de kamer aan, en kijkt in elke kast en achter elke deur. Geen spoor van een indringer en geen spoor van de tas. Hij loopt naar een keukenkast en pakt er een zaklantaarn uit, en dan doet hij alle lampen uit en draait hij de jaloezieën dicht. Bij het afgeschermde licht van de zaklantaarn opent hij de deur van een grote kast die dienst doet als voorraadkamer. Achter op een onderste plank staat een jumbopak toiletpapier. Hij tilt het pak eruit, en een kleine deur, van wat vroeger een melkkast was, komt te voorschijn. Hij doet de deur open en tegen het massieve baksteen van de buitenmuur wordt een ondiepe, ongeïsoleerde uitholling zichtbaar. Hier werden vroeger melkflessen gekoeld bewaard, in de tijd dat er nog geen koelkasten waren. Hij legt het DAGBOEK VAN S: GECODEERD in het gat. Het past er precies in. Hij sluit de deur van de melkkast en spijkert hem dicht. Over de deur heen spijkert hij een stuk triplex dat een paar centimeter over alle hengsels en naden heen valt. Dan legt hij het jumbopak toiletpapier terug. Knijp niet in de Charmin, piept een stemmetje in zijn hoofd, en voor het toiletpapier zet hij een zware bak wasmiddel van ruim vierenhalve liter en een fles dikke vloeistof die gebruikt wordt om afvoerpijpen mee te ontstoppen.

In de kleine voorraadkamer achterin staan de verfblikken in rijen opgestapeld. Hij moet er een paar verplaatsen om bij de muur te kunnen. Een houten plaat, waaraan een dozijn kwasten rij aan rij aan S-haken hangt, haalt hij van de haakjes. Achter de plaat, in de uitsparing tussen twee stijlen in het pleisterwerk in, legt hij het RAPPORTENDOSSIER: GEHEIM. Hij hangt de plaat ervoor en spijkert hem aan de spijlen vast. In de gaten van de plaat haakt hij een rij metalen S-haken. Aan de S-haken hangt hij zijn kwasten: boven aan de nylonkwasten voor latexverf, daaronder de paardenharen kwasten voor olieverf en grondverf.

De banden verplaatst hij van de rode trekkoordtas naar een blauwe nylon rugzak. Hij schuift zijn armen door de banden en draagt de tas op zijn borst, zoals vrouwen baby's tegen hun hart dragen.

Hij besluit Elizabeth te bellen, zijn vaders derde vrouw, die denkt dat haar telefoon misschien afgetapt wordt. Hij zal haar gelukkig kerstfeest wensen, zeer terloops, en dan zal hij zeggen, ook terloops, dat hij erover denkt naar D.C. te komen, en haar misschien vragen of ze hem later die week kan terugbellen om wat af te spreken voor een etentje of om wat te drinken.

Hij toetst haar nummer in. Na vier keer overgaan krijgt hij de stem van een telefonist. *Het nummer dat u gebeld heeft is niet langer in gebruik. Raadpleeg alstublieft uw telefoongids en probeert u het opnieuw.*

In het donker zit hij in zijn fauteuil met de rugtas op zijn borst. Hij valt in slaap en droomt over de Kat van de Hertogin, maar het is een opgezette kat, gemaakt van blauw nepbont met een logo van Nike aan de zijkant. De kat is raar bobbelig opgezet. Bij de dijbenen steekt iets rechthoekigs naar buiten, en de wangen staan bol over een hard vierkant skelet heen. Stukje bij beetje verdwijnen de staart en de bollingen en het lichaam, tot alleen de grijns over is. Hij wordt met een schreeuw wakker en voelt of de rugzak er nog is en drukt hem stevig tegen zijn hart.

2

Lou pakt kerstcadeautjes in en bindt er matgouden linten omheen, die ze omkrult tot glanzende rozetten. Ze wikkelt het lint om haar vingers en telt – tien slagen, tien blaadjes – dan draait, bindt en snijdt ze het lint en trekt ze de lussen naar buiten. Ze heeft zes cadeautjes, elk verpakt in een andere kleur folie, elk met zijn eigen gouden sterrenregen. Onder elk lint schuift ze een kerstkaart. De kaarten zijn verfijnd, op perkament gedrukt en versierd met bladgoud. Op elke kaart schrijft Lou hetzelfde: *Voor Samantha: ik wens je een perfect kerstfeest, alle liefs.* Als ze de cadeautjes onder de grote dennentakken opstapelt strijken er naalden tegen haar huid en de kamer geurt sterk naar hars en kruiden.

De bisschopswijn staat zachtjes te koken. Lou doopt er een soeplepel in en proeft. Meer kruidnagel, besluit ze. Nog een kaneelstokje erbij. Ze controleert de kalkoen. Ze streeft perfectie na: perfecte omgeving, perfecte maaltijd, het perfecte moment. Als het perfecte moment komt zal ze het weten. Ze verwacht geen trompetgeschal, maar ze gelooft wel dat ze het zal weten. Ze zal zeggen wat gezegd moet worden.

Daarna zal het leven anders zijn.

Ze kijkt op haar horloge.

Ze stopt een nieuwe cd in de stereo – *Hodie, Christus natus est*, het koor van King's College, Cambridge – en schenkt zichzelf nog wat eierpunch in. Ze staat bij haar raam op de zesde verdieping en kijkt Lexington Avenue af. Ze bekijkt elke taxi die stopt. Mensen met hoofddeksels stappen uit of stappen in. Het is zeer waarschijnlijk dat

Lou ze kent, ten minste een paar van hen, maar vanaf haar uitkijk-punt op de zesde verdieping worden alle identiteiten afgeschermd door de sneeuw.

Geheimen zijn slopend, denkt ze.

Haar vingertoppen trommelen een nerveuze basrif op de venster-bank.

De telefoon gaat.

'Hallo?' zegt ze. 'Oh, Sam!' Een glimlach verandert haar hele gezicht. 'Ik begon me al zorgen te maken. Waar ben je?'

'Ik ben nog steeds in Washington,' zegt Samantha. 'Ik sta nog steeds op het vliegveld. Blijkbaar is de zware sneeuwval in het Midwesten het probleem. Alle inkomende vluchten zijn vertraagd. Ze zeiden dat we over een halfuur aan boord zouden gaan, dus het zal nog wel ongeveer anderhalf uur duren, inclusief de taxirit vanaf La Guardia. Het spijt me, Lou.'

Lou leunt tegen de muur achter zich en doet haar ogen dicht. 'Maak je geen zorgen,' zegt ze, hoewel haar angst acuut is. Lou heeft zelf geen vliegangst, maar ze is doodsbang wanneer anderen gaan vliegen. Blijf daar wachten, wil ze zeggen. Blijf waar het veilig is. Ik kom wel naar je toe rijden en dan neem ik de kalkoen mee, en de garnituur en alles wat we nodig hebben. Ik kan er over vier uur zijn. Ik neem kerst mee.

Als ze dit zegt, zal Samantha zich ergeren. Hou op me in de watten te leggen, zou Samantha kunnen zeggen. (Samantha heeft dat al vaak gezegd.) Hou op zo verstikkend te doen.

'Ik dek de kalkoen wel toe,' zegt Lou, 'zodat hij niet uitdroogt. Alles blijft goed. Zorg er gewoon voor dat je hier veilig aankomt.'

Bij de eierpunch doet ze een scheut cognac. Ze draait de oven uit en wikkelt de kalkoen in folie. Ze draait het gas onder de wijn uit. Rusteloos kijkt ze van achter het raam uit op de straat. Het sneeuwt, en een wandeling, denkt ze, ja, een wandeling zal de tijd helpen verdrijven, jas, hoed, wanten, sjaal, laarzen, omslaan en instoppen, loshangend haar onder de toque duwen, de sjaal vastknopen, want eenzaamheid is minder eindeloos als je kordaat bent en door de stad loopt, ja, zelfs als de stad angstaanjagend verlaten is, want kijk, daar wandelen nog een paar mensen, er zijn vriendelijke honden die aan de sneeuw op je laarzen snuffelen. Ze kijkt en glimlacht naar de voorbijgangers die in hun eentje lopen – allemaal – handen in de zakken, hoofden bedekt met een capuchon of een toque, hun gezichten nauwelijks zichtbaar binnen boorden van satijn of pels of wollen sjaal, ogen die hevig benadrukken dat ze ergens heen moeten.

Ze gaat op een parkbankje zitten – het park heeft het formaat van een zakdoek – en kijkt naar spelende kinderen. Ze verwonderen zich over de sneeuw. Ze scheppen het op en gooien het als confetti de lucht in. Sneeuw maakt ze aan het lachen en doet ze dansen. Op een schommel zit een meisje in een parka met capuchon, wanten, en laarzen bijna onbeweeglijk stil, terwijl de sneeuw op haar schouders en laarzen valt. Het kind steekt haar korte beentjes uit en kijkt verwonderd toe hoe breekbare witte paleizen opkringelen als rook. Ze schopt energiek naar de lucht, en de torens en geschutskoepels van sneeuw vallen om. Het kind lacht en klapt in haar handen. Sneeuw blijft op haar neus en wangen liggen.

De babysitter van het kind praat tegen een jongen – een kerstneefje of een vriendje misschien – en de schommel wordt kalm. Het kleine meisje bokt er ijverig op in een poging hem in beweging te zetten, fronsend van inspanning, ontdaan, niet bereid om het erbij te laten zitten. Lou glimlacht bij zichzelf en staat op, haar armen klaar om te duwen, maar net op dat moment geeft de babysitter het houten plankje afwezig een duw, en gaat verder met praten, en duwt nog een keer, en laat de schommel een paar keer uit zichzelf op en neer gaan, en dan steekt ze haar arm onverschillig uit en duwt nog een keer. Ze onderbreekt het gesprek met het vriendje niet. Ze kijkt niet echt naar het kind of de schommel, behalve vanuit haar ooghoeken.

Lou keert terug naar haar bankje en kijkt toe. De babysitter, in beslag genomen door de gesp op de riem van haar vriendje, is de schommel weer vergeten. Het kind schudt aan de kettingen. Ze is verwonderd. Ze probeert eraan te zuigen. Ze begint te jammeren. 'Hou daarmee op!' zegt de babysitter geïrriteerd. Lou stelt zich voor dat de babysitter met haar vriendje wegloopt en het meisje op de schommel in de steek laat. Het kind zal kribbig worden. Eerst zal ze zachtjes gaan huilen en dan zal ze gaan snikken. Lou zal haar gerust-stellen. Ze zal het kind naar haar eigen appartement dragen en het alarmnummer bellen en dan zal ze het kind fantastische verhalen vertellen tot haar ouders haar komen ophalen.

Een man die op de andere kant van het bankje zit staart haar zo strak aan dat Lou de druk van zijn blik kan voelen. 'Pardon,' zegt hij, als ze zich naar hem toe wendt. 'Mag ik u iets vragen?'

'Natuurlijk. Ja, hoor.'

'Bent u eenzaam?'

'Pardon?'

'Eenzaam. U leek me... bent u dat niet?'

'Nee, helemaal niet,' zegt Lou vinnig. 'Ik wacht op iemand van wie het vliegtuig vertraagd is.'

'O,' zegt hij. 'Nou, ik hoop dat hij het haalt.'

Lou gaat er niet op in.

'Ik ben wel eenzaam,' bekent de man.

'Dat is vervelend.'

'Ik heb twee kleinkinderen. Hebt u kinderen?'

'Min of meer,' zegt Lou.

'Ik zou mijn rechterarm afstaan om mijn kleintjes met Kerstmis langs te laten komen, maar mijn zoon heeft zelfs nooit een foto van ze gestuurd. Begrijpt u dat?'

'Mensen doen vreemde dingen,' erkent Lou.

'Ik kan het niet bevatten, dat lukt me gewoon niet. Ik zeg niet dat ik de perfecte vader was, verre van dat. Maar zelfs geen foto. Wat moet ik daar nou mee?'

'Ik denk dat mensen tegen hun familie het hardst zijn,' zegt Lou. 'Vooral rond deze tijd. Ik begrijp niet waarom.'

'Ik weet zelfs niet in welke staat ze nu wonen. Mijn laatste kerst-kaart kreeg ik terug met een van die gele stickers van het postkantoor op de enveloppe: "Verhuisd. Nieuw adres onbekend."'

'Dat vind ik echt erg.'

'Kerstmis is klote,' zegt de man. 'Ergste verdomde dag van het jaar.'

'Het kan moeilijk zijn,' erkent Lou.

'Komt u wat bij me drinken?'

'O, daar is de taxi van mijn nichtje,' zegt Lou haastig, en met onbetamelijke opluchting rent ze vlak achter een taxi de hoek om. Ze merkt dat ze trilt. Een vliegtuig bromt hoog in de lucht, op volle toeren in de richting van La Guardia, en terwijl ze naar de knipperende lampjes op de vleugel kijkt houdt ze haar adem in. Het vliegtuig barst niet in een vuurzee uit. Het valt niet uit de lucht. Lou slaakt een zucht van verlichting en loopt snel genoeg om een ander vliegtuig op opstijgende lucht in balans te houden. Ze loopt een uur lang, van het betere deel van de stad naar Central Park en dan de East River over, dan via First Avenue terug in zuidelijke richting. In de lift omhoog naar haar appartement denkt ze: Sam zou nu geland moeten zijn. Ze heeft waarschijnlijk gebeld.

Maar op Lou's antwoordapparaat staan geen berichten.

Ze zet de kalkoen terug in de oven zonder de folie eraf te halen. Ze zet de oven op matige hitte. Ze schenkt zichzelf een glas wijn in en gaat aan haar bureau zitten. Op haar computer haalt ze de website van Delta te voorschijn en typt Sams vluchtnummer in.

VLUCHT VERTRAAGD, leest ze. MOMENTEEL GEEN VERDERE INFORMATIE BESCHIKBAAR.

Met lege ogen staart ze naar het scherm, ziet niets, tot er – nogal plotseling – niets te zien is, een moment dat haar doet opschrikken, het moment waarop het scherm leeg en ondoordringbaar zwart wordt en op de screensaver overschakelt. Knipper. Scherpstellen. Sterrenstof komt op Lou af, met handenvol gesmeten ergens diep vanuit het hart van de microchip, vallende sterren, meteoren, gloeiende delen van kometen, het omhoogschietende einde van de wereld, de Melkweg die haar met hagelstenen bekogelt. Ze staart er gehypnotiseerd naar.

Aan de bovenste rand van het scherm ziet ze een vliegtuig.

Ingezoomd beeld. Close-up.

In de voorste deuropening, aan de bovenkant van het noodluik, komt een kind in beeld. De ogen in het gezicht zijn groot van angst. Achter het kind doemt een gemaskerde vorm op, schaduwachtig, een machinegeweer in zijn armen. Het kind kijkt over haar schouder, aarzelend, maar een geweerkolf duwt haar, stompt haar, zodat ze haar tengere kleine armen spreidt en half vliegt, half uitglijdt, half langs de glijbaan omlaagkomt, allemaal in de rondte draaiende ledematen. Lou schreeuwt het uit en slaat haar armen om de monitor heen. Ze houdt hem stevig vast. Ze voelt een klein hart tegen het hare kloppen.

LEVEN VERTRAAGD, typt ze op het scherm. MOMENTEEL GEEN VERDERE INFORMATIE BESCHIKBAAR.

De vertraagde levens drijven rond als in onzekerheid verkerende amoebes. Ze staart naar ze tot de Sterren-screensaver weer begint.

Ze beweegt met asteroïden mee. Ze heeft een stervorm aangenomen. Ze vliegt terug door de tijd en Françoise zegt: '*Je déteste Noël. C'est le jour le pire de l'an,*' wat Lou vrij vertaalt met: 'Kerst is kut. Zwaarste kutdag van het jaar.'

'Nou, 1987 wordt beter,' oppert Lou, hoewel ze het niet gelooft. 'Beter dan dit jaar. Moet wel.'

'Erger,' zegt Françoise, 'kan niet.'

Hun appartement aan de Avenue des Gobelins is kaal. Er hangen geen kerstgeuren, niet in het appartement. De lucht stinkt naar verschraalde sigarettenrook en ellende. In het trappenhuis zweeft een onprettige geur van gekookte vis omhoog, drijft onder de deur door, blijft in hun haar zitten. Het is de geur van Kerstmis 1986 in het vrolijke Parie.

De telefoon gaat en Françoise springt erop af. '*Oui?*' fluistert ze ademloos. '*Bonjour? C'est toi, Tristan?*'

'Oh, *je m'excuse...*

Qui?' Haar gezicht wordt uitdrukkingsloos. 'Wie?'

'Het is voor jou,' zegt ze. 'Amerika. Je zus.'

Lou's wenkbrauwen komen omhoog. 'Rosalie? Wat een heerlijke verrassing.'

'Hoi,' zegt Rosalie. 'Vrolijk kerstfeest. We missen je, Lou.'

'Ik jullie ook.'

'Luister, ik heb een verrassing, een échte verrassing.'

'Komen jullie allemaal op bezoek?'

'Je wordt opnieuw tante.'

'Ik word... O, dat is – gefeliciteerd. Dat is geweldig, Ros.'

'De baby is uitgerekend voor mei.'

'Dat is geweldig,' zegt Lou. 'Dat is...'

'Hier is Sam om je gelukkig kerstfeest te wensen,' zegt Rosalie. 'Sam, kom eens gelukkig kerstfeest tegen Lou zeggen.'

'Gelukkig kerstfeest, Lou,' zegt Sam met het schattige geslis van een kind van vijf.

Lou krijgt geen geluid uit haar keel.

'Lou? Ben je er nog? Lou?'

'Gelukkig kerstfeest allemaal,' zegt Lou.

'Mam en pap willen ook even.'

'Hoi, pap,' zegt Lou. 'Hoi, mam. Hier gaat het prima. Nee, echt, het sloeg nergens op om naar huis te komen. Parijs is in december ongelofelijk mooi. Je zou de lichtjes moeten zien. Het is een kerstparadijs, echt.'

Françoise leunt voorover en breekt het gesprek af met haar wijsvinger.

Lou staart haar aan. 'Waarom deed je dat?'

'Ik dacht dat je dat liever had.'

'Dat is zo,' zegt Lou, 'nu ik erover nadenk. Hoe wist je dat?'

'Als mijn vader uit Amerika belt, wil ik dat je dat voor mij doet.'

'Ik herinner me nog een Kerstmis,' zegt Lou somber, 'toen ik klein was en onze kat jonkies had. Ik weet nog dat mijn vader ze in een zak verdronken heeft.'

'Er zijn nog meer manieren,' zegt Françoise. 'Er zijn veel manieren. Zoals alcohol. Zoals Mohammad.' Ze belt een nummer. '*Moi, je suis un grand bleu*,' zegt ze. 'Jij ook. Jij bent één grote blauwe plek. Mohammad heeft vrienden. Wil je?'

'Ik ga een eindje wandelen,' zegt Lou.

'Niet langs de Seine lopen,' waarschuwt Françoise, maar Lou doet het toch. Ze staat op de Pont Neuf en staart naar het bruine kolkende water. Als ze uren later terugkomt, is de vriend er.

'Mohammad en ik gaan naar Marseille,' zegt Françoise tegen haar. De ogen van Françoise glinsteren vervaarlijk.

'Ben je gek geworden?' fluistert Lou.

Françoise raakt Lou's arm aan. 'De jonge katjes, ze voelen niets,' verzekert ze haar. '*Joyeux Noël, ma chère Lou.*"

'Vrolijk kerstfeest,' zegt Lou.

Als Françoise drie dagen later terugkomt, heeft ze onder één oog een blauwe plek.

Op oudejaarsavond 1986 worden Françoise en Lou samen dronken, zeer dronken. Tegen middernacht zijn ze sentimenteel, en tegen de vroege uurtjes van nieuwjaar storten ze hun hart bij elkaar uit. Dronken huilen ze in elkaars armen.

Lou suist door cyberstof en tijd.

Haar handen op het toetsenbord raken nonchalant iets aan. *Stargazer* siddert en trekt zich terug. Lou klikt op een *search engine* en typt 'Air France 64'. In een fractie van een seconde krijgt ze 842 websites aangeboden. Ze kiest *feniks.com* – 'de officiële website voor overlevenden van Air France 64' – en als de homepage te voorschijn komt klikt ze op 'chatroom voor overlevenden en familieleden'. Ze scrollt door de berichten tot ze er een van 'Françoise' vindt.

Ik zou geïnteresseerd hebben om contact te maken, zegt het bericht in onvolmaakt Engels, *van anderen die ticket hadden maar niet vlogen. Françoise.*

Lou klikt op 'reply'.

Françoise, schrijft ze. *Heb je ooit aan de Avenue des Gobelins gewoond? Kun je je een ellendige Kerstmis herinneren? Herinner je je oudejaarsavond 1986? Ben jij het? Ik hoop dat je nieuwjaarswens is uitgekomen. Gelukkig kerstfeest. Lou in Amerika.*

De telefoon gaat.

'Sam!' zegt Lou. Haar rechterhand houdt ze stevig tegen haar mond gedrukt en ze houdt haar adem in. 'Daar ben je eindelijk,' zegt ze.

'Nee,' zegt Samantha. 'Ik ben bang van niet. Ze hebben onze vlucht uiteindelijk geannuleerd, en ons op een andere gezet, maar ze hadden net niet genoeg stoelen. Ze vroegen om vrijwilligers, en, eh, nou, ik dacht dat het zo laat nog wat zinloos was allemaal, dus ik heb mezelf aangeboden. Ik dacht dat je het niet al te erg zou vinden.' Sam lacht ongemakkelijk. 'Ik weet dat ik een paar Kerstmissen in de war heb geschopt. Ik kan erg lastig zijn, dat weet ik.'

Het hoofd van Lou is terug tegen de achterwand, haar ogen zijn dicht. Ze vertrouwt zichzelf niet genoeg om te kunnen praten.

'Lou? Je vindt het toch niet erg, of wel? Je zei dat je weken nodig had om te herstellen als ik langs was geweest.'

'Hé,' zegt Lou luchtig. 'Dat was toen. Je wordt steeds makkelijker te verdragen. Wat een verschrikkelijke gedachte dat je daar helemaal alleen in D.C. zit. Heb je...'

'O, ja. Ik heb Jacob. Aangezien hij niet aan Kerstmis doet, is het een nogal trieste tijd voor hem. We hadden voor oudjaar afgesproken, maar ik maak me zorgen. Ik heb hem vandaag vijf keer vanaf het vliegveld gebeld en hij neemt niet op, dus dit is mijn kans. Ik maak me zo langzamerhand ongerust over hem en het is eigenlijk een feniksregel dat we, je weet wel... Het heeft een hoge prioriteit. We houden een oogje in het zeil voor elkaar. Wat ga jij doen?'

'O, je kent me,' zegt Lou. 'Zes uitnodigingen op de koelkast. Ik gooi een muntje op.'

'Het feestbeest van de familie,' zegt Sam. 'Ik wens je een vrolijke slechte reputatie.'

'Jij ook. Vrolijk kerstfeest, Sam.'

Lou legt de hoorn er weer op, alsof ze eieren opstapelt. Ze zet de oven uit. Ze hevelt een mok koude grog over en zet hem in de magnetron. Ze doet er een grote scheut rum bij. Ze loopt naar het raam en ziet langs heel Lexington Avenue de lampen aanspringen. Dan kijkt ze in haar telefoonboek en belt ze een maatschappelijke instelling van de stad New York.

'Ik heb een gebraden kalkoen met alles erop en eraan,' zegt ze. 'En ik heb cadeautjes. Is er ergens een gezin... Het liefst een gezin met kinderen?'

Ze krabbelt de details neer, pakt een grote sluitmand, loopt naar beneden naar de straat, en houdt een taxi aan.

'Weet u het zeker?' zegt de chauffeur, als ze hem het adres geeft.

'Tuurlijk weet ik het zeker. Ik moet een kerstmand afgeven.'

'De klant is koning,' zegt hij.

Hoe verder ze rijden, hoe vaker ze langs bouwterreinen vol rommel komen, en langs overblijfselen van muren die door een sloopkogel zijn achtergelaten. Geraamtes van halfgesloopte patriciërshuizen gapen naar de hemel omhoog. Ramen zijn dichtgetimmerd, en op straathoeken staan groepen jongemannen. De taxichauffeur, een zwarte man van middelbare leeftijd, is nerveus. Virgil Jefferson, staat op de vergunning die tegen de plexiglas scheidingswand aangeschroefd is.

'Meneer Jefferson,' zegt Lou, voorover leunend, 'misschien moeten we...'

Geluiden van wat rotjes zouden kunnen zijn, of misschien vuurwapens, maken haar woorden onverstaanbaar. Virgil Jefferson rijdt vastberaden en snel. Als hij stopt en scherp tegen de stoeprand aanstuurt, is het geknars van gebroken glas voelbaar. Virgil Jefferson draait zich om en schuift de scheidingswand open. 'Goed, mevrouw, hier is het, maar ik laat u hier niet achter. Geen denken aan.'

'Ik besef dat ik wat naïef was over de... maar daar binnen zit een gezin,' zegt Lou. 'Met kinderen, maar zonder avondeten.'

Virgil Jefferson haalt diep adem. 'Wilt u naar binnen gaan?'

'Niet echt,' zegt Lou. 'Maar ik denk dat ik het maar wel doe. Ja, dat doe ik. Ik ben blij dat u wilt wachten. Dat waardeer ik.'

'Luister, dame,' zegt hij, half kwaad. 'We doen het zo. Ik lever uw mandje af, maar ik laat de motor draaien en de portieren doe ik op slot. Begrepen?'

'Dank u,' zegt ze. 'O, dank u.' Ze merkt dat ze beeft. 'Hebt u kinderen?' vraagt ze hem als hij het achterportier opendoet.

'Drie,' zegt hij kortaf. 'We hebben ons kerstdiner al achter de rug, maar ze rekenen erop dat ik vanavond thuiskom.'

'Hier hebt u de mand, en dit is een cadeautje.'

'Doe de portieren op slot,' zegt hij. Hij laat de waarschuwingsknipperlichten aan. Als hij de lage trap naar de veranda op loopt, slokt de duisternis hem helemaal op. Uit het gebouw komt nog geen straaltje licht, hoewel Lou bij het doffe schijnsel van een eenzame straatlantaarn kan zien dat elk raam met dik triplex dichtgetimmerd is. Ze hoort een rat-tat-tat en denkt dat hij met een steen tegen de deur slaat.

Een groepje jongemannen, misschien tien in totaal, loopt in de richting van de auto. Lou bukt zich ver voorover, maar houdt de veranda in de gaten waar de taxichauffeur staat. Beng, beng, beng, hoort ze, klopper tegen hout, en de deur gaat een paar centimeter open, de lengte van een ketting. Iemand schijnt met een zaklantaarn naar buiten en even ziet ze het gezicht van de taxichauffeur. Woorden worden uitgewisseld. De ketting wordt erafgehaald, de deur gaat open, een arm reikt naar buiten, grijpt de mand, en slaat de deur dicht. De chauffeur springt in twee sprongen de trap af, struikelt, en sprint naar de stoeprand. De jongemannen drommen dichterbij, een meercellig wezen met maar één bedoeling.

'Hé, man!' roepen stemmen naar de chauffeur. 'Waarom heb je zo'n haast!'

'Wat heb je daar, man?'

Virgil Jefferson stort zich op zijn stoel en doet het portier op slot. De motor brult. De auto springt naar voren, lijkt dan even te stoppen. Een donderslag van handen roffelt een bedreiging op het dak en vissengezichten drukken zichzelf plat tegen de voorruit en de zijramen aan. Lichamen leggen zichzelf over de motorkap en de achterklep heen, als korstvorming. Overal ogen, ze staren Virgil aan, ze staren Lou aan. Lou drukt de rug van haar hand tegen haar mond om een schreeuw tegen te houden. In de achteruitkijkspiegel kan ze de grote ogen van Virgil zien. Ze kan zijn handen op het stuur zien beven.

De motor brult. De lichamen en ogen vallen weg.

De rug van Lou's hand voelt nat aan, en ze ziet dat ze door een ader heen heeft gebeten. Op de manchet van haar blouse en op haar mouw zit bloed.

Als ze weer terug op Lexington zijn, waar de straatlantaarns zo krachtig zijn als zonnen, of als de ogen van God, stopt de taxi voor het gebouw waar Lou woont. Ze zitten in het donker zonder te bewegen.

'Het was een kind, een jongen,' zegt Virgil Jefferson, terwijl hij door de voorruit naar buiten staart. 'Die de voordeur opendeed. Ongeveer net zo oud als mijn zoon.'

'Hebt u het interieur gezien?'

'Krakers,' zegt hij. 'Geen sanitair. Geen elekriciteit. Zag geen hand voor ogen.'

'Ik begrijp niet,' zegt Lou, 'hoe mensen blijven doorgaan. Ik begrijp niet hoe ze het doen.'

'Als het moet, doe je wat je moet doen,' zegt Virgil. Dan draait hij zich om en schuift de scheidingswand open. Zijn handen beven nog steeds. 'Ik ga naar huis. Naar mijn vrouw en kinderen.'

'Ja,' zegt ze. 'Ja, dat moet u doen.' Ze trekt twintig dollar uit haar handtas, twee keer het bedrag dat op de meter staat plus een royale fooi, maar Virgil Jefferson wil er niets van weten.

'Geen denken aan,' zegt hij. 'U en ik hebben ons kerstcadeau al gehad, mevrouw. Wij hebben ons deel ruimschoots gehad.'

'Ja,' zegt ze. 'U hebt gelijk. Wij hebben niets te klagen, is het wel?'

'Niets,' zegt hij. 'Wij zijn al gezegend.'

'Maar toch,' zegt ze. 'Ik betaal niets, maar op één voorwaarde. U moet deze van me aannemen.' Door het venster geeft ze hem de tas met de vijf andere cadeautjes aan, die met hun glinsterende goudkleurige rozetten. 'Voor uw vrouw en kinderen,' zegt ze. 'Gelukkig kerstfeest, meneer Jefferson.'

'U zal iets goeds overkomen,' belooft Virgil Jefferson. 'Dit wordt uw jaar. Ik heb de gave dat ik voortekens kan lezen, en ik weet het.'

'Dank u,' zegt ze. 'Ik hoop dat u gelijk hebt.'

Ze voelt zich lichter, minder eenzaam. Het is pas zeven uur, maar ze heeft razende honger en ze beseft dat ze de hele dag nog niet echt gegeten heeft. Ze maakt een blik soep open en warmt in de magnetron nog een mok grog op. Ze luistert naar de kerstliederen van het King's College Choir. Dit is bij nader inzien toch veel beter dan Kerstmis '86 aan de Avenue des Gobelins, denkt ze. Parijs. Daar is het al na middernacht. Ze vraagt zich af hoe Françoise deze kerst heeft doorgebracht. Ze vraagt zich af wat er van Françoise geworden is.

Ze loopt naar haar computer en klikt zich een weg naarbinnen in de chatruimte van obsessieve overlevenden van de gekaapte vlucht.

Lou in Amerika, leest ze. *Oui, c'est moi. Ik ben het. Incroyable, n'est-ce pas? Hoe is het vreemd elkaar zo weer te ontmoeten. Zoals jullie in Amerika zeggen: what goes around comes around. Wij hebben Noël '86 in dat appartement doorgebracht, toi et moi. Quel Noël affreux, maar '87 was toch nog erger. Ik herinner me de geheimen van de oudejaarsavond. Liefde is kut. Heb je BB ooit gevonden? Kom je nog wel eens in Parijs? Françoise.*

Lou drukt met haar linkerduim tegen de ader in haar andere pols. Haar bloed maakt wilde sprongen. Ze haalt een paar keer diep adem. Ze zorgt ervoor dat het bonzen van haar hart langzamer wordt.

Françoise, typt ze. *Misschien kom ik naar Parijs (ik ben er sindsdien niet meer teruggeweest.)*

Re: BB. Ja, dat heb ik, maar ik heb het niet verteld. (Te bang)

En jij? Is T bij je teruggekomen? Ben je nog steeds in de rouw?

Ben je aan M ontsnapt? Heeft hij je gestalkt?

Je wist dat mijn zus aan boord van AF *64 zat, maar je hebt nooit iets gezegd. Je hebt me nooit verteld dat je ook een ticket had. Waarom niet? Lou in Amerika.*

Een paar dagen lang komt er geen antwoord van Françoise, maar op oudejaarsavond is er een bericht: *Lou in Amerika. Opnieuw is het de nacht voor bekentenissen.*

M heeft mijn ticket voor de zwarte vlucht gekocht. Hij wist het.

Mijn vader zei: niet vliegen. Je leven is in gevaar. Hij wist het.

Mijn vader kende M, M kende mijn vader.

Hoe kon ik je dit vertellen?

Nu begrijp je waarom ik heel het verschrikkelijke gedoe niet op televisie kon zien.

Ik kon niet meer met mijn vader praten. Ik kon niets zeggen. Ik verborg me voor mijn vader.

Jarenlang heb ik een ziekte in mijn ziel en geest gehad. Ik ben vele jaren in een ziekenhuis geweest. Ik heb met therapeuten gesproken. Ik heb met priesters gesproken. Nu heb ik een paar dingen die gezegd moeten worden om vergiffenis te krijgen. Wanneer kom je naar Parijs? Françoise.

3

Sam zegt tegen de taxichauffeur dat hij niet hoeft te wachten. In de hal drukt ze op het knopje van het appartement van Jacob, en ze legt haar oor tegen de intercom. Ze hoort niets. Ze drukt nog een keer en vanuit het paneel in de muur klinkt een krakerige ruis op. 'Jacob?' zegt ze, met haar lippen dicht bij het stalen roostertje. 'Ik ben het, Samantha. Mijn vlucht is geannuleerd. Mag ik naar boven komen?'

Uit de muur klinkt gedempt geluid op.

'Jacob? Ik hoop dat je mij kunt horen, want ik kan jou in elk geval niet horen. Ik ben het. Sam.' Een lange zoemtoon, zowel hoog als schrapend, klinkt op vanuit de binnendeur, en Sam zegt: 'Oké. Dank je. Ik ben op weg naar boven,' terwijl ze met de onderkant van een in vloeipapier gewikkelde fles wijn tegen de deur duwt. In de hal trekt ze een vies gezicht als ze de beige stalen liftdeuren ziet. Allebei zijn ze gesloten. Het gebouw is oud en de liften ondraaglijk langzaam. Volgens de verlichte monitor bevindt één lift zich op niveau 2B in de ondergrondse garage. Daar lijkt hij vast te zitten. De andere komt langzaam langs de negende, achtste, zevende, zesde verdieping omlaag, en stopt daar. Ongeduldig kiest Sam voor de trap en gaat met twee treden tegelijk omhoog. In het trapportaal van de tweede verdieping is ze een beetje buiten adem en ze drukt de liftknop in. De lift staat nog steeds op de zesde verdieping. Sam rent nog een trap op. Op de derde verdieping drukt ze opnieuw de liftknop in. De lift beweegt zich van de vijfde naar de vierde naar de derde verdieping. De deuren gaan open en een man, die een jas en sjaal draagt, kijkt in het niets. Hij zit aan een aangelijnde hond vast.

'Gelukkig kerstfeest,' zegt Sam.

'Integendeel.' De man lijkt in gesprek met zijn hond. Hij staart recht voor zich uit en Sam denkt dat hij blind is, hoewel de hond geen geleidehond is. 'Ik zou willen stellen,' zegt hij, de draad van het gesprek weer opvattend, 'dat de behoefte aan eenzaamheid dieper gaat. Ik zou zeggen dat dat het belangrijkste is.' De hond – een kleine ruigbehaarde bastaard – beeft en jankt, nauwelijks in staat een weerwoord binnen te houden.

Sam drukt op knop 7.

'We gaan naar beneden,' legt de man uit aan de hond, maar zonder te stoppen gaat de lift meteen omhoog naar de zevende verdieping.

'Sorry,' zegt Sam.

'We gaan naar beneden.'

'Ze zijn nogal onvoorspelbaar.'

'De dingen worden afgeschoven,' benadrukt de man. 'Alle dingen worden afgeschoven.'

Alsof de mechanismen van de lift beraadslagen, alsof ze wedijverende rechten en claims afwegen, trillen de deuren een paar seconden lang maar ze bewegen niet. Als ze uiteindelijk opengaan, springt de hond de gang op en de man volgt hem noodgedwongen en kijkt wezenloos om zich heen. 'We zijn niet op de begane grond,' zegt hij verwijtend, terwijl zijn ogen naar Sam en weer weg glijden. Hij is dus niet blind. 'Het probleem,' zegt hij tegen de hond, 'is er een van scherpstellen.'

Wilde geblaf volgt en verandert langs een complexe toonladder van hoogte: glissando van vreugdetonen; gesyncopeerd gekef van verwarring, drie scherpe woedepiepjes, dan een wegstervend afdalen langs de lagere registers van afkeer. Iedere volle keelklank botst op tegen de muren, weerkaatst en vermenigvuldigt zich.

'Wat is hier verdomme aan de hand?' vraagt een stem, en de deur van 807 gaat een kettinglengte open. Renaissancemuziek golft naar buiten: luiten, violen, schalmeien, het zachte gebonk van een pauk.

'Iemand is op de verkeerde verdieping uitgestapt,' zegt Sam, terwijl man en hond zich achter de liftdeuren terugtrekken en het rumoer als een opgebrande vuurpijl van ze wegsterft. 'Jacob, ik heb wijn en truffels bij me. Laat me binnen.'

'Sam?' Jacob gluurt met één oog door de vijf centimeter brede spleet en knippert langzaam. 'Wat doe jij hier?' Hij haalt de ketting eraf, terwijl hij over de aspecten van dit raadsel nadenkt. 'Ik dacht dat je naar New York zou gaan.'

'Jullie hebben een klote intercomsysteem in dit gebouw,' zegt ze. 'Nog erger dan jullie liften. Wie dacht je eigenlijk dat je binnenliet?'

'Ik was niet van plan iemand binnen te laten.'

'Waarom heb je de deur dan voor me opengedaan?'

'Ik heb voor niemand de deur opengedaan. Het belsysteem doet al maanden raar. Iemand anders moet je binnengelaten hebben.'

'Nou, hier ben ik dan toch. Fijne feestdagen.' Ze geeft hem de wijn en een geschenktas waaruit vloeipapier steekt. 'Daar zit heel wat lekkers onder,' zegt ze. 'Truffels, vijgen, gesuikerde amandelen, een paar verrassingen. Voor bij de muziek.' Ze gooit haar besneeuwde jas en haar sjaal over de rugleuning van een stoel en gaat voor hem staan, afwachtend, als een kind dat een sterretje op haar rapport verwacht. 'Mijn vlucht is geannuleerd,' zegt ze. 'Hoe dan ook, ik ben liever bij jou.' Ze legt haar wang tegen zijn borst en sluit haar armen om hem heen. Voor haar lijkt het altijd alsof ze in hem wegzinkt, alsof ze in hun huid is thuisgekomen. 'De muziek is heerlijk,' verzucht ze.

Jacob, die nog steeds met de wijn in de ene hand en de geschenktas in de andere hand staat, slaat zijn armen enigszins ongemakkelijk achter haar rug over elkaar. Ze voelt de wijnfles tegen haar dij drukken. Ze kijkt naar hem op en plotseling doet hij haar aan de man in de lift denken. Hij kijkt naar de muziek, naar iets in de lucht.

'Wat is er?' vraagt ze snel.

Dan kijkt hij haar aan. 'Niets. Er is niets.'

'Ik wéét het als er iets aan de hand is,' zegt ze. 'Voor mij kun je niks verbergen, Jacob. Wij hebben een telepathische verbinding; ik weet het altijd als er iets is. Ik ben ontzettend gespannen – voel mijn hart maar.' Ze neemt de wijnfles uit zijn hand en zet hem neer, trekt haar trui omhoog, en legt zijn handpalm vlak boven haar borst. 'Dat ben jij,' zegt ze. 'Jij zorgt ervoor dat het zo bonst en tekeergaat. Wat is er?'

'Niets,' zegt hij nadrukkelijk. 'Bijna integendeel. Ik ben erg rustig.

Eindelijk heb ik een rustpunt gevonden.' Hij pakt de wijnfles op en fronst licht, alsof hij zich probeert te herinneren wat er nu komt. Hij loopt naar de keuken met Sam in zijn kielzog.

'Ik heb je vanaf het vliegveld vijf keer gebeld. Waar heb je de hele dag gezeten?'

'Begraafplaats Arlington,' zegt hij.

'Wat? Is dat een geintje?'

'Nee. Ik heb Cass meegenomen.' Hij haalt een kurkentrekker uit een lade en maakt de wijnfles open.

'Waarom?'

'We houden van het gezelschap dat we daar hebben. We kennen een hoop dode mensen. Het stelt Cass op haar gemak.'

'Dat is zó morbide,' zegt Sam. 'Ben je daar de hele dag geweest?'

'Niet de hele dag. Een uur of zoiets.'

'Waar heb je de rest van de tijd gezeten?'

'Hier.'

'Waarom heb je de telefoon dan niet opgenomen? Je had je antwoordapparaat niet eens aan staan.'

'Ik heb de stekker eruitgetrokken. Dat laat ik zo. Ik heb geen telefoon meer nodig.'

Het appartement baadt in de weelderige zachte geluiden van oude muziek. De prachtige stem van de moeder van Cass omhult hen, begeleid door het Levinstein String Quartet. Jacob haalt de kurk van de kurkentrekker, maar lijkt niet precies te weten wat hij daarna moet doen. Hij maakt een lade open en doet hem weer dicht.

'Wil je dat ik de wijn inschenk?' vraagt Sam.

'Ja,' zegt hij opgelucht. 'Goed idee.'

Hij keert terug naar zijn woonkamer en gaat in kleermakerszit op een kussen op de vloer zitten. Hij tilt één voet op en schuift hem onder de knieholte van zijn andere been.

'Je lijkt Boeddha wel,' zegt Sam.

'Sst. Luister eens naar wat ze met deze frase doet. Opvallend goed. Het is echt opvallend goed. Muzikaal en mathematisch is het volmaakt.'

Ze wacht tot het laatste zachte akkoord van de stem van de moeder van Cass weggestorven is. 'Jacob,' zegt ze dan. 'Vertel me wat er aan de hand is.'

'Sst.' Hij stopt een andere cd in de speler. 'Schuberts strijkkwintet in C. Mijn vader speelt eerste viool.' Hij doet zijn ogen dicht en luistert in vervoering.

Sam gaat heel zachtjes terug naar de keuken om de glazen wijn te halen. Ze neemt ze mee terug naar de woonkamer. Eén zet ze op de koffietafel voor Jacob neer. Ze gaat tegenover hem op de bank zitten en neemt hem in zich op. In het tweede deel, het adagio, als de stem van de viool breekt, als de viool huilt, rijst Jacob als een slaapwandelaar op en loopt hij de kamer uit. Sam volgt hem. In zijn slaapkamer opent hij een kast en neemt hij de viool van zijn vader van een plank. Hij legt de koffer op het bed. Hij haalt de viool eruit.

'Jacob?' fluistert Sam.

Hij draait zich om en kijkt haar aan. 'Wat doe je hier?' vraagt hij. Hij zou net zo goed een volslagen vreemde aan kunnen kijken. Hij wiegt de viool in zijn armen en keert terug naar zijn kussen op de vloer. De viool houdt hij als een kind in zijn armen.

Het tweede deel is afgelopen. De zachte snik van de viool valt de stilte in.

Jacob drukt op een knop op zijn afstandsbediening en speelt de passage nog een keer af.

Als het adagio voor de tweede keer ophoudt, drukt hij op STOP.

'Ik heb er voor hem op gepast,' zegt hij. 'Ik heb hem bewaard. Dat was niet makkelijk. Vooral niet op de glijbaan. Weet je nog hoe ze ons naar beneden duwden? Ze waren bepaald niet zachtzinnig.'

'Jacob,' fluistert Sam aangeslagen. 'Waar ga je naartoe? Waar ben je heen gegaan?'

'Ik ben veilig, Sam. Ik ben op een plek waar het veilig is. Na de dood van Agit wist ik dat het van cruciaal belang was om er een te vinden.'

'De dood van Agit,' zegt Sam. 'Dus daar gaat dit allemaal om.'

'Dat was het teken aan de wand.'

'Dat was een depressie en de naderende verjaringstijd. Het is de missie van de Feniksclub te voorkomen dat er nog meer van die dingen gebeuren.'

'Als ze Agit te pakken konden krijgen omdat hij een boek publiceerde, als ze tot in Bombay invloed kunnen uitoefenen, is het alleen nog een kwestie van tijd. Eén voor één zullen ze ons allemaal te pakken krijgen.'

'Tenzij we hen eerder te pakken krijgen,' zegt Sam kwaad. 'Wat zeg ik? Wat betekent hén? Wie zijn zij? Je loopt met je eigen hoofd te rotzooien, Jacob. Net als Agit. Je verzint je eigen *mind game* en je bent aan het verliezen.'

'Van het begin af aan is er in het spel een meesterbrein actief geweest. We zijn pionnen op zijn bord.'

'Bullshit! Je bent niet de enige die Agit is kwijtgeraakt. We zijn hem allebei kwijtgeraakt, de Feniksclub is hem kwijtgeraakt, we zijn hem allemaal kwijtgeraakt. En nu draai jij ook door. Hoe worden we daar beter van? Hoe gaat dat ons allemaal geestelijk gezond en in leven houden?'

'Ik moest een veilige plek zien te vinden,' zegt Jacob.

Sam is woedend. Ze grijpt Jacobs hand en duwt de mouw van zijn overhemd omhoog. 'Fuck!' zegt ze. 'Fuck *you*!' Een wegenkaart van naaldensporen staat uitgetekend op zijn onderarm. Alle sporen leiden naar hetzelfde dode punt. 'Waarom spring je niet gewoon meteen voor een trein, net als Agit?'

'Denk je dat hij gesprongen is?'

'Als hij geduwd is, zou hij teruggevochten moeten hebben. Wij moeten vechten. Je waagt het niet het op te geven en mij in de steek te laten; je waagt het niet.'

Jacob keert terug naar zijn slaapkamer en neemt de strijkstok uit de vioolkoffer. 'Luister,' zegt hij. Hij plaatst de viool onder zijn kin en speelt. 'Ik heb het lang niet gekund,' zegt hij. 'Ik kon er niet op spelen. Maar dit is waar ik thuishoor.'

Hij speelt Schubert, het strijkkwintet, het tweede deel. Hij is niet zo'n maestro als zijn vader, maar hij speelt goed.

'Jij moet ook een veilige plek zien te vinden, Sam. De oplossing is onzichtbaar zijn, begrijp je?'

'Nooit,' zegt Sam.

Jacob legt de viool van zijn vader neer. Hij neemt Sams gezicht in zijn handen. 'We hebben elkaar nodig,' zegt hij.

'Precies,' zegt Sam. 'Precies. Doe me dit niet aan.'

'Je bent gevaarlijk naïef,' zegt Jacob. 'Je denkt dat je leven door een goede fee beschermd wordt.'

'Helemaal niet,' zegt Sam. 'Dat denk ik helemaal niet. Daarom vecht ik. Als ik ook maar één minuut zou ophouden met vechten, zou ik kopje onder gaan.'

'Het zijn juist de mensen die worstelen die verdrinken,' zegt Jacob. 'Zij zijn degenen die verdrinken. Je moet niet meer tegen de stroom vechten. Je moet jezelf eraan overgeven, je laten meevoeren. Ik wil dat je me dat belooft.'

'Oké,' zegt Sam om hem een plezier te doen. 'Ik beloof het.'

'Luister,' zegt hij. 'Ik breng je ergens naartoe waar je veilig bent.'

Hij plaatst de viool onder zijn kin en ze zit naast hem en streelt zijn haar terwijl hij speelt. Tijdens de kerstnacht slapen ze in elkaars armen.

4

Lowell vouwt de canvas dekkleden op en stapelt ze netjes op achter in zijn pick-up. Uit gewoonte voelt hij ertussen of de rugzak er nog is, en als zijn hand niets vindt schiet de paniek door zijn bloed en steigert zijn hart. Plotseling is hij duizelig en moet hij tegen de zijkant van zijn pick-up leunen. Dan beseft hij tot zijn grote opluchting dat hij dat allemaal geregeld heeft. Hij voelt zich als iemand die uit een nachtmerrie ontwaakt. Hij hoeft zich geen zorgen meer te maken. De ringbanden zitten veilig in zijn muren verzegeld. Ze zouden daar tien jaar kunnen blijven liggen zonder ander gevaar dan insecten en vocht. En wat de rugzak en de banden betreft: die zijn weer terug op de plek waar ze zijn begonnen, waar zijn eigen vader vond dat ze volkomen veilig waren, in een kluis op Logan Airport. Gisteren heeft hij ze daar neergelegd en alleen hij is in het bezit van de sleutel, die hij aan een dunne gouden ketting om zijn nek gehangen heeft. Door zijn T-shirt heen bevoelt hij de sleutel en de contouren maken hem zo vrolijk dat hij tijdens het vouwen en opstapelen van de dekkleden een deuntje fluit. *I saw Mommy kissing Santa Claus... underneath the mistletoe last night...*

Hij tilt de uitschuifbare aluminium ladders van de imperial, houdt ze tegen zijn buik in balans, laat ze op de grond zakken. Ze zijn moeilijk hanteerbaar, maar niet zwaar. Hij sleept ze langs de oprit naar de uit cementblokken opgetrokken berging die door alle bewoners gebruikt wordt. Voor het hangslot heeft hij zijn eigen sleutels, en binnen heeft hij zijn eigen gedeelte. Hij hangt de ladders op aan stalen haken die hoog aan de muur bevestigd zijn. Hij loopt terug naar zijn pick-up om de verfblikken te halen. In de berging wrikt hij een vijfenveertigliterblik grondverf open, kantelt het licht, en vult er een klein vijfliterblik mee bij.

'Hé, Lowell,' zegt Kevin vanuit de deuropening.

'Hé, Kevin. Hoe staan de zaken?'

'Prima,' zegt Kevin. 'Prima. Leuke tijd gehad in Buffalo. Geweldige kerst. En jij?'

'Beste kerst sinds jaren. Wanneer ben je teruggekomen?'

'Vanochtend, waarschijnlijk net nadat je naar je werk was vertrokken. Ik heb een meisje leren kennen op het kerstfeestje van mijn broer. Ze zou wel eens de ware kunnen zijn.'

'Ga ervoor, kerel. Hoe heet ze?'

'Shannon.' Hij glimlacht als hij het zegt. 'Kevin en Shannon McCarthy. Ik heb het uitgeprobeerd. Klinkt goed, vind je niet?'

'Klinkt alsof het voorbestemd is.'

Kevin grinnikt. 'Volgende maand komt ze naar het oosten, dus ik dacht erover om, nou ja, het appartement wat op te knappen.'

'Hé.' Lowell grinnikt. 'Dat klinkt serieus.'

'Inderdaad. Dus ik vroeg me af of... ik bedoel, dat is jouw specialiteit. Ik vroeg me af of we misschien op de een of andere manier konden ruilen. Dat jij bijvoorbeeld mijn appartement schildert, en ik kaartjes regel voor de VIP-box van Fenway Park voor een wedstrijd. Ik kan ze op mijn werk krijgen, via mijn baas.'

'Deal,' zegt Lowell. 'Ik vind het altijd geweldig om mijn kinderen mee te nemen naar Fenway Park. Hé, misschien komt Rowena ook wel mee.'

'Wauw. Dat moet echt een goeie kerst zijn geweest.'

'Fantastisch,' zegt Lowell. 'De beste in jaren. Ik duim elke dag.'

'Klinkt alsof dit voor iedereen een goed jaar wordt,' zegt Kevin. 'Ook voor de Sox. Daar heb ik een goed gevoel over.'

'Volgens mij ook,' zegt Lowell. 'Goeie opstelling. Volgens mij wordt het het jaar van de Red Sox.'

'Dus, denk je dat we misschien volgende week bij mij kunnen beginnen? Crème, denk ik. Amandel. Hoe ze dat ook noemen.'

'Nou, ik weet het nog niet, Kevin. Ik bedoel, ik hoop dat de kinderen dit weekend naar mij toe komen.'

'O, op die manier. Nou, ja, je kinderen gaan voor. Dus, eh, wanneer denk je...'

'Wat dacht je van doordeweekse avonden, in plaats van in de weekends?'

'Tuurlijk. Tuurlijk. Geen probleem. Ik bedoel, ik kan ook wel wat doen. Zo moeilijk kan het niet zijn.'

'Je pakt gewoon een roller en je kunt het.'

'Geweldig,' zegt Kevin. 'O, luister, dat vergat ik je nog bijna te zeggen. De jongens zijn vandaag je gootsteen komen brengen.'

'Mijn gootsteen komen brengen?'

'Ja. De nieuwe. Ze hebben hem geïnstalleerd.'

'Ik heb geen nieuwe gootsteen besteld. Moet Darlene geweest zijn.'

'Het was in jouw appartement,' zegt Kevin. 'Ze hebben me de specificaties laten zien. Ik moest mijn loper nog halen om ze binnen te laten.'

Lowell kan een onheilspellend voorgevoel als zwaar bloed door zijn lichaam voelen stromen. 'Dan moet het Rowena geweest zijn,' zegt hij onbeholpen. Zijn tong voelt aan alsof hij van hout is. 'Dat is vast een nieuwjaarsverrassing.'

'Dat zal het zijn,' zegt Kevin. 'Nou, laat me even weten op welke avond je kunt beginnen.'

'Goed. Navond, Kevin.'

'Navond.'

Lowell sluit de berging af met het hangslot. Hij trekt het dekzeil over de achterkant van zijn pick-up heen en maakt het vast. Zijn handen beven. Zijn beenspieren voelen zwak aan, alsof ze te ver opgerekt zijn. Ze voelen als elastiek dat slap is gaan hangen. Zijn hele lichaam doet pijn. Op de trap stijgt de angst met hem mee.

Hij doet zijn deur open en weet het meteen. Het ergste is gebeurd.

Overal zweeft wit poeder, als smog. Stapelmuren zijn van de nagels getrokken. Het appartement is helemaal ontmanteld en doorzocht. Hij weet het zonder te kijken, maar hij kijkt toch. De planken in zijn provisiekast zijn leeg, de melkkluis is leeg. In de berging ligt de houten plaat in stukken op de vloer. In de ruimte tussen de stijlen in bevindt zich niets.

Hij voelt of de ketting om zijn nek er nog is. De sleutel van het kluisje is er nog.

Hij doet zachtjes de voordeur dicht, trekt zijn schoenen uit en loopt op zijn sokken naar beneden. Op de veranda laat hij zijn voeten weer in zijn sportschoenen glijden. Hij gaat niet naar zijn pick-up. In de schaduw blijvend loopt hij de straat uit. Hij draagt zijn oude loopschoenen met de verfspatten erop die hij voor klussen binnenshuis gebruikt, en de schoenen glibberen en glijden op de sneeuw. Hij begint te rennen naar het metrostation aan Union Square. Hij begint zijn route te plannen. Hij zal de Rode Lijn naar Park Street nemen, maar niet de Blauwe Lijn die rechtstreeks naar het vliegveld gaat. Hij zal slinkser en sluwer te werk moeten gaan. Hij zal een omweg moeten plannen.

5

Op oudejaarsavond drukt Samantha in de hal op de knop van Jacobs appartement. Ze zet de champagne in de koelhuls op de plank onder de brievenbussen, want ze verwacht dat ze zal moeten wachten. Willekeurig drukt ze een paar knoppen in en wacht tot iemand, wie dan ook, haar binnenlaat. Niemand reageert. Iedereen is de deur uit. Iedereen is aan het feesten, denkt ze. Een stel in avondkleding (lange fluwelen jurk, smoking) komt via de deur van het trapportaal de hal in.

'O, goddank,' zegt ze luchtig. 'Een vriend van me in 807 verwacht me, maar hij staat vast en zeker onder de douche of hij heeft zijn koptelefoon op. Zou ik misschien...' Ze houdt de champagnefles omhoog. 'Jullie mogen me fouilleren, als jullie willen.'

'Geen probleem,' zegt de man lachend. 'Je ziet er onschuldig uit,' en hij ontsluit het heilige der heiligen en laat haar naar binnen. Zonder te stoppen brengt de lift haar rechtstreeks naar de zevende verdieping. Ze klopt op Jacobs deur en rammelt aan de deurknop.

Ze wacht.

Ze scheurt een cheque uit haar chequeboekje en krabbelt 'laat me naar binnen' op de achterkant. Ze schuift hem door de kier onder de deur.

Ze legt haar oor tegen het slot, maar hoort niets.

Ze neemt de lift terug naar de begane grond en bonst op de deur van het appartement van de conciërge. Geen reactie. Ze gaat terug naar de lobby en belt het alarmnummer.

'Mijn vriend verwacht me, maar hij doet niet open,' legt ze uit aan de politie. 'Ik ben bang dat hem daarbinnen iets overkomen is.'

'Wat voor iets?'

'Nou, ik ben een beetje bang dat hij een overdosis heeft genomen, of zoiets. Hij is de laatste tijd depressief geweest.'

'Hebt u geprobeerd hem te bellen?'

'Hij heeft de stekker eruitgetrokken,' zegt ze. 'Omdat hij, eh, hij is bezig geweest aan een project, hij houdt er niet van gestoord te worden, en... zoals ik al zei, volgens mij is hij de laatste tijd depressief geweest. Maar hij zou niet... niet als hij verwacht dat ik kom, en op oudejaarsavond. Als alles goed met hem was, zou hij opendoen.'

Aan de andere kant van de lijn is het even stil. Ze heeft het gevoel dat iemand zijn hand over het mondstuk heeft gelegd en dat er overlegd wordt.

'Agent?'

'U staat op onze lijst,' zegt de politieagent tegen haar. 'We komen bij u, mevrouw, maar het kan wel even duren. U begrijpt het wel, oudejaarsavond. We krijgen veel telefoontjes, veel dringende. Maar uiteindelijk komen we bij u.'

En dan wacht ze. En wacht ze.

'Beetje een zware avond, oudejaarsavond,' leggen twee politieagenten bijna een uur later uit. 'We moeten onze prioriteiten stellen.'

Als ze het slot openbreken en het appartement van Jacob betreden, is er geen spoor van hem te bekennen. Evenmin is er sprake van wanorde.

'Nou, mevrouw,' zegt een van de politieagenten ongemakkelijk. Hij kucht in zijn hand. 'Volgens mij hebt u een blauwtje gelopen op uw nieuwjaarsdate.'

'Nee,' zegt Sam. 'Zoiets is het niet. Dat zou hij niet doen. Er is iets gebeurd, dat weet ik gewoon zeker.'

'Is hij in het bezit van een auto?'

'Ja,' zegt ze.

'Staat die in de ondergrondse garage?'

'Ja.'

'Weet u zijn kenteken?'

'Ja,' zegt ze.

'Dan gaan we daarnaartoe.' Maar de auto van Jacob staat niet in de ondergrondse garage.

'We laten het u weten,' beloven de agenten. 'Zo gauw we iets horen.'

'Hallo?' zegt Samantha, wakker schrikkend op haar bank en in het donker naar de hoorn tastend. 'Hebt u hem gevonden?'

'Samantha? Ik ben het, Lowell. Ik bel vanuit een telefooncel naast...'

'Wie?'

'Lowell. Lowell Hawthorne.'

'Lowell? O, Lowell.' Met haar ogen knippert ze tegen het zonlicht dat door haar raam naar binnen valt. 'Hoe laat is het?'

'Hoe laat? Het is, eh, ongeveer elf uur, denk ik. Hoor eens, ik sta in een telefooncel naast de Mass Pike...'

'Elf uur. O, mijn God. Luister, Lowell, het spijt me, maar ik zit hier midden in een noodsituatie. Ik moet iemand bellen. Het spijt me.'

Ze verbreekt de verbinding met Lowell en belt het politiebureau.

Ze krijgt te horen dat er geen informatie is.

Om twaalf uur op nieuwjaarsdag wekt Samantha de conciërge van het gebouw waar Jacob woont. De conciërge heeft een kater, en is niet blij.

'De politie is hier al geweest,' zegt hij geïrriteerd. 'Ik heb geen enkele behoefte aan dit geouwehoer.'

'Hebt u Jacob Levinstein gisteren gezien?' vraagt ze.

'Ik kan me niet herinneren of ik hem wel of niet gezien heb,' zegt hij. 'Mevrouw, ik heb hier honderd appartementen in het gebouw. Ik zit hier niet de hele dag op mijn luie reet te kijken wie er binnenkomt en wie vertrekt. Vooral niet op oudejaarsavond.'

Samantha vult haar auto met Renaissanceliederen. De moeder van Cass zingt, de vader van Jacob speelt viool. Sam zet het geluid harder zodat er nergens anders ruimte voor is. Ze rijdt bijna blindelings langs de oostkant van de stad en dan naar het zuiden, rondom Chesapeake Bay, zonder op verkeersborden te letten. Soms vraagt ze zich met een schok af of ze haar afrit gemist heeft, en let ze op of het volgende bord eraankomt, maar vergeet er dan weer aan te denken. Toch voert haar instinct haar naar het uitgestrekte zoutmoeras en de smalle zandweg die naar de met riet begroeide oever van de baai leidt waar het botenhuis aan ligt. Van Jacobs auto is geen spoor te bekennen.

Samantha parkeert haar auto en klimt de ladder op naar de vliering.

De opeengehoopte visnetten en de oranje zwemvesten liggen onaangeroerd.

Het is koud. Het vocht van het houten dak is een flinterdun wit laagje rijp geworden. Om warm te blijven trekt Sam een zwemvest aan en hangt ze een van de netten als een sjaal om haar schouders. Ze laat zich in de wirwar van geknoopt touw zakken en staart urenlang naar de meeuwen en het moeras. Ze raakt in een trance door het flitsen van vleugels en het zachte geklots van het water tegen de houten palen. Ze luistert of Jacobs auto eraankomt.

Ze pakt twee riemen van het rek en laat ze voorzichtig één voor één vallen, zodat ze beneden op de houten looprand van de schuur vallen. Ze klimt langs de ladder omlaag en probeert de roeiboot uit. Zij en Jacob en Cass hebben hem eerder gebruikt. Hij is oud en verweerd, maar lijkt niet te lekken. Ze stapt erin, maakt het meertouw los, en duwt zichzelf met één riem af. Op het meertouw ligt een laagje vorst en tussen de riethalmen drijven dunne schilfers ijs. Een paar meter vanaf het botenhuis gaat ze het doolhof binnen en is ze uit het zicht verdwenen van eenieder die vanuit de schuur toegekeken zou kunnen hebben. De breekbare bruine stengels van het riet, meer dan een meter hoog, sluiten haar in en voor zich uit turend probeert ze de kronkelige blauwe vaargeul te onderscheiden. De vaargeulen veranderen met de getijden mee en sluiten zich soms vóór of achter onoplettende roeiers. Ze is niet van plan te verdwalen. Ze laat de riemen rusten, gaat achterover in de boot liggen en kijkt omhoog naar de bleke winterhemel.

Wolken telegraferen berichten door. Eén lijkt op een viool, een andere lijkt op een rij kinderen die zich achter een verpleegster aan haast. Ze ziet torens, flatgebouwen met appartementen, een kaart van Noord-Afrika. Ze ziet Jacob die over een bureau gebogen zit. Ze tilt de riemen op en roeit terug naar het botenhuis. Soms slaat ze tegen de rietkraag aan, één keer ramt ze een oesterbed en moet ze zichzelf met een riem afduwen.

Het is al gaan schemeren. Ze rijdt terug naar de stad en parkeert haar auto en zo gauw ze binnen is controleert ze haar antwoordapparaat op nieuwe berichten. Geen enkel bericht. Ze voelt zich verlaten. Ze kan zich niet op de televisie concentreren, ze kan niet lezen. Ze ligt op haar bed en doet haar ogen dicht en haalt zich tot in het kleinste detail de gymzaal van de school in Duitsland voor de geest: de geur van de veldbedden, de geur van de dekens, de ammoniaklucht van nat ondergoed. Ze herinnert zich de verpleegsters, de slanke blondines en de grote dikke donkerharige zusters. Ze loopt op en neer tussen de bedden door, geconcentreerd, zich elke rij herinnerend, daar ziet ze Agit, daar Cass, daar Jacob. Zij en Jacob zitten samen op een veldbed.

De telefoon gaat en in haar haast hem te grijpen valt ze van het bed af.

'Kan ik Samantha Raleigh spreken, alstublieft?' vraagt een officieel klinkende stem.

'Daar spreekt u mee,' fluistert ze.

'Ik ben bang dat we slecht nieuws hebben,' zegt de stem.

6

Samantha zit op de grond in haar appartement. Ze heeft haar armen over haar buik geslagen en wiegt zachtjes heen en weer. Wat betekent dat: het lichaam komen identificeren? Ze ziet delen van Jacob, losgekoppeld, als een puzzel die ze in elkaar moet zetten: bijvoorbeeld dat ongeduldige grimasje dat hij altijd had als hij zich aan haar ergerde. *Je bent roekeloos, Sam. Nog meer ongelukken...* Zijn lippen zweven voor haar, vertrokken in een grimas. Ze herinnert zich de druk die ze uitoefenden, en hun smaak. Ze probeert Jacobs gezicht te voorschijn te toveren, maar ze kan zich alleen nog zijn lippen herinneren.

'Auto gevonden in Rock Creek Park,' zei de politie. 'Tuinslang aan de uitlaat bevestigd... stereo stond nog aan, één van die cd-spelers die automatisch opnieuw beginnen, klassieke muziek, een strijkkwartet...'

Ze ziet de rug van zijn hand als hij hem uitsteekt om de *balance* en de *treble* en de *bass* in te stellen. Eén knokkel heeft knobbels en is opgezwollen. Hij had hem gebroken toen hij langs de glijbaan uit het vliegtuig viel, omdat hij zich meer zorgen maakte om de viool van zijn vader. In zijn val schermde hij hem met zijn lichaam af. 'Ik heb een veilige plek gevonden, Sam. Daar hoor ik thuis.'

De telefoon gaat en op een afwezige automatische manier steekt ze haar arm uit om hem op te pakken.

'Sam,' zegt een stem. 'Goddank dat ik je weer te pakken heb. Niet ophangen dit keer.'

'Wat wil je?'

'Er is iets verschrikkelijks gebeurd.'

'Ja, dat weet ik.' Ze fronst, en haar gedachten verlopen traag. 'Ik moet het lichaam komen identificeren.'

'Sam?'

'Ja,' zegt ze. 'Spreek ik met de politie of met het mortuarium?'

'Sam, ik ben het. Lowell.'

'Lowell?'

'Lowell Hawthorne.'

'O, Lowell.'

Ik heb geprobeerd je op oudejaarsavond te bellen, maar je...'

'Ja. Sorry dat ik niet in staat was...'

'Ik belde toen vanaf de Mass Turnpike. Ik ben via de 87 naar het zuiden gekomen, en nu sta ik op het Greyhound busstation in Jersey City. Die verdomde telefooncel accepteert geen kaarten en ik heb al mijn munten opgebruikt, dus we moeten het kort houden...'

'Er was een noodsituatie,' zegt ze. 'het spijt me, maar ik kon niet...'

'Ernstige noodsituatie,' zegt Lowell.

Sam is zich bewust van een kleine ruimte die haar lichaam omgeeft, een barrière waar geluid doorheen moet komen. Lowell spreekt, en de woorden lijken zichzelf tegen die ruimte in de lucht te schrijven en Sam leest ze langzaam en wacht tot er een betekenis langs komt drijven. 'Sirocco,' zegt hij, 'Salamander.' Sam weet dat dit iets belangrijks betekent, maar de betekenis zweeft nog steeds rond en is nog steeds tastend op zoek naar de woorden. 'De dingen die mijn vader me heeft nagelaten,' zegt hij.

'Nu is er bijna niemand meer over,' zegt ze. 'Behalve ik.'

'Samantha, ik heb nog maar één minuut. Kun je dit nummer opschrijven en me terugbellen? Heb je een potlood bij de hand?'

'Nee,' zegt ze, terwijl ze zich probeert te concentreren.

'Verdomme, Samantha, luister even naar me. Jij bent hiermee begonnen, jij wilde me niet met rust laten.' Zijn stem wordt schril, geïrriteerd. 'Ik word gevolgd, en jij bent hiermee begonnen, God weet waar je mee begonnen bent met die verdomde website van je, met je vrijgegeven documenten, met al je verdomde telefoontjes – ik sta in een telefooncel. Pak een pen of een potlood,' schreeuwt hij.

'Het spijt me, ik ben zo – ik ben er niet al te best aan toe, je zult wel niet al te veel van me begrijpen.' Sam probeert zich te herinneren waar een pen of potlood zou kunnen liggen. 'Volgens mij heb ik een shock,' zegt ze, want zo voelt het.

'Werpt u alstublieft twee dollar in,' zegt een stem. 'Of waardeer uw telefoonkaart op.'

De verbinding wordt verbroken.

Shock? Is dat het probleem? Sam probeert haar hypothese te beoordelen. Ze lijkt wel in staat te zijn de meest simpele handelingen te verrichten. Als ze gerinkel hoort, weet ze dat ze naar de telefoon toe moet en ze weet dat ze moet opnemen en spreken.

Ze moet een potlood en papier zien te vinden voor als Lowell terugbelt. Potlood, denkt ze. Waar? Ze vindt er een op haar bureau en schrijft op een velletje papier: Jacobs lichaam. Moet ik identificeren. Verlangen naar Jacobs lichaam overmant haar. Ze kan precies identificeren wat ze wil. Ze klemt een kussen tussen haar benen en krult zichzelf eromheen. Ze houdt het potlood en een notitieblok in haar hand.

De telefoon gaat.

Samantha schiet wakker en zoekt hem.

'Ja?' zegt ze. 'Heb ik het lichaam geïdentificeerd?'

'Sam? Ik ben het. Lowell.'

'Ik heb een potlood.'

'Schrijf dit nummer op.' Hij leest tien cijfers voor. 'Heb je dat?'

'Ik heb het. Waar zit je?'

'Ik kom steeds dichterbij. Ik rij over de 95 naar het zuiden. Hoe snel kun je bij een telefooncel komen?'

'Telefooncel?' Opnieuw kan Sam opeens niet meer nadenken. 'Ik weet het niet.'

'Je telefoon wordt waarschijnlijk afgeluisterd. Zoek snel een telefooncel en bel me dan terug op dit nummer.'

Lowell hangt op. Sam, in de war, denkt na. Telefooncel, telefooncel. Avondwinkel, denkt ze, om de hoek. Maar die telefoon heeft geen privacy, helemaal niets. Ze rent naar beneden en klopt op de deur onder haar. 'Doug? Hoi. Ik heb een probleem. Het lijkt erop dat mijn telefoon kapot is en ik moet – zou ik je telefoon misschien even mogen gebruiken?'

'Tuurlijk. Neem de draadloze maar,' zegt hij. 'Hier. Sluit jezelf anders maar in de badkamer op, zodat je wat privacy hebt.'

'Engel,' zegt ze.

In de badkamer frummelt ze het stukje papier open en toetst ze het nummer dat Lowell haar gegeven heeft. Als hij overgaat neemt Lowell meteen op. 'Goed,' zegt hij. 'Ik ben doodsbang. Ik schat dat we iets van vijf minuten hebben voordat ze deze telefoon ook getraceerd hebben.'

Sam kan de panische angst in zijn stem horen, en nu voelt ze die van haarzelf ook, de elektrische paniek van twee mensen die reden hebben om te weten dat slecht nog veel erger kan worden.

'We moeten praten,' zegt hij. 'Maar dat kan niet over de telefoon. We moeten elkaar ergens ontmoeten. Ergens waar het veilig is, ook al weet ik niet of er wel een plek bestaat waar het veilig is. Ze hebben mijn appartement overhoop gehaald en de spullen die mijn vader...'

'Spullen die je vader...'

'Dat had ik je nog niet verteld... Weet je nog dat ik in New York die tas bij me had?'

'Je verloor hem geen moment uit het oog.'

'Mijn vader had me geheime dingen toegestuurd en die zijn gestolen. We moeten elkaar ergens ontmoeten waar het veilig is.'

'Ik weet een plek waar het veilig is,' zegt Sam tegen hem – de enige plek ter wereld waar het nog veilig is, denkt ze – en het botenhuis, het verlaten botenhuis, komt haar zo levendig voor de geest dat ze het opgedroogde zout kan ruiken, Cass kan ruiken, Jacob kan ruiken, een vloedgolf van verdriet kan ruiken die haar onderdompelt en omlaag zuigt. 'Ik weet inderdaad een plek waar het behoorlijk veilig is.'

'Niets zeggen,' zegt hij snel. 'Zeg het niet in iets elektronisch. Ik word gevolgd, dus reis ik per Greyhound en ben ik aan het liften. Ik moet van route blijven veranderen.'

'Is het echt zo...'

'Ik weet het niet zeker, maar ik denk van wel. Ik bedoel, ik weet dat ik misschien gek begin te worden. Maar ik weet ook dat mijn huis overhoop gehaald is, en ik denk echt dat ik gevolgd word, en zo gauw ik je kan vertellen waarom, dan zul je het begrijpen.'

'Hoe zullen we dan...'

'Als ik in D.C. aankom, bel ik je vanuit een telefooncel en geef ik je het nummer. Loop snel naar een andere telefooncel en bel me dan terug. Ik zal je zeggen waar je me kunt komen oppikken. Waarschijnlijk vanavond laat. Oké?'

'Oké,' zegt Sam. 'Maar ik moet eerst Jacobs...'

'Tot straks.' Lowell hangt op.

Het is donker. In het gevaarlijke noordoostelijke deel van Washington, D.C. rijdt Samantha de parkeerplaats van een restaurant op. Een man, die een bomberjack en een wollen pet draagt en een blauwe rugzak als een Indiaanse babydraagzak voor zijn borst heeft hangen, stapt bij haar in de auto. Zonder te spreken rijden ze naar het oosten en dan naar het zuiden, met de bocht van de baai mee. Als ze op de onverharde weg rijden die naar het botenhuis leidt, zegt Sam eindelijk: 'De politie heeft het lichaam van Jacob in zijn auto gevonden. We kwamen hier altijd. Ik geloof trouwens niet dat het zelfmoord was.' Ze draait de koplampen uit en zet haar auto zo dicht bij het botenhuis als ze durft. 'Ik bedoel, ik weet dat het dat wel geweest kan zijn. Het is mogelijk. Maar ik geloof niet dat hij dat zou doen. Niet zonder voorzorgsmaatregelen voor de viool te treffen.'

'Elizabeth is ook verdwenen,' zegt Lowell. 'De weduwe van mijn vader. Niet dat ze iets wist. Maar iemand was bang van wel. Of ze was zo bang dat iemand zo bang was dat ze iets wist, dat ze gevlucht is. Ze is vertrokken.' Hij houdt zijn rugzak vast alsof het een klein kind is. Hij wiegt hem. Voortdurend streelt hij hem met zijn handen.

In het botenhuis slaat Sam de visnetten om zich heen, die zichzelf opgestapeld lijken te hebben op de plek waar Jacob altijd zat.

'...Greyhound-bussen,' zegt Lowell, terwijl hij voor zichzelf een nestje maakt in de netten. 'Als je een spoedcursus over de kwestie van rassen en standen in Amerika wilt volgen, moet je in de Greyhound zijn. De laatste keer dat ik met de Greyhound reisde, was als student, toen ik in de voorjaarsvakantie naar huis ging. En dat is het hem juist. Wie gebruikt de Greyhound? Studenten. Amerikaanse studenten, en buitenlandse studenten die Amerika zo goedkoop mogelijk willen zien. Behalve studenten zijn het zwarten, Mexicanen, de armen, en de wanhopigen.' Hij lacht bitter. 'Het voordeel is, dat de FBI of de CIA of wie er ook maar achter ons aan zit de Greyhound niet neemt. Ik geloof niet dat die jongens ooit een stap in een busstation van Greyhound hebben gezet, en dat is een ander land, geloof me. Het moet een van de meest deprimerende plekken op aarde zijn, maar het is er tenminste veilig.'

'Daar zou ik maar niet op rekenen.'

'Maar ik reken er wel op, ik bedoel relatief gesproken, want als je gevolgd wordt kun je dat in je nek voelen, en aan boord van die bussen voelde ik me niet gevolgd. Niet dat ik durfde te slapen, natuurlijk.'

'In het botenhuis is het veilig. Hier hebben we in de wijde omtrek nog nooit een ander mens gezien.'

'Ik ben uitgeput,' zegt Lowell. 'Ik ben nu al twee dagen op de vlucht. Kan mijn ogen nauwelijks open houden.'

Sam kan Jacob op de visnetten ruiken en ze neemt een stuk van de mouw van haar jas in haar mond. Ze slaapt. Ze slapen allebei. Ze droomt dat Jacob haar vraagt de viool uit zijn appartement te halen en hem veilig te bewaren en ze probeert het instrument uit de verstrengeling met zijn kleren los te maken. Iemand anders in de kamer deelt bevelen uit en als ze naar de oppervlakte van Lowells woorden omhoogzwemt, zit ze in hem verstrikt en allebei zitten ze in de netten verstrikt en een brakke wind komt vanaf het moeras naar binnen waaien, en meeuwen die in de open geveltop zijn neergestreken, vliegen op als Sam zich beweegt.

Lowell praat in zijn slaap.

Hij slaapt in een ongemakkelijke houding. Zijn rugzak drukt hem uit positie, maar als Sam hem zachtjes van zijn schouders probeert te halen schreeuwt hij het uit en schiet hij rechtop en slaat hij haar met de rug van zijn hand in haar gezicht.

'Lowell! Ik ben het. Ik ben het maar.'

Wild staart hij naar haar op, nog steeds klaar om uit te halen. Hij beeft hevig.

'We zijn in het botenhuis,' zegt Sam. 'Hier zijn we veilig.'

'O, God. Sam.' Hij hapt naar adem, en slaat zijn armen om zijn knieën. 'Luister: deze blauwe tas is praktisch radioactief. Mijn vader heeft iets uit het hiernamaals verstuurd. Een deel ervan is gestolen, en een deel ervan heb ik nog.'

Sams hartslag is onregelmatig. 'Vertel het me langzaam,' zegt ze. 'Ik kan je niet goed verstaan als je me te veel tegelijkertijd vertelt. Ik kan het niet in me opnemen. Ik krijg storing of echo of zoiets.'

'Hoe ik deze dingen in handen heb gekregen...' Zijn handen wapperen, en het wapperen zegt: de verklaring is toch onbegrijpelijk. 'Een te lang verhaal, maar sinds ze bij me aankwamen heb ik ze niet uit het oog verloren of buiten mijn bereik laten komen.'

'Wat zit erin?'

'Wat er in de tas zát waren een paar videobanden en twee dikke ringbanden. Een van de ringbanden was in een soort code geschreven en ik heb er nooit iets van kunnen begrijpen. Mijn vader wilde het verborgen houden, ik weet niet hoe lang. Decennia, misschien. Hij wilde dat ik het verborg tot het veilig gelezen kon worden. De tweede was geheim materiaal, rapporten over Salamander en Sirocco, een soort werkverslag, denk ik, en daar heb ik veel van gelezen.'

'Salamander. Jij hebt de geheime rapporten van Salamander.'

'Had. Beide ringbanden zijn gestolen.'

'Maar Salamander!'

'Ik denk dat mijn vader hem goed gekend heeft. Ik denk dat mijn vader vermoord is omdat hij wist wie Salamander was. En Sirocco ook.'

'Shit,' hijgt Samantha. 'Geen wonder dat iemand achter dit materiaal aanzit.'

'De videobanden die hij me heeft toegestuurd heb ik nog steeds.' Hij klopt op de tas die in de kromming van zijn lichaam rust. 'Ik heb ze niet gezien. Ik heb nog niet de kans gehad ze af te spelen.'

'Wat staat erop?'

'Geen idee. Ik ben bang om erachter te komen. Ik ben bang geweest dat iemand anders ze zou zien, en ik ben er bang voor geweest ze in mijn eentje te bekijken. Maar ik denk dat we ze moeten bekijken.'

'Ja.'

Hij maakt de rugzak open en trekt er een tas met trekkoordsluiting uit, die gemaakt is van een kinderkussensloop. Hij laat Sam het label aan de hals zien. AF 64. OPERATIE ZWARTE DOOD. BUNKERBANDEN & DECAMERONEBAND.

'O, nee,' zegt Sam zwakjes. 'Daar kan ik niet naar kijken.'

'We moeten wel. Om de dingen die hierop staan zijn mensen vermoord.'

'Ik weet niet zeker of ik het wel kan.'

'We moeten ze bekijken voordat ze gestolen of vernietigd worden. Maar de vraag is: waar? Waar kunnen we ze bekijken? Ik neem aan dat je in dit botenhuis geen videorecorder hebt.'

'Het Saltmarsh Motel,' zegt Sam zacht. 'Dat ligt mijlen van de bewoonde wereld vandaan. Buiten het seizoen komt er niemand.'

'Hoe ver is het?'

'Niet ver als je over het water gaat. Beneden ligt een oude roeiboot. In het donker kunnen we het niet doen, maar als we wachten tot het licht wordt...'

'Nee,' zegt Lowell. 'Je kunt niet 's morgens bij een motel komen aanzetten, vooral niet buiten het seizoen. We zullen tot morgenmiddag moeten wachten.'

'Goed, dan. Laat in de middag. We wachten tot het donker wordt.'

V

DAGBOEK VAN S.:
GECODEERD

'[...] ik alleen maar ben ontkomen om het u aan te
zeggen.'

    – Job 1:15

'Het is de andere man, Borges, die dingen mee-
maakt...
Ik leef, ik laat mezelf in leven zodat Borges zijn Verhalen en gedichten kan weven, en die vertellingen
en gedichten zijn mijn Rechtvaardiging... Stukje
bij beetje heb ik alles aan hem overgeleverd, ook al
heb ik bewijs voor zijn koppige gewoonte de dingen
te vervalsen en te overdrijven... wie van ons twee
deze pagina schrijft, weet ik niet.'

    – Jorge Luis Borges, *Borges en ik*

1

S voor substructuur, subterrestrisch, slinksheid.

S voor splijtzelven, als een Siamese tweeling met elkaar verbonden.

Het is door toedoen van die andere man, Salamander, dat gebeurtenissen verschrikkelijke wendingen genomen hebben. Ik opereer onder zijn gezichtsveld, want iemand moet dat doen. Iemand moet misverstanden uit de wereld helpen. Iemand moet de brokstukken van woorden en ideeën sorteren, en ik zie bijvoorbeeld dat, als Salamander het woord 'ideeën' in zijn rapporten schrijft, of liever gezegd: in de handgeschreven aantekeningen voor zijn rapporten, hij 'id'n' als afkorting gebruikt, een meervoud aan id'n, wat, als je erover nadenkt, een enkelvoudig idee is, en hij gebruikt de afkorting 'id' als hij het over een 'idee' in de niet-meervoudige vorm heeft, als een enkel bevrucht zaadje. Het is de moeite waard deze gewoonte van hem te observeren, dit exhibitionisme, deze afkorting vol toespelingen die *id* zou kunnen betekenen, ideogram, identiteit, identiek, ideoloog, of idioot.

Ik wil dat u dit laat ophouden, dr. Reuben. Ik wil dat u er een eind aan maakt dat woorden me dit aandoen, dat ze me dan weer deze, dan weer die kant op id'en, zonder dat ik het in de hand heb. Ze maken me gek. Ik wil dat u ze laat ophouden.

Ik wil dat u Salamander laat ophouden steeds meer ruimte in te nemen terwijl ik – hebt u het gemerkt? – steeds kleiner word, als Alice in Wonderland met het krimpdrankje. Ik wil dat u ervoor zorgt dat ik niet nog meer verdwijn.

Ik wil dat u de dromen laat ophouden.

In deze droom lopen de passagiers allemaal ongedeerd in de vlammen rond, en ik ben degene die misvormd is. Mijn gezicht en mijn hele lichaam zijn dubbelgevouwen en geplooid en opgerold, als een geroosterde gedroogde pruim. Kinderen wijzen en staren en maken verkenningstochten naar de geblakerde topografie van mijn lichaam. Ze klimmen op mijn striemen en glijden langs mijn littekens omlaag. Ik herken de kinderen en hier word ik verdrietiger van dan ik aankan, want ik was degene die ze gered heeft.

Dit zijn de kinderen die ik gered heb.

Ik probeerde iedereen te redden, maar de kinderen heb ik tenminste wel gered.

Dat heb ik tenminste wel gedaan. Dat was iets.

Ik heb rechtstreeks met Sirocco gesproken, ik sprak rechtstreeks in zijn oor, want we hielden altijd contact via de radio, hij vanuit het vliegtuig, en ik vanuit een locatie die ik u natuurlijk niet mag vertellen, dr. Reuben, zelfs u niet, hoewel het niet ver hiervandaan was. We hielden bijna tot aan het einde toe contact via radio en video, en toen het contact verloren ging... wel, ik geloof niet dat dat door toedoen van Sirocco was of dat hij er bewust voor gekozen had.

De gevaarlijkste vijand is de agent van wie je ten onrechte gelooft dat hij aan jouw kant staat.

Toen Sirocco en ik nog contact hadden, pleitte ik; ik onderhandelde, ik deed overhaaste en ongeautoriseerde toezeggingen. Ik uitte bedreigingen en ik probeerde hem met steekpenningen te verleiden. Dat was riskant. Bij ons werk is het onacceptabel persoonlijke emoties een rol te laten spelen, en Salamander en ik worstelden in onszelf met de kwestie en ik won. Indertijd legde ik meer gewicht in de schaal dan nu. Salamander en ik hadden evenveel gewicht. Hij werkte in zijn invloedssfeer, ik hield me aan de mijne. Operatie Zwarte Dood was een in politiek opzicht noodzakelijke oefening die uit de hand liep. Het was altijd een gok, maar een intelligente gok, en een noodzakelijke gok, en bijkomende schade is simpelweg een onderdeel van het spel. Altijd. Dat weten we.

Niettemin.

De officiële gedragslijn – die van Salamander – was deze: gebeurtenissen die in gang gezet zijn moeten hun beloop krijgen. Ze moeten hun beloop kunnen nemen. Als je ingrijpt, als je een moersleutel in de wielen probeert te gooien terwijl het hele idee in beweging is, wel... Om het maar bot te zeggen: als je de kinderen eruithaalt, kunnen die kinderen jou wel eens kapotmaken, als ze eenmaal opgegroeid zijn.

Zo dacht Salamander.

Maar die kinderen zijn kínderen, protesteerde ik, en ik gaf instructies waar geen toestemming voor was gegeven.

Laat mijn kinderen gaan, beval ik Sirocco, want ik beschouwde ze inderdaad als van mij, als mijn missie; ik dacht aan ze alsof de zorg voor ze aan mij was toevertrouwd. En toen het eenmaal tot me doorgedrongen was dat de levens van de kinderen het enige onderwerp was waarover onderhandeld kon worden, gebruikte ik het enige wapen dat ik had om ervoor te zorgen dat Sirocco akkoord ging. We hebben je eigen kinderen gelokaliseerd, zei ik tegen hem.

U moet weten, dat hij ze van Riyadh naar Algerije had verhuisd, zodat zijn dochter samen met zijn zoons aan een Franse school zou kunnen studeren. In die school zal een ongeluk gebeuren, zo beloofde ik hem, en vele studenten zullen de dood vinden. Hij wist dat dat iets was waar ik voor zou kunnen zorgen. Dat zal gebeuren, zo beloofde ik, als je de kinderen niet laat gaan.

En hoewel Sirocco in het verleden heeft laten zien dat hij steeds ongevoeliger voor bedreigingen is geworden, liet hij de kinderen toch gaan.

Dat was een overwinning voor me, hoewel ze van korte duur was. In ons vakgebied is het een doodzonde je tegenstander persoonlijk te haten, en allebei haatten we Sirocco, Salamander en ik. Onze vijandigheid was gepassioneerd, en passie is een grote fout. Het vertroebelt het beoordelingsvermogen.

Hier krijg je spijt van, voorspelde Salamander.

Misschien, erkende ik. Waarschijnlijk.

Maar ik ging nog verder. Ik gaf een memo aan hogerhand door waarin ik al mijn bewijzen tegen Sirocco uiteenzette: de documenten, de ontmoetingstijden, de banden. Salamander werd te kennen gegeven dat hij ze ter vernietiging moest afgeven. Het zou niet in het belang van de staatsveiligheid zijn, zo werd hem verteld, om door te gaan met...

Natuurlijk volgde Salamander de instructies op.

Maar ik daarentegen maakte eerst kopieën, zodat de waarheid op een dag, in een zeker jaar, aan het licht zal komen.

Ik draag Salamander als een boetekleed. Als een ijzeren long. Maar nu wil ik mezelf beroepen op die momenten van ontsnapping waarop ik hem trotseerde. Ik wil ze de kinderen van vlucht 64 aanbieden, ik wil ze aan mijn tweede vrouw aanbieden, en aan onze zoon L., en aan mijn dochter F., aan de geschiedenis, aan welke rechters er ook aan de andere kant van de laatste afgrond op me zitten te wachten. Maar als ik dit in de droom aan de kinderen probeer uit te leggen, komen de woorden als hete teer uit mijn mond.

Op deze plek, waar geen vogel zingt, vraag ik niets onredelijks. Volgens mij zijn mijn eisen redelijk, dr. Reuben, gezien de prijs die ik betaald heb. Dit zijn mijn verzoeken.

Het zijn vooral de nachten die ik wil vermijden. Ik wil dat u de nachten laat ophouden.

Tijdens die nachten waarin de marteling komt, als niets anders helpt, wil ik toegang blijven houden tot het souterrain dat zich niet in mijn deel van de stad bevindt. In de verste verte niet. Het ligt ver van de keurig onderhouden, loofrijke straten van Georgetown waar ik met E. woon. Het gebouw dat toegang verschaft tot dat donkere en begerenswaardige souterrain verschilt nogal, zelfs zeer, van het elegante huis in de stad waar ik met mijn jonge vrouw in woon. Zoals u, de ultieme voyeur, inquisiteur, wellustige decodeerder van mijn dagboek, zeer goed weet (want vergeet niet dat ik weet voor wie u werkt, dr. Reuben. Ik bestudeer altijd hoe u mij bestudeert, en uw reacties zijn nuttig en onthullend voor me, en ze worden opgenomen)... zoals u weet, refereer ik aan het kleine souterrain van de jonge courtisane, de lieflijke Anna in leer en kettingen.

Anna woont in dat verafgelegen, verfrissende, verkwikkend onveilige deel van onze stad. Onze prachtige stad. Ze woont buiten de ringen van de satijnzachte busroutes en achter het vlekkeloos witte aura van het Capitool, dat niet zichtbaar is vanaf de vervallen veranda's voor de huizen in haar straat. Ze woont aan de achterkant van de maan. Ik zal nauwkeurig zijn, aangezien ik zeer goed weet dat ik gevolgd en bekeken word (ik volg hoe u mij volgt): we hebben het over de verwaarloosde rijtjeshuizen, ver weg langs New York Avenue, opeengepakt tussen de spoorlijnen en die spelonkachtige gaten in de weg, waar zelfs de zacht zoemende limousines die van en naar de Baltimore-Washington Beltway rijden ruw in aanraking komen met de werkelijkheid. De lieflijke Anna, mijn Nefertite, is zwart en zingt het trieste ondergrondse nieuws, dat ik uit hoofde van mijn functie onder rioolputdeksels moet houden. We hebben een contract dat we beiden ten volle begrijpen.

Ik wil dat Anna zich aan dat contract houdt.

Ik wil in een andere huid zitten. (U zou de salamanderhuid, de verbrande huid, voorzichtig kunnen ophangen, als een trouwkostuum, en iemand anders zou hem tweedehands kunnen gebruiken.)

Ik wil dat u dat kleine meisje het zwijgen oplegt, dat kind in de blauwe jas, dat kind dat als een wraakzuchtige furie haar best doet. Ze weet niet, ze heeft er geen idee van waar de lont die ze aansteekt naartoe leidt, of wat een verschrikkelijke ontploffingen door de vonken teweeggebracht zullen worden. Ik wil dat u de schroeiplekken van de blauwe jas afhaalt.

Als u dat kleine meisje het zwijgen kunt opleggen, zal ik alles vertellen wat ik weet. Als een gevangene op de pijnbank zal ik alles opbiechten. Hoe dan ook, ik zet alles uiteen, alles, dat zweer ik; en u alleen zult de decodeersleutel in handen hebben.

Is mijn uur al om?

Zal ik u met het dagboek van mijn dromen achterlaten?

2

Collegeaantekeningen (voorlopig):
**Technologie van Moderne Oorlogvoering en Vergaren van In-
lichtingen: Inleiding**

Harvard, Yale, Princeton, MIT, Cal Tech, en allemaal zijn jullie stuk
voor stuk ook nog eens Phi Bèta Kappa. Jullie zijn me de eliteclub wel.
Jullie zijn niet alleen cum laude afgestudeerd aan onze beste uni-
versiteiten, maar jullie hebben ook nog eens een strenge procedure
met psychologische en veiligheidsonderzoeken doorstaan. Jullie zijn
clean. Jullie zijn van gehard staal. En toch zullen jullie deze opleiding
niet allemaal afmaken.

Jullie zullen wel gezien hebben dat we geen standaardtekst gebruiken. Maar we zullen jullie hand-outs geven, en als jullie straks aan het
einde van dit college deze zaal verlaten, verzoek ik jullie vriendelijk een
van deze klappers mee te nemen, waaraan – let op terwijl ik het voor-
doe – gemakkelijk nieuwe bladzijden toegevoegd kunnen worden.
Voor het vakgebied waar wij in gespecialiseerd zijn komen elke maand
nieuwe gegevens binnen. De hoofdstukken voor deze bijbel worden op
dit moment geschreven.

Laten we bijvoorbeeld eens kijken naar een incident dat in 1979 in de
Sovjet-Unie plaatsvond. Een ongeluk in Sverdlovsk – een lek bij de mi-
crobiologische onderzoekseenheid van het leger – zorgde ervoor dat er
antraxbacillen in de lucht vrijkwamen. Resultaat: achtenzestig doden.
Wat leren we, welke beelden kunnen we uit deze gegevens samenstel-
len?

Denk als een terrorist.

Zou er opzettelijk een panische angst voor antrax gezaaid kunnen worden? Zou een klein vliegtuig – laten we zeggen een tweezitter met een GO METS-lint achter zich aan – miltvuurbacillen over New York kunnen sproeien? Zouden we antraxweer kunnen krijgen? Een antraxmist zou geurloos en onzichtbaar zijn. In luchtstromen zou die zeer grote afstanden afleggen voordat hij verspreid wordt. Zou er massasterfte door plaatsvinden? Welke voorzorgsmaatregelen zouden getroffen kunnen worden? Zouden er gepaste voorbereidingen getroffen kunnen worden? Op dit gebied weten we niet genoeg, hoewel ons bewijsmateriaal ons wel de volgende indruk geeft: alleen wij zelf produceren op dit moment antrax met een hoog octaangehalte, van het soort dat een terrorist nodig zou hebben, hoewel we onze ogen zeer nauwlettend en zeer nerveus op Irak gericht houden. Straks zullen we alle implicaties en mogelijke scenario's van bioterroristische antraxaanvallen – zowel offensief als defensief – tot in detail bekijken.

Dus wat is ons leerplan? Van jullie zal verwacht worden dat jullie de samenstelling en de structuur van chemische middelen kennen, van gassen die het zenuwstelsel aantasten, van gassen die blaren veroorzaken, en van stoffen die het lichaam binnendringen. We zullen jullie nieuwsbeelden van recente en huidige toepassingen laten zien. Op dit gebied leren we al doende. We beschikken over meer gegevens dan tijd om ze te verwerken. Bijvoorbeeld: de sarin-aanslag in de metro van Tokio, op 20 maart 1995, die door de sekte Aum Verheven Waarheid uitgevoerd werd. De aanslag was voorbereid op een schapenboerderij in de binnenlanden van Australië. Eén jaar vóór hij werd uitgevoerd was er al voor geoefend, en we beschikten over bewijzen, we beschikten over satellietfoto's: honderden hectaren land met lijken en skeletten van schapen. We slaagden er niet in deze gegevens op juiste wijze te interpreteren, we doorzagen de nodige verbanden niet op tijd, maar Tokio is strikt genomen dan ook niet ons werkterrein. Laat ik u geruststellen: binnen onze eigen landsgrenzen worden de aanhangers van Aum Shinrikyo in de gaten gehouden.

Van tijd tot tijd zullen we simulaties in het laboratorium uitvoeren. We zullen het veld in gaan.

We hebben, als jullie mij de ironie van de uitdrukking willen vergeven, geluk dat we wekelijks een smörgåsbord aan agressieve operaties tot onze beschikking hebben. Beperkte conflictgebieden breiden zich uit, en de hoeveelheid beperkte oorlogszones neemt exponentieel toe. Voor onze doeleinden is dat alles ideaal. Jullie zullen een bezoek brengen aan deze intieme theaters van oorlogszucht, soms letterlijk, soms virtueel, via onze surveillancesystemen. Beide situaties zullen interactief zijn. De informatie die uit deze missies verkregen wordt is enorm waardevol, en dat kan niet genoeg benadrukt worden, want alleen door dergelijke experimenten in de praktijk kunnen we de deining, oftewel de bijkomstige fysieke en psychologische gevolgen waarnemen. Bijkomstige fysieke effecten blijven niet beperkt tot het personeel; ze kunnen ook in het milieu plaatsvinden. Een kettingreactie in het omliggende terrein ontwikkelt zich op zijn beurt weer tot een verdere opeenvolging van fysieke gevolgen voor het personeel.

Een vuurstorm, bijvoorbeeld.

'Alles staat in brand,' zei Boeddha. 'Het oog staat in brand; vormen staan in brand; impressies die het oog ontvangt staan in brand.'

Siddhartha Gautama, of Boeddha, zoals hij bij het grote publiek bekendstaat, werd in de zesde eeuw voor Christus in India geboren, in hetzelfde jaar waarin koning Nebukadnezar stierf. Ik mag graag fantaseren dat Boeddha in de baarmoeder de brandende oven zag die de koning van Babylon gemaakt had.

Verbaast het jullie dat deze cursus teruggaat tot de literatuur uit de Oudheid? Als het goed is verbaast het jullie niet. Technologieën veranderen, maar de essentie van oorlogvoering is psychologisch van aard, en is dat ook altijd geweest. We nemen hier dan ook welbewust het risico het inzicht van de kunstenaar te negeren. Het is de kunstenaar – het is Homerus – die de hiel van Achilles observeert en benoemt. Het is de opmerkzame krijger die wat met deze informatie doet. Het was Paris, de jongere broer van de grote Hector, die de pijl afschoot die zich door de kwetsbare voet van Achilles boorde.

En wie was Paris, dat hij de grootste krijger aller tijden vermoordde?

Paris was niets. Paris was een dromer, een rokkenjager, een minnaar, een lafaard die door zijn eigen volk, de Trojanen, veracht werd. Paris was een krankzinnige met een dom hoger doel, de obsessieve liefde van de wispelturige Helena, en het is juist dat, die waanzin, die hem tot de joker in het kaartspel maakt, de gevaarlijkste figuur van allemaal.

We nemen het risico degenen te negeren die een hoger doel voor ogen hebben. Nooit zal er een dodelijke technologie voorhanden zijn die ze kan tegenhouden. Daarom bestuderen we zowel verleden als toekomst. Waar leid ik jullie in wezen voor op? Wat is onze missie? Onze missie is het waakzame observeren, en het kanaliseren, van de waanzin van de ware gelovigen, en dat doen we in het belang van wereldwijde stabiliteit voor het gemeenschappelijke goed.

Het is een verheven roeping.

En dus mag ik soms graag nadenken over de kleine Boeddha die dagdroomde over die lastige joden, die drie gekken met een hoger doel, die Nebukadnezar volgens de bijbelse overlevering in de oven liet werpen. Stel je ze eens even voor, Shadrach, Mesach, en Abednego, roodgloeiend. Het boek Daniël verhaalt dat de hitte van die oven zo groot was dat de mannen die het vuur stonden op te stoken zo knapperig als bacon gebakken werden in hun eigen lichaamsvet.

Maar jullie zullen je vast wel herinneren dat de adviseurs van de koning, toen ze bij hem geroepen waren om nieuws over de doden aan de kant van de rebellen te komen brengen, tegen hem zeiden: 'We zien mannen, goden gelijk, o koning, die ongedeerd in het vuur rondlopen.'

Onthoud die woorden goed, want ook onze harten branden voor een hoger doel.

Over alles wat wij doen is al eens gedagdroomd en het is allemaal al eens voorspeld. Van Sodom en Gomorrah tot Nagasaki, lopen wij in de voetsporen van alchemisten en de goden. Uit lucht creëren we vuurstormen, en we lopen ongedeerd in het vuur rond. We zijn de Zeus van de bliksemschichten, en we zijn de experts op het gebied van decontaminatie en overlevingsstrategieën. We hebben dan misschien nog niet geleerd hoe we een hemel op aarde moeten maken – hoewel we deze planeet veilig proberen te houden voor degenen die zich overgeven aan het idee van een hemel – maar we zijn specialisten in het maken van die andere wereld waar het evangelie van Marcus het over heeft, een plaats waar hun worm niet sterft, en hun vuur niet wordt uitgeblust.

Deze cursus zal jullie opleiden voor het innemen van zowel defensieve als agressieve posities: in Operatie Shadrach en in Operatie Nebukadnezar, in Operatie Verlossing en in oefeningen als Operatie Zwarte Dood.

Het vak waar ik mijn leven aan gewijd heb, en waartoe jullie uitverkorenen willen toetreden, is evenzeer een kunst als een wetenschap, en lijkt zelfs nog meer op een zeer verfijnd kansspel waar grote vaardigheden voor vereist zijn. Wij zijn als schakers die levende stukken op het schaakbord van de wereld verplaatsen. Wij zijn net zo afstandelijk en zonder blaam als goden, maar net als alle scheppers moeten we een beroepsrisico onderkennen. Onze schepsels fascineren ons: zowel degenen die we tot monsters maken als degenen die ons ontsnappen; vooral degenen die ons ontsnappen. We raken geobsedeerd. We lopen het risico dat we hun levens gaan benijden.

In ons vakgebied ('we maken de wereld veilig voor stabiliteit,' zoals we graag zeggen; en soms, verliefd op onze eigen esoterische scherpzinnigheid, 'we maken de wereld veilig voor moraalsystemen') is het een feit dat alles chaos is; dat orde niet alleen willekeurig maar ook vluchtig is, en dat het de taak van een kleine kring van gelijkgezinden is hem in het leven te roepen en te beschermen. Welk ordesysteem we precies onderhouden – moreel en politiek gesproken – doet niet ter zake. We ondersteunen het systeem dat de meeste overlevingskans heeft. Vandaar ons dilemma. Ik heb het hier niet over persoonlijk instorten, of over die kansloze en paniekerige poging om met het vak te stoppen, hoewel ik langs die stortkokers meer vrienden en collega's heb verloren dan me lief is. Dit is geen vakgebied dat jullie kunnen verlaten.

Laat me dat feit herhalen, hoewel jullie het al weten, want anders waren jullie niet zo ver gekomen.

Je terugtrekken uit dit werk is geen optie. We bewaren jullie ziel als borg. Let op: van jullie twintig in deze kamer, de crème de la crème die het gehaald hebben en voor deze cursus ingeschreven staan, zullen negen van jullie ons ontvallen nog voordat de cursus is afgelopen, en wel door de twee valluiken die ik zojuist genoemd heb. In de wereld van de inlichtingendiensten is het loon der zonde de dood. Ik weet dat jullie dit begrijpen. Anders zouden jullie het niet tot dit college gebracht hebben.

Maar er is nóg een valkuil, die in ons vakgebied zelden erkend wordt, en dat is degene waar ik al op gezinspeeld heb: het risico geobsedeerd te worden door de stukken op het bord. Om dit in begrijpelijke literaire termen te vertalen: jullie lopen het gevaar gefixeerd te raken op Paris en Helena, die idioten, die helemaal niets om Griekenland of Troje geven, noch om Hector of Achilles, noch om het Paard van Troje of om alle briljante oorlogsmachines. Terwijl de veldslag in alle hevigheid woedt, gaan zij door met het bedrijven van de liefde, en jullie kunnen geobsedeerd raken door de wens ze daarvoor te laten boeten.

Dat kan tot ernstige beoordelingsfouten leiden.

Of jullie kunnen ontsporen door Shadrach, Mesach en Abednego; of door Daniël, door Daniël van de leeuwenkuil, koppige domme Daniël in de kuil. Jullie raken geobsedeerd door degenen die niet gebroken of onderworpen kunnen worden.

Kijk daarvoor uit.

Zo'n obsessie zal fatale beoordelingsfouten in de hand werken.

Zo'n obsessie zal jullie voorgoed uitsluiten.

Zelfs jullie codenaam zal geschrapt worden.

En dan, tot slot, is er de eeuwige, dagelijkse uitdaging van jullie tegenstander aan de kant van de vijand, de zeloot wiens energie jullie willen intomen, de criminele agent die jullie in listigheid evenaart, die jullie met het inzetten van dubbelagenten nog een stap voor is, die jullie met een driedubbele bodem kan bedriegen, die jullie kan verleiden tot een dans des doods die steeds heftiger wordt. Hem te slim af zijn is de geheime verslaving die jullie aan deze loopbaan zal kluisteren, die jullie zo zal obsederen dat jullie je uiteindelijk nergens anders meer mee bezighouden. Hij is degene die jullie zal vernietigen, tenzij jullie hem eerst doden, maar jullie durven hem niet te doden voordat hij het doel gediend heeft waarvoor jullie de tijger in eerste instantie bij zijn vel hebben gepakt en aan de wilde rit op zijn rug zijn begonnen.

Wij zijn gokkers, dames en heren, in een spel met een hoge inzet. Timing is alles.

Nog iets wat jullie niet mogen vergeten: als we elkaar ontmoeten, of als jullie elkaar in gezelschap ontmoeten, zullen we elkaars normale namen gebruiken.

Tijdens deze cursus, op elk terrein van ons vakgebied, zijn alleen codenamen toegestaan. Gebruik op papier slechts codenamen. Als er ooit bewijsmateriaal gevonden wordt dat een codenaam aan een identificeerbare naam koppelt, zullen jullie geëlimineerd worden.

In de schaduwwereld die jullie nu betreden hebben, zullen jullie mij Salamander noemen.

3

Ik wil dat u de dromen laat ophouden, dr. Reuben.

Ik wil de kinderen uit mijn dromen weg hebben.

Ziet u die ene, die kleine met het donkere haar en de ernstige ogen? Zijn adem is een zoet mengsel van met kerrie gekruid voedsel, angst, en iets dat op kardemom lijkt. 'Hoe heet jij?' vraag ik hem, en hij zegt: 'Agit,' en ik beloof hem: 'Alles komt goed, Agit.' Dat was mijn belofte aan dat kleine gezicht op mijn monitor. Hoe ik het zeg, hoe ik het voel, is dat ik mijn belofte ben nagekomen op het moment dat ik hem (bij wijze van spreken) op de ontsnappingsglijbaan zette, dat wil zeggen toen een lid van Sirocco's misdadige bemanning hem een duw gaf en hij Duitsland binnen gleed.

Maar hij groeit niet op tot een dankbaar mens.

Zou het destijds dan beter geweest zijn om hem bij zijn moeder aan boord van het vliegtuig te laten blijven? Dat is de vraag. Zou het beter geweest zijn om hem over die grens te laten glippen die we uiteindelijk allemaal moeten oversteken? Zou het toen beter geweest zijn, destijds, in plaats van dertien jaar later, zoals het gebeurde, moest gebeuren, zoals vereist was? Dat is een moeilijke morele vraag. Zulke verschrikkelijke ongelukken heb ik op bevel moeten regelen.

Niet meer, zei ik.

Ik verdom het. Voor Agit Shankara zal niets geregeld worden.

Maar wat maakt het voor verschil als er altijd anderen zijn die deze zaken ter hand zullen nemen?

Niettemin weigerde ik. Ik ken de prijs die ik daarvoor zal betalen.

Ik word gekweld door wat er van me werd geëist. 'Ik sta zo diep in het bloed,' en Macbeth begon ook met gewone onschuldige ambitie en buitengewone toewijding en verloor simpelweg de grond onder zijn voeten, want je hebt het niet in de gaten als het gebeurt, dat is het probleem, tot de dag waarop je een stap te veel zet en plotseling loop je klotsend door het bloed en er kleeft bloed aan je handen en bloed op het plafond en op de muren en bloed in je adem en in je denken en je herkent Operatie Macbeth, of Operatie Bloed, en ja, ja, *Zo ver in het bloed heb ik gewaad, dat, als ik nu bleef staan, terugkeer zwaarder viel dan 't verder gaan.*

Er is niets nieuws onder de zon, dr. Reuben.

Ziet u het kleine meisje in de blauwe jas? In mijn gedachten heb ik haar duizenden keren opgetild. 'Wees maar niet bang,' fluister ik, want eigenlijk ben ik een erg zachtaardig man, vooral en altijd met kinderen. Ik laat de jas van haar schouders af glijden want op die manier is het gemakkelijker voor haar, en als ik haar boven aan de glijbaan neerzet streel ik haar wang. Haar katoenen jurkje blijft ergens achter haken, een metalen rand, de hendel van het ontsnappingsluik, en o wat probeer ik panisch haar kleding los te maken en haar vrij omlaag te laten glijden (we hebben zo weinig tijd), en ik blijf achter met een stukje stof tussen mijn vingers. Het is wit, bestrooid met vergeet-mij-nietjes, en aan één kant zit een stukje smokwerk: een paar strookjes katoen, wat wit garen, een gesmokte rozenknop. Op de monitor zag ik dat een van Sirocco's misdadigers het in zijn zak stopte, en ik bewaar het in een zak in mijn geest. Daar zit het altijd.

Zij, klein lief vogeltje, vliegt omlaag naar het asfalt, ongedeerd.

En kijk nu eens. Wat zou het kunnen betekenen dat zo'n onschuld zo wreed en wraakzuchtig is? Ze heeft een engelengezicht. Haar vleugels zijn van zijde en ze glijden als trage blauwe vliegers, fantastisch mooi, maar op de punten van de vleugels zit prikkeldraad.

Ik roep terug de droom in: Jullie begrijpen het niet. Jullie weten niet hoe het is om een tijger te berijden. Als ik er niet geweest was, zou niet één van jullie gered zijn, niet één. Niet één enkel kind zou uit dat vliegtuig gelaten zijn, als ik er niet geweest was.

Maar niemand hoort het.

4

Tocade. Waarschijnlijk raakte ik net zozeer door hem geobsedeerd als mijn dochter en Sirocco en de vrouw wier codenaam Geneva is, en u kunt zich voorstellen hoe vooral die aanvaring onze interesse wekte. Als twee afzonderlijke mensen die wij in de gaten houden contact met elkaar maken, nemen we aan dat onze verdenkingen klopten.

Dat begrijpt u toch wel, of niet, dr. Reuben?

U kunt zich voorstellen dat de samengestelde eenheid aan een zeer nauwkeurig onderzoek onderworpen wordt, en in dit geval, in hun geval, de zaak Tocade-Geneva, was er nog een bijkomstige factor, de X-factor, de stimulans. Wij – mijn collega's in het vak en ik – raken gefascineerd door die onderwerpen van surveillance die niet beïnvloedbaar zijn, die op de index van beïnvloedbaarheid nul scoren, zoals wij dat noemen, die niet aan stimuli toegeven, die onder druk niet doorslaan, die zelf de uitzonderlijke aard van hun koppigheid niet eens begrijpen, wat simpelweg op domheid zou kunnen duiden, dat denk ik vaak, of misschien op een zekere mate van stompzinnigheid die je normaal gesproken alleen in stripboeken aantreft, bijvoorbeeld de Roadrunner van de tekenfilms, met zijn krankzinnige onvermogen te begrijpen wanneer hij volkomen weggevaagd en platgewalst en vernietigd is, en het is juist zijn ziekelijke domheid die er paradoxaal genoeg voor zorgt dat hij met geen mogelijkheid te doden is. U zult begrijpen dat dat de reden is waarom Tocade en Geneva een obsessie voor me werden, en daarom voor Sirocco.

Voor ons.

De aantrekkingskracht die dat soort mensen op ons uitoefent is even groot als het wantrouwen dat ze ons inboezemen. We houden ze nauwlettend in de gaten. Ze zijn gevaarlijk. Als ze niet al voor iemand anders werken, willen we dat ze voor ons komen werken, en niet alleen omdat ze dankzij hun beroep zulke goede dekmantels voor onze doeleinden zijn. We lijken misschien wel wat op vampiers – ik kan dit soort dingen tegen u zeggen, dr. Reuben, omdat u niet opkijkt van de schaduwkanten van het menselijk gedrag, of wel? – we lijken wel wat op vampiers, dat geef ik toe. We zijn onze eigen zielen kwijtgeraakt en dus zoeken we de mensen op wier levendigheid ons op een pijnlijke manier herinnert aan datgene wat we ooit waren, want toen we aan deze loopbaan begonnen waren we allemaal idealisten, dat is onze tragedie. We zijn ooit begonnen omdat we geloofden – zeer vurig geloofden – in het idee van een vrije samenleving. We geloofden dat onze manier van leven behouden moest blijven. We geloofden dat onze vormen van staatsbestuur koste wat kost in stand gehouden moesten worden.

Ja, daar zit de moeilijkheid: koste wat kost. Daar begint het hellend vlak...

We glijden uit, we nemen één kleine, compromitterende – maar absoluut noodzakelijke – beslissing, een opportuun besluit, een complexe en moeilijke en geïnformeerde keuze tussen de minste van twee kwaden, en dit besluit leidt, binnen één maand of tien maanden, of binnen een jaar, tot een ander riskant maar essentieel besluit, en dan merken we dat we ons op een helling met losse stenen bevinden, uitglijdend en schuivend en vallend en vallend en vallend...

Ik betrap mezelf erop dat ik vaak nadenk over de bliksemsnelle val van Icarus, en dan vraag ik me af wat er door zijn hoofd ging toen hij neerstortte.

En zijn vader, die toekeek? Wat ging er door diens hoofd?

En door dat van Isabella, toen het vliegtuig ontplofte; wat dacht zij toen? Maar nee, daar denk ik nooit over na, ik denk nooit na over Isabella, mijn tweede vrouw, die ik dacht gered te hebben. Ik denk nooit na over Icarus of Isabella of een van die andere ten ondergang gedoemde hoogvliegers...

Wat...?

O.

Tocade en Geneva. Over hén denk ik zeker na, want ik voel me aangetrokken tot mensen die – dat doen we allemaal in dit vakgebied, het is een noodlottige aantrekkingskracht. We begeren ze, we parasiteren op ze, we willen de kus van de levende dood doorgeven. Ziet u, wat we willen zeggen is: jullie zijn toch net als wij, corrumpeerbaar. Jullie kunnen gekocht worden; of als jullie niet gekocht kunnen worden, kunnen jullie gebroken worden. Jullie kunnen ertoe gebracht worden te erkennen dat een veelheid aan compromissen de voorwaarde voor het welzijn van de natie is – zelfs duistere compromissen, zelfs compromissen die jullie onder normale omstandigheden weerzinwekkend zouden vinden.

Wilt u dat ik u over het moment vertel waarop volgens mij deze obsessie begon? Eens kijken... volgens mij met een foto, een foto van de man en mijn dochter in een bistro want natuurlijk moest ik ze in het oog laten houden, zowel ter bescherming van mijn dochter als van mezelf, en in het belang van de gehele natie. In het belang van de wereldvrede zelfs, want u begrijpt vast wel dat Françoise en haar moeder breekpunten waren, achilleshielen – begrijpt u het risico? – ze zouden voor chantagedoeleinden gebruikt kunnen worden; ze begrepen volgens mij nooit hoeveel zorgen ik me over hen maakte...

Dus liet ik haar de foto zien en Françoise zei: 'Je mag hem niet hebben, papa. Dat sta ik niet toe. Hij is van mij.'

'Waar heb je hem opgeduikeld?'

'Dat vertel ik je niet,' zei ze. 'Ik vertel je niets over hem. Ik wil dat je ons met rust laat.'

'Lieve schat,' zei ik, terwijl ik haar hand streelde. Ik was erg, erg dol op haar, erg trots op haar schoonheid. 'Je weet hoe zinloos dat is. Ik weet al waar en wanneer hij geboren is, wat zijn staat van dienst in het leger is, wat voor boeken hij leest, en ik ken zijn medische dossier, wat de reden is waarom ik je ten zeerste zou willen aanraden in bed de nodige voorzorgsmaatregelen te treffen.'

Ze zei: 'Ik haat je, papa.'

Natuurlijk haatte ze me niet. Toen nog niet. Niet tot het moment waarop ik haar leven gered had, waarna ze wist... Maar eerder, voordat dat allemaal gebeurde, haatte ze me niet. Al was het alleen al omdat ze te veel waarde hechtte aan haar toelage en haar kleine atelier in het zevende, maar omdat ze op die wanhopige heftige manier verliefd was – op de manier waarop men maar eens in het leven verliefd is – besloot ik hem zelf te gaan polsen.

'Meneer Charron,' zei ik, terwijl ik hem op de Parijse boekenbeurs mijn kaartje liet zien. 'Mather Hawkins van Trident Books, een kleine literaire uitgeverij. We delen...'

Wat?

O. Ja, u wijst op een interessant gegeven, dr. Reuben. Er is iets wat er niet van houdt weggevaagd te worden. In de identiteit zit een kern besloten die zichzelf per se bekend wil maken, zelfs wanneer aliassen en codes een hele levenswijze zijn. Dus. Ja. Mather Hawkins.

'Mather Hawkins,' zei ik. 'We delen een interesse in Afrikaanse en Oost-Europese schrijvers.'

'Ja?' zei hij, terwijl hij mijn visitekaartje bestudeerde. 'Ik heb nooit van u gehoord.'

'We zijn een onderneming met grote literaire aspiraties, erg klein, en we zijn gehuisvest in New Haven in plaats van in New York.' Destijds was hijzelf nog niemand, niet meer dan een loopjongen bij een van de grote uitgeverijen, maar wel iemand om in de gaten te houden, zeiden de mensen, *une affaire à suivre*, hard en briljant, *un stratège ténébreux*, een alleslezer, en een opmerkzame lezer met een gave voor het herkennen van toekomstig literair succes. Dit was nog lang voordat hij zijn eigen kleine maar briljante uitgeverij, Editions du Double, opgericht had, maar dat zeiden mensen in het boekenvak toen al over hem. Hij zag er mager en hongerig uit, op een manier die me opwond. Mensen die er zo uitzien kan ik goed gebruiken.

'Ik dacht dat we misschien iets voor elkaar zouden kunnen betekenen,' zei ik. We spraken Frans, weet u. Zijn Engels is matig; ik zorgde ervoor dat mijn Frans klonk alsof het net goed genoeg was, en mijn uitspraak was met opzet slecht.

Hij trok een wenkbrauw op. 'Echt?' vroeg hij, en ik vroeg hem: 'Kan ik u iets te drinken aanbieden?' en hij zei: 'Waarom niet?' En toen we aan onze scotch-and-soda's in de Brasserie de Cluny zaten, vroeg hij botweg: 'Wie staan er op uw fondslijst?'

'Drozic, onder anderen,' zei ik, terwijl ik een elegante kleine poëziebundel uit mijn koffertje haalde. 'Zoals u weet, wordt hij hier door Gallimard uitgegeven.' Ik keek toe terwijl hij door het boek bladerde. Ik was erg trots op dat werkje, dat ik door een paar oude klasgenoten van Yale in elkaar had laten zetten. Ik had hun de vertaling laten doen en een volksboek laten ontwerpen. Mijn klasgenoten zijn bibliofielen die een handmatig bediende drukpers hebben, een echt stukje antiek, en ik had ze een oplage van tien exemplaren laten drukken.

'Prachtige omslag,' zei hij vol waardering.

'Ik heb gehoord dat u waarde hecht aan het boek als kunstvoorwerp.'

'Waar hebt u dat gehoord?'

'O, in de wandelgangen. Wij hechten er ook waarde aan, maar ons soort wordt in dit vak steeds zeldzamer, zoals we beiden tot ons grote verdriet weten.'

'Hoe groot zijn uw oplagen?' wilde hij weten.

'Zeer klein,' zei ik. 'Vijfhonderd exemplaren.'

'Hoe kunt u zich papier als dit veroorloven?' vroeg hij, terwijl hij het bevoelde.

'We ontvangen steun uit particuliere hoek,' zei ik. 'Een mecenas. Hij doet dit soort dingen als hobby. En hier,' voegde ik eraantoe, terwijl ik een novelle uit mijn koffertje haalde, een heerlijk klein dingetje met een mat zijden stofomslag, 'de Algerijnse schrijfster Virginie Khalid. Gallimard geeft haar ook uit, zoals u weet.'

Ik herinner me de manier waarop hij de bladzijden omsloeg, de manier waarop hij ze aanraakte. Hij is een man voor wie boeken – de boeken zelf, ziet u, de fysieke objecten – zowel voorwerpen met een erotische lading als opslagplaatsen voor ideeën en gelegenheden voor stilistische bravoure zijn. Ik genoot ervan hem te observeren, ik genoot ervan dat mijn dochter hem gevonden had. Ze had mijn goede smaak geërfd, dacht ik. Ik keek toe terwijl Charron tijdens het praten met zijn vingers de bladzijden streelde, en ik begreep waarom mijn dochter hem begeerde.

'Het verbaast me dat deze schrijvers uitgevers in het Engelse taalgebied hebben,' zei hij. 'Zelfs in Frankrijk koopt niemand hun boeken. Ze hebben erg weinig lezers. De connaisseurs, de literatuurkenners, dat is alles. En Amerikaanse uitgevers zijn berucht om hun...'

'Tot onze schande,' zei ik instemmend. 'Maar wij van Trident hebben een kleine maar gedistingeerde lezersgroep, alleen maar abonnees.' Ik leunde over de tafel. 'Momenteel hebben we alleen maar via de Franse vertalingen toegang tot deze schrijvers. Zoals u weet' – en bedroefd trok ik mijn wenkbrauwen een stukje op – 'is het voor Amerikanen moeilijk om toegang te krijgen tot bepaalde landen en boeken. We zijn op zoek naar een contactpersoon in Parijs die gemakkelijker dan wij bijvoorbeeld naar Praag kan gaan, of naar Boedapest. We willen iemand die Frans spreekt...'

'U spreekt tamelijk goed Frans,' zei hij, en hij was het soort man wiens ogen je uitdagend aankijken; hij kijkt nooit omlaag, evenmin als wij natuurlijk, dat is de kern van onze opleiding, dus staarde ik terug en zei: 'Maar aan mij kun je duidelijk horen dat ik een Amerikaan ben die Frans spreekt,' en daar moest hij om lachen.

'Dat is zo,' beaamde hij.

'Dus u zult begrijpen,' zei ik, 'hoe dat mijn bewegingsvrijheid in, zeg, Algerije of Frans Kameroen aan banden legt. U zult begrijpen dat bepaalde gebieden en contacten daardoor verboden terrein voor me zijn. Wat ik wil, is een scout die rechtstreeks contact kan leggen met schrijvers in Belgrado of Casablanca of Djibouti, vooral met die schrijvers die... zullen we zeggen: in de schaduw moeten blijven? Zelfs in eigen land.'

'We hebben het over moslimschrijvers.'

'Nou,' zei ik schouderophalend. 'Als dat de manier is waarop u ze wenst te categoriseren. Ik zou ze eerder Afrikaans en Oost-Europees willen noemen. Hebt u daar belangstelling voor?'

'Ik luister,' zei hij, en toen haalde ik mijn kleine lijst te voorschijn. 'Dit zijn schrijvers die onze aandacht hebben getrokken,' zei ik tegen hem. 'Sommigen worden in het Frans uitgegeven, maar nog niet één in het Engels.'

Ik herinner me dat hij die röntgenblik weer op me richtte en rechtstreeks op de zwakke plek in mijn verkooppraatje af ging. 'Als u alleen maar via Franse vertalingen toegang tot hun werk hebt, hoe kunt u dan op de hoogte zijn van degenen die nog niet in het Frans zijn uitgegeven?' vroeg hij, maar ik was net zo snel, ik was zijn evenknie, en ik vertelde hem dat we via academische contacten over ze gehoord hadden, via letterkundigen die gespecialiseerd waren in Oost-Europa en Afrika. Het bestuur van Trident bestond geheel uit academici, zei ik.

Hij nam de namen lange tijd in zich op en keek me toen aan. 'Gezien de kennis die ik van de Amerikaanse uitgeverswereld heb,' zei hij, 'is dit een opmerkelijke lijst.' Ik trok mijn wenkbrauwen op en wachtte. 'Geen enkele Amerikaanse uitgever zou zijn vingers aan deze boeken willen branden,' zei hij.

'U bedoelt omdat de schrijvers politieke activisten zijn?' vroeg ik om hem voor te zijn.

'Van het soort dat niet goedgekeurd wordt door uw ministerie van Buitenlandse Zaken,' zei hij.

Ziezo, dacht ik. Ik heb je beet, visje. Je lijkt veel van deze schrijvers te weten. Ik leunde over de tafel naar hem toe, en zei zacht: 'U bent politiek geëngageerd, *monsieur*.'

'Nee,' zei hij geërgerd. 'Dat is niet waar. Tenminste niet op de manier die u bedoelt. Toch ben ik me er zeer wel van bewust dat geen enkele Amerikaanse uitgever zich met deze schrijvers zou willen inlaten. Ze hebben te veel stekels. Dissidenten in het Oostblok, ja, en tegenstanders van socialistische Oost-Afrikaanse regimes. Maar dit zijn bekende intellectuelen die ook kritisch staan ten opzichte van de VS.'

'Daar gaat het nou juist om, ziet u,' zei ik. 'Geen enkele Amerikaanse uitgever zou met ze in zee gaan, behalve een kleine zoals wij, met steun uit particuliere hoek.'

'En met geabonneerde lezers.'

'Wij begrijpen elkaar,' zei ik.

'Wat betekent,' zei hij met een vreemd glimlachje, 'dat er in de vakbladen geen spoor van u te bekennen is. Mocht ik aan u beweringen twijfelen, bedoel ik.'

Hij keek me strak in de ogen, en ik staarde terug.

'Onze abonnees zijn mensen als u,' zei ik. 'Ze interesseren zich voor de literaire stijl, niet voor politiek. Het zijn bibliofielen. Ze hebben een passie voor het boek als *objet d'art*, en ze zijn bereid voor rijstpapier en een handpers te betalen. We kunnen zaken doen, u en ik.' En toen deed ik het aas aan mijn haak. 'Zowel onze mecenas als onze abonnees zijn zeer welgesteld. U zou een onkostenvergoeding ontvangen, dat spreekt voor zich. Maar bovendien zou u een royale beloning tegemoet kunnen zien. Ik denk dat u zult merken dat die zeer royaal is.'

'Ik krijg de indruk,' zei hij, 'dat u heel ver zou gaan om me over te halen. Wat moet ik precies doen?'

'Leg contact met deze auteurs, schrijf rapporten over ze, bezorg ons hun manuscripten. U zou Gallimard kunnen aftroeven voor wat betreft degenen die nog niet in Frankrijk uitgegeven zijn. U zou de rechten in Frankrijk krijgen.' Mijn blik was net zo intens als die van hem, en net zo gefocust, want dit is het punt waarop de jacht me begint op te winden, hier begint de echte kick van het rekruteren. Eigenlijk is het een kunstvorm, en een wetenschap. Zodra ik weet dat ik hem aan de haak geslagen heb, laat ik de lijn wat vieren; ik speel wat met mijn kandidaat, ik trek hem naar me toe, ik laat hem wegzwemmen, ik doe alsof ik niet geïnteresseerd ben, ik hou de lijn strak, ik haal hem binnen.

Minuten gingen voorbij, denk ik, en geen van beiden verbraken we langer dan één keer knipperen het oogcontact, want in dit stadium wil ik geen seconde missen; ik heb er altijd al van genoten van dichtbij het moment gade te slaan waarop de kandidaat aan de rand van de afgrond staat en twijfelt – waar zit het addertje onder het gras, vraagt de kandidaat zich af; is dit te mooi om waar te zijn? wat zal er van mij verwacht worden? – voordat de overgave komt. En dus wachtte ik geduldig tot de minnaar van mijn dochter, de ambitieuze jonge uitgever, het aas en de haak en de lijn en het lood in één keer zou opslokken. We kunnen dit allemaal binnen de familie houden, dacht ik.

En toen, zonder zijn ogen neer te slaan, zonder te knipperen, begon hij mijn lijst in kleine stukjes te scheuren en liet hij de confetti in zijn whisky vallen. 'Denkt u dat ik achterlijk ben?' vroeg hij, terwijl hij opstond. Hij goot de whisky uit over mijn hoofd.

Vanaf dat moment maakte ik me zorgen om de veiligheid van mijn dochter en om die van mezelf. *J'ai une tocade pour lui, papa,*' had ze tegen me gezegd, en ik kon het zien. Ze was gek op hem. En wat mezelf betreft: achter één oog voelde ik een zenuw trekken, en ik wist dat dat het waarschuwingssignaal was dat er een obsessie dreigde, en ik had er aandacht aan moeten besteden, maar het was al te laat.

'Als ik hem ooit zou kwijtraken, papa,' zei mijn dochter, 'zou ik willen sterven.'

Niemand sterft voor de liefde, zo verzekerde ik haar, en ik voegde er niet aan toe – tenminste niet zodat zij het kon horen – maar iemand kan wél sterven omdat hij te veel weet en mensen sterven wel degelijk omdat ze zich aanmatigen te denken dat ze niet gebroken of gekocht kunnen worden. Terwijl ik een servetje pakte en de whisky en de doorweekte confetti van mijn pak veegde, beloofde ik mezelf: hier zult u spijt van krijgen, meneer Charron. Hier zult u voor boeten.

Ik zette hem op de lijst voor surveillance, codenaam Tocade.

Hij zou al voor hén kunnen werken, schreef ik. Hou hem goed in de gaten.

Ik gaf alle relevante informatie ook aan Sirocco. Ken je hem? vroeg ik. Werkt hij voor jullie?

Maar Sirocco, zo besefte ik te laat, beantwoordde alle vragen zowel positief als negatief, en hij volgde Tocade met meer toewijding dan ik me had kunnen voorstellen.

5

Collegeaantekeningen: Technologie van Moderne Oorlogvoering en Vergaren van Inlichtingen

Chemische Oorlogsvoering
De ontwikkeling van organofosfaten bevattende zenuwgassen was een min of meer toevallige uitloper van onderzoek naar insecticiden, en ons superieure chemische wapenarsenaal heeft een belangrijk afschrikwekkend effect. De angstfactor op zichzelf is bij onderhandelingen al een krachtig instrument. Klassieke symptomen van vergiftiging door zenuwgassen zijn de volgende: ademhalingsproblemen, kwijlen en overmatig transpireren, hevig overgeven, onwillekeurig ontlasten en urineren, vertrekken van spieren, beven, wankelen, krampen, hoofdpijn, desoriëntatie, vertroebeld gezichtsvermogen, stuiptrekkingen, en uiteindelijk verlamming en verstikkingsdood, over het algemeen binnen enkele minuten na inhaleren.

Het doel van dit college over chemische oorlogvoering is niet het schetsen van wat men moet doen om te overleven in een CO-omgeving, noch het oefenen van strategieën voor het gebruik van dergelijke middelen, aangezien dat alles later behandeld zal worden, maar eerder jullie vertrouwd te maken met de chemische en fysische processen die gepaard gaan met toxiciteit, opsporing en decontaminatie.

Fysische en chemische eigenschappen
1   Dampspanning. Hoe vluchtiger een vloeistof is, hoe gemakkelijker moleculen van de vloeibare naar de gasfase zullen overgaan, op

welk punt ze door inademing het lichaam kunnen binnen dringen en de ogen kunnen aantasten. Dus hoe vluchtiger een vloeistof is, hoe waarschijnlijker het is dat een dodelijke dosis tot stand gebracht kan worden. De maatstaf voor vluchtigheid is de dampspanning, die voor elke substantie toeneemt met de temperatuur.

2 Toxiciteit. De maatstaf voor toxiciteit drukt het onderlinge verband uit tussen gas en tijd (dus met de duur van blootstelling aan het zenuwgas). Met korte blootstelling aan hoge concentraties kan hetzelfde effect bereikt worden als met langduriger blootstelling aan lagere concentraties.

3 Fysiologische Actie. Gassen kunnen geclassificeerd worden aan de hand van de verschillende effecten die ze hebben: stikgassen, zenuwgassen, bloedgassen, blarengassen, braakgassen, en traangassen. Gassen met relatief milde effecten (zoals blaren, braken, tijdelijke blindheid) kunnen gebruikt worden voor het onder controle houden van mensenmenigtes en rellen. Gassen met sterkere effecten (uitschakelen, doden) kunnen toegepast worden in *search-and-destroy* operaties of om bezette gebieden veilig te maken.

Wenselijke eigenschappen van chemische gassen voor gebruik in oorlogen

1 Toxiciteit. Gassen moeten zo giftig zijn als nodig is voor het gewenste effect.

2 Stabiliteit. Tussen het tijdstip van productie en het tijdstip van gebruik moeten gassen stabiel zijn, of gestabiliseerd kunnen worden.

3 Voorlopers. Gassen moeten geproduceerd kunnen worden uit grondstoffen die volop in het operatiegebied voorhanden zijn, of uit voorlopers (bijvoorbeeld: het met sarin gevulde artillerieprojectiel dat sinds 1987 op innovatieve wijze door de vs gebruikt wordt, waarin twee voorlopers van sarin, beide niet-giftig, in verschillende granaten opgeslagen worden en afzonderlijk van elkaar en veilig vervoerd kunnen worden. Als beide granaten in het projectiel geplaatst en afgevuurd worden, vermengen de chemische bestanddelen zich op de plaats waar de operaties plaatsvinden, en vormen zij samen het dodelijke en vluchtige sarin).

4   Disseminatie. Gassen moeten ter disseminatie in zulke concentraties in wapens aangebracht kunnen worden, dat de gewenste resultaten bereikt kunnen worden (bijvoorbeeld door ze in projectielen of raketkoppen aan te brengen om als gaswolk verspreid te worden, of door ze met sproeivliegtuigen te verspreiden).

5   Produceerbaarheid. Zo mogelijk moeten gassen snel in bestaande commerciële fabrieken geproduceerd kunnen worden (bijvoorbeeld in kunstmestfabrieken).

6   Corrosie. Gassen mogen hun opslagcontainers niet aantasten (vaten, hulzen, raketten).

7   Actie Tegen Beschermende Kleding. Zo mogelijk moeten gassen in staat zijn de effectiviteit te minimaliseren van beschermende kleding die door de doelbevolking gedragen wordt.

Hoe zenuwgassen werken

Het zenuwstelsel coördineert alle functies van het menselijk lichaam. Prikkels vanuit de hersenen worden door de ruggengraat en de grote ganglia (centrale zenuwstelsel) naar een stelsel van sensibele en activerende zenuwen (perifere zenuwstelsel) geleid.

De hersenen initiëren opdrachten via het sympathische zenuwstelsel dat epinefrine (adrenaline) aanmaakt, en dat initieert op zijn beurt de activiteit van de enzymen en de beweging van spieren/weefsel. De parasynthetische zenuwen werken in een complex mechanisme van *checks and balances* volgend op de werking van de sympathische zenuwen. Aldus versnelt het sympathische zenuwstelsel de hartslag als de hersenen gevaar waarnemen, en het parasympathische zenuwstelsel vertraagt hem weer als de hersenen waarnemen dat de dreiging voorbij is en de verhoogde bloedtoevoer niet langer noodzakelijk is.

Zenuwcellen zijn niet rechtstreeks met elkaar verbonden, maar komen samen op schakelplaatsen, synapsen geheten, oftewel de bougies van het lichaam, die als neurotransmitters fungeren. Elektrochemische impulsen springen tussen de cellen heen en weer.

Om het bondig uit te drukken: zenuwgassen saboteren het zenuwstelsel. De infrastructuur van het lichaam wordt vernietigd. Alle boodschappen van de hersenen naar het lichaam worden verstoord.

Om het nog onomwondener te zeggen: het functioneren van je lichaam gaat naar de kloten.

Dan worden alle codes onleesbaar, en betekenis gaat verloren, en zelfs de betekenis van de vragen vervaagt, als een radiosignaal dat op het punt staat verloren te gaan, of als een batterij die de zwakke geluiden uitstoot die aankondigen dat hij bijna leeg is, en wat zijn we... wat is het dat we... welke waarheden achten we ook alweer vanzelfsprekend...

...en wat is dat mechanisme waar we onderdeel van uitmaken, en dat we als een juweel in Staatsveiligheid hebben opgeborgen, als datgene wat onze veiligheid en ons geluk het meest waarschijnlijk zal bewerkstelligen?

Carthago

En dan komen we bij Carthago...

...omdat alle verhalen over conflicten en spionage weer bij Carthago uitkomen. Ze komen uit bij de verschrikkelijke belegering door de Romeinen van de oude stad en haar vreselijke vernietiging in 146 vóór Christus, waar zelfs de overwinnende generaal Scipio om weende. Hij weende om de afgeslachte baby's en de oude mensen die in de vlammen geworpen waren. Bij het zien van de slachtpartij duizelde het hem en in katzwijm leunde hij tegen zijn strijdwagen en verloor hij zijn wilskracht, zo berichten de dichters. Hij dacht na over de val van steden en keizerrijken, hij herinnerde zich het geweeklaag van de dichters over het lot van Troje en over de teloorgang van de Assyrische en Medische en Perzische rijken, en als een hartenkreet kwamen de woorden van zijn lippen die Homerus Hector liet zeggen: 'De dag zal aanbreken waarop ons heilige Troje, en Priamus, en het volk waarover de lansdragende Priamus heerst, alle ten onder zullen gaan,' en hij kon zijn snikken niet inhouden.

En Polybius, die naast hem stond, was verbluft. 'We hebben een geweldige overwinning behaald, o machtige Scipio,' riep hij uit. 'We hebben de stad van de barbaar verwoest, de stad van Hannibal, hij die het eeuwige Rome al deze jaren zo heeft geteisterd en bespot. Wat mankeert u? Wat mogen die vreemde woorden wel betekenen? Dit is een groots en glorieus moment, Scipio Victor.'

En Scipio greep Polybius' hand. 'Dit zou een groots en glorieus moment moeten zijn, Polybius, en toch wordt mijn gemoed bezwaard door het voorgevoel dat mijn eigen land hetzelfde lot staat te wachten, mijn eigen geliefde stad Rome.'

En dus ben ook ik, Salamander – net als Scipio – gaandeweg gekomen naar Carthago, dat brandt, brandt, brandt... en naar de werkelijke bedoelingen van Sirocco, en naar de kennis van onze eigen zenuwgasvoorraden waar de codes verstoord raakten en de betekenissen vervaagden, ziet u, en alles steeds moeilijker werd te...

En wat zijn we...?

En wat is het dat we tegen elke prijs verdedigen...?

En welke waarheden achten we precies...?

En nacht na nacht, vanuit het binnenste van de vuurhaard van Carthago en van vlucht 64, wendt Scipio zich tot me en schreeuwt: O, Salamander, hoe kunnen we een glorieuze overwinning van een verschrikking onderscheiden?

En hij weent, dr. Reuben. Hij weent.

6

Er zijn nachten dat Salamanders behoefte aan Anna ons overweldigt. Ik tril in zijn kooi, ik drink whisky om zijn zenuwen te kalmeren, maar al die vertragingstactieken zorgen alleen maar voor een explosief moment waarop ik haastig aan mijn vrouw moet uitleggen dat ik iemand moet zien, een noodgeval, een geval dat met staatsveiligheid te maken heeft (en dat is waar; o, dat is absoluut waar), maar ik mag niet zeggen waar het is. Mijn ademhaling zal onregelmatig zijn. Elizabeth heeft zichzelf al aangeleerd geen verdriet of verrassing te tonen – dit merk ik met hulpeloze spijt op; het is nog iets wat ik moet goedmaken – maar ze laat haar grote waakzame ogen op me rusten en observeert me ernstig en knikt alleen maar.

'Je hoeft niet op te blijven tot ik terug ben,' zeg ik nors, om zijn paniek te verbergen (de paniek van Salamander), en zo gauw we de hoek om zijn, belt hij vanuit de auto Anna met mijn mobiele telefoon, maar de lieftallige Anna, de donkere dame, geniet van wreedheid. Ze heeft andere klanten, zal ze zeggen. Aziz. Saleem. Ze gebruikt deze namen om te verleiden en om te verontrusten, misschien verzint ze ze, maar het is natuurlijk waar dat ze een begerenswaardige innemer en uitgever van informatie is. (Wat geeft ze door over Salamander? Aan wie vertelt ze het?) De komende twee uur kan ik je nog niet zien, zal ze misschien zeggen. Of misschien zegt ze drie, en tijdens de seconde voordat hij de dwingende klik en het hoge bromgeluid van he afbreken hoort, vraagt Salamander zich af of het misschien mogelijk is het delicate evenwicht van de situatie uit te leggen, of dat haar zou roeren, of het aanstaande verlies van een regelmatige bron van inkomsten haar iets zou uitmaken, want alleen door in termijnen te betalen kan hij de grotere boete op een afstand houden. Hij belt haar nummer opnieuw en spreekt zo snel dat hij nauwelijks verstaanbaar is. Als je zou kunnen begrijpen, Anna, hoe belangrijk, zegt hij. Over drie uur leef ik misschien niet eens meer – maar ze hangt op en legt de hoorn naast de haak, en dus zitten we twee uur lang, of misschien drie, in kwelling en lopen we een verschrikkelijk risico.

Soms gaan we deze angst te lijf met geheimzinnige gokrituelen. We parkeren in een donkere straat ten oosten van het Capitool, op de grens tussen veiligheid en gevaar, en doen onze ogen dicht en tellen: tien, twintig, honderd. De regels variëren. Als we onze ogen opendoen en de eerste auto die we zien een witte is, betekent dat dat onze eigen mensen ons te pakken zullen krijgen voordat iemand anders dat doet, als er een zwarte auto langskomt, dan pakken Sirocco's zelfmoordzeloten ons, als de auto een kleur heeft, zullen we nooit weten wie het was of hoe hij het deed. Plotsklaps. Daar bidden we om, en dan hebben wij de meeste kans.

Het zou overal vandaan kunnen komen, van iedereen, het kan elke dag gebeuren, of elke nacht. Het zou van Anna zelf kunnen komen. Salamander denkt dat híj degene is die háár gevonden heeft, maar het zou wel eens andersom kunnen zijn.

Als de eerste auto die we zien een verlengde limousine of een lijkwagen is, zegt Salamander tegen het gezicht in de achteruitkijkspiegel: 'Zo. Jij zult het zijn.'

En het gezicht zegt beschuldigend terug: 'Jij bent degene die het begeeft, Salamander. Jij zult het zijn, en niemand zal om je vertrek rouwen, vooral ik niet.'

Meestal overwinnen we de angst door te rijden. We rijden rond in het labyrint van de stad en steken de bruggen over, en we bewegen ons als een vallende pijl in de richting van Arlington Cemetery, dat als een verlokking op ons wacht. Tot nu toe hebben we deze afrit kunnen weerstaan omdat er dingen zijn waar we ons eerst mee bezig moeten houden, er zijn herstelbetalingen die aan Isabella en Lowell gedaan moeten worden (hoe pathetisch en inadequaat ze ook mogen zijn), aan Françoise, aan Elizabeth, en aan de overlevenden van vlucht 64, en dus draaien we vastbesloten naar het zuiden en slaan dan af naar het oosten en rijden om het Pentagon heen en dan rijden we terug over de Potomac en naar het noorden en naar het oosten, de gevaarlijke stadsdelen in, de stadsdelen met gaten in de wegen en kapotte straatlantaarns, en we houden de portieren op slot want bij elk stoplicht kan iemand aan je deurklink beginnen te morrelen, een ruit inslaan, of een pistool tegen je gezicht drukken. Deze angst – specifiek en hanteerbaar – maakt onze ongerustheid wat minder groot, hij kalmeert Salamander, maar Anna is degene die hij nodig heeft. Als ze in zwart leer en kettingen over hem heen gebogen staat, als ze met haar zweep knalt, proeft hij heel even vergiffenis.

Natuurlijk worden we gevolgd. We weten dat we gevolgd worden. We begrijpen dat we een risicofactor zijn geworden.

> In godsnaam, laat ons op de grond gaan zitten
> En droevige verhalen over de dood van koningen vertellen:
> Hoe sommigen zijn afgezet, anderen in oorlog omgekomen,
> Sommigen achtervolgd door de geesten die ze hebben onttroond:
> Sommigen vergiftigd door hun vrouwen, sommigen in hun slaap
> vermoord;
> Allen vermoord...

Toen hij eens in het gezelschap van koning Fahd was, kostte het Salamander de grootst mogelijke moeite zichzelf ervan te weerhouden die regels te citeren. Hij kon ze in zijn keel voelen opborrelen omdat de koning een smerige bak vertelde waarin trouweloze koninginnen en vergif en bloederige rituelen bij de aanvaarding van zekere koningschappen een rol speelden. Het spreekt voor zich dat Salamander niet alleen in het gezelschap van de koning verkeerde. Hij deed alsof hij een ondergeschikte functionaris was, aanwezig om te luisteren en niet om te spreken, maar het koningshuis van Saud is op een bijgelovige manier bang voor koningsmoord. Om het lot vóór te zijn praktizeren ze verschillende vormen van goede magie – openbare afranselingen, amputaties – maar ze voelen zich nooit veilig.

'Afgezien van de joden,' vertelde Sirocco aan Salamander, 'haat koning Fahd de Palestijnen het meest van allemaal. Dat heb ik rechtstreeks van zijn naaste adviseurs.'

'En jij?' vroeg Salamander. 'Haat jij de Palestijnen ook?'

'Ik?' Sirocco lachte minachtend. 'De joden, de Palestijnen, wat maakt het mij nou uit? Ik ben voor mezelf. Verlicht eigenbelang, zou ik het zelf noemen. Dat is mijn politiek.'

Sirocco neemt grote sommen geld aan van verschillende adviseurs van machthebbers – ik heb het over macht in verschillende landen en van verschillende politieke stromingen – adviseurs die hem bepaalde ambten en taken toevertrouwen. In ruil voor deze kennis eist Sirocco van ons nog grotere sommen geld.

'Koning Fahd haat de Palestijnen,' zei Sirocco, 'en hij is bang voor ze, omdat datgene wat ze hebben besmettelijk is. Ze hebben de smaak van democratie te pakken, van jullie decadente westerse manier van leven' – hier permitteerde Sirocco zich een ironisch glimlachje – 'en hij is bang dat het plebs van zijn koninkrijk ermee besmet raakt en dat zijn tijd erop zit.' Met zijn vinger maakte hij een gebaar langs zijn keel, alsof die doorgesneden werd. 'Het Huis van Saud is een kaartenhuis dat op het punt staat in te storten, en iedereen weet het behalve de drieduizend prinsen van het Huis van Saud.'

'En jij?' vroeg Salamander plagend. 'Hoe zal het jou beïnvloeden? Je bent zelf een Saudi.'

'Is dat zo?' vroeg Sirocco. 'Misschien. Niet elke Saudi houdt zielsveel van het Huis van Saud.' Toen leunde hij naar voren en fluisterde in het oor van Salamander: 'Natuurlijk weten de drieduizend prinsen ook dat ze ten ondergang gedoemd zijn, diep in hun hart, maar ze leven liever in weelderige ontkenning, vooral de koning en kroonprins Abdullah. En dat is de reden waarom ze een stevige vinger in de Palestijnse pap blijven houden en er elke week wat wahabietenpeper aan toevoegen.'

Salamander heeft lijvige dossiers aangelegd over de wahabieten, de meest extreme islamitische sekte, de meest rigide fundamentalistische van allemaal. De leden van het Koninklijk Huis van Saud zijn wahabieten, hoewel er voor koninklijk bloed op de strenge wahabietencode veel uitzonderingen worden gemaakt, en het voorgeschreven gedrag niet zo strikt nageleefd hoeft te worden.

Onder het praten beschreef Sirocco met het puntje van zijn wijs-vinger een lijn van Salamanders oorlel naar zijn hals. Het was als een liefkozing, en er liep iemand over Salamanders graf. 'Maar je kunt niets met deze kennis doen, behalve mij betalen om haar uit te bui-ten, of wel?' mompelde Sirocco. Hij was zo dichtbij dat hun wangen elkaar raakten, en hij glimlachte, en tot zijn verbijstering en veront-rusting dacht Salamander even dat Sirocco hem op zijn mond zou gaan kussen. 'De wereld loopt op olie, en Washington loopt zeer ze-ker op olie, en het Koninklijk Huis van Saud laat de olie lopen,' mom-pelde Sirocco. Zijn Oxford accent was altijd uitgesprokener als hij te-gen Amerikanen sprak. Hij keek graag van grote hoogte neer. Hij spotte graag. 'Aldus, *quod erat demonstrandum*, het Huis van Saud laat Washington lopen.' Sirocco lachte zacht. 'Ik kan er maar niet over uit dat Washington gedwongen kan worden er zoveel van tot zich te ne-men zonder zelfs maar een officiële reprimande.' En toen, bizar ge-noeg, kuste hij Salamander inderdaad, maar op zijn wang. 'Dus nie-mand in Washington wil je trieste verhalen horen? Niemand wil je van ingewijden afkomstige voorspelling horen dat er koningen zul-len sterven tenzij de Saudi's dit of dat doen. Jouw mensen willen niets weten van tenzij.'

Ruim voor Salamanders tijd, voordat ik aan hem vastzat, toen ik nog aan Yale studeerde, speelden we *Richard II* en ik speelde Bussy, een kleine rol, maar een rol die me nu opvallend profetisch voor-komt, alsof ons lot met een stevige draad in ons binnenste vastge-maakt zit en het lichaam dat van het begin af aan aanvoelt. Iemand liep over mijn graf, zeiden we altijd, een kindergrapje om de angst op afstand te houden als er een onwillekeurige rilling over onze rug liep. Maar ik herinner me hoe ik elke avond rilde als de bewakers me samen met Green het podium op sleepten, en Bolingbroke bulder-de: 'Bussy en Green, ik wil uw zielen die zo dadelijk van 't lichaam moeten scheiden, niet meer kwellen...' hoewel het misschien een ander soort voorkennis was, aangezien de klasgenoot die Bolingbro-ke speelde, de zoon van een bankier uit Long Island, na zijn school-tijd in de wereld van rijkdom en verduistering en de gevangenis terechtkwam, en nu ik erover nadenk had hij iets, die vage uitstraling van de corpssociopaat, dat air van beschaafde meedogenloosheid, die me aan Sirocco doen denken. En ik herinner me dat ik me, als Bussy zijn tekst tegen me sprak: 'Mij is de dodelijke houw meer welkom, dan Bolingbroke aan Engeland. Lords vaarwel,' onverklaarbaar huilerig voelde, de tranen in mijn ogen opwelden (de recensent in New Haven noemde dit als pluspunt), want Bussy had iets dat koppig aan de oude orde bleef vasthouden – de eed van trouw, het idee van een gezalfde koning, verbondenheid aan Richard – terwijl hij het schip gemakkelijk had kunnen verlaten en gladjes *Henry IV*, Deel I, binnen had kunnen varen, maar dat weigerde hij, hij kon het niet, hij was een ware gelovige, en Bussy zag de slag des doods liever komen dan... net als Richard wist hij dat die er aankwam.

De slag komt eraan. We kunnen hem voelen aankomen op dezelfde manier waarop je een winter voelt aankomen.

Hij groeit als een tumor, deze zekerheid van het einde dat op ons af komt denderen, en ik merk dat ik me afvraag of moord zijn komst altijd ver van tevoren per telegraaf aan de zenuwcentra aankondigt. Volgens mij is dat helemaal niet zo vergezocht. De Cree-indianen weten bijvoorbeeld vele dagen eerder dan de meteorologen dat er storm op komst is. De indianen, dr. Reuben, zijn een esoterische veiligheidsspecialiteit van me, en mijn vakkundigheid dateert uit die vroegere onrustige tijd – hoe kalm lijkt hij nu niet, hoe onschuldig – van de inheemse sit-ins en vreedzame protesten, die achteraf gezien zo onschuldig waren, hoewel we de opkomst van de radicale AIM zeker in de gaten hielden. Van die stamoudsten en jonge opstandige krijgers heb ik het volgende geleerd: dat er manieren van weten zijn die heel laag aan kunnen komen vliegen, onder het bereik van de radar van rationaliteit. Ik heb een gezonde hoeveelheid respect voor intuïtie.

U denkt natuurlijk dat ik paranoïde ben, maar u hebt dan ook geen enkel idee, nog niet het flauwste benul van hoeveel Salamander over u wist voordat ik u belde, en als ik u zou vertellen hoeveel hij over u wist, zou u niet meer kunnen slapen. Er zou een geschiedenis geschreven kunnen worden, moeten worden, over hen die niet kunnen slapen. De Internationale Slapelozen: een werkschema van de overledenen en de groten en de vooruitwetenden. Het eerste hoofdstuk zou aan Napoleon gewijd worden. Hij kon niet slapen, of wilde niet slapen, of zelden, maar als hij sliep had hij maar vier uur per nacht nodig, niet meer dan dat, zo onthullen de geschiedenisboeken, wat impliceert dat hij een of andere klieraandoening had. Ik weet wel beter. Ik ben ervan overtuigd dat hij niet durfde op te houden met om zich heen te kijken. Ik ben ervan overtuigd dat hij het wíst. Zelfs toen hij in Frankrijk naar school ging, als boerse Corsicaan, als buitenstaander met zijn boerenaccent en zijn slechte Frans, wist hij al dat het onontkoombare lot van de buitenstaander in zijn beenmerg opgeslagen lag. In elke overwinning op het slagveld, in de scherpe geur van kanonnenrook en geschroeid paardenvlees, kon hij ruiken dat St. Helena er aankwam. 'Ik sta vaak stil bij de dood,' schreef hij op twaalfjarige leeftijd in zijn dagboek – hij was een eenzaam kind aan de Militaire Academie in Brienne – 'ongetwijfeld omdat ik in deze wereld geen plek voor mezelf zie.'

En toch was dát een man die zijn eigen lot uitdaagde en bij de revers greep en het van dichtbij in het gezicht keek en overwon.

En hoe (zijn twee delen: de keizer en degene die altijd wist dat hij tot sterven gedoemd was) probeerde hij een eerloze dood op afstand te houden?

Door zijn toevlucht te nemen tot het aloude nepgoud waar we allemaal op vertrouwen. Voorkennis. Spionnen. Informanten. Hij had een inlichtingenapparaat opgezet waar je u tegen zegt, het ingewikkeldste systeem dat ooit door een heersende coterie ontwikkeld is. Fouché, het hoofd van zijn geheime politie, schepte altijd in kroegen op dat niemand twee woorden kon uitspreken zonder dat Napoleon het hoorde, niet aan tafel, niet in bed, niet in een salon of bordeel, niet in de kamer van een minnares, noch in de armen van een kerels eigen echtgenote. Als je in je kleine kamertje een scheet laat, zei Fouché, staat een van mijn mannen wind afwaarts om hem te ruiken.

En dat is wat Napoleon uiteindelijk fataal werd: zijn eigen inlichtingenapparaat en het wantrouwen dat het veroorzaakte.

Dit is een raadselachtige kwestie: hoe beter je een geheim agent opleidt, des te minder vertrouwt hij zijn collega's; daar volgt logischerwijs uit dat hij minder goed met anderen kan samenwerken, en des te waarschijnlijker – zonder het te willen – het hele ingewikkelde project saboteert dat juist was opgezet omdat men zo wanhopig alles wilde weten.

En dan is er nog dit: te veel weten kan je dood worden.

Ik zou kunnen proberen te beschrijven wanneer ik dit alles begon door te krijgen, dr. Reuben. Ik zou het diner kunnen beschrijven waarbij alles duidelijk begon te worden. Salamander en Sirocco hadden in een restaurant in Parijs afgesproken, wat bedoeld was als startschot voor Operatie Zwarte Dood. Wat zou Zwarte Dood toch een overwinning worden. Dat dachten we. De voorbereiding, het undercoverwerk, de financiering, ik kan er niets op aanmerken. Het zou een geweldige slag voor de inlichtingendienst worden. Ik dacht dat ik een dozijn arrestaties zou verrichten, sleutelfiguren, Sirocco had ze allemaal uitgerookt, we hadden hem een vermogen betaald, we hadden hem genoeg wapens en zenuwgas gegeven om de helft van alle Sovjets in Afghanistan mee af te maken (omdat hij in wezen een huurling was, had hij op veel plekken zijn zaakjes lopen), en toen kreeg ik aan de vooravond van de operatie, terwijl ik op weg was naar het restaurant, een bericht van mijn eigen inlichtingenapparaat, dat net zo goed was als dat van Napoleon, en het bericht luidde: VERRAAD. BLAAS ZWARTE DOOD AF.

Ik had mijn eigen mannetje undercover in het team van Sirocco zitten, en die had het bericht verstuurd. Hij moest er zwaar voor boeten. De codenaam van mijn undercoveragent was Khalid. Nog voordat ik bij het restaurant aangekomen was kreeg ik een tweede bericht. De keel van Khalid was doorgesneden.

Natuurlijk maakte ik in het geheim een bandopname van onze ontmoeting in het restaurant. Sirocco deed dat ongetwijfeld ook. Dit is mijn eigen transcriptie met commentaar.

'Je hebt gelogen,' zegt Salamander tegen Sirocco. Hij zegt het rustig en beleefd (hoewel zijn stem strak klinkt) omdat ze in een van de beste restaurants van Parijs zitten. Obers buigen zich discreet over hen heen. 'Je wilde me belazeren,' zegt Salamander. 'Daar heb ik bewijs van. Operatie Zwarte Dood gaat niet door. Ik blaas haar af.'

Sirocco glimlacht en maakt een handgebaar in de richting van de sommelier. 'Ik vrees dat je te laat bent,' zegt hij. 'Op dit moment worden er al voorbereidingen getroffen. Ik heb Zwarte Dood verder laten gaan.'

Salamander drukt op een knop op het radiozendertje in zijn zak. 'We waren het eens,' zegt hij met gedempte stem. 'Een aanvalsoperatie. Laat me je even herinneren aan de voorwaarden van onze overeenkomst. Geen dode passagiers. Jij lokt de hele Parijse cel de operatie binnen, wij pakken ze, of anders doen onze scherpschutters dat. We houden de overlevenden vast voor ondervraging. We laten jou ontsnappen. En absoluut geen dode passagiers, dat hadden we afgesproken.'

'*Monsieur*,' zegt Sirocco tegen de wijnkelner, hoewel hij zijn blik op Salamander gericht houdt. 'Nog een fles, alstublieft. Mijn zakenpartner en ik vieren dat we een beetje dichter bij een zakenovereenkomst zijn gekomen.'

'Ik heb informatie gekregen,' zegt Salamander, en ondanks een levenslange ervaring in het scheiden van persoonlijke kwesties en zaken trilt zijn stem. 'Ik heb onweerlegbare informatie dat je heel andere bedoelingen hebt. Je bent van plan me te belazeren. Daarom is de operatie bij dezen afgeblazen. Luchthaven Charles de Gaulle en de Franse politie zijn in hoge staat van paraatheid gebracht. Jij neemt nu meteen contact op met je huurlingen, of anders ik moet ik je helaas mededelen dat de Franse politie plotseling zal merken dat je *carte de séjour* vals is. Nog voor middernacht zul je gearresteerd worden.'

'Ah, dank u, *monsieur*,' zegt Sirocco tegen de sommelier, hoewel hij de fles uit de handen van de wijnkelner neemt en de wijn voor zichzelf en Salamander inschenkt. 'Volgens mij heb je onze situatie niet helemaal begrepen, vriend.' Hij raakt het glas van Salamander aan met het zijne. 'Bepaalde mensen met wie we allebei zaken doen (in jouw geval indirect, maar toch zijn ze je partners) zouden graag zien dat een hoop Amerikanen, vooral joden, allemaal tegelijk sterven, en ze zijn bereid een hoop geld te betalen om dat te laten gebeuren.'

'Bereid dat geld aan jou te betalen, bijvoorbeeld,' snauwt Salamander.

'Natuurlijk aan mij. Hoe kan ik anders aan de inlichtingen komen die jij van me vraagt?'

'Je wilt dat ik hoger bied. Je bent levens aan het veilen.'

'Ik vraag niet of je hoger wilt bieden. Ik probeer je realpolitik uit te leggen. Ik moest een bepaalde soort vlucht uitkiezen, met een bepaalde passagierslijst. Dat is de enige manier om de mensen die jij wilt hebben in de val te lokken. Inderdaad heb je gezegd dat de passagiers niet om het leven mogen komen, maar onze partners die we niet bij naam zullen noemen zeggen van wel. Waarom? Omdat de oefening daar nou juist om draait, wat onze partners betreft. Niet omdat ze zoveel waarde hechten aan individuele joden, zie je, maar omdat ze Israël tot het uiterste willen drijven. Dat is hun strategie: Israël zover krijgen, dat ze met geweld terugslaan, en natuurlijk weten we dat Israël aan de verwachtingen zal voldoen. Zo niet nu, dan de volgende keer, na wat escalatie. Het is een erg simpele vergelijking. Jij weet het en ik weet het. Onze overheden weten het. Dus bespaar me alsjeblieft je rechtschapen verontwaardiging.'

Salamander ademt snel. Hij zegt koel: 'Het is nu tenminste duidelijk waar je prioriteiten liggen.'

'Alsjeblieft,' zegt Sirocco. 'Kunnen we die hypocrisie even overslaan? De simplistische denkwijze van Amerikanen is te saai voor woorden. En laten we niet liegen over de voordelen die jouw overheid heeft bij het bijstellen van de plannen. Geloof me, martelaren zijn een troef achter elke hand.'

'Een contract zegt je helemaal niets.'

'De woestijnwind zal blazen waar het hem belieft.' Sirocco glimlacht. 'In de komende maanden en jaren zullen er veel incidenten plaatsvinden waar je landgenoten (hoewel niet allemaal) en Israël door van streek zullen raken, of je nu wel of niet over de schouders van de daders leunt en dit toestaat, dat toestaat, terwijl je wel of niet zegt: "Zo is het genoeg. Hier moet je stoppen."'

'Dat weet je maar al te goed, wat je ook probeert voor te wenden met je hand op je hart. We waren overeengekomen dat we de obsessie van de ware gelovigen zouden kanaliseren, dat we jou de namen, de gezichten, de werkwijze zouden geven van wat jij een terroristencel noemt. Hoe je ze pakt is puur jouw zaak.'

'En alsjeblieft, bespaar me je geklaag. Wij knappen het vuile werk op en nemen alle risico's, terwijl jij in je leunstoel achteroverzit en surveillancemonitoren bekijkt, en "tut-tut" zegt en met je handen wringt als de dingen fout lopen. Ik heb je speech zelfs voor je geschreven, Salamander. "Deze barbaarse daden zullen niet onbestraft blijven…"'

Sirocco lacht en schenkt zichzelf nog wat wijn in. 'Een wervelstorm kun je niet berijden,' zegt hij. 'Zo gemakkelijk gaat dat niet. Je kunt hem niet zomaar commanderen op te houden.' Hij knipt met zijn vingers. 'Niet meer dan ik dat kan. Ik gebruik de energie van de zeloten, maar ik controleer ze niet. Dat kan ik niet. Zij zijn de jokers in het spel. Begrijp je dat?'

'Ik begrijp dat ik belazerd ben.'

'Belazerd!' Sirocco lijkt oprecht geamuseerd. 'Dat is geweldig. Dat jij het over belazeren hebt.'

'Het is bijna interessant,' zegt Salamander ijzig, 'op een antropologische manier, te zien hoe een monster dichtklapt.'

Sirocco leunt over de tafel en fluistert: 'Het is te laat om op te houden. Er worden al wapens ingeladen. Het bagagepersoneel en het onderhoudspersoneel bestaan uit onze mannen. De doelvlucht zal gekaapt worden, of ik gearresteerd word of niet.' Hij glimlacht. 'Ik vertel je niet welke vlucht het is. Ik wil de verrassing niet voor je bederven. Maar als ik zelf niet aan boord van het vliegtuig kan zijn, zoals we gepland hebben, kan ik niet instaan voor de door mij gewenste relatief gematigde afloop.'

'Ik weet al wat voor afloop jij wilt. Die is niet gematigd.'

'Onvolledige inlichtingen, beste vriend. Relatief gematigd, zei ik. Ik vraag me af of zelfs jij begrijpt hoe smerig de dingen kunnen worden als ik er niet bij ben. Er zijn snelle en langzame manieren van sterven, er zijn rituele manieren van mutileren, er zijn andere manieren die nog veel langer rond blijven spoken in de hoofden van degenen die achterblijven.'

Dat was het moment waarop Salamander wist dat hij met het kwaad te maken had, maar zelfs toen, dr. Reuben, zelfs toen kon ik niet voorspellen in welke mate Sirocco plezier beleefde aan persoonlijke wraak. Ik zou niet geloofd hebben hoeveel moeite hij zou doen om mij te pijnigen. Salamander te pijnigen.

Salamander was een simpele duif. Maar om naar de transcriptie terug te keren.

'Binnen een uur,' zegt Salamander kortaf, 'zal de Franse politie beschikken over foto's, documenten...'

'Alsjeblieft. Wind je niet op.' Sirocco glimlacht. Hij heeft een manier van glimlachen die Salamander aan Eichmann en Goebbels doet denken. 'Ik weet dat jij weet dat ik tot nu toe met je dochter samengewoond heb,' zegt Sirocco, 'als ik niet anderszins gebonden ben.' Hij spreidt zijn handpalmen open naar Salamander en glimlacht. 'Wat kan ik ervan zeggen? De vrouwen werpen zichzelf aan mijn voeten. Ze zijn bereid alles te doen wat ik van ze vraag, hoe pijnlijk of bizar ook.' Hij haalt een foto uit zijn portemonnee en laat hem zien. Salamander dekt zijn ogen toe en wendt zich af. 'Wat je misschien niet weet – omdat ik me ervan bewust ben dat er enige frictie tussen jullie bestaat; ik ben me ervan bewust dat je dochter je niet altijd in vertrouwen neemt; ik ben me ervan bewust dat ze je beschermende bewaking niet weet te waarderen – daarom weet je misschien niet dat je dochter een ticket voor dezelfde vlucht heeft als die ik uitgekozen heb om ons persoonlijke loterijtje mee te winnen. Ik heb die ticket zelf voor haar gekocht.'

Er volgt een fysieke ervaring die alleen vergeleken kan worden met neerstorten in een lift waarvan de kabels doorgesneden zijn. De vrije val laat Salamander duizelig achter. Sirocco leunt over de tafel naar voren. 'Maar misschien zou ze, als ik niet gearresteerd word,' zegt hij, 'overgehaald kunnen worden niet aan boord van het vliegtuig te gaan.'

Schaak. Maar niet schaakmat.

Salamander gebruikt de tafel om zijn evenwicht te bewaren. In de lucht hangt de geur van zwavel en mislukking. Ze zullen me op stal zetten, weet hij.

'*Monsieur.*' Sirocco wenkt glimlachend een ober. 'Ik vrees dat we een kapot glas hebben. Mijn metgezel heeft een ongelukje gehad.'

Salamander staart naar de golf rode wijn op het witte tafelkleed en naar het bloed in zijn handpalm. In zijn hand houdt hij nog steeds de doormidden gebroken steel van het wijnglas. 'Goed dan,' zegt hij. 'Ik schenk je deze ronde. En je mag ze de verzekering doorgeven dat we akkoord gaan met een verdere stijging van de olieprijs, maar geen doden.'

'Dat mag ik niet zomaar garanderen,' zegt Sirocco, 'maar je mag je dochter bellen en haar zeggen dat ze haar vlucht moet annuleren.' Hij glimlacht. 'De erecode tussen dieven, zou je kunnen zeggen.'

'Als er doden vallen,' belooft Salamander, 'zal ik je elimineren. Ik zal openbaar maken wie jou financiert.'

'Maar jíj financiert me. De bussen sarin en de beschermende kleding dragen USAF-stempels.'

'Om in Afghanistan tegen de Russen gebruikt te worden. Die weg zal nergens toe leiden, daar kom je dan wel achter.'

'Nergens toe leiden?' Sirocco glimlacht. 'Geen vragen in het Congres? Geen onderzoeken naar de vraag waarom je van Petrus steelt om Paulus te betalen?'

'Er zal documentatie gevonden worden,' belooft Salamander, 'die laat zien dat je je tegen je weldoeners keert. Het zal afgelopen met je zijn in Washington.'

'Wat ben je toch naïef,' zegt Sirocco. 'Ik moet zeggen dat het genoegen om met je samen te werken groter is geweest dan ik verwacht had. Ik bedoel het persoonlijke aspect. Ik heb ervan genoten dit tot iets persoonlijks te maken. Je zult nog wel zien hoe ik mijn best heb gedaan op dat onderdeel van de hele operatie, en ik beloof je bij dezen dat ik je op de hoogte zal houden. Ik heb als het ware een ereplaats voor je ingericht, en ik verzeker je dat je een fantastisch uitzicht zult hebben op wat nu staat te gebeuren.'

'Als er doden vallen, is het afgelopen met je. Dat zweer ik je, zo helpe mij God.'

'Ik neem aan dat ik vandaag niet gearresteerd word' – Sirocco glimlacht – 'en, hoewel dit een geweldig interessante discussie is, ben ik bang dat ik nu toch echt weg moet. Er zitten mensen op me te wachten.' Als hij bij de deur aangekomen is, draait hij zich om. Hij komt terug naar de tafel en zegt nonchalant, zo hard dat mensen aan andere tafels het kunnen horen: 'O, dat vergat ik je nog te zeggen. Ik in uitstaande boetes. Altijd. Elke keer weer.' Als hij wegloopt glimlacht hij.

De enige woorden die bij me opkwamen, waren: de heer zij met u.

En toen belde ik Françoise en liet ik een bericht achter op haar antwoordapparaat. 'Françoise? Ik ben het, papa. Ik ben in Europa. Ik mag niet zeggen waar.'

Ik telde twee tikken. Ik werd nerveus van de gedachte aan haar gezichtsuitdrukking tijdens het afluisteren van het bandje. 'Ik weet dat je een ticket naar New York hebt. Françoise, je mag in geen geval aan boord van dat vliegtuig gaan. Dit is een zaak van leven en dood, begrijp je dat? Ga niet aan boord van dat vliegtuig.'

Ik hing op, en toen belde ik de Franse politie. Ik drong aan op extra voorzorgsmaatregelen, vooral voor alle vluchten naar New York. Trek het bagagepersoneel na, zei ik. Trek het onderhoudspersoneel na. Ik vertrouwde erop dat ik een einde aan de operatie kon maken. Ik deed wat ik kon – elke passagier werd gecontroleerd en alle bagage werd aan een zorgvuldig onderzoek onderworpen – maar Sirocco was me te slim af. Hij had de hele luchthavenbeveiliging in zijn zak. Het grond- en laadpersoneel, en zelfs twee leden van de luchthavenpolitie waren vervangen door Sirocco's mannen. Hier kwam ik maanden later pas achter, via een intern beveiligingsrapport. De resultaten van het rapport – in het belang van de staatsveiligheid – zijn nooit openbaar gemaakt.

Salamander deed wat hij kon.

Hij was te laat. Een andere bedrieger was nog gehaaider geweest dan hij.

Hij verloor zijn dochter. Na de kaping wist hij dat zij het wist en hij wist dat er door deze kennis iets bij haar knapte. Ze wilde niet meer met hem praten. Ze verdween.

Toch speelde ik mijn troefkaart uit en redde ik de kinderen. Later vocht ik voor de gijzelaars en ik verloor, maar ik weigerde het bewijsmateriaal van die worsteling te vernietigen. Ik droeg de videobanden over, zoals mij opgedragen was, maar van die banden maakte ik stiekem kopieën, en ik verborg ze zodat er geen inbreker bij kon komen, en ik heb het zo geregeld dat ze door de tijd heen vooruit gestuurd zullen worden.

Uiteindelijk geef ik mijn leven om de banden te behouden.

Ik weet dat mijn leven daarvoor nodig zal zijn.

Salamander en ik willen graag dat het volgende op onze grafsteen komt te staan, dr. Reuben:

ONDER EXTREME OMSTANDIGHEDEN HEBBEN WE TOCH NOG TWEE GOEDE DINGEN GEDAAN: WE HEBBEN DE KINDEREN GERED, EN WE HEBBEN DE BANDEN GERED.

7

Collegeaantekeningen:
Decontaminatie en individuele beschermende kleding (IBK) bij
chemische oorlogvoering

Bescherming van de luchtwegen
Je haalt adem zonder erover na te denken.

Doe nu je ogen dicht. Haal adem. Denk er eens over na.

Ademhalen brengt zuurstof uit de atmosfeer bij rode bloedcellen naar binnen. Tegelijkertijd wordt kooldioxide uit je bloed verwijderd. Meestal wordt je ademhaling gereguleerd door het CO_2-gehalte in je aderen, en wordt zuurstof alleen maar een regulerende factor als er een tekort aan is: dat wil zeggen, wanneer de concentratie ervan in de omgeving waarin je ademhaalt sterk daalt.

Een normale ademhaling bestaat uit actief inademen gevolgd door passief uitademen. Elk mogelijk systeem waar geforceerd uitademen voor nodig is zal snel voor ongemak en vermoeidheid zorgen. Daarom moet elk instrument dat de luchtwegen tegen chemische middelen beschermt de moeilijkheid van het uitademen zo gering mogelijk maken.

Een typisch gasmasker bestaat uit een kap die vezelschermen en houtskoolfilters bevat, een uitademingsklep, en een bril om de ogen mee toe te dekken. De filterzakken bevinden zich in de wangen van het masker. Als de drager inademt, wordt de lucht door de filters gezogen en aldus van besmettende bestanddelen ontdaan, maar aan de lucht wordt geen zuurstof toegevoegd. Als extra zuurstof van levensbelang wordt (zoals bij aanhoudende blootstelling aan besmette lucht) moet de kap aan een draagbare zuurstoftank gekoppeld worden.

Hoewel het mogelijk is filters te ontwerpen die vrijwel elke giftige stof neutraliseren, is het niet mogelijk om één masker te ontwerpen dat bescherming biedt tegen álle giftige stoffen. Gasmaskers, dat moge duidelijk zijn, zijn alleen maar effectief bij middelen die verdampt zijn of die in de vorm van echt gas aanwezig zijn. Mosterdgas wordt bijvoorbeeld als vloeistof verspreid en valt via de huid aan, en daarom moet naast maskers ook beschermende kleding gedragen worden.

Het C4-masker is het standaardmodel van de NAVO. Het gezichtsdeel bestaat uit bromobutyl en de bril biedt goed zicht en is krasvrij. De luchtstroom is ontworpen om condensvorming zo gering mogelijk te houden. Ook heeft het masker een drinkslang en spraakoverbrengers, hoewel de vervorming van spraak, gehoor en het zicht rondom snel voor acute paniek kunnen zorgen.

Deze paniek is belangrijk.

Deze paniek is een tweede wapen en de mogelijkheden ervan op het slagveld – met implicaties voor zowel agressie en verdediging – mogen niet over het hoofd gezien worden. Degenen met een groot voorstellingsvermogen lopen het grootste en meest acute gevaar. Omgekeerd kan diezelfde neiging om alles op te blazen met de juiste training de beste aanwijzing zijn van degenen die in leven zullen blijven.

Bescherming van de huid

Verdamping veroorzaakt afkoeling. Het lichaam koelt af door de verdamping van transpiratievocht, maar als vocht op de huid niet kan verdampen, zal het lichaam als reactie daarop het transpiratieniveau verhogen. In een typisch geval van het dragen van een IBK kan een individu één tot twee liter per uur verliezen. Dat resulteert in doorweekte kleding om het lichaam en per saldo in vochtverlies. Daarom moeten troepen die IBK dragen op gezette tijden drinken.

De standaardbeschermingsoverall is ontworpen om vierentwintig uur lang bescherming te bieden in giftige omstandigheden. Als er geen vloeibare besmettende middelen aanwezig zijn, kan hij tot eenentwintig dagen lang gebruikt worden tegen gifgassen, maar hevig transpireren kan deze tijd verkorten.

Beschermende handschoenen zorgen er vierentwintig uur lang voor dat giftige stoffen het lichaam niet via de handen binnen kunnen dringen, maar ze beperken de bewegingsvrijheid. Zo mogelijk moeten handschoenen dertig minuten lang uitgetrokken zijn (in een beschermde omgeving) om het vocht te laten verdwijnen. De handschoenen zijn gemaakt van butylrubber.

Beschermende overlaarzen zijn gemaakt van neopreenrubber met een stoffen bekleding aan de binnenkant. Ze zijn ontworpen om over gevechtslaarzen heen gedragen te worden. Ze bieden vierentwintig uur lang bescherming.

Bijkomstige problemen in verband met het dragen van IBK

1 <u>Hittestress</u>. Energie die voortkomt uit activiteit moet uit het lichaam verdwijnen om te voorkomen dat de lichaamstemperatuur stijgt. Dat proces wordt normaal gesproken bewerkstelligd door het verdampen van transpiratievocht. Twintig procent van het verlies van lichaamswarmte vindt plaats via het gezicht. Vijftien procent via de handen. Het moge duidelijk zijn wat voor effect het dragen van een gasmasker en beschermende handschoenen heeft op de hitteregulering van het lichaam. De lichaamstemperatuur schiet omhoog; het uithoudingsvermogen daalt.

Troepen die zich bezighouden met inspannende lichamelijke activiteit zullen in gevechtstenue na 5.2 uur zo nu en dan flauwvallen en het bewustzijn verliezen, met IBK maar zonder gasmasker na vijf uur, en bij het dragen van een volledige IBK en masker na 4.1 uur.

2 <u>Psychologisch</u>. Vele dragers – vooral burgers tijdens noodsituaties – ondergaan in een gasmasker zodanige acute claustrofobie dat ze braken. Tenzij het braaksel meteen verwijderd wordt (door snel het masker te verwisselen, of door het braaksel er snel met de hand uit te scheppen), zal dit resulteren in verstikking.

Overige implicaties van het dragen van IBK zijn subtieler, en de mate van psychisch leed zal afhangen van het individu. Het gevoel van isolement kan diepgaand zijn en desoriënterend werken. Iedereen ziet er hetzelfde uit: dragers kunnen het geslacht of ras van andere dragers niet zien, een kind kan zijn vader en moeder niet uit elkaar houden, en deze afwezigheid van standaardkenmerken leidt uiteindelijk tot duizeligheid, verwarring van mentale processsen, en concentratieverlies. Communicatie verloopt moeizaam en wordt verstoord. Het perifere gezichtsveld is verdwenen. Lichaamsfuncties (eten, drinken, urineren, stoelgang) verlopen problematisch en dat heeft grote invloed op het vermogen van de drager om de weerstand tegen de giftige omgeving in stand te houden.

Het zou duidelijk moeten zijn dat de overlevingstijd kort is wanneer troepen risico lopen in een omgeving waarin co-middelen toegepast zijn, tenzij het gebied binnen vierentwintig uur gedecontamineerd kan worden, of tenzij weersomstandigheden ervoor zorgen dat de giftige stoffen verspreid worden. (co-middelen zijn extreem gevoelig voor meteorologische omstandigheden.) Juiste training en oefeningen in psychologische overlevingstechnieken zullen van het grootste belang zijn.

Als troepen zich bezighouden met het inzetten van co-middelen, moge het duidelijk zijn dat het raadzaam is zowel gassen als vloeistoffen te gebruiken (waardoor de doelpopulatie gedwongen wordt een volledige ibk-uitrusting te dragen) en hun aanwezigheid in de atmosfeer langer dan vierentwintig uur in stand te houden. Psychische uitputting van de doelpopulatie zal het aantal doden als gevolg van de biochemische oorlogvoering vergroten.

Gebruiksinstructies voor een op maat gemaakt overlevingswapen (geheim)
Aan ieder van jullie is strikt geheim een op maat gemaakt overlevingswapen verstrekt, dat dient om gebruikt te worden als de grenzen van ibk-bescherming in co-zones bereikt zijn. Bereid jullie alsjeblieft voor op het meest cruciale stukje geheime informatie dat jullie ooit zullen krijgen: gebruiksinstructies. Let op.

Grif de handelingen alstublieft in jullie geheugen.

Codenaam: Operatie Shadrach.

Chemisch-fysiologisch principe: het lichaam kan door de geest misleid worden.

Doe met dit geheim wat jullie willen. Als jullie *in extremis* zijn, doe dan je ogen dicht, stel je geest open, zet een stap buiten de niet in kaart gebrachte afgronden van jullie herinnering en voorstellingsvermogen, trek aan het koord van je parachute, schep een drijvende wereld, verken de tunnels en zijwegen, blijf daar tot het *all clear*-signaal gegeven wordt.

Gevangenen hebben verfijnde varianten van dit wapen ontwikkeld. Sommigen hebben eenzame opsluiting overleefd – jarenlang; langer dan ooit voor mogelijk was gehouden – door in hun geest via B-wegen van New York naar Los Angeles te wandelen, of door een klim in de Himalaya stap voor stap na te gaan, steen voor steen en afdaling voor afdaling, of door zich elk huis en elke tuin van het huizenblok uit hun kindertijd opnieuw voor de geest te halen, of door elk toneelstuk van Shakespeare dat ze ooit gezien hebben opnieuw op te voeren. Een man die klem zat onder een stalen dwarsbalk verdroeg de pijn en het bloedverlies van een afgerukte arm tot aan zijn redding door zich de parfums te herinneren van alle meisjes met wie hij ooit naar bed geweest was.

En om een recent en specifiek voorbeeld te noemen, aangezien het met terrorisme te maken heeft: de Franse journalist Jean-Paul Kauffman, die in Beiroet door islamitische zeloten gevangengenomen werd, overleefde drie jaar van eenzame opsluiting, geblinddoekt en geboeid, door in zijn geest de aroma's van bordeauxwijnen op te roepen. Hij rook en proefde elke wijn afzonderlijk. Hij herinnerde zich het restaurant, het jaar, het diner, het menu, de vrouw die tegenover hem aan tafel zat.

Daniël werd voor de leeuwen geworpen. Millennia voor het tijdperk van de digitale bewerking zag hij ze als pups, golden retrievers, misschien, of labradors – dat geloof ik; dat is wat zijn rabbijnse scholing met zijn strenge denkwijze mogelijk maakte – en de leeuwen likten zijn hand en krenkten hem geen haar. Shadrach, Mesach en Abednego, die ik eerder in mijn colleges genoemd heb, streken de vlammen uit de oven van Nebukadnezar glad als verkoelende zalf op hun huid. Boeddha kalmeerde een op hol geslagen olifant door aan nirvana te denken. Christus liep over het water, wat niet per se een wonder is, maar eerder een uitvloeisel van een goedgetrainde geest, aangezien heilige mannen in India nog steeds over hete kolen lopen en daarbij hun voeten niet eens schroeien.

O, zeker, mijn medehandhavers van de grondbeginselen waar we zoveel waarde aan hechten, zeker zijn er tussen hemel en aarde meer zaken dan waar jullie van kunnen dromen met jullie gewone begrip van de omstandigheden die iemand kan overleven, en in deze loopbaan die jullie gekozen hebben, in deze loopbaan die jullie gekozen heeft, is het jullie mandaat en jullie plicht om te overleven; niet alleen de verschrikkingen te overleven waar het uitoefenen van jullie plicht je misschien aan zal blootstellen, maar ook de verschrikkingen die jullie misschien zullen moeten toebrengen.

Om naar ons onderwerp terug te keren: ik kan jullie verzekeren (aan de hand van historische precedenten, aan de hand van de blijvende principes van literatuur en kunst, en aan de hand van mijn persoonlijke ervaring in het veld) dat statistieken niets betekenen in situaties van chemische oorlogvoering die langer duren dan jullie beschermende kleding het uithoudt.

Bijvoorbeeld Boccaccio.

Hij vertelt ons dat de pest in 1348 naar Florence kwam en binnen een paar maanden een derde van de populatie de dood injoeg. Boccaccio schreef dat 'door de verwoestende kracht van de pest, en doordat veel zieken slecht verzorgd of in de steek gelaten werden, tussen maart en juli meer dan honderdduizend zielen uit dit leven werden weggerukt'.

's Nachts werden lichamen uit de ramen gegooid en door de lijkwagens naar hun graven gereden. Boccaccio, die toen vijfendertig jaar oud was, verloor zijn vader, zijn stiefmoeder, en horden collega's en vrienden. 'Het valt me te zwaar nog langer bij al die ellende te verwijlen,' schreef hij, en daarom keerde hij zich in zichzelf en vluchtte hij zo van de wanhoop weg, en op een dag hoorde hij Pampinea in de eerbiedwaardige kerk van de Santa Maria Novella tegen haar kleine kring van goede vriendinnen zeggen: 'Mijn lieve vriendinnen. We [vrezen] allemaal voor ons leven. Als we uit de kerk komen, zien we hoe er met doden en zieken wordt rondgezeuld. Waarom blijven we dan nog. Waarop wachten we? Wat beelden we ons in? [Laten we] de stad verlaten en naar een landgoed trekken zoals ieder van ons er meer dan één bezit.' Allen stemden er vol overtuiging en haastig in toe, en dus lieten alle tien jonge aristocraten (plus de luistervink Giovanni Boccaccio, de vader schepper, de voyeur, de vrome berouwvolle leverancier van schunnige verhalen), lieten ze alle elf de verschrikkingen van de stad achter zich en reisden ze naar de hoge plateaus van de verbeelding waar Boccaccio de *Decamerone* schreef en bij zijn leven de geschiedenis van het overleven van de pest vertelde.

Plagen komen en gaan. Ze veranderen en keren in andere gedaante terug. Camus, die in het geheim voor het verzet publiceerde en de kwade praktijken van de nazi's op vele manieren verstoorde, wist dat. Misschien heeft hij niet precies kapingen, sarin en mosterdgas zien aankomen, maar hij wist dat de knaagdieren en hun gif terug zouden komen. En, net als zijn verteller, dr. Rieux, *wist hij dat het verhaal dat hij te vertellen had er niet een van de definitieve overwinning kon zijn. Het kon alleen het verslag zijn van datgene wat men had moeten doen, en wat zeker opnieuw zou moeten gebeuren in de niet-aflatende strijd tegen terreur [...] door iedereen die zijn uiterste best doet om genezer te zijn, ook al kunnen ze geen heiligen zijn maar weigeren ze een knieval te maken voor pestepidemieën. Hij wist [...] dat de bacil van de pest nooit afsterft of voorgoed verdwijnt; dat hij jarenlang inactief kan zijn...*

Maar hij zál terugkomen, mijn beste medebewaarders van de openbare veiligheid. Hij zal terugkomen.

Verbaast het jullie dat ik van jullie verwacht dat jullie voor dit college Boccaccio en Camus kennen? Dat ik van jullie verwacht dat jullie je vertrouwd maken met hun werk? Dat ik van jullie verwacht dat jullie ze uit het hoofd leren? Laat me jullie dit vertellen: in de loop van deze carrière zullen jullie je veel dingen kunnen herinneren waarvan je wilde dat je ze kon vergeten. In jullie pogingen ongewenste woorden van de bühne te verdrijven zullen jullie ongelofelijk grote troost vinden in het opzeggen van de woorden van anderen.

Laat me jullie nog één ding uitleggen.

Denken jullie dat het de pest – de pest zelf – was die Boccaccio, Defoe en Camus allemaal met zulk wanhopig gekrabbel op afstand probeerden te houden? Verwachtten ze van hun verhalen dat ze de builen, de martelende zwellingen van de lymfeknopen zouden afwenden, die heldere kring van antraxkorsten die zo veel middeleeuwse en zeventiende-eeuwse parochieregisters beschrijven?

. Nee. Dat kan ik officieel bevestigen: nee.

Wat stelt de korte kwelling van het lichaam, die een eigen verdovende shock met zich meebrengt, nu helemaal voor? Niets. Geloof me, Boccaccio, Defoe en Camus werden gekweld door hun eigen nachtmerries, door hun eigen verraad, en door hun doden. Net als de Oude Zeeman waren ze veroordeeld tot het vertellen van de verhalen van degenen door wie ze bezocht werden, als een zoenoffer om de furieën mee op afstand te houden.

De doden houden nooit op ons verhalen te vertellen.

Degenen die we hebben verraden, hoe zuiver onze bedoelingen ook waren, hoe onberispelijk onze redenen ook waren, ze vertellen ons nacht na nacht hun verhalen, wat de reden is waarom sommigen van jullie helemaal niet meer zullen kunnen slapen.

8

Er is niet veel tijd meer, dr. Reuben. Dat weet ik.

Ik heb u als vroedvrouw uitgekozen, om het zo maar te zeggen, om iets aan mijn zoon te bezorgen. Dat doe ik niet omdat ik u vertrouw. Dat is niet omdat ik u níet vertrouw, voeg ik daar snel aan toe, maar ik weet wat me te wachten staat. Ik weet dat u in de gaten gehouden en gevolgd wordt. Ik weet dat uw dossiers met mijn gegevens erin waarschijnlijk zullen verdwijnen. Dat heeft in de recente politieke geschiedenis zo zijn precedenten, is het niet? De diefstal van psychiatrische dossiers. En daarom kan ik zelfs tegen u niet helemaal openhartig zijn, maar ik moet met passie spreken.

Er is maar één ding van waarde dat een mens kan achterlaten – de waarheid.

Alle plannen die ik gemaakt heb, waaronder mezelf bij u als patiënt aan te bieden, zijn op dat ene doel gericht: het behoud van wat ik achterlaat.

De waarheid zal aan het licht komen, daar geloof ik in, hoewel ze niemand toevertrouwd kan worden. U zult denken dat mijn gebrek aan vertrouwen onderdeel uitmaakt van mijn ziekte, en dat dóét het natuurlijk ook, maar mijn ziekte staat niet in uw *Woordenboek van Geesteziekten*. Aan de zenuwtrek bij uw mondhoek kan ik zien dat u daar anders over denkt. Dat laat ik maar zo. Ik kan u niet vertrouwen. Toch geloof ik dat uw professionele en ethische verplichtingen u zullen dwingen mijn laatste wil en testament naar de letter uit te voeren.

Ik wil dat u mijn zoon in hoogsteigen persoon een sleutel van een kluis bezorgt. In die kluis zal een zeker pakketje zitten.

Ik heb niet veel tijd.

Vanavond moet ik Anna bezoeken, en dan...

Hebt u enig idee, dr. Reuben, van de lichamelijke pijn die gepaard gaat met geestelijke kwelling?

Hij heeft bloedzuigers nodig, dr. Reuben. Hij moet uitgebloed worden. Hij moet geranseld worden...

Pardon, waar had ik...

Er zijn bepaalde dingen, dr. Reuben, die, als je ze eenmaal gezien hebt...

Scipio weende bij Carthago, wist u dat?

Nu kan ik mijn vinger op het moment leggen waarop ik had moeten... op het cruciale moment. Maar het probleem is, dat we dat moment pas herkennen als het voorbij is. Ik had daar schouder aan schouder met Nimrod moeten staan. Dat zou het keerpunt geweest moeten zijn. 'Hier sta ik,' had ik moeten zeggen, 'geconfronteerd met onacceptabele risico's, met exorbitante bijkomende schade.' Maar als ik dat destijds had gezegd, was ik geweest waar Nimrod nu is.

Zouden we iets bereikt hebben?

Had iemand Sirocco kunnen tegenhouden? Kan iemand hem tegenhouden?

En dan is er het grote probleem van het bewijsmateriaal dat ter bescherming van zichzelf niet in code omgezet kan worden. Hoe kan ik de videobanden veilig bewaren? Die kwestie heeft me geobsedeerd. We weten nog niet hoe we dat soort dingen in code moeten omzetten. We weten hoe we een uitzending moeten verstoren, hoe we signalen moeten vervormen... maar we weten niet hoe we ze moeten behouden. We weten niet hoe we een band tegen schade kunnen beveiligen.

De originelen heb ik dertien jaar geleden moeten afstaan, maar de kopieën die ik gemaakt heb, de illegale kopieën...

Wat een gebrekkig broos transportmiddel is nylon band toch, magnetische band, terwijl ik een Steen van Rosette nodig heb die door de tijd kan reizen.

Staat u me toe u een vraag te stellen, dr. Reuben.

Hebt u ooit aan den lijve... Nee, natuurlijk niet. Natuurlijk hebt u dat niet. Maar ik laat mijn rekruten zes uur achter elkaar de maskers en decontaminatiepakken dragen, terwijl ze bezig zijn zwaar materieel uit te laden. Niet dat zes uur ons een betrouwbare maatstaf kan verschaffen voor wat dan ook, maar dat is nu eenmaal de maximaal toegestane tijdsduur bij een oefening. De helft bezwijkt eraan, en ik heb het over het neusje van de zalm, in fysiek en mentaal opzicht perfecte mannen. Hallucinaties, verdrinken in hun eigen zweet en braaksel. Het is alsof je levend in je lijkwade gewikkeld bent.

Het is een... het is geen lot dat...

Moet uitgebloed worden. Moet geranseld worden.

Vanavond moet ik Anna zien.

Neemt u dit gesprek op, dr. Reuben? Als u dit gesprek opneemt, wil ik voor het nageslacht zeggen: Sirocco is niet het ergste. Het ergste is het zíen en niet ingrijpen om het te laten stoppen. Het ergste is, dat dit onder toezicht van hoogst geavanceerde technologie gebeurd is. Het ergste zijn degenen die toekeken en observeerden en een stem uitbrachten: aanvaardbare bijkomende schade.

Als je bepaalde dingen eenmaal weet, kun je niet meer...

Wilt u mij uw woord geven?

Ik weet niet hoe ik u ervan moet overtuigen dat dit belangrijk is, gezien het feit dat ik automatisch beperkt ben in de dingen die ik u mag vertellen, gezien het feit dat bepaalde woorden, als ik ze alleen al zou uitspreken, de kans zouden verkleinen dat het bewijsmateriaal bewaard blijft. Als er één enkel woord is waarvan ik zou willen dat ik het in steen kon beitelen, is het 'gijzelaars', maar ik durf het niet te zeggen. Ik durf het risico niet te nemen het te zeggen.

Ik denk, dr. Reuben, dat dit de laatste keer is dat ik u zie.

Ik ben nu een te groot veiligheidsrisico geworden, en ik zal geëlimineerd moeten worden. Ik ken de regels, en tot op dit moment heb ik het spel altijd volgens die regels gespeeld.

Ik weet dat ik niet veel tijd heb.

Deze sleutel wil ik aan u geven. Wilt u me op uw beurt uw woord geven en mij de hand schudden?

VI

IN HET MOERAS

'De naam van het moeras was wanhoop.'

   – John Bunyan, *De Christenreis naar de eeuwigheid*

'Want wat is water... anders dan een vloeibare vorm van het Niets? En wat zijn de Fens... anders dan een landschap dat, meer dan enig ander landschap, het Niets het dichtst benadert? Iedere Fenbewoner verkeert nu en dan in de waan dat het land waar hij op loopt er niet is, zweeft...'

   – Graham Swift, *Waterland*

1

Op de kade van het Saltmarsh Motel, beschut door de duisternis, duwen en trekken Samantha en Lowell de boot door zeegras en modder.
'We betalen contant,' zegt Samantha. 'Zodat we geen spoor achterlaten.'

'Hebben we genoeg?'

Samen hebben ze zevenenvijftig dollar.

'Zou ruimschoots voldoende moeten zijn,' zegt Sam. 'Voor in het
naseizoen. Verder zal er niemand zijn.'

'Negenenveertig vijfennegentig,' zegt de beheerder. 'Als u de
briefjes hier voor me neerlegt: halve prijs, en geen vragen. Krijg nooit
iemand in deze periode van het jaar.'

'We zijn verdwaald in het moeras,' zegt Sam. 'We logeren verderop langs de baai.'

De beheerder is een oude visser met een verweerd gezicht, die in
het seizoen de gasten zijn diensten aanbiedt als oestergids. 'Het
moeras is verraderlijk,' geeft hij toe. 'Je kunt niet zomaar wat met
haar aan rotzooien, je moet haar kennen.'

'Ik denk dat we bij daglicht wel uit de kanalen kunnen komen,'
zegt Sam. 'Hebt u een kamer met een videorecorder?'

'Al onze kamers hebben videorecorders. En digitaal. We hebben
hier onze eigen videotheek.' Met zijn duim wijst hij op twee schap-
pen met banden onder het raam. 'Hebt u *Air Force One* gezien? Nee? Ik
zes keer; mijn eigen favoriet. Kost twee dollar extra om te huren.'

'Dank u. We nemen uw advies ter harte.' Sam geeft hem de extra
twee dollar en pakt *Air Force One* van het rek met videobanden.

De beheerder geeft haar een sleutel met daaraan een plastic kaart. 'Kamer acht,' zegt hij. 'Aan uw linkerzijde als u naar buiten loopt.'

In Kamer 8 doen ze de gordijnen dicht. Lowell laat de rugzak van zijn schouders glijden en Sam ziet dat de oude trekkoordtas die erin zit van een oude kussensloop gemaakt is, een kinderkussensloop, bezaaid met kastelen en ridders in harnas en jonkvrouwen met lang haar die vanuit torens toekijken.

Er zijn zes banden, met zwarte viltstift genummerd van één tot en met zes. Als ze cassette nummer 1 openmaken, zien ze dat er een dikke brief in zit, in plaats van een band.

'Dat is het handschrift van mijn vader,' zegt Lowell.

2

De bekentenissen van Salamander

Op het midden van onze levensweg bevond ik me in een donker woud,
omdat ik van de rechte weg was afgedwaald.

Net als Dante heb ik een reis naar een verschrikkelijk oord gemaakt, de meest verschrikkelijke nachtmerrie, maar mijn gids was niet Vergilius. Ik had geen gids. Het woud is zwarter dan donker, en dichtbegroeider. Het is ondoordringbaar. En wat erger is: je kunt er geen stap veilig zetten, want de grond is zacht en zakt weg. Fuiken van drijfzand liggen als monden met natte lippen te wachten.

Er was – er is – geen uitweg.

Alles wat ik kan doen is u bijschijnen met een zwakke lantaarn, om u te laten zien waar ik geweest ben. De eerlijkheid gebiedt mij u te waarschuwen dat u misschien beter niet kunt kijken. Ik zou u dringend moeten aanraden u van deze poel van angst terug te trekken. Zuigende smerigheid zal aan u blijven kleven. Dit is de ergste reis die u ooit zult ondernemen.

Ik ben ertoe veroordeeld uw gids te zijn. We zullen door de cirkels van Sirocco's hel reizen, zoals hij ze gechoreografeerd heeft. Gechoreografeerd? Gechoreografeerd en opgenomen. Dat soort zieke dingen doet Sirocco. Hij is een begaafd ontwerper van op maat gemaakte hel en hij geniet van een beeldopname van zijn macht. Ik twijfel er niet aan dat hij zijn eigen banden bekijkt en opnieuw bekijkt. Hij geniet van de gedachte dat wij toekijken.

Niemand zou de sluwe intelligentie van Sirocco moeten onderschatten. Van tijd tot tijd voel ik me even gevleid dat hij zo veel moeite deed, zo veel persoonlijke moeite deed om bepaalde mensen het door hem uitgekozen vliegtuig en de gijzelaarsbunker in te krijgen: mijn vrouw, mijn dochter, de man van wie mijn dochter hield (een man die Sirocco onvermijdelijk als een seksuele rivaal zag; een man die hij daarom met veel plezier kapotsloeg).

Heb ik er ook niet over gefantaseerd mijn vrouw Isabella te straffen?

Heb ik Charron niet willen laten boeten voor zijn koppige verzet en trots?

Heb ik niet geprobeerd – om te voorkomen dat ze gevaar liep; om te voorkomen dat ze een brandpunt van risico werd – het leven van mijn wrokkige en kregelige dochter te controleren, die op het laatste moment gered werd voor een zenuwinstorting en een psychische inzinking?

Heb ik ze niet alledrie onder surveillance geplaatst?

Ik beken schuld.

Zo kwaadwillend briljant is Sirocco, die weet hoe hij schuld en medeplichtigheid aan verdriet moet toevoegen. Hij zou een mens met de grootst mogelijke tederheid en fijnzinnigheid kunnen afranselen. 'Vandaag zag ik hoe een man afgeranseld werd,' zou je dan zeggen. 'Ongelofelijk hoeveel slechter hij er daardoor uit kwam te zien.' En toch diende hij rapporten in bij zijn superieuren, hij diende zijn verslagen in, hij gebruikte zijn lunch en dineerde en ging naar bed en sliep en stond op en ging vele jaren lang naar kantoor en trouwde opnieuw en hield zijn zoon, die hij doodsbang was om te verliezen, nauwlettend in de gaten en hij diende zijn rapporten in en hij bewaarde zijn geheimen en hield zich aan de gedragscode waartoe hij zich met een eed verplicht had, maar hij leefde niet meer en hij had geen huid meer.

Elke dag was hij verschrikkelijk bang dat zijn zoon en zijn gereddemaar-verloren dochter en zijn jonge derde vrouw iets zou overkomen. Om ze te beschermen nam hij afstand van ze. Hij trok zich zelfs terug uit de schil binnen in hemzelf; van mij, zogezegd, en ik van hem. We probeerden onze gedachten gescheiden en voor onszelf te houden. Ik zie hem nu naast me zitten, zonder me aan te kijken: Salamander, gevangen in een ijsblok.

Wie van ons deze bekentenis schrijft, weet ik niet.

Met wie van ons Sirocco het liefst speelde, zoals een kat met een vogel speelt, weet ik niet, maar de geconcentreerde toewijding waarmee hij ons allebei kwelde – zijn gespleten-tweeling wederhelft bij geheime operaties – geeft soms een paar minuten lang wat troost. Het telt zeker als een soort geloofsbrief, ja, daar probeer ik mezelf soms van te overtuigen. Het verschaft het kwaad het aanzien van een man-tegen-man-gevecht – tenminste, dat lijkt het te doen. Het geeft mij de moed te hopen dat ik dan toch misschien de ridder met de witte pluim op zijn helm ben – dat ik dat misschien ben – en versterkt mijn gelofte het belastende bewijsmateriaal voor het nageslacht te bewaren. Ik waag het te hopen dat deze banden mijn Steen van Rosetta en mijn Dode-Zeerollen zijn.

Ik kan het verschrikkelijke effect dat het rechtstreeks ontvangen van Sirocco's uitzendingen op me had nooit opnieuw creëren, maar drie banden (genummerd 4, 5 en 6) bewaren het oneindige, onbewerkte verval naar de zevende cirkel: voor toekomstige historici, voor degenen die het kunnen verdragen ernaar te kijken.

Cassette nr. 1 bevat dit document.

Cassette nr. 2 is een collage van openbare films van nieuwsbeelden.

Cassette nr. 3, de cruciale, is mijn bewerkte versie van het ruwe primaire bewijsmateriaal. Hij bevat de Laatste Woorden. Uit deze band heb ik de ondraaglijke pijn weggesneden die zo erg is dat hij niet bekeken kan worden, ik heb geknipt en geplakt, ik heb de illustraties behouden, ik heb het beeld ondertiteld en ik heb een gedenkteken voor de doden opgericht. Ik noem hem de Decameroneband, en het is mijn daad van verzoening, mijn rouwritueel, mijn klaagmuur, mijn monument voor degenen die op een zo verschrikkelijke manier zijn omgekomen, mijn kyrie-eleïson, mijn gebed.

Ook is het mijn aanklacht. (Het loodzware gewicht van mijn zonden bedrukt me. *O, ik zou opspringen naar mijn Heer*, maar er is geen vergiffenis mogelijk. Er is geen uitweg.)

Het maken van de Decameroneband is het belangrijkste wat ik ooit gedaan heb; het bewaren ervan het gevaarlijkste.

De uitzendingen kwamen rechtstreeks vanuit AF 64 binnen, en toen vanuit de bunker in Irak. Sirocco beschikte over briljante geesten, opgeleid (door ons, natuurlijk) tot op het hoogste niveau van informatietechnologie, biochemische oorlogvoering en explosieven. De uitzendingen kwamen rechtstreeks binnen, en ik was bepaald niet de enige die toekeek.

De eerste uitzending, die vrijgegeven werd aan wereldwijde nieuwsdiensten, werd ongecensureerd uitgezonden in verschillende landen, waaronder het onze. Waarom is dit beeldmateriaal verdwenen? Eigenlijk is het niet verdwenen, maar weggelaten door opeenvolgende redactionele interpretaties en tendentieuze weergave. De impact ervan is afgezwakt. Het is verloren gegane geschiedenis; of beter gezegd: tijdelijk verkeerd opgeborgen, zoals zo vaak het geval is met geschiedenis. Daarom voeg ik een exacte kopie van Sirocco's ultimatum toe, hoewel hij ook gemakkelijk in openbare archieven verkrijgbaar is (als beeldmateriaal en in transcriptie).

Gedurende de hele vierentwintig uur in de bunker werd er wanhopig onderhandeld. Hieronder geef ik de transcripties weer van de telefoongesprekken die plaatsvonden tussen ondergetekende en degenen die hoger in het besluitvormingsproces stonden dan ik.

Transcripties

Transcriptie van Sirocco's ultimatum

(Audiovisueel uitgezonden op 13 september 1987; bekeken door Salamander; doorgeschakeld naar en bekeken door een onbekend aantal onbekende individuen hogerop in de bevelsstructuur; op 14 september 1987 ook wereldwijd uitgezonden door CNN en landelijke nieuwszenders; vervolgens afgedaan als bedrog – geheel met de bewuste intentie om te misleiden.)

Stem van Sirocco

U hebt gezien wat er met Vlucht Zwarte Dood, voorheen Air France 64, is gebeurd. Voordat het vliegtuig werd opgeblazen, hebben we er tien gijzelaars uitgehaald. Ze zijn in veiligheid gebracht.

Door ons landingsrechten in Parijs te weigeren, door ons ultimatum over het aanstaande lot van de gijzelaars te negeren, bent u al te lichtzinnig met onze eisen omgesprongen. Nu weet u dat er met ons niet valt te spotten. Daarom geven we u deze laatste kans.

De gijzelaars bevinden zich in een ondergrondse, hermetisch afgesloten bunker. Sarin en mosterdgas zijn door buizen aangevoerd, maar de gijzelaars zijn ongedeerd. Ze hebben gasmaskers en beschermende pakken gekregen, die tot vierentwintig uur als een schild zullen blijven dienen (hoewel sommigen het misschien eerder zullen begeven).

We hebben de namen gegeven van tien vrijheidsstrijders die onterecht wegkwijnen in Israëlische, Franse en Amerikaanse gevangenissen. Laat ze voor middernacht vrij, en de gijzelaars zullen ook vrijgelaten worden. U hebt hooguit vierentwintig uur de tijd. Als niet aan onze voorwaarden voldaan wordt, gaan de gijzelaars het vliegtuig achterna, maar pas nadat ze verschrikkelijk geleden hebben.

Transscriptie van telefoongesprek (14 september 1987)

Salamander

Sirocco heeft microfoons in de bunker geplaatst en ik schakel u door. Hij is ziek in zijn hoofd. Hij wil dat we rechtstreeks getuige zijn van die doodsgevechten. Dit moet helemaal door naar de bovenste regionen. Laat het me weten als je ze doorgeschakeld hebt.

Antwoordende stem

Ontvangst beelden bevestigd. We hebben nog niet besloten hoe ver dit moet gaan. We houden de situatie in de gaten.

Salamander

Dit moet helemaal naar boven. Ik ken Sirocco. Hij doet alsof. Hij kan altijd gekocht worden. Gijzelaars-voor-gevangenen is een façade om dat tuig van hem mee te plezieren. Hij speelt beide kanten tegen elkaar uit, en hij moet die zeloten in toom houden. Hij maakt een deal met ons, maar er komen olierechten bij kijken, niet alleen maar cash, en er zullen twee telefoontjes van bovenaf voor nodig zijn: één van ons en één van de Saudi's. Ik kan tijd rekken.

Antwoordende stem

Ja, rek tijd. Dat is je opdracht.

Salamander

Dat doe ik, maar we hebben weinig tijd. Aan dit horrorverhaal kan snel een einde gemaakt worden met een telefoontje naar koning Fahd of prins Abdoellah. Maar het moet van bovenaf komen, begrijp je dat? Zoek uit waar die bunker is. Ik bedoel exact. Het is vlak bij Tikrit, dertig kilometer of minder van het vliegveld. Ze hebben geen tijd gehad om verder te gaan. We hebben een contactpersoon in Tikrit.

Antwoordende stem

We hebben geen contactpersoon meer in Tikrit. Saddam heeft ons CIA-station een jaar geleden vernietigd, in september 1986. Met zijn Eenheid 999.

Salamander

Denk je dat ik dat niet weet? Hij deed het met het zenuwgas dat wij hem gegeven hebben.

Antwoordende stem

Dat was toen we hem nodig hadden tegen Iran. Hij moest dat tegen Iran gebruiken. We hadden onmogelijk kunnen voorspellen wat voor een verradelijk zwijn...

Salamander

Inderdaad. Tegelijkertijd veegde hij een zootje van zijn eigen Koerden van de kaart. En toch zeg ik je dat we nog steeds een contactpersoon in Tikrit hebben. En er zijn mensen die ik kan omkopen.

Antwoordende stem

Dat nemen we in overweging. Je opdracht is tijd te rekken.

Salamander

De Saudi's weten dat hij geld van ons krijgt, dus daar zijn ze niet van onder de indruk. Ze denken dat hij hún dubbelagent is, maar deze gast verkoopt zijn moeder nog vier keer. Je moet ze laten zien dat hij betaald wordt door groeperingen die van plan zijn de koning af te zetten. Zorg ervoor dat ze dat aan de top begrijpen.

Antwoordende stem

We ontvangen je. Binnenkomende beelden zijn uitstekend. God, wat een barbaren, vind je niet? Dit is duivels, maar we moeten voorzichtig verdergaan. Het bevel van bovenaf luidt: we kunnen het ons niet permitteren Saudi's tegen het zere been te trappen.

Salamander

Dit is geen tegen zere benen trappen. Dit heet hun vege lijf redden.

Antwoordende stem

Wij denken niet dat ze het op die manier zullen interpreteren. Sirocco is een Saudi.

Salamander

Hij heeft ook twee andere paspoorten, voorzover we weten. Hij heeft zijn gezin naar Algerije gebracht zodat zijn vrouw kan les geven en zijn dochters naar school kunnen gaan. Het gerucht gaat dat zijn oudste dochter arts wil worden en dat hij haar aan de Sorbonne wil laten studeren. De Saudi's kunnen beweren dat hij een Algerijn of een Libiër is, als het ze uitkomt. Zou niet de eerste keer zijn. Maar in godsnaam, zorg ervoor dat ze wat dóén.

Antwoordende stem

Maar het punt is: hij ís een Saudi, en de prinsen stellen nare hints niet op prijs. Ze stellen geen enkele suggestie op prijs dat zij banden hebben met terroristische activiteiten. Rek zoveel tijd als je kunt.

Salamander

We hebben vierentwintig uur. Nee, nu hebben we nog minder. Je moet dat telefoontje naar koning Fahd of prins Abdoellah regelen. Heb je er enig idee van hoe verschrikkelijk deze sterfgevallen zullen zijn?

Antwoordende stem

We zullen ons best doen. Antwoord komt net binnen van de woordvoerder van het Huis van Saud. De prinsen weten niets van het bestaan van Sirocco.

Salamander

O, in de naam van het Huis van Bullshit, wat denk je anders dat een woordvoerder van het koningshuis zal zeggen? Ik kan je zo een paar foto's van Sirocco met de prinsen geven. Ze kennen hem persoonlijk, ze leggen hun oor bij hem te luister. Ik heb banden, video met audio, van sociale gelegenheden...

Antwoordende stem

Dat bedoelen we precies. De Saudi's zullen het niet op prijs stellen, en we moeten ze niet tegen het zere been trappen. Dat zou op dit moment niet in het belang van de staatsveiligheid zijn.

Salamander

Het merendeel van het geld voor deze kaping kwam van de Saudi's (en de rest kwam van ons, natuurlijk, voordat we wisten dat we verraden waren).

Antwoordende stem

Daar zijn we ons volkomen bewust van, Salamander, maar het zou niet in het belang van...

Salamander

En de wapens zijn van ons, weet je nog, voor het geval een journalist hier lucht van krijgt, net als de gasgranaten, dus je kunt godverdomme maar beter zeggen dat het godverdomme zeer zeker in het belang van de staatsveiligheid is... Ook voor de Saudi's, als hun sponsorconnectie aan het licht komt. Je moet ervoor zorgen dat de president de langetermijngevolgen hiervan begrijpt, en hij moet ervoor zorgen dat de koning ze begrijpt.

Antwoordende stem

Je aanbevelingen staan genoteerd, Salamander. We zullen doen wat we kunnen. Maar mij is gevraagd van de hoogste regionen door te geven dat ze weten dat je in de gijzelaarskwestie iets zeer persoonlijks op het spel hebt staan en de consensus is dat dat je beoordelingsvermogen vertroebelt. Ik zou je willen aanraden terughoudend te zijn, Salamander. Kwesties van staatsveiligheid hebben wel degelijk voorrang boven persoonlijke belangen.

Op dat moment wist ik instinctief dat er niets gedaan zou worden, dat het in de doofpot gestopt zou worden, dat alle bewijsmateriaal vernietigd zou worden. Op het moment dat ik de hoorn op de haak legde, wist ik dat mijn eigen dagen vanaf dat moment geteld waren.

Niet lang hierna hield mijn telefonische contact met mijn superieuren helemaal op. Mijn telefoontjes werden niet meer beantwoord. Natuurlijk heb ik nooit geweten welk niveau van de overheid mijn smeekbeden en voorstellen hebben bereikt, hoewel ik een paar hypotheses heb opgesteld – op basis van de nawerking en op basis van de eis dat de banden afgestaan en vernietigd werden. Ik weet dat er herhaaldelijke pogingen gedaan zijn om elke mogelijke illegale kopie op het spoor te komen die ik kon hebben gemaakt.

Op ongeveer hetzelfde moment dat ik het contact met mijn eigen mensen verloor, werd ook het contact met Sirocco verbroken. De breuk was abrupt. De uitzendingen van zowel beeld als geluid werden stopgezet. Misschien gebeurde dat op bevel en onder toezicht van onze kant, misschien van die van hem. Ik weet het niet. Ik weet wel dat de stilte van de duivel onrustbarender is dan de stilte van God, want dan vragen we ons angstig af: wat is de Boze van plan, wat wij niet kunnen horen of zien?

In de verre toekomst, onder een nieuwe regering, als andere verdragen en bondgenootschappen prevaleren, zullen we misschien eindelijk te weten komen waar de bunker zich precies in Irak bevond, en zullen we de lichamen terugvinden van de mensen die daar zijn omgekomen.

Is iedereen omgekomen?

Bijna zeker. En toch kunnen we dat niet weten, omdat het contact verbroken werd voordat het allemaal afgelopen was. Zelfs een hermetisch afgesloten bunker is poreus en aan tocht onderhevig, en er is een kans, een kleine kans...

Ik merk dat ik hoop.

Dat, zo zult u me meteen verwijten, is wensdromen. Dat weet ik. En toch, zolang er geen sluitend bewijs is gevonden...

Wat Sirocco betreft: men beschouwde hem als te nuttig, als te belangrijk voor de behoeften van onze inlichtingendienst in Afghanistan – tegen de Russen – om geëlimineerd of ontmaskerd te worden. Heel de jaren negentig heeft hij als onze dubbelagent wapenleveranties, steun en verschillende soorten betaling ontvangen. Als de criminele agent het enige is dat we hebben, gebruiken we de criminele agent, terwijl we gevaarlijke risico's en kortetermijnwinst tegen elkaar afwegen.

Toen het eenmaal duidelijk was dat ik door een zuigende twijfel ondergetrokken werd, werd mijn eigen toegang tot officiële informatie van de inlichtingendienst beperkt – eerst geleidelijk, toen snel. Mijn taken werden teruggebracht tot het opleiden van rekruten. Daarna werd ik uit deze functie ontheven en beschuldigd van 'gebrek aan academische neutraliteit' en 'ongepaste en overmatig emotionele colleges'. Toch blijven mijn officieuze bronnen mijn eigen officieuze bronnen, de contactpersonen van een agent blijven zijn contactpersonen, en ik beschik wel degelijk over betrouwbare informatie dat, op het moment dat ik deze bewerkte band aan het compileren ben, tijdens de zomer van 2000, Sirocco tussen Kabul en Peshawar heen en weer reist en dat hij als belangrijk voor onze nationale belangen beschouwd wordt.

Toch blijf ik geloven dat ik gedaan heb – hoewel ik de gevolgen nooit kan goedmaken – wat nodig was op een moment dat onze natie en het internationale machtsevenwicht en de wereldvrede op een complexe manier gevaar liepen. Ik dacht dat ik alle leden van een elite-terroristencel één kleine ruimte in kon lokken en ze vervolgens kon uitschakelen.

De dingen liepen fout.

Als ik het exacte moment kon aanwijzen waarop ik verkeerd handelde, dan zou het het moment zijn waarop Nimrod erop aandrong Operatie Zwarte Dood af te blazen en ik weigerde hem te steunen. Overmoed: ik dacht nog steeds dat ik Sirocco tot de orde kon roepen. En: ik wilde niet de prijs betalen die Nimrod betaalde.

Ik weet dat de betalingstermijn bijna vervallen is.

Als tegenwicht van mijn verschrikkelijke (maar onbedoelde) misdaden wil ik deze kleine prestaties aanvoeren: de kinderen werden uit het vliegtuig gelaten, ik heb het leven van mijn dochter Françoise gered, door contacten met de Franse inlichtingendienst en de Franse politie heb ik het Sirocco onmogelijk gemaakt (of zo onmogelijk als zoiets kan) ooit nog Frankrijk binnen te komen.

De rest is stilte.

Waar kan ik beginnen met het herscheppen van het effect dat Sirocco's rechtstreekse uitzending vanuit de bunker had?

Stel je het volgende voor.

Het scherm is bijna, maar niet helemaal, donker. Schaduwwezens met vreemde vormen, met groteske hoofden, bewegen in een traag ballet in het rond, en ware het niet om het angstaanjagende feit dat we allemaal maar al te goed weten waar we naar kijken, dan zouden we kunnen denken dat we ons in de eerste cirkel van Dantes hel bevinden.

Het licht is troebel, ergens tussen de kleur van modderwater en dikke industriële smogschemering in. Gedaanten met kappen, rondstrompelend als de verdoemden – ze zíjn de verdoemden – tasten in het rond en grijpen elkaar vast. Ze bevoelen de wanden, ze drukken hun uitgestrekte armen ertegenaan, omhoogreikend, omlaagreikend, ze beschrijven grote bogen in vele richtingen, terwijl ze de afmetingen van hun kooi opmeten als blinde mannen aan wie verteld is dat zich ergens op de muren een 'Sesam, Open U'-schakelaar bevindt. Ze hebben vierentwintig uur de tijd om hem te vinden. Hun handen zijn rond en hebben geen vingers, als de stompen van lepralijders. De vormen van hun lichamen lijken op prehistorische insecten; ze hebben opgezwollen gesegmenteerde lichamen en insectenogen. Het podium waarop alles zich afspeelt lijkt op een kamer, of een bunker, ongeveer vier vierkante meter groot. Er zijn geen meubels. Er zijn alleen de tien figuren in hun beschermende pakken, die zich soms op de grond opkrullen, onbeweeglijk, en soms tegen elkaar opbotsen. Als ze tegen elkaar opbotsen omhelzen de lichamen elkaar soms en houden ze zich aan elkaar vast. Op andere momenten gaan ze uit elkaar, als gelijk geladen magnetische polen die elkaar afstoten. Hoog in één hoek, daar waar twee muren en het plafond samenkomen, bevindt zich een infraroodoog.

De camera was geïnstalleerd door Sirocco, die vooral wilde dat ik toekeek, en die wilde dat de wereld toekeek. Kijk eens hoe kalmpjes een marteling uitgevoerd kan worden, wilde hij zeggen. Ik vestig me in jullie nachtmerries. Ik woon onder jullie kussen en onder jullie huid. Jullie zullen nooit meer vredig slapen.

Sirocco had zijn list lang van tevoren gepland. Hij was minutieus. Zijn list had maar één fout. De beleidsmakers brachten niet alleen een totale black-out tot stand, ze deconstrueerden Sirocco. Ze gooiden hem op één hoop met de boeman, het bedrog, het product van een nachtmerrie. Ze deconstrueerden de hel.

En daar hadden ze gelijk in. Ze deden er goed aan Sirocco's fantasie van wereldwijd bereik en mythische macht door te prikken. Ze veranderden hem in een schaduwspel op een muur.

Daar heb ik geen kritiek op.

Wat echter wel afschuwelijk was, was hun onvermogen om de passagiers en de gijzelaars te redden. Hun dood was te voorkomen, hoewel 'niet zonder onacceptabel risico voor het nationale welzijn'. (Ik citeer degenen die over ons lot beslissen.) Zelfs dit zou ik misschien kunnen accepteren: dat in tijden van crisis triage soms nodig is. In het belang van de meerderheid moeten sommigen sterven.

Maar als dat zo is, smeekte ik, moet de meerderheid die paar mensen eer bewijzen. Het dossier van hun opoffering mag niet uitgewist worden. Onze mensen, onze eigen mensen, hebben de gijzelaars definitiever vernietigd dan Sirocco deed. Wij hebben ze gepaste rituelen en begrafenisplechtigheden ontzegd.

Dit is godslastering, zei ik. Het is een morele smet op het nationale geweten.

Ik werd streng terechtgewezen.

'Hoewel de bijkomende schade betreurenswaardig hoog was,' werd mij verteld, 'was Operatie Zwarte Dood een succes. Misschien een beperkt succes – we hadden de passagiers liever gered – maar niettemin een succes. Een terroristencel was uitgeschakeld, de overgeblevenen werden verspreid. (Wat kunnen ze nu voor schade toebrengen vanuit de afgelegen grotten in Afghanistan waar ze zich nu schuil moeten houden, behalve aan Rusland?) Maar bovendien, en dat is een maatstaf voor strategie, zijn we niet gezwicht voor chantage. Dat is een teken van onze kracht. Wanneer men met terroristen te maken heeft, is dat een triomf.'

En zo kwam ik naar Carthago en naar Scipio. Ik begon de moeilijke vraag te stellen die Scipio stelde: hoe kunnen we een overwinning van een verschrikking onderscheiden?

In de loopbaan die ik gekozen heb, is het stellen van dit soort vragen fataal. Het kondigt het begin van het einde aan.

Mij werd verteld dat ik de banden moest overdragen en dat deed ik, en in het belang van de staatsveiligheid – zeiden ze tegen mij – werden de banden vernietigd. Maar voordat ik de originelen afstond, maakte ik stiekem kopieën. Als je mijn Decameroneband ziet, zie je hetzelfde scherm dat ik rechtstreeks zag, terwijl ik tijdens het kijken wist dat ik bekeken werd. Bedenk goed dat het zeer wel mogelijk is dat ook jij bekeken wordt terwijl je kijkt.

Op de band staan schaduwfiguren die rondlopen en om zich heen tasten, in de gaten gehouden door een infrarood oog. Niet door hun snelheid maar door hun draaiende bewegingen doen de schimmen denken aan een mierenkolonie die georganiseerd op zoek is naar een partner. De handen in de wanten op de dik ingepakte schouders van

een ander, twee aan twee, ze mediteren, veiligheidsbril tegen veiligheidsbril, snuit tegen snuit. Dan omhelzen ze elkaar vaak als dikke
clowns. Ze staan in paartjes, tien seconden lang, dertig, een hele minuut, maar dan gaat er kennelijk een soort kennis, of een gevoel van
afkeer, door middel van osmose door ze heen. Beiden lijken een fout
aan te voelen. De twee maken zich dan van elkaar los, spijtig buigend,
als sumoworstelaars, om door te gaan met een droommenuet.

Terwijl de partners wisselen, en dan opnieuw wisselen, en dan opnieuw, zul jij, de kijker, merken dat je je afvraagt of de onveranderu-
lijke partner die elke schim uitkiest de Dood Zelf is.

Zelfs wreedheid roept het verlangen op om er kunst van te maken.
Vooral wreedheid. Je voelt je geroepen haar te transformeren. Zíj
voelden zich geroepen om dat te doen. De Decameroneband is mijn
eigen daad van creatieve transformatie en mijn boetedoening.

Wat ik bewaar zijn verhalen die gemaakt zijn in de hel.

'Wat we leren in een tijd van pest,' schreef Camus, 'is dat er in de mens
meer zaken te bewonderen zijn dan te verachten.'

3

Lowell ligt languit op zijn buik op het tapijt, met zijn voorhoofd op zijn armen. 'Mijn zoon, die ik doodsbang was om te verliezen,' mompelt hij tegen de vloer. Hij wiegt zijn hoofd zoals mensen met migraine dat doen.

Vrijgegeven documenten en zesenzeventig zwartgemaakte ruimtes zwerven rond in Samantha's hoofd, links rechts links rechts, op korte afstand gevolgd door honderdenéén halve zinnen: *Salamander voert bevel over operaties...* XXXXXXXXXXXXXXXXX *schietgraag, waarschuwt Salamander, maar op de manier waarop criminele agenten dat zijn, we kunnen* XXXXXXXXXXX *heeft geheime contacten in de Saudische paleizen en bruikbare informatie...* XXXXXXXXXXXXXX *betalingen en wapenleveranties dienen voorbereid te worden* XXXXXXXXX *Salamander dient Sirocco te ontmoeten...*

Boem, boem, boem, slaat de trommel beschuldigend. Boem: de haal van de pen van de censor. Boem, boem, sneller en sneller, Samantha's bloed houdt het ritme bij. Het klopt bij haar slapen. Ze voelt een vlaag van woede en verdriet die haar uitschakelt. Ze wil met haar vuisten op de muur bonken. Hoe heb je dat niet kunnen weten, wil ze Lowell vragen. Ze wil schreeuwen.

Ik zou het wel geweten hebben, denkt ze. Als mijn vader misdaden op zijn geweten had, zou ik het geweten hebben. Ik zou hem ermee geconfronteerd hebben, ik zou ruzie met hem gemaakt hebben, ik zou woedend geworden zijn.

Zo nodig zou ik zijn geest bij zijn revers pakken.

'Hij leefde in de voortdurende angst dat zijn zoon gevaar liep,' zegt

Lowell. Hij herhaalt de woorden als een kind dat de catechismus of een toverspreuk uit zijn hoofd leert. Hij begint als een slaapwandelaar in de kamer rond te lopen, botst tegen het bed op, botst tegen de kast en de stoel op, stoot zijn hoofd tegen de muur. 'Mijn vader was Salamander,' zegt hij. De kamer lijkt over te hellen en rond te draaien. Zijn stem daalt tot gefluister. 'Mijn God, mijn God. Mijn vader was Salamander.'

Sam schuift cassette nummer 2 in de video. Ze zet de tv aan met de afstandsbediening en klikt naar het videorecorderkanaal. Ze drukt op PAUZE.

'Zegt iets,' vraagt Lowell dringend.

'Ik weet niet wat ik moet zeggen.'

'Zeg iets, verdomme. Jij hebt Salamander tot je noordster gemaakt. Jij hebt je leven laten leiden door mijn vader. Jij hebt erover gefantaseerd dat hij moest boeten.'

'Hij lijkt geboet te hebben,' zegt Sam moeizaam. (Maar heeft hij genóég geboet, vraagt ze zich af. Is hij uitgeboet? Hoe kunnen we gepaste herstelbetalingen voor en van de doden krijgen?) Met vlakke kalme stem zegt ze: 'Jouw vader kan mijn Jacob niet hebben vermoord. Jouw vader was al dood. Iemand anders heeft aan Salamanders touwtjes getrokken.'

'Hij vreesde voor mijn leven. Ik dacht dat hij zo op me lette omdat hij verwachtte dat ik een mislukking werd. Ik dacht dat hij zich voor me schaamde, en al die tijd...'

Samantha loopt naar het raam en schuift de zware gordijnen open. Een enkele schijnwerper werpt een gouden licht op de enige auto op de parkeerplaats: het bestelbusje van de eigenaar. Het kleine kantoor van het motel is verlicht; de rest is gehuld in duisternis. Aan de andere kant van de kamer kijken de ramen uit op het moeras. Sam tilt het gordijn op en kijkt naar buiten. De weidse vlakte van water en vlotgras is spookachtig mooi in het schijnsel van de maan. Niets beweegt behalve de grassen en de nachtvogels, de langzaamzwevende zeevogels van de nacht.

'Lowell?' Sam raakt zijn schouder aan. 'De andere banden...'

'Ik weet niet of ik dat kan,' zegt hij.

'Hij heeft het je gevraagd.'

'Ik ben bang.'

'Ik ook. Daar hebben we ook alle reden toe.'

'Ik ben bang dat ik hem weer teleurstel. Ik ben bang dat ik niet aan zijn maatstaven voldoe. Ik ben de ringbanden al kwijtgeraakt.'

'Je hebt de videobanden gered.'

'Als je mijn appartement gezien had nadat ze het hadden doorzocht... Hoe moet ik deze veilig bewaren?'

'Je hebt ze veilig bewaard. Ze zijn hier.'

'Sam. Samantha. Hoe kunnen we in leven blijven?'

Sam overweegt weer tussen de gordijnen door te kijken, maar daar is ze te bang voor. 'Dat zoeken we later wel uit,' zegt ze. 'Denk er maar niet over na. Eerst moeten we de banden bekijken.'

'Ik ben bang voor wat hij ons wil laten zien.'

'Ik ook.'

Lowell controleert de ketting op de deur. 'Wat als ze me gevolgd zijn?'

'Dan gaan we in het donker zitten.'

'Die psychiater,' zegt Lowell. 'Hij weet dat ik ze heb. Iemand heeft hem vast en zeker gevolgd. Ze zouden nu al bij het botenhuis kunnen zijn. Ze zouden in het kantoor van het motel kunnen zijn.' Hij kijkt tussen de gordijnen door. Op de parkeerplaats is het nog steeds doodkalm. 'Je hebt gelijk,' zegt hij dringend. 'We moeten ze bekijken voordat...' Hij pakt de afstandsbediening. 'We moeten kijken zolang het nog kan. Waar is de...'

'Ik heb de cassette al in het apparaat gestopt,' fluistert Sam. 'Hou het volume laag.'

Lowell drukt op PLAY. Sam doet het licht uit en ze zitten in het donker, naast elkaar op het tweepersoonsbed, met achter hun rug de kussens en de plank van het hoofdeinde, en hun gezichten worden spookachtig verlicht door het flikkerende licht van de televisie.

CBS nieuwslezer

Wij brengen u het laatste nieuws over de kaping van Air France 64, die zes dagen geleden, op 8 september, uit Parijs is opgestegen. Nadat tweeëntwintig kinderen in Duitsland veilig uit het toestel gelaten waren kreeg het vliegtuig toestemming om bij te tanken.

Vervolgens vlogen de kapers naar Libië, waar gasgranaten aan boord werden gebracht en beschermende maskers en kleding aan de passagiers uitgedeeld werden. De kapers eisten toestemming om in Parijs te landen.

De bewering van de kapers dat ze sarin in het vliegtuig hebben losgelaten, werd, samen met de beperkte duur van de bescherming die de gasmakers boden, gebruikt als chantagemiddel om de landingsrechten mee af te dwingen. De kapers verklaarden ook dat explosieve gassen waren losgelaten, en dat elke reddingspoging door scherpschutters het vliegtuig zou doen exploderen. De kapers eisten dat tien bij naam genoemde terroristen, die momenteel gevangenzitten, vrijgelaten werden en toestemming zouden krijgen om op luchthaven Charles de Gaulle aan boord te komen.

Bronnen bij inlichtingendiensten konden niet bevestigen dat de gassen waren losgelaten en deskundigen achtten het destijds onwaarschijnlijk. Toestemming om in Parijs te landen werd geweigerd.

Gisteren is het vliegtuig op de landingsbaan in Tikrit, in Noord-Irak opgeblazen, en op dat moment werd geloofd dat alle passagiers die nog in leven waren daarbij om het leven zijn gekomen.

Beeld van explosie van vliegtuig
In beeld komt een landingsbaan met in de verte een vliegtuig.
Er is een oogverblindende lichtflits.
Aan de rand van de landingsbaan lijkt een zon op te komen.

CBS nieuwslezer

Vandaag heeft CBS een exemplaar van de band van een Irakees televisiestation gekregen. Het lijkt erop dat tien passagiers van vlucht 64 nog steeds in leven zijn en dat ze gegijzeld worden tot aan bepaalde eisen van de kapers voldaan is. Tot op heden heeft CBS de echtheid van de band niet kunnen verifiëren.

U ziet nu de band zoals wij hem ontvangen hebben.

Beelden

Een figuur in zwarte kleding en met een gasmasker op verschijnt tegen een schrille witte achtergrond. In zijn handen houdt hij een machinegeweer. Van achteren wordt hij verlicht door een fel helder schijnsel, zodat er om de omtrek van zijn lichaam een trilling optreedt. Op de witte wand achter hem zijn in bloed drie woorden geschreven (of misschien zijn ze in rode verf ruw met een kwast aangebracht): OPERATIE ZWARTE DOOD.

Stem van Man in het Zwart

U hebt gezien wat er met Vlucht Zwarte Dood, voorheen Air France 64, is gebeurd. Voordat het vliegtuig werd opgeblazen, hebben we er tien gijzelaars uitgehaald. Ze zijn in veiligheid gebracht.

Door ons landingsrechten in Parijs te weigeren, door ons ultimatum over het aanstaande lot van de gijzelaars te negeren, bent u al te lichtzinnig met onze eisen omgesprongen. Nu weet u dat er met ons niet te spotten valt. Daarom geven we u deze laatste kans.

De gijzelaars bevinden zich in een ondergrondse, hermetisch afgesloten bunker. Sarin en mosterdgas zijn door buizen aangevoerd, maar de gijzelaars zijn ongedeerd. Ze hebben gasmaskers en beschermende pakken gekregen, die tot vierentwintig uur als een schild zullen blijven dienen (hoewel sommigen het misschien eerder zullen begeven).

We hebben de namen gegeven van tien vrijheidsstrijders die onterecht wegkwijnen in Israëlische, Franse en Amerikaanse gevangenissen. Laat ze voor middernacht vrij, en de gijzelaars zullen ook vrijgelaten worden. U hebt hooguit vierentwintig uur de tijd. Als niet aan onze voorwaarden voldaan wordt, gaan de gijzelaars het vliegtuig achterna, maar pas nadat ze verschrikkelijk geleden hebben.

Beelden

Een man met op de achtergrond het Capitool

Ondertitels in beeld: WOORDVOERDER VAN HET MINISTERIE VAN BUITENLANDSE ZAKEN

Woordvoerder van het ministerie van Buitenlandse Zaken

Wij sluiten geen deals met barbaren. We hebben geen bewijs gekregen dat er überhaupt gijzelaars zijn. We denken dat dit een wanhopige en pathetische list is van terroristen die hun laatste troefkaart al uitgespeeld hebben en het meest verschrikkelijke gedaan hebben wat ze konden doen.

ABC **nieuwslezer**

Bronnen bij inlichtingendiensten hebben onthuld dat de zogenaamde gijzelaarseis een list was. De band die ons gisteren via een Irakees televisiestation bereikte en aan nieuwsorganisaties wereldwijd uitgedeeld werd, is door forensische experts onderzocht. 'Dit beeldmateriaal is zeer ingenieus in elkaar gezet,' zei één expert op voorwaarde van anonimiteit, 'maar het is zonder enige twijfel vervalst.'

Het ultimatum dat veroordeelde terroristen in ruil voor de levens van de gijzelaars vrijgelaten moesten worden, wordt gezien als een wanhopig plan van een perifere cel van het terroristennetwerk. Onze bronnen wijzen erop dat deze groep niet eens bij de kaping betrokken was, en dat hun beeldmateriaal uit de tweede hand verkregen was en dat ze het op zo'n manier bewerkt hebben, dat uiteindelijk het 'Ultimatum van Operatie Zwarte Dood' verkregen werd. Betrouwbaar bewijsmateriaal wijst erop dat de kapers zelfmoordzeloten waren, die allen zijn omgekomen toen ze het vliegtuig twee dagen geleden hebben opgeblazen.

'We zouden in geen geval een deal gesloten hebben met barbaren,' aldus een functionaris van het ministerie van Buitenlandse Zaken. 'Maar in dit geval waren we zeer wantrouwig, al vanaf het moment dat we de eisen ontvingen. Behalve de kinderen, die door onze onderhandelingen uit het vliegtuig bevrijd werden, kunnen we categorisch melden dat er van vlucht 64 geen overlevenden en geen gijzelaars waren. Waarnemers van de Verenigde Naties zijn op Irakees grondgebied toegelaten, en de verkoolde wrakstukken van het vliegtuig zijn onderzocht. Geen enkele kaper wordt nog vermist. Uit ons bewijsmateriaal blijkt dat ze onderdeel uitmaakten van een zeer goed getrainde, uit islamitische fundamentalisten bestaande terroristencel in Parijs, die echter was samengesteld uit een uiteenlopende groep van Algerijnen met een Frans paspoort, Palestijnen en Pakistani. Alle nodige stappen zullen ondernomen worden om compensaties van de overheden van de betrokkenen op te eisen.

'Hoewel het aantal Amerikaanse slachtoffers verschrikkelijk is,' zei het ministerie van Buitenlandse Zaken, 'weten we tenminste wel dat de Parijse cel uitgeschakeld is.'

Beeld van explosie van vliegtuig

Voiceover

Dit is Salamander. De band die u zo meteen zult zien is door een Irakees televisiestation naar CNN en de grote nieuwsstations toegestuurd, maar op verzoek van het ministerie van Buitenlandse Zaken is hij nooit uitgezonden. Op verzoek hebben de netwerken hun exemplaren aan het ministerie van Buitenlandse Zaken afgestaan.

Beelden

Hoofd van een in zwart geklede man die een gasmasker draagt en een machinegeweer in zijn handen houdt.

Hij rukt aan de klittenbandkraag en trekt het gasmasker van zijn hoofd.

Daaronder draagt hij een zwart skimasker.

Stem van Man met Zwart Masker

(Hij spreekt vloeiend Engels en met het accent van een Oxfordiaan.)

Bevolking van Amerika, we hebben jullie journalisten de namen gegeven van tien moslimhelden die in westerse gevangenissen vastzitten. Uw regering kan hun vrijlating bewerkstelligen door druk uit te oefenen op haar bondgenoten en marionettenstaten. Nu geven we u de namen van tien gijzelaars. Als niet aan onze eisen voldaan wordt, zullen ze sterven.

(Geluid van een gedempte gong.)

Nummer één. Isabella Hawthorne, Amerikaanse. Vrouw van Amerikaanse spion.

Beelden

Het gezicht van een vrouw. Ze is mooi. Haar haren komen tot op haar schouders en zijn bruin en krullen op haar wangen. Ze glimlacht. (De gong luidt opnieuw, als de bel van de dood.)

Stem van Man in Masker

Nummer twee. Avi Levinstein, Amerikaanse jood.

Beelden

Een peinzend gezicht. De man heeft een viool onder zijn kin, de strijkstok half over de snaren. Een donkere lok valt over zijn voorhoofd. (Gong.)

Stem van Man in Masker

Nummer drie. Jonathan Raleigh, Amerikaan.

Sam grijpt de afstandsbediening en drukt op PAUZE.

Ze is verbijsterd door de aanblik van haar vader, door de manier waarop hij zelfs op een onbeweeglijke foto energie uitstraalt. Die energie stuitert als een harde rubberbal tegen haar aan en weer terug. Op PAUZE flikkert en vervaagt het beeld, dus spoelt ze een stukje terug en ziet ze hem een seconde lang helder en dan drukt ze weer op PAUZE. Haar handen beven want ze kent de foto, het is een onderdeel van een groter geheel. Het is een detail van een ingelijst familieportret dat ze op haar bureau heeft staan. Haar vader staat rechts naast een schommel waar ze zelf op zit. Op de foto is Sam drie jaar oud. Haar moeder staat achter haar, de handen van haar moeder rusten op de touwen. Tijdens het duwen van de schommel heeft haar moeder een korte pauze ingelast en ze wendt zich lichtjes af om naar haar vader te glimlachen. Haar vader draagt een spijkerbroek en een trui van de Atlanta Braves, en zijn rechterarm is opgeheven want zijn hand sluit zich om die van haar moeder om het touw heen.

Op het onbeweeglijke beeld op het scherm draagt de vader van Samantha een spijkerbroek en een trui van de Atlanta Braves. Zijn rechterarm is opgeheven, maar de rand van het scherm snijdt zijn arm bij de elleboog doormidden. Je kunt het touw niet zien, noch de schommel, noch de hand van haar vader, noch enige aanwijzing dat Sam zelf aanwezig is.

Ze spoelt weer terug en haar vader glimlacht drie seconden lang, en ze ruikt zijn warmevadergeur en grijpt zijn hand. Er is een vleselijke imperfectie die als een knopje op zijn duim groeit. Haar vingertoppen spelen ermee.

Voorzover Sam weet bestaat er maar één ander exemplaar van de foto op haar bureau. Het zit in het fotoalbum van Lou. Sams moeder moet het aan haar zus opgestuurd hebben. Lou moet het mee naar Frankrijk genomen hebben.

'Ik begrijp er niets van,' zegt Sam. 'Ik begrijp niet hoe ze die foto te pakken hebben gekregen.'

Lowell pakt de afstandsbediening en drukt op PLAY.

(De gong luidt en luidt, en de stem draagt monotoon voor, en gezichten zweven vijf seconden lang in beeld.)

Stem van Man in Masker

Nummer vier. Tristan Charron, Franse uitgever van kritische boeken over de islam.

Nummer vijf. Genevieve Teague, Australische smokkelaarster van subversief materiaal naar islamistische landen.

Nummer zes. Yasmina Shankara, hindoestaanse actrice uit Bombay, betrokken bij immorele films die de zeden van moslimvrouwen in India bederven.

Nummer zeven. Victoria Goldberg, Amerikaanse. Getrouwd met Amerikaanse jood.

Nummer acht. Daniel Shulz. Poolse Israëli. Jiddische schrijver.

Nummer negen. William Jenkins, Amerikaanse student.

Nummer tien. Homer Longchamp, Amerikaan.

Beeld

Man met zwart skimasker.

Stem

Amerika, u hebt vierentwintig uur.

Laat onze gevangenen vrij als u wilt dat de gijzelaars blijven leven.

(Luitmuziek; muziek uit het Midden-Oosten.)

Beeld

Een mozaïek van de tien gezichten van de gijzelaars.

VII

DE DECAMERONEBAND

'En dat is de reden waarom [...] Ik denk dat het uitstekend zou zijn als we hiervandaan gingen [...] en onszelf in alle kalmte naar andere oorden in onze gedachten verplaatsten [...] en ons daar vermaakten zoals we willen...'

    – Giovanni Boccaccio, *Decamerone*

'Vanaf dat moment, kan men zeggen, was de pest een zaak van ons allemaal. [...] Op dat moment beseften allen, de verteller incluis, dat ze in hetzelfde schuitje zaten en moesten roeien met de riemen die ze hadden.'

    – Albert Camus, *De pest*

'Gevangenschap is vooral een geur, een oncommuniceerbare stank van vernedering... Want gevangenschap is een vorm van erosie. De gevangene verslindt zichzelf in zijn poging te begrijpen waarom hij verlaten is.'

    – Jean-Paul Kauffman, *De zwarte kamer van Longwood*

1

Het scherm is vaag. Het is alsof een of andere jonge regisseur van de film noir heeft besloten dat het begrip licht heeft afgedaan, en de kijker wordt met list een afgesloten ruimte ingelokt en dan zit hij gevangen. Om er levend uit te kunnen komen moet de kijker eerst de hermetisch afgesloten opening in de muur zien te vinden.

Jij bent de kijker.

Jij moet zien te navigeren tussen angstaanjagende vormen in het van rood doortrokken donker. (Of je moet alle lampen aandoen en het televisietoestel kapotslaan, en dan nog...) En dan kijkt er, hoog vanuit de kubus in je droom, nog altijd een rode lamp toe, daar waar de twee wanden en het plafond samenkomen. Het effect is surreëel en ijzingwekkend. Dit gloeiend stukje kool, weet je meteen, is het oog van de circusdirecteur: laat het circus beginnen.

De kijker doet wat van hem gevraagd wordt.

Je grijpt om je heen naar het beddengoed, een handvol laken in je vuist. De duizeligheid slaat toe. Je ademhaling wordt onregelmatig. Je zweet. Je weet zeker dat je bekeken wordt. Je wordt niet alleen in de gaten gehouden door de alziende lamp – rood duivelsoog of oog van God – die elke reactie diep vanuit het televisietoestel catalogiseert, maar je voelt een andere onzichtbare en overheersende aanwezigheid die in de ruimte zweeft en je onder surveillance heeft geplaatst. En dan zijn er de wezens met de insectenogen, ze zien eruit als monsters, die naar je gluren terwijl ze de wanden en elkaar betasten. Ze snotteren door hun filters heen. Ze snuiven naar je met hun gevoelige snuiten. Varkensmensen, denk je. Truffeljagers. Ze kruipen bij elkaar en wijzen. Ze gebaren wanhopig. Stap in ons hok, smeken ze. We weten dat je ons kunt zien. Laat ons hier niet achter. Laat ons eruit, laat ons eruit, laat ons eruit.

Sommigen slaan tegen het membraan dat hen van jou scheidt. Met hun beschermde vuisten bonzen ze tegen het scherm. (Dat voel je. Dat voel je aan het bonzen van je hart.) Anderen zitten met hun rug tegen de muur. Ze zijn als vraagtekens in elkaar gezakt. Eén persoon staat onder de rode lamp, zijn armen als in aanbidding omhoog, of misschien in smeekbede of gebed. Eén figuur ligt verslagen op de vloer.

Genoeg, zeg je. Dit – het wachten – is onverdraaglijk. Laat het circus beginnen.

Met eerbiedige fascinatie bestudeert Sam de bruine geestverschijningen. Welke is haar vader? Ze gelooft dat ze hem kan zien, hoewel de schimmen geen karakteristieke vormen hebben. Wat ze herkent is haar vaders intensiteit. De anderen zwalken rond, bedaard, maar haar vader beweegt zich snel, denkend aan ontsnapping. Met zijn vuisten in de handschoenen slaat hij op de muur. Hij zwemt in kringen door de duisternis, alsof hij het spoor van haaien volgt. Zeewierachtige armen strekken zich naar hem uit, drijven dan opzij. Hij veroorzaakt stromingen, veroorzaakt energie terwijl hij rondloopt, veroorzaakt een draaikolk waarvan hij het kloppende hart is.

Dat herinnert Sam zich. Ze herinnert zich de manier waarop die energie overgedragen werd: haar hand in de zijne terwijl ze staan te wachten tot ze een drukke straat kunnen oversteken. Haar vader doet haar huid tintelen en er gaat een vloed van almacht door haar heen. Mensen gaan voor haar vader aan de kant. Dingen gaan aan de kant. Hij stapt de straat op en steekt een hand omhoog. Ik ben van plan over te steken, maakt de hand bekend, en door de maalstroom van bussen en auto's en taxi's en vrachtwagens opent zich een pad. De Rode Zee wijkt. Haar vader is onaangetast. Zijn leven wordt door een toverspreuk beschermd.

Voor het rode oog van God heft hij beide armen op. Dat is geen daad van deemoed. Als we hier naar binnen konden komen, kunnen we er weer uit komen, zegt zijn lichaam. U laat ons gaan.

Nu hebben zijn negen lotgenoten zich teruggetrokken, en er is een of andere mysterieuze consensus aan het werk. Een dromerige vermoeidheid overmant ze. Eén voor één zakken ze op de grond, tot alleen Sams vader nog overeind staat. Sams vader, Odysseus, staart in het rode oog van Circe, en de donder geeft antwoord.

Stem van Rood Oog
(Het is woedend, hoewel het met een beschaafd aristocratisch accent spreekt.)

Honden! Ik ben Sirocco, de woestijnwind die alles verbrandt waar hij waait.

Voor mij, circushonden, zullen jullie trucjes doen. Voor mij zullen jullie smekend op je knieën gaan en kruipen voordat je sterft. Voor mij, honden, zullen jullie dansen. Sneller, zal ik zeggen, en jullie zullen sneller dansen. Sterf, zal ik zeggen. En jullie zullen sterven.

Jullie zijn door je eigen landen opgeofferd en jullie dood zal zijn als vogelbotjes in de bek van een beer. Jullie overheden hebben ons niet serieus genomen, ze hebben geprobeerd tijd te rekken, ze hebben de resterende minuten van jullie levens verbruikt.

Jullie hebben zes uur voordat de filters in jullie maskers onbruikbaar worden. Lang daarvóór zullen jullie je spraakvermogen verliezen. Jullie bunker is hermetisch afgesloten. Julie verstikkingsdood zal langzaam en pijnlijk zijn.

Of jullie dood zou snel kunnen zijn. Dat weten jullie. Aan boord van het vliegtuig hebben jullie mensen snel zien sterven. Jullie mogen kiezen.

Als jullie de snelle uitweg kiezen, zolang jullie nog over je spraakvermogen beschikken, mogen jullie een laatste boodschap aan jullie dierbaren versturen. Het cameraoog neemt jullie op. De wereld kijkt toe. Als je je masker af zet om wat te zeggen, hebben jullie vijf minuten, misschien tien. Besteed je tijd goed.

Een mededeling verspreidt zich van bebrild hoofd naar bebrild hoofd en de kijker kan de straalstroom van haar pad volgen. We zijn ten dode opgeschreven, zegt de boodschap. De gedaanten in hun beschermende pakken worden slap en wankelen. Ze vouwen zichzelf op, als gedragen kleding. Ze zakken op de vloer. In het schemerduister stapelen ze zich op, losjes, rommelig, in wanhoop.

Alleen Sams vader staat nog. Zijn handen worstelen met de klittenbandsluiting bij zijn hals. Het verbaast Samantha niet te zien dat haar vader zijn lot trotseert, ze raakt opgewonden van zijn rauwe vastberadenheid, en op de een of andere manier, op de een of andere manier (hoewel ze weet hoe het verhaal afloopt) op de een of andere manier gelooft ze dat het rode oog zal knipperen en wegkijken. Ze gelooft dat de sarin en het mosterdgas zullen wijken, ze gelooft dat een niet-giftig kanaal zich voor hem zal openen en dat hij de oversteek zal maken en dat hij uit de verloren jaren van haar leven zal oprijzen en haar hand zal vastpakken.

De klittenbandkraag komt los.

Hij trekt de dikke ongemakkelijke wanten van zijn handen en er gaat een zichtbare golf van opwinding en angst door de andere schaduwen in hun beschermende pakken. Zijn handen grijpen het masker vast. Het is af, en over het beschermende pak valt een kleine waterval van lang donker haar.

Sam staart in schok en ongeloof naar het scherm.

Hoe kan...

Het is haar vader niet.

Yasmina Shankara, de filmster uit Bombay, glimlacht droef en haalt haar vingers door haar haren.

2

'Is het niet vreemd?' vraagt Yasmina aan haar lotgenoten. De flits in haar ogen boven haar lelijke pak en de beweging van haar slanke polsen wekken de indruk van iemand die door shock en zuurstofgebrek naar een andere wereld verplaatst is. 'Is het niet vreemd dat we denken dat we iets absoluut vrezen, om er uiteindelijk alleen maar achter te komen dat het ons vleugels geeft? En is het niet vreemd dat we denken dat we sommige dingen nooit zouden kunnen begrijpen? Mijn vader zei altijd: "Yasmina, iemand die een horloge om heeft, heeft geen begrip van tijd."

"Pappie," zei ik altijd, "je bent zo ouderwets, je zou de hele nacht in het tempelcomplex moeten wonen in plaats van alleen maar overdag."' Ze lacht en haar lach is licht en zilverachtig en vol kalme berusting, als de strengen met kleine bellen om de nek van een tempelolifant. '"Pappie, zelfs in Bombay is de moderne tijd aangebroken," zei ik altijd tegen hem. "Gucci-horloges hebben hun opwachting gemaakt. Zelfs in Bombay gaat de tijd verder, de tijd vliegt, maar jij bent achtergelaten met ossenwagens en riksjadrijvers."

"Tijd is lucht, Yasmina," zei hij dan tegen me. "Tijd is oceaan. Beweegt de lucht die we inademen zich voort? Kent de oceaan een begin of een einde? Alle tijd en alle materie zijn niet meer dan een oogwenk in het rode oog van Shiva."

Ik dacht dat het ouderwets hindoejargon was, helemaal niet modern. Is het niet vreemd dat ik, nu ik geen tijd meer over heb, begrijp wat mijn vader bedoelde?' Ze staat met haar gezicht naar het oog van de camera toe, gebarend naar haar lotgenoten, hen uitnodigend om over dit merkwaardige feit na te denken. 'Plotseling weet ik dat het zo is. Nu. Hier.' Ze kijkt de krappe schemerachtige ruimte rond. 'En waar is hier? We zitten onder de grond, toch? In een grot? In een kelder? In welk land zijn we? We weten het niet. Wat hebben we nu aan landkaarten of horloges? We zijn nergens. We bevinden ons buiten de tijd.'

Ze kijkt degene die naar haar kijkt in zijn donkere bloeddoorlopen ogen. Ze heft haar tot een kom gevormde handen omhoog alsof ze een duif naar het licht laat opvliegen. 'Agit, mijn zoon, mijn lieve kleine jongen, ik stuur de wolkenboodschapper naar je toe.'

Haar ademhaling wordt onregelmatig. Ze begint te kuchen. 'Mijn ogen, mijn ogen,' prevelt ze. 'Er zit zout in mijn ogen.

Agit!' roep ze dringend. Ze hapt naar adem. Haar borst in het beschermende pak gaat op en neer, ze klapt dubbel, maar ze heft haar tot een kom gevormde handen boven haar hoofd. Ze biedt haar zoon de kelk van haar gekromde vingers aan. 'Agit!' roept ze uit. 'Hier heb je tijd. Hier heb je mijn vader op de trap van het tempelreservoir waar hij stierf; en hier heb je het moment waarop je geboren werd, Agit; en hier heb je het bedelende meisje dat bij onze poort woont, en hier heb je de dromen van klatergoud die ik in Bollywood gedroomd heb, en hier heb je óns, ons allemaal samen in dit rare oord, met elkaar verbonden om een reden die we nog niet kennen, zonder tijd en met alle tijd in onze handen.

En nu ben ik niet bang en heb ik geen verdriet, want, zie je?' – en ze praat met zangerige stem, in oeroude patronen van Sanskritische liederen zoals de wijze oude mannen die op de trappen van de tempelbassins spreken – 'ons verhaal zal door de tijd reizen zoals Kālidāsa's poëzie door de tijd reist, zoals zijn Wolkenboodschapper door vijftienhonderd jaar heen reist en zich nog steeds vestigt in de geesten van alle bannelingen en in de geesten van hen die ver van huis zullen sterven.'

Ze hoest. 'Ik sta in brand,' prevelt ze. 'Ik verdrink in mijn pak.' Ze wankelt. Ze doet haar ogen dicht.

'Hier heb je tijd, Agit. Hier heb je Bombay.

Als kind in Bombay was ik bang voor armoede. Ik heb eens een bedelend kind met mijn rijzweep geslagen omdat het me aanraakte.

Hier heb je mijn vader toen hij zestig was. Hij wil zijn rijkdom weggeven en als Gandhi gaan leven. Hij wil de hele dag bij het tempelbassin zitten, hij wil alleen maar mediteren over de duizend namen van de Heer. Maar wat mij betreft, ik wil vele, vele lagen rijkdom tussen mij en de op straat stervende kinderen in plaatsen. Binnen de hoge muur rondom ons huis zijn gazons en fonteinen en pauwen en mensen die ons bedienen. Buiten is besmetting. Ik kom zo zelden mogelijk buiten onze tuin, alleen maar op de achterbank van onze auto.

Onze chauffeur stapt uit en doet de poort open, en rijdt erdoorheen, en stapt uit en doet hem weer dicht. En daar is het bedelende meisje dat buiten onze poort zit, en altijd, dag in, dag uit, klopt ze op mijn raampje en staart ze naar binnen en ik doe het raampje een stukje open en gooi haar een muntje toe. Ik kan het niet verdragen haar aan te raken of het muntstukje in haar hand te leggen. Ze zit onder de zweren.'

Yasmina begint aan de ruggen van haar handen te krabben. Ze begint weer te kuchen. Ze praat sneller.

'Jaar in, jaar uit, dag in, dag uit gooi ik haar een muntje toe, en op een dag is ze er niet.

"Waar is het bedelende meisje?" vraag ik.

"Ze is dood," zegt onze chauffeur. "Vanochtend heeft de portier haar lichaam gevonden."

"Waar is ze aan gestorven?"

"Van honger," zegt hij.

's Nachts, in mijn slaapkamer, zweven haar ogen als bloeddoorlopen manen in het donker, en ik ben van haar weggevlucht, maar net als zij heb ik honger. Ik ben uitgehongerd. Al jarenlang honger ik naar rijkdom, naar roem, naar meer rijkdom en meer roem, naar meer huizen in Parijs en Mallorca en New York. Maar nu' – ze wendt zich tot het rode oog hoog boven haar in de kamer – 'zien jullie hoe ze mij met haar bloeddoorlopen oog gevonden heeft? Zien jullie hoe ze gewacht heeft tot ik mezelf zou herkennen?'

Yasmina kucht hevig. Ze drukt haar handen tegen haar gezicht, en de huid op haar wangen krijgt blaren en barst open. Ze wrijft over haar ingepakte armen en knippert snel met haar bloeddoorlopen ogen. Ze praat steeds sneller.

'Nu sterf ik haar dood, onder de zweren, maar ik moet je dit verhaal vertellen, Agit, voor ik bij je wegga. Ik moet Kālidāsa's grote en geliefde gedicht in het Sanskriet doorgeven, dat eerder verteld is en dat opnieuw verteld zal worden, steeds weer, en jij moet het op jouw beurt ook opnieuw vertellen en doorgeven.

Een jaar geleden maakte Bollywood een film van Kālidāsa's *Meghaduta*, en dit is het verhaal van *De Wolkenboodschapper*: een *yaksha* wordt uit het paradijs in de Himalaya verbannen en naar het einde van de wereld gestuurd. Hij wordt naar de verste punt van het idee van zuiden gestuurd, waar de moessonkust van Kerala tegen de rand van de aarde aan schuift. De *yaksha* sterft van liefdesverdriet om zijn bergen van sneeuw en om zijn vrouw. Hij roept een wolk bij zich. Ga, lieve wolk, zegt hij, en vertel mijn geliefde... Hij geeft de wolk aanwijzingen voor de lange reis naar het noorden.

In de film – kun je me zien, Agit – ben ik op de markt om strengen van jasmijn voor mijn haar te kopen...' ze laat haar haren voor haar gezicht vallen en vlecht er denkbeeldige bloemen doorheen, 'en de eerste natte wolk van de moesson komt voorbijdrijven, en in die mist struikel ik en val ik over een bedelend kind, en vol afgrijzen deins ik terug, want zíj is het, het is dat meisje weer, het meisje dat bij de toegangspoort van mijn kindertijd zat, maar de wolk...' ze maakt bewegingen alsof ze zich in de giftige lucht om haar heen baadt, 'de wolk omhult me met de geuren van mijn thuisland, kokende kerriegerechten, kaneel, wierook, de geur van mijn vader en moeder, de zoete geur van mijn zoon, mijn Agit, en het bedelende meisje zegt tegen me: "Alles komt terug. Niets kan ooit verloren gaan."'

Yasmina kucht. Met haar hand slaat ze naar de giftige mist. 'Ga, lieve wolk...'

En ze begint een gevecht om lucht, en ze begint te kronkelen. 'Zeg tegen mijn zoon,' hapt ze, 'zeg tegen Agit...'

Haar stem is opgerekt, gekweld, een lange aanzwellende sirene van pijn, ondraaglijk...

De scène wordt afgebroken.

Leeg scherm waarop alleen de letters van een naam verschijnen.

Yasmina Shankara

Geboren in Bombay, 1952

Het geluid van een fluit.

3

Negen schaduwwezens komen samen. Het lijkt alsof ze één organisme zijn geworden, meercellig, en een atavistisch besluit is uitgevaardigd: er is een gepast ritueel vereist; er moet een gepast uit-
vaartritueel uitgevoerd worden. Het bericht gaat rond als door een
mierenkolonie of een zwerm bijen. De schaduwwezens knielen in
een kring. De in de war geraakte lichaamsknoop van Yasmina Shankara is hun zon. Er is een gemompel hoorbaar, een soort lied, hoewel
alle geluiden door de spreekbuizen van de gasmaskers op een rare
manier vervormd worden. Maar ja, er wordt in koor gerouwd, een geweeklaag in een negenstemmige harmonie, waarin elk wezen zich
ongetwijfeld aan die rituelen houdt die zijn of haar eigen traditie
aandraagt.

Er lijkt nog een zwermbericht tussen de aanwezigen gecommuni-
ceerd te worden. Eén voor één knielt elke geestverschijning in zijn
beschermende pak met gebogen hoofd bij het lichaam neer en raakt
het dan met het 'voorhoofd' van het masker aan. En dan tillen negen
baardragers Yasmina naar de hoek onder het rode oog.

Stilte.

Kalmte.

Een geluid als van gedempte hoefslagen die van grote afstand
dichterbij komen.

Eén van de schaduwwezens klapt in zijn handen, die schuilgaan
onder dikke wanten. Het geluid zwelt aan in een lang crescendo – opnieuw zwermkennis – en elke geestverschijning maakt geluiden als
van een galopperend paard, handschoen dreunend tegen handschoen.

Dan trekt degene die begon te drummen zijn handschoenen uit en trekt hij aan zijn klittenbandkraag, en Daniel Shulz, de Jiddische schrijver, gooit zijn hoofddeksel de lucht in en vangt het weer op, alsof het een bal is. Voetbal. Hij laat hem op zijn knie stuiteren, trapt hem vanaf zijn enkel naar achteren, vangt hem, laat hem op zijn hoofd stuiteren. Hij gooit de bal naar iemand anders, en degene die hem gevangen heeft gooit hem weer verder, en dan is iedereen aan het vangen en overspelen, de bal aan het gooien, en de kleine Daniel Shulz, zeventig jaar oud, met zijn gerimpelde gezicht en zijn zilverkleurige haar, levendig in het troebele roodachtige licht, gooit zijn hoofd in zijn nek en heft zijn armen naar het toekijkende duivelsoog en maakt een doelpunt.

Hij haalt lang en diep adem. Hij buigt. Hij wekt de indruk van iemand die net de Nobelprijs voor ongehinderd spraakvermogen heeft gekregen. Opnieuw maakt hij een donderslag van hoefslagen door zijn handen tegen zijn armen aan te slaan.

'Raadsel,' zegt hij. 'Wat is dit geluid dat nooit ophoudt?'

Kattaklop, kattaklop, doen zijn handen.

'Antwoord: de ruiters van de Dood,' zegt hij. 'Ze galopperen nog steeds en nog steeds falen ze jammerlijk in hun pogingen verwondering te doven.'

Kattaklop, kattaklop, hij drumt en drumt, maar nu slaat hij een dansritme, ragtime, nu tikt hij met zijn voeten. Hij heeft een zwaar accent, en hoewel hij Engels spreekt hoor je het Jiddisch.

'Met jullie, vrienden, moet ik deze enorme grap delen. Voordat de gemaskerde ruiters van de Dood aan boord van ons vliegtuig kwamen, was ik op weg naar het Festival van Jiddische Literatuur in New York. Maar zelfs voordat ik naar Parijs vloog wilde een journalist me in Tel Aviv interviewen. Hij is van de *Jerusalem Post*. Waarom schrijf je in het Jiddisch? wil hij weten. Hij is ambitieus, een jonge intellectueel, het agressieve soort dat alle antwoorden weet voordat hij vragen stelt. Het is een fossiel, dat Jiddisch, zegt hij. Het is het juk van onze slavernij, het teken van taalkundige onderwerping. Waarom blijft u zich aan onze ketenen vasthouden?'

'We moeten nog altijd verhalen vertellen,' zeg ik, 'omdat de Ruiters van de Dood nog steeds galopperen.'

'Maar nu houden we ze met tanks tegen, zegt hij tegen mij. Niet met toverformules, maar met tanks. Wat hebben we nu aan vliegende rabbijnen en de golems die zo groot als de wereld zijn? U schrijft verhalen voor degenen die zich uit de wereld terugtrekken, en voor kinderen.'

'Het is waar dat ik voor kinderen schrijf, zeg ik. Ik schrijf voor mijn achterkleinzoon, David.'

'En zo is het.'

'David, ik vertel dit verhaal voor jou. Ik wil dat je lacht.'

'Lang geleden, in de dagen van de Baal Shem Tov, de eerste van de Sadduceeërs, toen het nog pogroms op de aarde regende, en toen de Dood, in zijn zwarte pak en zijn zwarte gasmasker, nog op zijn grote zwarte paard door de dorpen galoppeerde, in die dagen vertelde de Baal Shem Tov verhalen "omdat er geen uitweg was", en de volgelingen van de Baal Shem Tov woonden in het land van "desondanks".

Onze dorpen worden geplunderd, zei hij tegen ze, onze huizen worden in brand gestoken, maar desondanks kan de vonk van het goddelijke niet gedoofd worden, en waar de vonk van het goddelijke de wereld aanraakt, daar wordt er gedanst en gespeeld.'

Daniel Shulz raapt zijn gasmasker weer op en gooit het naar iemand anders, die het weer verdergooit. 'Dit is mijn laatste wil en testament, kleine David,' zegt hij, terwijl het vangspel verdergaat. 'Dit is mijn geschenk aan jou: dat je lang in het land van "desondanks" mag blijven wonen.

Ahh, ahhh...' Daniel laat het gasmasker op de vloer vallen. Hij wringt in zijn handen en wrijft over zijn bloeddoorlopen ogen. 'Ahhh. Mijn ogen! Mijn ogen! Ik zie niets!' Hij braakt slijm en bloed. 'Desondanks,' zegt hij naar adem happend. 'Zelfs hier. Hou mijn handen vast... laten we dansen in de wachtkamer van de Dood.'

En er ontstaat een kring, hand in want in hand in want. Het is een langzame dans, erg langzaam, hoewel Daniel Shulz steeds sneller praat.

'Van de Baal Shem Tov wordt gezegd dat tijdens het feest van de Simhat Torah... dansende discipelen... zo ongedwongen, zo wild...

boven hun hoofden een kring van blauw vuur...'

Daniel Shulz, die langzaam danst, die nu niets meer kan zien, hapt onregelmatig naar adem en schudt zijn vuist in de richting van de rode lamp boven zijn hoofd. Hij praat met moeite. 'Wat... kun je verdragen?... Kan dans niet verdragen.

David, David... de zegen van je overgrootvader... Dans!'

Hij valt. 'Desondanks,' fluistert hij, en de kring breekt los en hangt om hem heen, en zijn dans, horizontaal, wordt intenser in een laatste kronkel, stuiptrekkend...

CUT

Leeg scherm waarop alleen de letters van een naam verschijnen.

Daniel Shulz

Geboren in Warschau, 1917
Overleefde Auschwitz

Een bugel speelt hoornsignalen.

4

'Mam, Joe zal het vertellen. Ik probeerde voor je verjaardag naar huis te komen, maar zo te zien lukt dat niet. Het spijt me, mam.' De jongeman slaat zijn gasmasker op de grond alsof hij iemands schedel kapotslaat. Hij staat op en richt zich rechtstreeks tot het rode oog. 'Ik ben Billy Jenkins.' Hij maakt een melodramatische buiging, dan gedraagt hij zich wat clownesk, maakt konijnenoren met zijn vingers, met zijn handen maakt hij een duikbril en kijkt erdoorheen. Hij wiebelt met zijn handen om zijn blik denkbeeldig scherp te stellen. 'Hé, dat is beter. Gefeliciteerd met je verjaardag, mam. Weet je wat raar is? Ik heb de hele nacht als standby voor deze vlucht op het vliegveld in Parijs gezeten. Ik heb in mijn slaapzak geslapen, en het was het waard. Ik was de laatste standby, de laatste die aan boord gelaten werd. Ik was zo blij, dat ik Joe vanaf de gate gebeld heb. Ze waren al aan het instappen. Ik zei: Joe, raad eens, raad eens. Ik kom eraan! Zeg niks tegen mam, ik wil haar verrassen.

Had ik daar even gelijk in, of niet?

Niet het soort verrassing dat ik in gedachten had.

Het is zó raar dat het iets moet betekenen, maar ik kom er maar niet achter wat. Ik bedoel: wat doe ik hier met al die marsmannetjes? Ik kom niet van dezelfde planeet als deze gasten, en dat kampvuurgelul over de dood geloof ik zeker niet. Vrede en licht, dansen? Het allemaal vergeten? Ik ben echt ongelofelijk kwaad. Ik ben tweeëntwintig, ik ben net afgestudeerd, ik wil niet dood, en ik ga verdomme ook niet dood. Ik kom misschien wat te laat voor je verjaardag, mam, maar ik kom eraan, oké?

Wat is er verdomme met jullie aan de hand, stelletje watjes?' Hij draait zich om om zich tot de buitenaardse marsmannetjes te richten, met zijn rug naar het rode cameraoog. Hij zwaait wild met zijn armen, als een predikant. 'Wat zijn jullie aan het doen? Gehoorzaamheidstraining? Die kerel zegt "Sterf," dus jullie gaan als brave hondjes op de grond liggen? Kom met je luie ingepakte reet van de grond, stelletje *losers*' – hij is naar een muur toe gelopen en bevoelt het oppervlakte met zijn ontblote handpalmen – 'en kom eens meehelpen naar spleten of scheuren te zoeken, want op die manier – o, shit, mijn ogen...'

Met zijn armen schermt hij zijn gezicht af en hij leunt met zijn rug tegen de muur en wiegt zichzelf. 'Jezus christus, dat is het mosterdgas,' zegt hij. 'Dat tast eerst de ogen aan. Ik heb net mijn doctoraalexamen gedaan, ik studeer scheikunde, oké? Goed, dit is wat jullie allemaal moeten weten, dus luister goed.' Hij ziet eruit als Oedipus, blind, zijn ogen opgezwollen en dicht, zijn armen in de lucht, hij praat in orakeltaal. 'We hebben hier sarin en mosterdgas. Aan mosterdgas ga je niet dood, oké? Hebben jullie dat gehoord? Tijdelijke blindheid, dan blindheid, maar het kan ons niet doden.

De sarin kan dat wel, binnen een paar minuten, longen en bloed en slijm, dat is wat...' Hij haalt diep en bevend adem. 'O, shit. Mijn longen raken al verstopt. Dat heeft ze genekt. Verstikking.' Met een ruk van zijn hoofd wijst hij op de lichamen onder de rode lamp des doods. 'O verdorie, o verdorie, mijn ogen! Dit is erger dan op zomerkamp honderd pond uien schillen, wat ik op Camp Saranac moest doen toen ik twaalf was. Weet je dat nog, Joe? Jezus, wat een straf.

En waarom?

Ik ging alleen maar voorop bij een onderbroekenrooftocht naar het meisjeskamp.

Raar, toch – het is eng, hoeveel ik me kan herinneren – de dag erna, de dag na de uien, was het Bezoek aan het Meisjeskamp, en ik heb een gezicht als de Pillsbury Doughboy, helemaal opgezwollen en rood, mijn ogen zijn bloedrood. Ik wil niet dat een meisje me ziet, dus ik kruip het bos in, vol zelfmedelijden en van mening dat ik onterecht zwaar gestraft ben, en ik klim over een of andere loeigrote omgevallen boom heen die in een storm is omgewaaid, en ik bots tegen – nou, ik dacht dat ze een godin was, zo mooi was ze, lang blond haar tot op haar kont. Ze draagt een nauwe spijkerbroek en een hemdje, en luister goed, ze heeft bloeddoorlopen ogen en de tranen stromen haar over de wangen.

Dus ik zeg: "Moest jij ook uien schillen?"

Ze staart me alleen maar aan, alsof ik een pistool tegen haar hoofd heb gezet. Ze staart en staart en ze verroert zich niet en zegt geen woord. En ik staar terug omdat ze zo verdomd mooi is, het soort meisje waar je jarenlang natte dromen van kan hebben als je twaalf bent. Ik durf niets te zeggen, weet je wel, voor het geval ze niet echt is, voor het geval ze ervandoor gaat, en omdat ik zenuwachtig ben komt er zoiets doms uit mijn mond. "Kun je niet praten of zo?"

En dan staat ze op en loopt ze gewoon weg. Twee nachten lang droom ik over haar. Twee dagen lang probeer ik te bedenken hoe ik haar weer kan zien, ik móét haar zien, ik moet haar zien, nu mijn kop weer wat minder opgezwollen is en ik er weer net zo goed uitzie als vroeger.

Dan, op de derde dag, tijdens het ontbijt, wordt er een mededeling gedaan. Ze hebben haar lichaam in het meer gevonden. Haar foto staat in de *Saranac Times*, op de voorpagina.

Jarenlang heb ik niet meer aan haar gedacht, maar nu komt het allemaal weer terug vanwege mijn ogen. Dit mosterdgas is zelfs erger dan uien, dus luister, dus luister, ik raak de draad hier even kwijt...

Dus luister, weer even serieus, we hebben hoogstens iets van acht minuten, toch? We moeten als een team te werk gaan, elkaar aflossen, we moeten onze tijd goed gebruiken, acht van ons keer acht minuten, dat is een uur om een uitweg te vinden. Hopeloos met de handschoenen, dus om de beurt doen we het met onze blote handen, goed?'

Met zijn vingertoppen betast hij de muren alsof er braille op staat. 'Wat is dit voor materiaal? Het is geen baksteen, het is geen steen, nou, het voelt aan als steen, maar er zijn geen voegen, het is geen cement...' Hij beweegt zich steeds sneller, hij leest oppervlakten, hij gaat systematisch de hele bibliotheek van de muren af. Met zijn nagels krabt hij eraan. 'Volgens mij is het krijt. Volgens mij is het een soort krijt, nee, kalksteen. Hard krijt. Maar dat is poreus, begrijpen jullie dat?' Zijn stem klinkt opgewonden. Hij beweegt zich steeds sneller, terwijl hij zijn handen steeds hoger over de muur laat gaan. 'Kan iemand me even optillen?' En twee van zijn medegevangenen tillen hem op, met hun armen als een zadel. 'Hoger,' beveelt hij. 'Hoger. Ik kan het plafond nog niet voelen. Til me op tot ik bij de rode lamp kan, daar zouden we moeten...'

Hij begint naar adem te snakken, zijn adem reutelt en pruttelt door longen die vol slijm zitten. 'Zet me njee... njee... neer,' zegt hij naar adem happend en hoestend. 'Moet even op adem komen... zo meteen... luister nu goed... diddis belangrijk...

Sarin is dodelijk, maar het is vluchtig. Geen blijvende kracht. Hetzelfde geldt voor mosterdgas. Zet niet echt door, en ze blijven laag bij de grond hangen, dus blijf hoog, oké? Ga niet op de grond liggen. Oké, wat we nu moeten doen is luchtroosters vinden, lekken, scheuren... o, shit, eh... ik kan mijn... niet...' Uitgeput leunt hij tegen de muur. 'Ik zweet... als een idioot... opvliegers... grappig, of niet, Joe? Ik... opvliegers.' De camera registreert de glans van vocht op zijn huid. Van zijn haar druipt water af. 'Goed. Luister... luizter goed. Shit, ik verzuip hierbinnen, ik verzuip in mijn rotpak... oké, luizzter... nog een scheikundig feitje... zoals j'liie kunnen zien, hoge activ... vermindert ov'levingstijd... dus oké, snel re... be...re...kening.' Hij brabbelt en zijn woorden stapelen zich op: 'We zijn met z'n achten, zesmin'tenelk, dasnogsteeds vijfveertig min'ten, tijd zad... zoek scheurtje. Zoek frisse lucht... gif stroomt toch naar buiten... want poreus... muren poreus...' Hij likt aan zijn vinger en steekt hem op. 'Zwakke tocht, zie je? Kloteding is niet luchtdicht... troep zich aan verspreiden... maar niet snel genoeg...'

Hij haalt een paar seconden lang raspend adem en tikt dan met zijn vingers een adrenalinerif. Hij werpt zijn lichaam en armen tegen de muur, en beschrijft grote bogen. 'Als ze ons naar binnen hebben gekregen, dan is er een weg naar buiten... is logisch. Waarom weet ik niet meer...? Ahhh, mijn ogen, ahhh... ahh...'

Hij zakt tegen de muur in elkaar en schermt zijn gezicht af. 'Weet iemand nog... hoe we naar binnen kwamen? Valdeur... plafond? Vloer? Een deur? Weet iemand dat?'

Op een langzame, statige manier vegen zijn celmaten van Mars met hun handschoenen over de muren, met overbelaste lichamen.

Moeten ons drugs gegeven hebben... hebben ons ingemetseld, ons ommuurd... maar dan zou er natte mortel zijn, we zouden kunnen drukken... kan geen naden vinden... ik begrijp het niet.

Moet het plafond zijn... een valdeur... moet.... Ahhh.... uche uche!' Hij klapt dubbel en schermt met zijn armen zijn ogen af, maar alsof ze zijn kruistocht overnemen groeperen de marsmannetjes zich en maken ze armzadels, en anderen klimmen erop en drukken tegen het plafond, proberen natte mortel te vinden die ze weg zouden kunnen drukken. Het is een zwermactiviteit, een bijenkorf van razernij en hoop.

'Het is verdomme alleen zo dat...' Billy Jenkins hapt naar adem, 'op hetzelfde ogenblik waarop je ogen aan het donker gewend raken, op hetzelfde ogenblik waarop je begint te zien, word je blind...'

Hij begint op een hulpeloze hysterische manier te lachen. 'Als wanneer je de laatste standby zitplaats krijgt, hè? Ben er geweest, God gezien, Hij is een grappenmaker.'

Nu wankelt hij, maar hij vermant zichzelf. 'Niet vallen, niet vallen, de gassen blijven laag hangen, je moet hoog blijven,' maar hij hapt naar adem, valt op zijn knieën, tot de schaduwzwerm hem als één wezen optilt en hem hoog boven hun hoofden houdt. Daar ligt hij, op een verhoogde lijkbaar, en richt zich tot het rode oog.

'Dat meisje? Met de tranende ogen? Ze zeiden ongeluk, maar gerucht ging dat het zelfmoord was... moeder net kanker gehad... z'wilde niet naar kamp... vader dacht, goed voor haar, goed om even weg te zijn... kleurenfoto in kampkrant... heb hem uitgeknipt... nog steeds in mijn portemonnee...

Mam? Pa? Joe? Ik begrijp er niets van. Ik begrijp niets van de dood, ik begrijp er gewoon niets van. Wie heeft het in g'dsnaam bedacht? V'leven, weet j'wel. Ik ben voor leven. Hou van football, zuipen, neuken.

En nu zal ik nooit...

337

Larissa Barclay, zo heette ze. Meisje met tranende ogen. Foto zit in mijn portemonnee.

Ehh... ik kan niet... heb een fucking grote rochel in mijn keel...

Joe? Joe, ben je daar? Doe iets voor mij? Bel Mary Sue... zeg tegen haar: sorry van abortus... echt sorry... Zeg tegen haar... net beseft... stomme klootzak ik geweest ben. Zeg tegen haar... zij was het hele-maal... de enige.

Pa? Ik was aan het sparen... verrassing voor je verjaardag? Super Bowl, vliegtickets, alles. Jij'n'Joe'n'ik. Pa... beloof... jij'n Joe? Stuur berichtje naar boven, ja, als Pittsburgh wint?

Mam? Ik begrijp het niet, mam.... laatste standby... tien minuten later... lukt me niet om thuiz te koom... leef gewoon... God is een grappenmaker, of niet?

Gefel'steerd... Hou van jou, mam.'

Het gonzen van de bijenzwerm stijgt op om hem toe te dekken, een sonoor lied, maar als de schaduwen hem in de hoogte naar de hoek dragen en hem laten zakken, gaat hij opeens overeind zitten, in een laatste vlaag van energie, en zegt duidelijk en wanhopig: 'Vluch-tig... zet niet echt door... sarin verspreidt zich... zoek scheuren.'

En dan begint hij te braken en te kreunen en...

CUT

William Jenkins

Geboren in Pittsburgh, Pennsylvania, 1965

5

Op het scherm is de tijd opgehouden. Er is een toverformule uitgesproken en iedereen is midden in een handeling stilgezet. Ieder is de situatie voor zichzelf aan het inschatten en van jou wordt ook verwacht dat je de inventaris opneemt en een weddenschap afsluit. Je voelt je claustrofobisch, gevangen, in ademnood, alsof jij in je pak ook als een idioot aan het zweten bent. Door je spreekbuisje heen leg je dringende verklaringen af (je maakt lawaai, je babbelt). Je neemt deel aan een serieus debat. 'Luister!' schreeuw je. 'Luister naar me! We moeten hier x en y overwegen.' En als serieus antwoord komt er gebrabbel terug. Je oren zijn gevuld met het gesis en spuug en witte ruis van chaos. Je moet opnieuw berekeningen maken. Je mag geen fouten maken. Als Billy Jenkins gelijk heeft dat de vluchtige gassen zich aan het verspreiden zijn en weglekken, dan zouden jij en je mede-ingepakte schaduwen moeten wachten.

Alleen maar dat: wachten.

Wacht de gebeurtenissen af.

Zou je dat moeten doen? Ja, ja, duidelijk. Maar hoe lang?

Als de filter het begeeft zul je sterven met je pak als graftombe. Nog vijf uur? Vier? Vóór die tijd zul je in je eigen zweet verdrinken. Je zult sterven aan lichaamstemperaturen die boven de bovengrenzen van de medische records uit zullen stijgen. Je legt weddenschappen af op een roulettewiel. Wat zal eerst komen? Verspreiding van gassen? Of verstopte filters? Je bent de kans aan het vergokken je laatste woorden uit te spreken. Dat weet je.

Sluit je weddenschap af.

Je leunt tegen de muur, overmand door de marteling van de keuze. Je wacht. Je berekent en berekent opnieuw. Je dekt je weddenschap in.

Je bent een voorstander van beheersbaar risico en overleven.

Je bent een voorstander van overleven.

Je neemt een belangrijk besluit en je dekt je weddenschap in. In dat besluit sta je niet alleen.

Iemand scheurt zijn handschoenen af, maar niet het gasmasker. Het persoonding gebaart dat er een zadel gevormd moet worden. De bedoeling is duidelijk. Hij-zij gaat het braille van het plafond lezen. Hij-zij gaat op zoek naar de valdeur, de opening, de breuklijn, de verzegelde ingang. Maar het plafond is hoog en kan niet vanuit een zadel bereikt worden. Meer gebaren. Vier wezens grijpen elkaars armen vast om een vierkant te vormen, en twee anderen, twee kleinere wezens klauteren, ondanks hun logmakende kleding, op de armen van de onderste vier en proberen hun evenwicht te bewaren.

Dan buigt de piramide langzaam, heel langzaam door de knieën, en degene wiens handschoenen uitgetrokken zijn springt omhoog naar de tweede rij en probeert op de schouders van de laatste twee te klimmen. Mislukking. Het bouwsel stort in elkaar.

Opnieuw beginnen.

Mislukking.

Opnieuw beginnen, langzaam, voorzichtig... bijna... Nee. Ja. De zwakke piramide is een feit.

Het wezen op de top bromt iets triomfantelijks. 'Contact!' roept hij-zij, hoewel de spreekbuis een echotunnel is en het geluid als een steen in een put weerkaatst, geslachtsloos en dof. De klimmer leest met zijn vingertoppen; de ondersteuners, beneden, bewegen zich als een logge vrachtwagen. Deze bewegingen zijn ongemakkelijk en gevaarlijk. Stukje bij beetje wordt het plafond in kaart gebracht. Door de spreekbuis wordt een onderdrukt bevel uitgevaardigd, onbegrijpelijk. De basis van de piramide strompelt één kant op, de tweede rij een andere.

De piramide stort in elkaar.

De schaduwwezens zijn door deze inspannning extreem uitgeput geraakt. Met hun grote hoofden leunen ze tegen de muren aan en happen ze door hun adembuizen naar lucht. Ze zijn in hun pakken aan het verdrinken, hun lichaamstemperatuur is gevaarlijk hoog. In hun hoofden gillen sirenes. Ze fantaseren over ambulancechauffeurs, paramedici, zuurstoftanks. Ze hallucineren lucht en ijs.

Het persoonding zonder handschoenen rukt aan de klittenbandsluiting van het masker.

'Papa!' roept Samantha.

Zonder waarschuwing slaat een venijnige golf over haar heen. Ze kan niet ophouden met huilen.

Lowell drukt op de STOP-knop en wacht.

'Het plafond voelt hetzelfde aan als de muren,' maakt Jonathan Raleigh bekend. 'Als er een valdeur is, zou het met alleen maar wat in het donker rondtasten veel te lang duren voordat we hem gevonden hebben. Volgens mij moet de rest van jullie proberen zo lang mogelijk te wachten. Als Billy gelijk had...

En denk hier eens over na. Waarom hebben we geen snerende bekendmakingen van Sirocco meer gehad? Omdat de mariniers hem en zijn kameraden te pakken hebben gekregen, daarom. Dat moet de reden zijn. Scherpschutters hebben ze te pakken gekregen. Dus het is alleen maar een kwestie van tijd... O... mijn ogen!

O...' Hij leunt tegen de muur. 'Nooit geweten dat het zo moeilijk kon zijn om adem te halen.' Hij haalt zwaar adem, langzaam, diep. 'Heb niet veel tijd en ik moet een paar dingen zeggen voor ik vertrek. Dingen die ik moet zeggen.'

Hij kijkt het oog van de camera in. 'Lou, ik heb het van het begin af aan openlijk willen zeggen, maar ik ben zo'n lafaard en een eikel geweest. Het spijt me. Pathetisch woord, dat weet ik. Ik verwacht niet dat je me vergeeft, want wat ik gedaan heb kan niet vergeven worden, het was misdadig, maar ik wil niet sterven zonder dat jij weet dat ik weet wat een lafaard ik geweest ben.'

Hij hoest en haalt slijm op.

Hij wrijft in zijn ogen. 'Kleine Matthew is aan boord van het vliegtuig gestorven, en Rosalie is er niet meer... maar Sam is ergens veilig. Ze is nu van jou, Lou. Zorg goed voor haar. Zorg ervoor dat ze niet zo wordt als ik.

Ik denk dat een paar mensen deze puinhoop zullen overleven, en ter wille van Sam was ik geneigd af te wachten tot het afgelopen was, maar de tol is te hoog. Ik dacht dat ik het misschien kon goedmaken door mijn tijd te gebruiken om een uitweg te zoeken, de anderen te helpen...

Hoe dan ook, vertel het aan je ouders. Ze hebben het recht te weten...

Als het helpt, vertel het de mijne ook, ook al zal het hun hart breken. Mijn schuld. Ik heb mijn voorvaderen te schande gemaakt. Die hebben genoeg zonden op hun geweten, maar lafheid was daar nooit bij. Jij en Rosalie zullen er wel doodziek van worden steeds maar weer te moeten horen over die zeven generaties, blabla, alle helden van de Raleighs, Onafhankelijkheidsoorlog, Burgeroorlog, alle medailles, en hoe we nooit terugkrabbelden, blablabla, altijd onze zin kregen, herenhuizen in Charleston, plantages, de wetgevende macht van de staat in onze zak, geweldige slavenhouders, en daar bovenop ook nog eens charme, de charme van de Raleighs.'

Hij zakt op zijn knieën, hoestend en slijm spugend. 'Jezus,' kreunt hij. 'Mijn ogen.' Hij wendt zijn verblinde gezicht naar het toekijkende oog.

'Maar twee keer eerder in mijn leven, Lou... voelde me zo hulpeloos als nu...

Jij kent er één van.

De andere gaat over mijn vader en ik heb nooit verteld...

Drie jaar geleden in mijn kantoor... achttiende verdieping... geweldig uitzicht op Atlanta... secretaresse zegt: "U hebt afspraak..."' Zijn woorden worden onduidelijk. Hij hapt naar adem, haalt raspend adem, gaat dan gehaast verder: 'Zeer sexy jonge zwarte vrouw komt binnenwandelen, prachtig.

"Penelope Lukins," zegt ze.

Doet geen enkel belletje rinkelen.

"Herinnert u zich Arabella Lukins?" vraagt ze me.

"Goeie God, ja, huishoudster, als een moeder voor me." Ik krijg knikkende knieën, Lou. Versgebakken koekjes, perzikgebak, geuren uit mijn kindertijd, ik krijg knikkende knieën.

"Ik ben haar dochter," zegt ze.

"Hemeltjelief. Kleine Penny Lukins, die altijd bij de keukendeur rondhing?"

"Een en dezelfde," zegt ze. "U deed altijd junikevers in mijn haar om me aan het gillen te maken.'"

Jonathan Raleigh lacht, en het lachen verandert in een wanhopige hoestbui. Hij hapt naar adem en maakt roepende geluiden, terwijl hij naar adem snakt. 'O, shit, mijn ogen.' Hij wankelt in het rond, slaat met zijn vuisten tegen de muur, en slaagt erin nieuwe adem uit het steen te halen.

"'Je was altijd een broodmager klein ding," zeg ik tegen haar, "en moet je je nu eens zien. Wa... doe je nu?"

"Rechten gestudeerd," zegt ze.

Had me met een veertje omver kunnen duwen. "Had je moeder," zeg ik, "zich ooit kunnen voorst...?"

"Ja," zegt ze.'

Nog een hoestbui overmant hem, maar de herinnering komt erdoorheen, krachtig en helder. "Heddiszelfszo," zegt Penny Lukins tegen me, "mijn moeder zei altijd: 'Als die kleine herseloze delinquent Jonathan Raleigh kan studeren, dan kun jij het ook.'"'

Jonathan Raleigh lacht en hoest en stikt. Zijn ogen zijn rood van de tranen. 'Ik zeg tegen haar: "Lieve Arabella heeft haar hele leven nooit zoiets gezegd."

"Praatte alleen niet zo tegen blanken," zegt ze. "Ik wel."

"Dus," zeg ik. "Wat kan ik voor je...?"

Ze zegt: "Voor mij niets, maar voor mijn kleine Damien..." En ik pak mijn chequeboekje en zeg: "Tuurlijk, en ik had kunnen weten dat dit over een schenking zou gaan, en hoe veel wil je...?" En ze zegt: "Damien is je neefje, ik ben je halfzus."

"Bullshit," zeg ik.

"Onderdeel van mijn moeders normale taken," zegt ze, "op woensdagavonden door jouw vader genomen worden als je moeder aan het bridgen was. Zal je een bloedmonster geven," zegt ze. "DNA-tests. Damien heeft sikkelcelanemie" zegt ze, "en ik heb geen ziektekostenverzekering. Betaal je terug als ik mijn rechtendiploma heb."

Maakt haar verdomde koffertje open, officiële leenovereenkomst helemaal opgesteld, inclusief terugbetalingstermijnen. "Jij bepaalt het rentepercentage," zegt ze.

Ik staar haar aan. "Ben je naar mijn vader toe gegaan?" vraag ik.

O, o, o...' zegt Jonathan Raleigh hijgend. 'Mijn ogen... o, God, kijk eens... mijn handen.'

Daar waar de handen van Jonathan Raleigh tegen elkaar wrijven komt de huid los.

'Ahhhh... Penny!' roep hij. 'Penny, roep ze terug! Roep je honden terug!'

Hij laat zijn hoofd achterovervallen en het rode oog van God kijkt boos. 'Waar was ik?' vraagt hij. 'O, ja, Penny.

"Nee," zegt Penny tegen me. "Nee, ik ben niet bij je vader geweest."

"Waarom niet?" wil ik weten.

"Twee redenen," zegt ze. "Veracht je vader, te veel om met hem te kunnen praten. En twee: nieuwsgierig of je net zo'n zelfingenomen en vals stuk stront bent als hij."

"Opdonderen," zeg ik.

"Zo meteen," zegt ze. "Maar vanwege Damien zal ik een vaderschapsactie starten voor een bijdrage in de medische kosten... en ik weet zeker dat je waardige moeder met de publiciteit zal omgaan op de manier die we van haar k..."

"Manipulatieve bitch," zeg ik.

"Zal wel in de genen zitten," zegt ze.

Dus ik schreef de cheques uit voor de behandelingen van Damien, Lou, maar ik heb hem nooit ontmoet. Ik heb Penny Lukins nooit meer gezien, maar ze heeft haar lening terugbetaald. Heb het mijn vader nooit verteld.

Was compleet van slag toen ze vertrokken was

Het was als een vrije val....

Mijn vader... boegbeeld van de kerk... goede republikein... kon het niet bevatten... vals stuk stront, net als hij...'

Nu hapt hij naar adem. Zijn ogen zijn zo opgezwollen dat ze dicht zitten. Hij probeert wat te zeggen maar hij kan het niet. Zijn gezicht is rood, maar zijn wil – een tornado – beukt erdoorheen.

'Lou,' zegt hij, 'heb het recht niet je iets te vragen… maar als je Penny en Damien zou kunnen vinden… mijn mondelinge testament. Laat alles aan Sam na… maar twintigduizend dollar per jaar naar Penny en Damien… zou een rechter tevredenstellen.'

Hij spreekt steeds sneller. Hij hoest slijm op. 'Lou… tenzij jij het haar verteld hebt, Ros heeft het nooit geweten. Zeg tegen Sam… mijn oogappel. Zeg tegen haar… ze is de dochter van haar moeder… geen aanstellerij… het echte werk.'

CUT

Jonathan Marion Raleigh

Geboren in Charleston, South Carolina, 1956

6

Onder het rode oog liggen vier lichamen, netjes schouder aan schouder neergelegd. Zes schaduwwezens knielen neer en met de voorhoofden van hun maskers raken ze de lichamen aan.

Eén van hen staat op. Hij zet zijn hoofddeksel af, als een priester die zijn misgewaad uittrekt. Zijn bewegingen zijn waardig en elegant.

Het haar van Avi Levinstein, violist, is doordrenkt van het zweet. Het druppelt als regen op zijn gezicht.

'Ik ben een ongodsdienstige jood,' zegt hij tegen het rode oog. Dat legt hij ernstig uit. Hij praat alsof hij weldoordacht deelneemt aan een discussie, bijvoorbeeld na het avondeten of bij de sherry. 'Ik geloof helemaal niets – dat heb ik tenminste altijd gedacht. Ik heb altijd gezegd dat mijn enige religies muziek en liefde zijn.'

'Avi, wacht!'

De omhelzing van Avi Levinstein en Isabella Hawthorne is lang en gepassioneerd, ze lijkt tenminste lang, hoewel ze in feite minder dan een halve minuut duurt. Avi drukt Isabella tegen zich aan, zijn hand op haar achterhoofd, haar wang tegen zijn schouder.

'En dan ontdek ik,' zegt Avi Levinstein, 'toch nog, en tot mijn eigen grote verrassing, dat ik een religieuze jood ben. Ik zie nu in, ik begrijp nu dat de religieuze impuls in ontzag begint, en ontzag begint bij de dood.

Het is erg raar. Mijn vader was een vroom man en ik ergerde me vaak aan hem en ik ruziede met hem en ik verwierp alles waar hij voor stond, maar ik zie in dat ik fout zat. Ik voel de behoefte, de dwangmatige behoefte, aan riten. Ik wil iets voor deze vier – voor ons tienen –

zeggen. Ik wil iets formeels zeggen. Dat moet ik. We zijn op zo'n ongewone manier met elkaar verbonden...'

Hij gaat dichter bij het rode oog staan. 'Jij denkt dat jij deze band gesmeed hebt, Sirocco, maar het heeft niets meer met jou te maken. Jij bent niets. Begrijp je dat?

Er gebeurt hier iets en ik heb een ritueel nodig om het gevoel te kunnen bevatten.

Woorden van mijn vader borrelen in me op, woorden waarvan ik geen idee had dat ik ze onthouden had.' Hij heft zijn handen naar de onzichtbare opening boven hem en zingt in het Hebreeuws en vervolgens in het Engels:

'Alle vlees is gras...
de mensen zijn zeker gras.
Het gras verdort, de bloem verwelkt,
maar het woord van onze God houdt stand...'

'Avi, Avi.' Isabelle drukt haar vingers over haar oogkassen. Haar ademhaling is zwaar. 'Ik moet een paar dingen zeggen. Wees snel, Avi...'

'Het woord zal standhouden,' zingt Avi. 'Voor eeuwig, amen.'

'Mijn ogen!' zegt Isabella. 'Je moet wat tegen Jacob zeggen, Avi. Wees snel.'

'Mijn boodschap aan Jacob is muziek. Zeg jij maar iets.'

'Lowell,' zegt Isabella, maar ze kan niet ademen. Ze drukt haar rechterhand tegen haar borstbeen alsof ze iets los probeert te drukken – slijm, een bloedklont – en Avi Levinstein begint viool te spelen. Hij beweegt zijn denkbeeldige strijkstok over de snaren, zijn vingerzetting is complex, hij zingt de melodie met zijn lichaam en met zijn longen.

'Lowell,' zegt Isabella weer, terwijl ze haar tot een kom gevormde handen aanbiedt aan de camera en aan het rode oog. 'Hier heb je witte duiven. Herinner je je dat verhaaltje voor het slapengaan nog? Toen je klein was, vroeg je me altijd om het steeds opnieuw te vertellen. Hier heb je witte duiven, Lowell.'

Avi Levinstein neuriet, en rondom Isabella rijst weelderig het langzame deel van het vioolconcert van Bach in a mineur op.

'Er was een duif...' zegt ze reutelend, 'er was een duif die in een kooi zat met een zwarte lap stof eroverheen. In het huis waar de kooi stond woonden een vader en een moeder en een kleine Boy Blue.

Boy Blue keek vanuit zijn raam naar duiven en hij hoorde hun zachte roep. "Waarom zingt onze duif niet?" vroeg hij aan zijn moeder.

"Onze duif is verdrietig," zei zijn moeder. "Vanwege de kooi en de zwarte lap stof."

"Waarom houden we onze duif in een kooi? En waarom dekken we haar toe?"

"De kooi is om haar te beschermen," zei zijn vader. "En de zwarte lap stof is om ervoor te zorgen dat niemand haar ziet en haar wil stelen."

Maar de kooi en de zwarte lap stof maakten Boy Blue verdrietig. Toen zijn vader op zijn werk was, haalde hij de lap stof stiekem weg en maakte hij het deurtje van de kooi open. "Vlieg maar weg," fluisterde hij. "Je bent vrij."

Maar de duif koerde verdrietig op haar stokje. "Het is te lang geleden. Mijn vleugels zijn zwak geworden. Ik kan niet vliegen."

Elke dag haalde Boy Blue de lap stof eraf en maakte hij het deurtje van de kooi open, en de stilte en de onbeweeglijkheid van de duif braken zijn hart. Hij rouwde om haar. Hij werd mager en verdrietig en de veren op zijn Boy Blue-vleugels hingen slap. Het kind en zijn duif kwijnden allebei weg en allebei werden ze ziek.

En toen, vanuit het niets, op een doodgewone dag, kwam er een andere duif op de vensterbank zitten en hij riep. De duif van Boy Blue fladderde en viel van haar stokje.

Ze verzamelde al haar kracht en vloog onhandig naar de vensterbank.

Ze bleef in evenwicht....

...en de twee duiven vlogen weg, de lucht in.'

Avi Levinstein heeft zijn denkbeeldige strijkstok neergelegd en zijn handen voor zijn ogen geslagen, maar de melodie van het vioolconcert gaat verder. De muziek heeft een eigen leven. Soms is er een pauze in een frase. Soms wordt er gekucht.

'Jacob,' zegt Avi Levinstein. Nu hapt hij naar adem. 'Er is iets wat je grootvader me verteld heeft. Dit is de manier om de thora op te zeggen. Je moet niets dan een oor zijn dat hoort wat het universum zegt. Bewaar mijn viool goed, Jacob, want mijn viool is mijn manier van thora zeggen.'

'Lowell,' zegt Isabella. 'hier heb je duiven,' en ze tilt ze de lucht in. 'Mather, vergeef me. Ik zegen jullie allebei.'

Wanneer de stuiptrekkingen beginnen, houden Avi en Isabella elkaar vast, en fragmenten van het a mineur lijken door de ruimte te zweven.

CUT

Isabella Hawthorne-Taylor

Geboren in Boston, 1942

Avi Levinstein

Geboren in New York, 1940

7

Victoria Goldberg keert haar gasmasker om en biedt het als een kelk aan de doden aan.

'Ik zal ook in muziek spreken,' zegt ze. 'Ter nagedachtenis van mijn lieve Izak, die aan boord van het vliegtuig omgekomen is, en van mijn lieve kind Cass, dat gered is, en van mijn ouders, en ter nagedachtenis van Avi Levinstein, met wie ik zo vaak gemusiceerd heb, en van Isabella, die hem tijdens deze laatste maanden zo gelukkig gemaakt heeft, bied ik een lied aan waar Izak en Avi en ik vaak samen mee opgetreden hebben.

We hebben dit trio zelfs vorige week nog gespeeld op een concert in La Sainte Chapelle.

De muziek is van Orlando Gibbons, hofcomponist van Elizabeth I.'

Victoria Goldberg begint te zingen en de helderheid klaart op. Je luistert. Je ondergaat een gedaanteverandering. De lucht in de bunker kleurt groen en goud. Je stapt de krappe ruimte van de droom binnen en je reikt Victoria Goldberg je hand en de muur opent zich en ze voert je weg.

De zilveren zwaan, die bij leven nooit zong,
Ontsloot haar keel toen de dood naderde,
En ze leunde met haar borst op de oever met riet,
Zo zong ze haar eerste en laatste lied, en ze zong niet meer:
Vaarwel alle genot, O dood kom mijn ogen sluiten
Er leven nu meer ganzen dan zwanen, meer dwazen dan wijzen.

Ze begint de korte ballade een tweede keer te zingen, en dan een derde keer, terwijl ze haar vleugels over haar stromende ogen slaat tot
haar stem het begeeft en verstikt...

CUT

Victoria Goldberg-Angelino

Geboren in Chicago, 1940

8

'De zevende zong zichzelf dood en toen waren er nog drie,' zegt Homer Longchamp. Hij maakt met de zeven afgezette gasmaskers een kegelvormige steenhoop en legt zijn eigen masker erbovenop. 'Ik sta versteld van de geest,' zegt hij. 'Wat een zoekmachine. Twee totaal onvergelijkbare associaties komen langs de synapsen flikkeren, zoals ze dat alleen in dromen doen, of tijdens creatieve handelingen – of kennelijk als je op het punt staat te sterven – en je beseft dat er een veelbetekenend verband tussen de twee bestaat: tussen een Moeder de Gans die over Tien Kleine Negertjes rijmelt en de schedelbergen van Pol Pot in Cambodja.

Natuurlijk is het in dit geval makkelijk de associatielijnen te traceren. Als er íemand is die massasterfte en kinderversjes door elkaar haalt, is het wel de enige nikker in de kamer. Maar hoe is een duffe nikker uit New Orleans hierin verzeild geraakt?'

Hij schudt oprecht verbaasd zijn hoofd naar het rode oog en naar zijn twee lotgenoten, alsof ze in een collegezaal zitten, alsof niet één van hen gemerkt heeft dat ze een uur langer zijn doorgegaan omdat ze helemaal opgingen in het intellectuele raadsel dat als een konijn uit een gasmasker getoverd is.

'Tegen wie hebben we het?' vraagt hij zijn twee lotgenoten. (Ze zijn vlak bij elkaar gaan staan en houden elkaar vast. Ze houden elkaar vast, maar hun hoofden met de insectenogen zijn naar de spreker toe gericht.) 'Tegen wie hebben we het?' Hij tilt zijn uitgestrekte armen op, met de handpalmen naar boven, in een gebaar dat een onbeantwoordbare vraag impliceert. 'Wie kijkt er? Wie luistert er? Praten we op televisie tegen de wereld? Praten we tegen inlichtingendiensten?' Hij gebaart naar het rode oog. 'We weten dat God, als Hij bestaat, en als Hij toekijkt en luistert, nooit antwoord geeft. Als het op leed aankomt geeft Hij al millennialang niet thuis. Maar we hebben tenminste altijd de duivel gehad om tegen te praten, om tegen uit te varen of om mee te konkelen. En nu: niets. Waarom is de duivel stilgevallen? We hebben geleerd hoe we het zonder God moeten stellen, maar hoe gaan we om met de dood van Satan?

Tegen wie hebben we het?

Sirocco? Ben je daar? Nee. Als je er was, zou je de verleiding niet kunnen weerstaan me in de rede te vallen. Er is niemand.

De naakte waarheid is: we hebben het tegen onszelf, wat het begin- en eindpunt van alle woordenwisselingen is. Het leven is een monoloog die we elke dag bewerken en bijstellen. We nemen de belangrijke vragen in ons op' – met een tot een kom gevormde hand die hij naar zijn mond brengt voert hij zichzelf een vraag – 'en we kauwen op ze alsof ze pruimtabak zijn. En hier is een vraag die het kauwen waard is: hoe verklaren we deze spontane uitbraak van ritueel, religieus ritueel – dit ontzag voor de dood zelf, en voor het leven zelf, en dit verdriet om de dood van vreemden – hoe verklaren we de verrijzenis uit de dood van Satan en het zwijgen van God?

Ik weet niet,' zegt hij, terwijl hij er diep over nadenkt, 'welke van de drie mysterieën als het meest ondoordringbaar beschouwd moet worden. Leven. Of de dood. Of het toeval. Maar ik denk dat het toeval is, de gekmakende ordentelijkheid van het toeval. Ja, volgens mij is de geografie van het toeval de ultieme plaaggeest, intellectueel en moreel gezien, vanwege de enorme omvang van de afwijkingen die voortkomen uit een kleine verandering hier en een kleine verandering daar. Onder wiskundigen is het nu bijna een cliché: de ontdekking van Lorenz – op zichzelf al een toevallige ontdekking – dat minieme veranderingen in weersystemen catastrofale gevolgen kunnen hebben.

Dus breng ik mijn stem uit op de precieze geometrie van het toeval, want hier gaat het om: als ik niet door stom toeval aan boord van Air France 64 was terechtgekomen, en ik tien of twintig jaar langer te leven had gehad, als docent aan deze of gene universiteit, discussiërend met collega's en promovendi, zou ik het model van de denkprocessen bij creatieve uitingen dan dichter benaderd kunnen hebben? Zou ik ooit een experiment hebben kunnen opzetten waarbij de geest zich zo concentreert als in dit geval?

Laten we even stilstaan bij het raadsel van mijn eigen bestaan: Homer Longchamp, geboren in New Orleans, aan de ene kant afstammeling van slaven, en aan de andere kant van een zeventiende-eeuwse Franse plantagehoudersfamilie met ongelofelijke rijkdom en grote kennis van de klassieken; daarom erfgenaam van het oude Griekenland, Europa, Afrika en de Nieuwe Wereld. Ik ben opgegroeid in New Orleans, ik beschouw jazz als een religie en een passie, in de turbulente jaren heb ik twee jaar in Mississippi in de gevangenis gezeten, en nu woon ik in New York. Ik geef filosofie aan de universiteit van Columbia, hoewel ik onderzoek doe en mijn doctoraat heb in de psychologie. Soms zie ik mezelf als een filosoof in de psychologie en soms als een psycholoog van vergelijkende filosofieën of vergelijkende systemen van cohesie. Ik speel jazzsaxofoon. Dit jaar ben ik gastdocent aan de Sorbonne, maar eigenlijk ben ik voor de jazz naar Parijs gekomen.

De willekeur van mijn leven en de uiteenlopende veranderingen van richting blijven me verbijsteren. Ze vormen mijn belangrijkste onderzoeksgebied, hoewel ik natuurlijk de informatie in overweging heb genomen die Billy Jenkins ons gegeven heeft: de vluchtigheid van de gassen, het feit dat ze naar de grond zakken...

Ik heb opgemerkt dat bij de laatste twee doden de ogen minder ontstoken waren, dat hun huid minder aangetast was. Misschien is het de kunst om alleen in hogere luchtlagen te ademen – een voordeel als je lang bent – maar dan loop je het risico op zuurstofgebrek.' Hij likt aan zijn wijsvinger en steekt hem omhoog. 'Zwakke luchtstroom, ergens vandaan...'

Hij ijsbeert door de kamer. Hij is het rode oog, zijn twee lotgenoten, en de dode gijzelaars vergeten.

'Ik moet mezelf iets bekennen: mijn overheersende emotie op dit moment is intense nieuwsgierigheid; mijn secundaire emotie, qua intensiteit zeer dicht bij de eerste, is een immens gevoel van liefde voor en verbondenheid met de negen mensen die zich samen met mij in deze kamer bevinden. Dit tweede gevoel is zo intens dat het intellectueel gezien verdacht is; het lijkt hysterisch, pathologisch, voortkomend uit gebrek aan lucht, het tekort aan tijd, en het schemerduister waarin ik nu ten minste twintig tinten bruin kan onderscheiden. Als ik nog een leven te gaan heb – en misschien heb ik dat; ik ben op het punt gekomen waarop ik een onverwachte wending van de loop der gebeurtenissen als vanzelfsprekend beschouw – zal ik het wijden aan het bestuderen van de psychologie van de fusie en de biologische verbanden ervan met het gedrag van zwermen en kuddes: het soort gebeurtenis dat in footballstadions plaatsvindt, of dat plaatsvond bij de bijeenkomsten van Hitler, en dat plaatsvindt bij gospelrevivaldiensten, en dat hier heeft plaatsgevonden. Er kan sprake zijn van goede en slechte fusie: gospelkoorts, Hitlerkoorts.

Wat brengt het op gang?

Welke toevalligheden hebben ons tienen samengebracht?

Hebben we een emotionele band met elkaar gekregen omdát we elkaar niet kennen? Omdat we elkaar nooit meer zullen zien?

De mathematische filosofen hebben het toeval voor ons gedecodeerd: een reeks van schijnbaar met elkaar samenhangende gebeurtenissen in een deterministisch universum.

Een vlinder die in het regenwoud van de Amazone met zijn vleugels fladdert kan in Texas een tornado veroorzaken. *En kan de verbeelding niet het spoor volgen van het nobele stof van Alexander, tot ze het vindt als stop in een spongat?* En kan de zoon van een vuilnisman in New Orleans niet tot een denker uitgroeien? Het gaat zo: de vuilnisman neemt zijn zoon mee op een dag dat zijn route langs het federale gerechtsgebouw voert. De jongen klimt op een richel in de muur en kijkt door een raam. Hij weet niet dat hij bij het ambtsvertrek van de rechter naar binnen kijkt, maar hij ziet een kamer die hem met ontzag vervult: oosters tapijt, mahoniehouten bureau, rijen boeken tot aan het plafond. De man die aan het bureau zit heeft een boek in zijn handen, maar hij leest niet. Hij staart voor zich uit en denkt na.

Zo'n kamer wil ik ook, besluit de jongen. Ik wil boeken. Ik wil aan een bureau zitten en nadenken. De wens heeft de kracht van een eed.

Puur toeval, en daardoor ben ik hier in plaats van op een vuilniswagen in de Big Easy.

En hier heb ik nog een raadsel voor jullie.

Gisteren – gisteren? vier dagen geleden? vijf? – zit ik in Parijs in een restaurant naar twee mannen te kijken die vlak bij me aan een tafel zitten. Ze zitten te veraf om het gesprek te kunnen horen, maar ik raak gefascineerd door hun lichaamstaal. Het analyseren daarvan is een van de spelletjes waarmee ik me bezighoud: ik zie hoeveel het onthult, maar ook hoe makkelijk het verkeerd te interpreteren is. Als we een fout maken bij de vertaling, wordt het Lorenz-effect in gang gezet: kleine foutjes, grote gevolgen.

Eén van de mannen is steviggebouwd en ziet er Egyptisch uit, maar ik kan zien dat ze allebei Engels spreken. Een opmerkzame waarnemer kan elke mogelijke taal afleiden uit de beweging van lippen en wangen. De andere man is een Amerikaan. (Geen prijzen voor die inschatting. In Europa vallen Amerikanen uit de toon. Je kunt ze herkennen aan hun kleding, aan de manier waarop ze praten, de manier waarop ze zitten, wat ze voor drankjes bestellen, en aan de manier waarop ze het opdrinken.)

De Amerikaan is een jaar of vijftig, de Egyptenaar is jonger, misschien veertig. Ik noem ze meneer A en meneer B. Meneer A is woest, maar zijn woede wordt stevig in bedwang gehouden. Zijn wijnglas en zijn bestek volgen strenge geometrische richtlijnen. Meneer B is ook een *control freak*, maar hij geniet. Hij vermaakt zich kostelijk. Het is me duidelijk dat meneer B, waar hun zachtklinkende maar intense meningsverschil ook over gaat, een troefkaart in handen heeft en met plezier het moment afwacht waarop hij hem gaat uitspelen.

Wat mijn aandacht vooral vasthoudt is dit: meneer A houdt de eetzaal nauwlettend in de gaten, hoewel hij intens bij de discussie betrokken is. Zijn blik is steels en snel, maar hij neemt notitie van iedereen die binnenkomt of vertrekt, van elke beweging. Meneer B daarentegen lijkt zich helemaal niet bewust van de ruimte om hem heen. De laserblik die hij op meneer A gericht heeft is intens. Als een sommelier die vlak langs hun tafel heenloopt licht struikelt, waardoor een wijnglas op zijn dienblad om dreigt te vallen, springt meneer A plotseling op om het glas te redden. Meneer B, om wiens lippen voortdurend een vaag glimlachje speelt, lijkt zich niet bewust van de langskomende ober, hoewel zijn ogen meneer A volgen als die zijn handen naar het dienblad uitstrekt. Hij bekijkt meneer A met de concentratie van een kat die een vogel observeert.

En dan raakt meneer A plotseling zichtbaar opgewonden, zo opgewonden dat de steel van zijn wijnglas in tweeën breekt en het tafelkleed onder de rode wijn zit en de hand van meneer A onder het bloed zit. Meneer B glimlacht sereen en wenkt de sommelier, hoewel zijn blik nooit van meneer A afdwaalt. Hun intense gesprek gaat nog een paar minuten lang door en dan staat meneer B nonchalant op van de tafel. Bij de deur houdt hij even halt, hij keert terug naar de tafel, en dit keer hoor ik wat hij zegt: "O, dat vergat ik je nog te zeggen. Ik in uitstaande boetes. Altijd. Elke keer."

Het feit dat meneer B zich van niets anders bewust is dan van meneer A fascineert me, want in zijn geconcentreerde roofdierachtige blik herken ik een van de kenmerken van een psychopaat.

Hoe kon ik weerstand bieden aan zo'n verleiding om onderzoek te plegen?

Ik volgde hem.

Ik volgde hem, uiteindelijk (het duurde meerdere uren) tot aan een Marokkaans koffiehuis in het achttiende arrondissement, de Arabische wijk van Parijs. Het was het soort drukke, rokerige plaats waar een niet-Arabier meteen opvalt en waar hij zich meteen bewust is van een wolk van argwaan en vijandigheid, wat voor een zwarte Amerikaan geen ongewone ervaring is.

Ik spreek een beetje Arabisch, niet veel, maar genoeg om mijn koffie te kunnen bestellen. Een gemompel verspreidde zich als een briesje door het lokaal. Ik negeerde het. Ik keek niet naar meneer B. Ik haalde *Le Monde* uit mijn jaszak, vouwde hem open, en begon te lezen.

Meneer B kwam naar mijn tafeltje en ging zitten.

Ik negeerde hem. Ik keek niet op. Dat was een goedkope tactiek. Het was alsof je een snoepje van een baby afpakte, want mensen als meneer B kunnen er niet tegen genegeerd te worden. Ze zijn magneten en dat vinden ze vanzelfsprekend. Ze zijn withete gloeilampen die er een sport van maken motten aan te trekken. Ze worden altijd nijdig wanneer iemand niet voor hun charmes valt.

"Waar komt u vandaan?" vroeg hij me in uitstekend Frans.

Ik antwoorde zonder op te kijken in het Frans: "Zijn dat uw zaken, *monsieur?*"

Hij wachtte. Ik ging door met het lezen van *Le Monde*. Het was een krachtmeting.

Ik dronk mijn koffie op – het was een espresso op z'n Marokkaans, een vingerhoedje vocht dat zwarter was dan teer – en vouwde mijn krant op, stopte hem onder mijn arm, en ging weg. Ik wist dat hij me zou volgen. Ik kwam zelfs niet eens tot aan de deur.

"Ik wil u een voorstel doen," zei hij. "Zoekt u een vrouw of drugs?"

Ik gaf geen antwoord.

"Misschien wilt u iets sterkers dan koffie?" vroeg hij. "Achter de winkel heb ik een kantoor en zeer goede whisky."

Ik zei: "Ik dacht dat de profeet alcohol verboden had."

"Ik ben geen goede moslim," zei hij. "Kunnen we ter zake komen?"

"Goed," zei ik.

En in het kleine achterkamertje vroeg hij me: "Komt u uit Haïti? Of van Guadeloupe?"

"Ik ben Amerikaan," zei ik in het Engels.

Hij trok zijn wenkbrauwen op en debiteerde een Engels grapje: "Aha. Dus u bent van de CIA."

Ik lachte. "Warm," zei ik. "Ik sta op hun zwarte lijst. Ik heb twee jaar in Mississippi in de gevangenis gezeten." Ik zag zijn interesse opflitsen. "Ik ben een jazzmuzikant," zei ik, "die de eindjes aan elkaar probeert te knopen. Grappig dat ik geen optredens in New York of New Orleans kan krijgen, maar ik speel wel in alle clubs op de linker oever."

Hij leunde voorover: "Hebt u een *carte de séjour?*"

"Nee, goddank" zei ik. "Ik werk alleen maar zwart. Ik speel voor cash."

"Ik zou u een *carte de séjour* kunnen bezorgen," zei hij.

"O ja? En hoeveel zou die kosten?"

"We zouden iets kunnen regelen," zei hij. "U zou iets voor me kunnen doen."

"En wat mag dat zijn?"

"Ik heb iemand nodig om een pakje naar New York te brengen," zei hij. "Een vriend van me zou het morgen meenemen, maar op het laatste moment kwam hij erachter dat hij verhinderd is." Hij stak zijn hand in een binnenzak van zijn jas en haalde er een reismapje uit. "Ik heb een retourticket. Als u het pakketje voor me meeneemt, heb ik als u terugkomt een *carte de séjour* voor u klaarliggen. Hebt u interesse, *monsieur*?"

Het ticket was voor een vlucht van Air France, Parijs-New York, vluchtnummer 64, die de volgende dag, op 8 september, zou vertrekken. De naam die op het ticket stond was Khalid Waburi. "Ze zullen me niet aan boord laten met een ticket op een andere naam dan die op mijn identiteitsbewijs," zei ik.

"Ik heb een paspoort dat op dezelfde naam staat als het ticket," zei hij. "Natuurlijk zullen we uw foto erop moeten aanbrengen, maar dat is zo gebeurd."

Hij stak zijn arm op en wenkte naar een onzichtbaar iemand en toen was er een flits en mijn foto was genomen.

"Volgens mij lijk ik niet op een Khalid Waburi," zei ik.

"Als ze vragen stellen, kunt u zeggen dat u een Black Muslim bent."

Ik lachte. "Denkt u dat ze me er dan zonder problemen door laten?"

"U zegt dat uw vader voor Idi Amin gevlucht is, en dat u in de vs geboren bent."

"Op die manier. In dat geval neem ik aan dat het pakje dat u me wilt laten afleveren me moeilijkheden zou kunnen bezorgen bij de douane?"

"Geenszins, beste vriend. Het is een brief die persoonlijk bezorgd moet worden." Hij gaf hem aan me. Er stond geen adres op. "In deze enveloppe zit er nog een," zei hij, "die u in New York moet openmaken. Natuurlijk heb ik een fotokopie van uw Amerikaanse paspoort nodig voor de precieze gegevens voor uw *carte de séjour*. Die maken we als ik u op het vliegveld ontmoet. Morgen."

'En hier zit ik, nog een raaklijn, nog een toevalligheid, en een vraag die ik enigszins van belang vind is deze: had hij al besloten wraak op me te nemen omdat ik hem in het koffiehuis genegeerd had? Was zijn beledigingsdrempel zo laag? Of was hij van plan me te gebruiken tot hij mijn naam had laten natrekken? Kwam hij tot de conclusie dat mijn tijd in de gevangenis in Mississippi niet voldoende garantie bood dat ik een overloper was? Telde hij de Sorbonne en mijn Frans en mijn Arabisch bij elkaar op en trok hij de verkeerde conclusie, namelijk dat ik toch van de CIA was?

Het maakt niet uit.

Het lijkt alsof de raaklijn veelbetekenend is, en de betekenis kwelt me maar ontgaat me, want wat me als even veelbetekenend bijblijft is een ander willekeurig moment op de dag van mijn vertrek, een straatmuzikant die ik op de Place des Vosges hoorde. Ik had mijn ticket en mijn valse paspoort, ik doodde de tijd voor het vertrek van de Roissybus van de Place de l'Opéra, en ik hoorde de onmiskenbare klanken van jazz uit New Orleans. Iemand speelde *Caravan* van Duke Ellington op tenorsax, en ik kan jullie nauwelijks uitleggen wat voor effect dat op me had. De opwinding, het ongelofelijke toeval! De avond voordat ik uit New York was vertrokken om hierheen te vliegen, ik bedoel naar de Sorbonne, was ik naar een concert van een nieuwe jonge trompettist uit mijn geboorteplaats gegaan: Wynton Marsalis. Hij speelde *Caravan* – oké, iedere jazzmuzikant heeft *Caravan* gespeeld – maar dat dit nummer zowel vlak vóór als na mijn vlucht naar Parijs werd gespeeld maakte me intens en vreemd opgewonden. Ik was er innerlijk van overtuigd, volledig irrationeel, dat er een diepere betekenis achter zat. Het gevoel was net zo intens als het gevoel dat me dertig jaar geleden bij het gerechtsgebouw van New Orleans overmande. Dit zal gebeuren, wist ik toen.

Deze vlucht zal een diepgaande betekenis voor me hebben, wist ik terwijl ik naar *Caravan* stond te luisteren.

De muzikant was zwart. We maakten oogcontact en verbraken het niet. Aan het einde van het nummer vroeg hij me: "Waar kom je vandaan, man?" En toen ik "New Orleans" zei, begon hij te lachen en zei: "Ik ook, *bro*. Ik heb een raadsel voor je. Als twee nikkers uit Nawlins elkaar in Parijs tegenkomen, wat is dan het eerste dat ze elkaar vragen?"

"Geen idee," zei ik. "Zeg het maar."

En hij zei: "Waar ik kan ik wat gort krijgen en waar kan ik goeie blues vinden?" En we lachten en schudden elkaar de hand en ik zei dat ik helaas niet kon blijven om wat te drinken omdat ik een vliegtuig naar New York moest halen.

Maar ik kan maar niet ophouden over hem na te denken. *Caravan* speelt door mijn hoofd, en ik merk ook dat hoewel mijn ogen branden en ik troebel zie, en mijn longen voelen alsof ze volgepropt zijn met natte handdoeken, de gassen zich echt verspreiden, want ik sta hier nog steeds te praten en jullie twee zijn zojuist tot dezelfde conclusie gekomen en het is tijd om een uitweg te gaan zoeken.'

CUT

Redactionele voiceover

Hier spreekt Salamander. Homer Longchamp had gelijk. Ik hield iedereen in het restaurant inderdaad in de gaten. Ik merkte de aanwezigheid van Longchamp bijvoorbeeld op, zelfs terwijl ik met Sirocco over de levens van de passagiers aan het onderhandelen was. Ik merkte op dat Longchamp *Le Monde* zat te lezen. Ik merkte op dat hij de obers in het Frans aansprak. Ik merkte op dat Frans niet zijn moedertaal was, want de spieren in zijn gezicht hadden niet de vorm van een Franssprekend gezicht.

Khalid Waburi was een van onze agenten. Hij slaagde erin een islamitische fundamentalistische cel te infiltreren en werd geselecteerd voor de groep van Zwarte Dood. Hij was degene die me de informatie gaf dat Sirocco andere plannen had en dat de bedrieger bedrogen zou worden. Waburi betaalde daarvoor een hoge prijs.

9

'Symmetrie.' Tristan praat tegen zijn gasmasker alsof het de schedel van Yorick is. 'Symmetrie blijft als een paardenbloem de kop opsteken, maar het maakt geen...'

'...daar op hetzelfde moment op dezelfde plek als jij, naar *Caravan* aan het luisteren. Ik ben Genevieve Teague. Op precies hetzelfde moment, op de Place des Vosges. Is dat niet bizar?'

'...uiteindelijk, een of andere immense symmetrie, en alles neigt daartoe, zoals water van een heuvel af stroomt, ook al is de kans daarop...'

'Heb je mijn vriend op de tenorsax gehoord?'

'Hij speelde *Caravan*.'

'Met z'n drieën daar, met z'n drieën hier,' zegt Tristan. 'De kans daarop is ongelofelijk klein.'

'Het is zo bizar dat het iets moet betekenen.'

'We willen dat het iets betekent,' zegt Homer.

'Maar dat kan niet, want er bestaat geen samenzwering die zo...'

'Vergeet die samenzwering maar,' zegt Homer. 'Er is iets ontzagwekkends aan de patronen van het toeval, iets mysterieus, en dat mysterie hebben we nodig. Vooral nu.'

'Het maakt onze dood in elk geval interessant,' zegt Tristan. 'Dom en verschrikkelijk, maar interessant. Die zeven groteske sterfgevallen...'

Ze praten allemaal tegelijk in kleine uitbarstingen van geluid, en ze raken elkaar aan, houden elkaar vast, strelen elkaar op een manische manier alsof de sarin terug zal komen als ze verslappen of als ze de hitte van de verbintenis ook maar gedurende één hartslag laten afkoelen. En dan... klik. Op slag van 'groteske doden' wordt er een schakelaar omgezet; daar lijkt het in elk geval op. Het is alsof één groepsbrein ze regeert, zo uniform en plotseling is de verandering. Ze vallen stil en blijven bewegingloos staan, drie eenzame figuren. Hun handen en armen, die in het rond maaiden, gaan omlaag, beven dan, en hangen dan slap.

Dit duurt drie seconden.

'Er is lucht,' zegt Homer. 'Een kleine stroom.'

'Moet uit de opening komen.' Tristan trekt zijn handschoenen uit en betast met zijn handpalmen de muren. 'Deur. Valdeur. Wat het ook is dat ze verzegeld hebben. Er moet een kier zijn.'

De ongeziene poppenspeler raapt hun touwtjes weer op, maar de drie marionetten bewegen zich op een rare manier. Ze schieten heen en weer. De film waar ze in spelen – een oude zwart-witfilm, gekrast en korrelig – lijkt versneld afgespeeld te worden. De acteurs buigen, rekken zich, reiken, twee keer zo snel als normaal. Ze lezen de muren met hun handen. Ze steken wijsvingers op, ze leggen hun wangen tegen spleten in de muur. Ze worden aangetrokken door één hoek en dan vertraagt de film plotseling.

'Hier is het,' zegt Genevieve. 'Voelen jullie dat? Hier is een duidelijke luchtstroom.'

Homer leunt tegen de muur. 'Iets is hier raar. Het voelt alsof ik gedroogd ben.'

'Wat als het gas is?'

'Ik ben de kanarie wel.' Homer buigt zijn hoofd naar de spleet waar twee muren samenkomen en haalt diep adem.

'Volgens mij gaan we niet dood' – Genevieve schrikt terug en houdt haar armen in een vreemde beweging afwerend omhoog, alsof het idee als een vleermuis langs haar heen geschoten is – 'op de manier waarop zij gestorven zijn. Mijn spieren voelen raar aan.'

'Ik denk niet dat het gas is,' zegt Homer. 'Mijn longen zijn in orde. Ik voel me alleen maar zwak.'

'Volgens mij is zuurstofgebrek nu het probleem,' zegt Tristan. 'Ik heb opeens ontzettende last van mijn ogen. Ik begin alles wazig te zien.'

'Kunnen jullie me optillen? Zodat ik om de lamp heen kan voelen?' vraagt Genevieve.

Homer zegt: 'Ik zie je niet. Armen doen niet wat ik zeg. Geef me even de tijd... om lucht te krijgen... mijn longen...'

'De stank,' zegt Tristan. '*C'est insupportable.*'

'Het wordt warmer. Waarom wordt het warmer? Ik kook in dit verdomde pak.'

'De lichamen beginnen te ontbinden.'

'Gadver...'

'O, mijn God.'

De marionetten wankelen. Onzichtbare golven slaan tegen ze aan.

'Moet naar... ander kant van kamer toe,' hijgt Homer. 'Moet zitten... kracht sparen.'

'Niet gaan zitten,' waarschuwt Tristan. 'Gassen zakken naar de grond. Leun tegen de muur.'

'Kan niet,' zegt Homer. 'Te zwak.'

'Mensen zijn aan het onderhandelen,' zegt Genevieve, 'op het hoogste niveau. Voor ons. Dat weten jullie. Moet wel.'

'Twijfel eraan. De verbinding is verbroken en de duivel is dood.'

'Iemand houdt ons in de gaten,' houdt Genevieve vol. 'Wij zijn het laatste waarmee Sirocco kan onderhandelen. Hij kan ons niet laten sterven.'

'Reken daar maar niet op,' zegt Homer. 'Merkwaardige... van psychopaten... vooral niet in staat... gevolgen te anticiperen.'

'Als hij zou kijken,' zegt Tristan, 'zou hij de verleiding niet kunnen weerstaan ons weer te beschimpen. Ik weet zeker dat je daar gelijk in had.'

'De rode lamp brandt nog steeds,' zegt Genevieve. 'De camera kijkt nog steeds toe, dus ergens zit iemand nog naar ons te kijken.'

'Scherpschutters hebben Sirocco vast te pakken gekregen,' zegt Tristan. 'Dat is de enige verklaring voor de stilte.'

'Als scherpschutters hem te pakken hebben, worden we zo meteen gered,' zegt Genevieve.

'Waanzinnig gave casestudy, Sirocco... onderwerp van mijn volgende boek. Zeker weten.' Homer, die in elkaar gezakt tegen de muur leunt, begint helemaal uitgeput op een denkbeeldige tenorsax te spelen. 'Wa-wa-wa-waa,' zingt hij met bevende stem. Zijn vingers bewegen zich als slaapwandelaars over de kleppen. Zijn stem, die verbluffend veel op een saxofoon lijkt, klinkt als een oude 78-toeren-versie van *Caravan*, die langzaam wordt afgespeeld. 'Hebben jullie Duke Ellington en Charlie Mingus samen gehoord?' vraagt hij tijdens een speciaal ingelaste pauze. 'De gouden standaard. Maar die Wynton... Binnen in mijn hoofd... engelenmuziek, man. De hoorn van Gabriël.' Zijn stem gaat over in een vertolking van Marsalis. 'Ik heb drums nodig,' zegt hij slaperig. En Tristan valt in als drummer, bonst met zijn handen tegen de muur, adagioversie, de bandsnelheid laag...

'*Swing low*,' zingt Homer zacht, terwijl zijn stemming wisselt, '*sweet chariot...*'

'Ga even wat gort halen,' zegt Homer glimlachend. Hij zingt weer, langzaam, zo langzaam als stroop: '*When I get to heav'n, gonna play my blues, gonna play all over God's heav'n...*'

'Homer, je laat je gaan. Niet doen.'

'Wa-wa-wa-waaaa,' zingt Homer met bevende stem. Zijn sax heeft hij tegen zijn knieën aangezet. 'Wa-wa-wa-waaa... wa-wa-wa-waaa...'

CUT

Homer Delaware Longchamp

Geboren in New Orleans, 1949

10

'Génie?'

'Mmm?'

'Hoe voelen je ogen?'

'Kon slechter. En die van jou?'

'Slecht. *Mais la puanteur!*'

'Ja,' mompelt ze gedrogeerd, alsof ze inderdaad verdoofd is door de stank. 'Het ergste wat er is.'

'Moet de opening zien te vinden.'

'Moet zijn waar de tocht is.'

'Spleet is bijna een centimeter breed.'

'Weet ik. Als we er iets tussen konden steken... hem open wrikken... We hebben alleen maar onze vingernagels.'

'De gesp van mijn riem!' Tristan frommelt onhandig aan het trekkoord bij de hals van zijn beschermende pak. 'Help me even dit verdomde dwangbuis uit te...'

'Weet niet of ik dat kan. Geen energie. Uche... eh... die stank... volgens mij word ik misselijk.'

'Kun je even trekken...'

'Wacht.' Génie loopt naar de andere kant van de kamer en leunt met haar hoofd tegen de muur. 'O, ik voel me afgrijselijk.' Haar lichaam schokt hevig. Ze geeft over. 'Niet naar me toe komen, oké?' Ze weert hem af.

Er gaan minuten voorbij.

'Kan ik...'

'Nee,' zegt Génie. 'Ik wil gewoon als een kat wegkruipen en in mijn eentje sterven.'

'Dat laat ik niet toe.'

'Goed, goed,' kreunt ze.

Met haar handpalm tegen de muur loopt ze de kamer door, alsof ze zonder de muren zou omvallen.. Ze lijkt op een blinde vrouw die op de tast haar weg zoekt.

'Zie je wel?' Ze probeert een vuist te maken om Tristan te laten zien hoe slap de spieren in haar hand zijn geworden. 'Zie je wat er gebeurd is?'

Toch bevrijden ze Tristans armen uit zijn pak, terwijl onhandig samenwerkend, worstelend, hijgend, grommend. Génie rukt het gewatteerde bovenstuk van hem af en krijgt de slappe lach. 'Je ziet eruit als een half gepelde banaan.' Gelach hangt net zo los van haar schouders als kleding die te ruim zit. Het omhult haar. Het zweeft en stijgt op. Het verwordt tot ruimzittende hysterie. Het is aanstekelijk. Met z'n tweeën wankelen ze als dronken clowns in het rond. 'Half gepelde banaan,' proest ze. 'Ronddrijvend in vla. Je bent doorweekt.'

'*Je suis la soupe du jour.*'

'*Soupe de banane.*'

'Ik ben hierin aan het zwemmen geweest.'

'Neem een duik,' zegt ze met tranende ogen, 'en zoek je riem.'

'Eh... eh...' Hij tast rond onder de heuplijn van zijn pak en trekt de riem er als een waterslang uit. 'Mijn ogen branden van het vocht,' zegt hij. 'Als brandnetels.'

'De mijne ook. Prikken als een gek. Duw je riem in de spleet.'

'Probeer het... Kan niet goed zien.'

'Zo, ja. Hij zit erin.'

Dan verlaten het lachen en de zwakte hen abrupt, als een weersysteem dat naar de zee geblazen wordt. Ze zijn geconcentreerd en ernstig. Ze wrikken het metaal heen en weer.

'Sesam, open u,' zegt Génie, maar er beweegt niets.

'Hierachter zit een ruimte.'

'Probeer eens of je de riem erin kunt steken.'

'Het lukt.'

Ze proppen het leer door het oog van de scheur en de spleet in de muur eet de riem op.

'Eerste gaatje,' zegt Génie, terwijl ze met haar vingers de afstand opmeet. 'Tweede gaatje, derde gaatje, vierde… Nu komen we ergens.' De halve riem is verdwenen. 'Als we flinterdun zouden zijn, zouden we hem kunnen volgen.'

'Ik ga iets proberen.' Tristan rukt aan de riem en de gesp zet zichzelf tegen de andere kant van de scheur klem. 'Hebbes,' zegt hij triomfantelijk. 'Nu kunnen we de deksel van deze doos wrikken.'

Ze houden het strak gespannen leer – zachte hefboom – stevig vast. Ze werken als galeislaven, duwend, trekkend, naar voren, naar achteren, naar voren, naar achteren. Ze zwoegen aan de riemen. Ze houden een race naar de vrijheid, snel, sneller, opgewonden, een futiele uitbarsting van hoop.

'Stop,' zegt Tristan hijgend. 'Dit is stom. We verbruiken zuurstof. Zweet in mijn ogen… als scheermessen…'

'Nee, nee, niet ophouden. Ik voel dat de muur het niet meer houdt.'

'Het is de muur niet, ik ben het. Ik hou het niet meer.'

Tristan verslapt, zijn adem is raspend, maar Génie roeit steeds sneller, uitzinnig, een onduidelijke veeg in een stripboek, tot ze een kreet van pijn slaakt en haar beide handen tegen haar borst drukt.

'O…'

'Leun tegen de muur.'

'Sterf van de pijn.'

'Is het je hart?'

'Volgens mij wel. Moet wel.'

'Langzaam ademhalen.'

'Mijn ogen!'

'De mijne ook. Blijf in de buurt van de tocht. Dat helpt.'

'We hebben… tenminste… lucht,' zegt Génie. Beiden halen ze ondiep en snel adem.

'Rust uit. Niet praten. Niet proberen te praten.'

'Ik ben duizelig.' Genevieve slaat dubbel. 'Ik ga flauwvallen.'

'Nee, dat ga je niet. Dat laat ik niet toe. Niet op de grond gaan zitten.'

'Moet wel.'

'Nee. Hier.' Tristan zet haar tegen de muur waar de ijle luchtstroom uit komt. Daar houdt hij haar met zijn eigen lichaam staande, zichzelf tegen haar aandrukkend, haar lippen kussend. 'Doodskus,' zegt hij voor de grap. 'Dat is pas symmetrie. Weet je de eerste keer nog dat...'

'Zal nooit vergeten.'

'Ik zette je met je rug tegen de Quai d'Anjou aan.'

'Seine rook ook niet zo lekker.'

'Lekkerder dan dit.'

'Dat zeker.'

Hun spraak is langzaam en sterft af en toe weg, als een oude langspeelplaat die op halve snelheid wordt afgedraaid.

'Dacht... dat ik... hartaanval kreeg.'

'Denk aan iets leuks,' dringt Tristan aan. 'Denk aan de Quai d'Anjou.'

'Mmm.'

'Ging vroeg van het feestje weg, weet je nog? Mijn eigen feestje.'

'Je eigen schrijver. Erg slechte smaak... van de uitgever.'

'*Au contraire*. Goede smaak... ik wilde je opeten.'

'Meerring zorgde voor een litteken op mijn rug.' De rug van Génie is tegen de muur gedrukt. Haar ogen zijn dicht. Alleen Tristans lichaam houdt haar overeind.

'Moest mijn merkteken op je zetten,' zegt hij.

'Zeer primitief.'

'*Je suis l'homme.*'

'*L'homme français.*' Génie glimlacht. 'Beruchte subcategorie van de soort. Kenmerkende tekenen: bezitterigheid, jaloezie.'

'Geen goede eigenschappen, *c'est ça?*'

'Een paar.'

'*Femme australienne*,' slaat Tristan terug. '*Espèce férocement indépendante*. Zeer prikkelbaar. Gevaarlijk om dicht bij in de buurt te komen. Laat man koffer niet dragen.'

'Laat nooit iemand mijn koffer dragen. Te veel smokkelwaar.'

'Génie?'

'Hmm?'

'Vertel me nu eens, *finalement*. Werk je voor een inlichtingendienst?'

'Doe normaal. Ik? Nooit.'

'Geen geheime operaties?'

'Brieven... Ik smokkel brieven, da's alles.'

'Hartzeer.'

'Nu valt het wel mee. Maar ik voel me ontzettend slap. Ik zou staand kunnen slapen.'

'Dagen geleden dat we sliepen.'

'Dagen geleden dat we aten.'

'Daar moet je niet over nadenken. Wat bedoel je ermee dat je brieven smokkelt? Wat voor brieven?'

'Persoonlijke, geen politieke. Net als jij en je manuscripten.' Génie haalt diep en bibberend adem, en haar ademhaling ratelt als rijstkorrels in een kom. 'Wist dat je... iets verdachts deed... Je hebt het me nooit verteld.'

'Kon niet. Moet de schrijvers beschermen. Moet ze onder pseudoniemen uitgeven.'

'Geen wonder dat ze je in de gaten hebben gehouden. Ooit... gepakt?'

'Een paar keer. Een keer in Hongarije. Roemenië. Praag, vorige week nog. Ik had geluk. Weet niet wat er met de schrijvers gebeurd is. Niet zoveel mazzel, vrees ik. Ben jij ooit gepakt?'

'Een nacht in de cel gezeten... in Slowakije. Erg beangstigend. Maar ze hebben de brieven niet gevonden... Enige dat telt.'

'Zat je alleen in een cel?'

'Ja. Verschrikkelijk.'

'Nachtmerries?'

'Voortdurend.'

'Overkomt mij ook. Het niet weten wat er gaat gebeuren, dat nekt je.'

'Droomde verschrikkelijk en werd schreeuwend wakker. Een bewaker met een machinegeweer keek toe... loerde naar me.' Ze pakt Tristans hand en drukt hem tegen haar wang. 'Hij genoot ervan... als een kind in het circus...'

'Het wachten doet wat met je.'

'Als je er geen idee van hebt hoe lang het gaat duren.'

'Of wat ze gaan doen.'

'Je geest…. begint over zichzelf na te denken.'

'Misschien moeten we hier nog wel een hele tijd zitten, Génie.'

'Hoop van niet… Voel alsof ik wegzweef…'

'Hoe lang hebben we al niet gegeten?'

'Weet ik niet meer. Te zwak om honger te voelen.'

'Weet je dat dorp vlak bij Etampes nog waar we in de *gîte* hebben geslapen?'

'Weet je nog, die paddestoelen? We hebben een mandvol geplukt en ze gebakken.'

'Nee.'

'Herinner je je de kaart nog?'

'De kaart van de vlooienmarkt? Een koopje. Tien franc, en hij is waarschijnlijk een paar duizend waard.'

'*Région d'Etampes.* En we probeerden een dorpje uit 1681 te vinden.'

'Ik weet zeker dat het er nog steeds is,' zegt Tristan. 'Het ligt alleen niet meer aan een weg.'

'Als we het vinden, gaan we daar wonen, oké?'

'Als we de opening vinden.'

'We kruipen er wel doorheen… dan liften we naar Etampes.'

'Gadverd… stank wordt erger.'

'Er was eens,' zegt Génie, 'in een ver land, een trol die een grote schat neerlegde op de bodem van een gat met stinkend rioolwater… jouw beurt. Maak het verhaal af.'

'En toen kwam er een ridder op een wit paard aangalopperen met een gigantische stofzuiger en hij zoog elke molecuul van de troep op, slurp slurp, en de lucht rook net zo lekker als de lente, en de ridder reed de kuil in en greep de schat en nam hem mee terug naar de dochter van de koning…'

'En ze leefden nog lang en gelukkig…'

'In een dorp bij Etampes…'

'Dat niet meer op de kaart staat…'

'En daarom altijd toegankelijk is…'

'En zo onvindbaar, dat niemand ze ooit nog in de gaten zou kunnen houden.'

'Dat was een goeie. Drie seconden lang was ik de stank vergeten.'

'Ik was vergeten dat ik niet eens een vuist kan maken.'

'Vertel me nog een verhaal, snel.'

'Ik zal je het verhaal van Tristan en Isolde vertellen.'

'Het einde staat me niet aan. Vertel me een ander verhaal.'

'Kan er geen bedenken.'

'Bedenk er een. Dit is de eerste zin: hoewel de hemel blauw was, konden de gevangenen alleen de tralies voor het raam zien, tot opeens...

Alles wat ik kan bedenken,' zegt Tristan soezerig, 'is Paul Verlaine. *Le ciel est, par dessus le toit,/ si bleu, si calme...*'

'Hemel boven het dak.' De stem van Genevieve zweeft, diep vanuit een droom vertalend. 'Ik wil de hemel weer zien.'

'Zuurstof,' zegt Tristan met zwakke stem. 'Zuurstof gaat...'

(Wakker blijven! wil je tegen hen schreeuwen. Vechten! Je wilt met blote handen van buiten de nachtmerrie graaien, want nu bewegen ze zich als slaapzwemmers, diep onder water drijvend. Tristan keert zich naar Génie toe en kust haar in slow motion, mond op mond, en jij drijft door een groene vloeibare ruimte met ze mee. Je ziet zeesterren, linten zeewier, gewei van koraal.)

'*Un grand sommeil noir,*' mompelt Tristan. '*tombe sur ma vie...*'

(Je hoort de woorden als golfjes tegen je kieuwen, maar je slaat naar die lange donkere slaap, je zult het zich niet boven hun leven of dat van jou laten sluiten, je weigert ze sierlijk te laten zinken, je brengt het water in beroering, je zorgt ervoor dat Leviathan vanuit zijn donkere grot oprijst...)

'Hoorde je dat?' vraagt Tristan.

'Wat?'

'Weet ik niet. Ik dacht dat ik iets hoorde.'

'Hoor niets,' mompelt Genevieve onduidelijk.

'Er is iets veranderd. Daar buiten zijn mensen. De scheur wordt breder.'

'Tris...'

Ruis. Zee van witte ruis. Visuele sneeuwstorm.

Het scherm wordt zwart.

VIII

NASPEL

'Op dit punt vormden onze stadsgenoten geen uit-
zondering; ze dachten aan zichzelf, anders gezegd,
ze waren humanisten: ze geloofden niet in plagen.
Plagen zijn van een andere orde dan mensen, dus
vindt iedereen plagen onwerkelijk. Het zijn boze
dromen waar wel weer een einde aan komt. Maar er
komt niet altijd een einde aan, en van boze droom
tot boze droom zijn het de mensen zelf die aan hun
eind komen, de humanisten als eersten, omdat ze
geen voorzorgsmaatregelen hebben getroffen.'

   – Albert Camus, *De pest*

1

In de verduisterde kamer in het Saltmarsh Motel zitten Lowell en Sam zonder iets te zeggen bij elkaar.

Lowell ruikt westelijk Massachussetts in de herfst. Hij ruikt kunstmatige dennengeur. Hij ruikt 13 september 1987. Hij weet nog wat hij deed op de dag dat het vliegtuig op het nationale nieuws ontplofte. Hij weet nog dat hij blindelings en beneveld de leerlingenkamer bij hem op school uit liep. De andere jongens gingen voor hem aan de kant, dat kan hij zich nog vaag herinneren, hoewel hij niemand had verteld dat zijn moeder aan boord had gezeten. Hij liep struikelend door de gang naar de enige betaaltelefoon in zijn studentenhuis.

Hij belde Washington.

'Je vader is er nog steeds niet, Lowell,' zei de secretaresse. 'Hij heeft sinds de kaping niet gebeld. Welk bericht moet ik doorgeven als hij belt?'

'Weet ik niet,' zei Lowell. Hij hing op.

Hij liep over het schoolterrein naar buiten en besefte dat hij zich op de snelweg naar het oosten bevond. Het was donker. Hij kwam langs een groen reclamebord dat in fosforescerende letters bekendmaakte: BOSTON 90. Hij moest urenlang gelopen hebben. Auto's reden hem voorbij. Vrachtwagens reden langs. Hij besloot te gaan liften. Al na een paar minuten stopte er een pick-up.

'Waar ga je naartoe, jongen?' vroeg de chauffeur. Hij droeg een ruitjeshemd en een baseballpet van de Red Sox.

'Weet ik niet,' zei Lowell.

'Ben je van de school? Je ziet eruit als een kostschooljongen.'

Lowell voelde dat hij het antwoord op die vraag moest weten, maar hij kon er niet opkomen.

'Ben je weggelopen?' vroeg de chauffeur.

'Weet ik niet,' zei Lowell.

De chauffeur fronste. 'Gebruik je soms iets? Ben je bijvoorbeeld...'

'Nee,' zei Lowell nadrukkelijk.

'Het gerucht gaat dat het op die school vergeven is van de drugs.'

'Ik gebruik niks,' zei Lowell. Deze zekerheid voelde als een anker, als voorlopig het enige waarvan hij wist dat het onweerlegbaar waar was.

De chauffeur krabde op zijn hoofd. 'Wat dacht je ervan als ik een hamburger voor je kocht?' zei hij. 'Ongeveer vijftien kilometer verderop is een wegrestaurant. Stap maar in.'

Lowell klom naar binnen. Op de passagiersstoel lag een gereedschapsriem, het soort dat timmerlieden als een schort dragen. De chauffeur duwde de riem op de vloer. 'Zet je voeten er maar op,' zei hij vrolijk. 'Je kunt er niets aan kapotmaken.' Aan de achteruitkijkspiegel hing een luchtverfrisser met dennengeur, in de vorm van een kerstboom. De cabine rook naar hond. 'Ik heet Joel,' zei de chauffeur. 'En jij?'

'Lowell.'

'Zit je in de nesten, Lowell?'

'Misschien wel,' zei Lowell.

'Jongensproblemen?' vroeg Joel. 'Is je vriendin bij je weg? Heb je haar zwanger gemaakt?'

Lowell zweeg.

'Voelt het als het einde van de wereld?' vroeg de chauffeur vol medeleven.

'Ja,' zei Lowell.

'Dat is het niet,' stelde de chauffeur hem opgewekt gerust. 'Ik weet dat het zo voelt, maar dat is het niet. Ach wat, ik kan me de avond nog steeds herinneren dat ik erachter kwam dat mijn vriendinnetje van de middelbare school vreemdging. Ik werd zo zat als een kanon en ik leende de auto van mijn vader en reed er met iets van honderdzestig kilometer per uur mee rond. Ik overwoog echt om mezelf tegen een boom te pletter te rijden. Zodat ze spijt zou krijgen, weet je wel? Over dom gesproken. In plaats daarvan raakte ik iets langs de kant van de weg, ik verloor de controle over het stuur, stond doodsangsten uit. Jongen, kwam ik er even plotseling achter hoe graag ik wilde blijven leven!

Ik had geluk. Goed, zeg het me als ik het verkeerd heb, maar je hebt net iemand verloren, of niet?'

'Ja,' zei Lowell.

'Wil je erover praten?'

'Nee,' zei Lowell.

'Goed. Prima. Volg je instinct, jongen. Mag ik weten hoe ze heet?'

'Mijn moeder,' zei Lowell.

'Je moeder?'

'Ze is net overleden.'

'O.' Over dat onderwerp kon Joel geen bijdrage leveren. 'Shit. Nou, shit. Dat is zwaar.'

Ze reden in stilte door tot het schijnsel van een Shellstation als een zonsopkomst over de autobaan viel. 'WC,' zei Joel. 'Ik zie je in het restaurant.'

'Goed. Bedankt.'

Maar al op twintig meter van de benzinepompen rezen de dennenbomen van het staatsbos als een muur op en zo gauw Joel in het herentoilet verdwenen was liep Lowell het bos in. Hij bleef lopen. Het was koud en hij wilde dat hij een warmere jas had. Hij liep tot hij te moe was om nog verder te lopen; toen maakte hij in het sponsachtige dennenstro een nest voor zichzelf en rolde zich erin op. Hij sliep en droomde dat hij alleen in een roeiboot zonder riemen zat. Er waren rotsen. Er was ergens een vuurtoren. Er hing mist. Hij kon wrakstukken langs zijn boot zien drijven: vermiste bagage, de boeken van zijn vader, de Dode-Zeerollen, een vogelkooi met duiven.

Schipbreuk, besefte hij.

Hij realiseerde zich dat vlakbij in het donker andere boten voorbijdreven.

Hij kon zijn moeder om hulp horen roepen. 'Lowell!' riep ze de hele nacht. 'Lowell!'

Maar hij had geen riemen en geen lamp. Hij kon haar niet vinden. Hij kon niets doen.

Toen hij wakker werd merkte hij dat hij huilde, met zijn mond vol puntige naalden en aarde.

Toen ze hem vonden zat hij verkleumd ineengedoken aan de voet van een boom. Hij lag een week lang met longontsteking in de ziekenboeg van de school.

Die hele nacht, denkt hij nu – dertien jaar en vier maanden later – die hele nacht waarin ze riep en riep, leefde ze nog in die zwarte ruimte, en stuurde ze hem duiven.

2

Sam kan het zuigen van het zeewater door de moerasgrassen horen, maar eigenlijk denkt ze helemaal niet na. Ze voelt zich leeg, ze zweeft, ze ziet flinterdunne spleten en geheime deuren in het plafond van de tijd, stukjes van een legpuzzel, beelden die als vederwolken over Charleston Harbor voortscheren... Er zit geen opeenvolging of logica in. Visuele momenten komen in hun geheel aan, ze blijven rondhangen, ze glinsteren, ze gaan weg.

Papa, denkt ze. Het gevoel van haar hand in de zijne is intens. Ze kan de lichte eeltvorming op zijn wijsvinger voelen. Ze wil hem blijven vasthouden en hem terugtrekken. Ze voelt dat hij zich verzet. Ze voelt een verborgen woede voor hem. Ze weet niet precies waarom.

Hier is ze terwijl ze hem langs de wal van de strandboulevard in Charleston trekt...

Hier zijn de haven en Battery Park... de krijsende meeuwen, de eiken, de hangende slierten Spaans mos. Hier is het huis van opa en oma Raleigh met de brede veranda's en stille zwarte bedienden die thee aanbieden. Hier zijn de sagopalmen op de binnenplaats waar het ontbijt wordt opgediend.

Een gesprek bij toast en koffie komt bij Sam op als een raadsel dat ze nooit helemaal heeft opgelost. Het lijkt zich van haar vaders flikkerende wederopstanding in het Saltmarsh Motel te hebben losgemaakt want hij smeert boter op de toast en oma Raleigh zegt: 'Geen denken aan, John. Samantha kan daar niet in haar eentje op bezoek. Ze mag in geen geval naar je schoonzus toe.'

'Een weekje maar,' zegt haar vader, en hij legt uit dat Rosalie aan vakantie toe is, en oma Raleigh brengt ertegen in dat ze de loyaliteit van Rosalie kan begrijpen maar John is niet tot zoiets verplicht, en trouwens, die vrouw is louche, ze is louche, en haar vader lacht en geeft toe.

'Oké, moeder, u wint,' zegt hij. 'Lou ís wel wat aan de onfatsoenlijke kant. Het is waar.'

En dan brengt Arabella hete koekjes op een dienblad en zegt: 'Wat ga je nu weer voor kattenkwaad uithalen, kleine Miz Sam?'

En opa Raleigh zegt: 'Wat is dat nou voor vraag, Arabella. Geen enkel kleinkind van mij...' en Arabella lacht haar hoge Arabellalach en zegt: 'Ja, meneer, dat is waar. Niemand wijkt van het smalle en rechte pad af als meneer Raleigh de leiding heeft.'

En de papa van Samantha vraagt: 'En hoe gaat het tegenwoordig met Penny, Arabella?'

En Arabella zegt: 'Het gaat prima met haar, meneer Jonathan. Echt prima.'

Vederwolken... orkaanwolken... harde winden...

Hier zijn opa en oma Hamilton in hún huis in Charleston met fluwelen gazons en een uitkijkpost vanwaar je Fort Sumter kunt zien liggen. 'Zie je?' zegt opa Hamilton, terwijl hij de telescoop voor Sam scherpstelt. 'Eerste schoten in de twee grote oorlogen: de Onafhankelijkheidsoorlog en de Oorlog tussen de Staten. Allebei zijn ze hier begonnen.' Hij hangt zijn gele vlag, zijn 'TRAP NIET OP ME'-ratelslangvlag aan de altijdgroene eik bij de poort. En in de witte rieten schommelstoel op de veranda zegt oma Hamilton tegen de moeder van Sam: 'Je bent zo'n zegen voor ons, Rosalie, vooral omdat je zus onze harten gebroken heeft.'

En hier is de gymzaal ergens in Duitsland, hier zijn de veldbedden waar de kinderen in bed plassen, waar alle kinderen 's nachts nare dromen hebben en overdag met lucifers spelen of hun bedden tegen elkaar laten botsen, hier zijn de familieleden die aankomen, hier is Lou – tante Lou – die Sam vasthoudt en haar met kusjes overlaadt en snikt tot Sam haar slaat omdat ze geen adem kan krijgen, en hier zijn ook opa en oma Raleigh, en hier is oma Raleigh die Sam uit Lou's armen trekt... en hier is de rechtszaal en hier zijn de voogdijzaken... en hier zijn de scholen waar Sam altijd problemen veroorzaakt, en hier is de kostschool waar Sam naartoe gestuurd wordt om 'op het rechte pad te komen' en hier loopt ze weg naar Lou en schreeuwt ze tegen Lou en gooit ze met dingen en hier weet ze niet waarom, en dan rent ze weer weg, en hier is de politie, en hier is de rechtszaal, en hier zijn de Hamiltons en de Raleighs die niet meer met elkaar praten, en hier is de bibliotheek van de kostschool en de leraar die Sam de krantenartikelen laat zien, terroristen...vlucht 64... en hier verorbert ze de geschiedenis en raakt ze geobsedeerd door het vinden van antwoorden in plaats van in de problemen komen... en hier dient ze verzoeken om toegang tot voorheen geheime informatie die met Operatie Zwarte Dood te maken heeft...

En hier is ze...

Hier heeft ze grotere problemen dan ze ooit in haar leven gehad heeft.

3

'Ik moet mijn kinderen bellen,' zegt Lowell dringend, terwijl hij de telefoon grijpt. 'Ik moet ze zeggen waar ik ben.'

Sam staart hem aan. 'Lowell, het is bijna middernacht.'

Lowell begint te bellen. 'Ze zullen het weten, zoals ik het wist. Kinderen weten dat. Ze zullen weten dat ik in de problemen zit.'

'Maar ze liggen vast te slapen.'

'Ze zullen nachtmerries krijgen,' zegt hij. 'Ze moeten weten dat het goed met me gaat.' Plotseling hangt hij op. 'Het gaat níet goed met me. Mijn God, wat haal ik me in mijn hoofd? De telefoon van Rowena wordt onderhand waarschijnlijk afgeluisterd.'

Samantha gaat terug naar het televisietoestel en drukt op EJECT. Ze stopt de videoband terug in de plastic doos en klikt hem dicht. Ze geeft hem aan Lowell.

'Wat gaan we hiermee doen?' wil hij weten. 'Mijn God, wat gaan we doen?'

'Geen idee,' zegt Sam. 'Ik voel me alsof...' Ze zoekt koortsachtig naar een metafoor die overeenkomt met haar staat van verdoofde verstoorde evenwicht. 'Ik voel me alsof ik een tornado overleefd heb.'

'Hij draait nog steeds in het rond,' zegt Lowell. 'Hij heeft mijn vader te pakken gekregen. Hij gaat ons te pakken krijgen.'

'Nee,' zegt Sam. Ze maakt een vuist en slaat op de bovenkant van het televisietoestel. 'Hij krijgt ons niet te pakken. Dat doet hij niet. We moeten de banden het land uit zien te krijgen.'

'Hoe?'

'Geen idee, maar ik bedenk wel iets.'

Lowell loopt nerveus naar het raam dat op het hoofdkantoor uit-kijkt. Hij schuift de gordijnen een centimeter opzij en gluurt naar buiten. 'Shit!' zegt hij. 'Dit is het dan, dit is het dan. We zijn er geweest.'

'Wat? Wat is er aan de hand?'

'Buiten het kantoor staat nog een auto. Die kerel heeft iemand gebeld.'

'Niet in paniek raken. We moeten kalm blijven.' Sam komt naast hem staan bij de smalle spleet tussen de gordijnen. 'Waarschijnlijk is het gewoon iemand die even komt kijken of alles goed is...'

'Het is een politieauto!' zegt Lowell. 'O shit. We komen hier niet eens levend uit.'

'Er gebeurt niets,' fluistert Sam. 'Niemand komt deze kant op.'

'Wat moet ik met deze dingen?' Lowell propt de banden in de kussensloop uit zijn kindertijd, en duwt de ridders op de aanstormende paarden de rugzak in; hij prikt in doosachtige vormen die alle kanten op glippen. De rits blijft vastzitten. Een vouw van de kussensloop blijft in zijn metalen tanden zitten. Lowell zweet. Hij laat zijn armen door de banden glijden en houdt de rugzak tegen zijn borst alsof het een koortsige baby is. Tevergeefs sjort hij aan de rits. Hij slaat zijn armen om de wijd openstaande tas heen, zoals iemand met een opengesneden onderbuik die zijn inwendige organen op hun plaats probeert te houden.

'Ze komen het kantoor uit,' fluistert Sam. 'Ze staan onder de schijnwerper. Ze kijken deze kant op. We moeten aan de achterkant naar buiten.'

'Aan die kant zit geen deur. Er is maar één uitgang.'

'Daar is het raam.'

'Het gaat niet open.'

'De ventilatoren,' zegt Sam. Een groot vast raam van dubbel glas kijkt uit op het moeras, maar eronder zitten twee schuiframen met verwijderbare horren. De schuiframen zijn klein. Als ze helemaal open staan, is er een opening van maar vijfenveertig centimeter hoog en zestig centimeter breed. Sam verwijdert de hor en laat hem zakken. Ze steekt haar rechterbeen door het gat en wurmt zich naar buiten. 'Gelukkig zitten we op de begane grond,' zegt ze. 'Geef me de tas aan.'

Lowell aarzelt. Het pakket voelt als een verlengstuk van zijn lichaam.

'In 's hemelsnaam,' sist Sam. 'Wil je hem in veiligheid brengen of niet?'

'Je moet hem dichthouden,' zegt hij nerveus. 'Laat er niets uit vallen.' Met enige aarzeling geeft hij hem aan haar, en Sam laat haar armen door de banden glijden.

'Hebbes. Snel.'

'Ik weet niet of ik...'

'Ja, dat kun je wel. Hou je buik in.'

Lowell blijft steken met zijn heupen.

'Wurmen,' sist Sam. 'Duw jezelf naar buiten.'

'Ik kan het niet.'

'Je kunt het wel.'

En hij schiet er inderdaad uit, als een te zware baby door een nauw geboortekanaal.

'Kom mee.'

Er is genoeg maanlicht om de weg naar de kade te kunnen vinden.

'Geen tijd om droog te blijven,' zegt Lowell.

'Je hebt gelijk.'

Ze waden de zuigende modder en het ijskoude water in, en trekken de boot onderweg achter zich aan. Zo gauw hij drijft klauteren ze erin.

'Snel. Daarheen. Trekken, trekken, trékken,' en de riemen brengen hen godzijdank naar een groepje biezen dat bijna twee meter boven de vloedlijn uit komt. Ze duwen zich een weg naar binnen tussen de stengels met de riem als vaarboom.

'Net op tijd,' zegt Lowell hijgend.

Door de rietstengels zien ze het licht in hun motelkamer aangaan.

'Nu zijn we aan de beurt,' zegt Lowell. 'Ze zullen schijnwerpers en honden laten komen.'

'Misschien niet. Maar we moeten dieper het riet in. We moeten hier blijven. In het donker durf ik het botenhuis niet te gaan zoeken.'

Ze zitten nu zo diep in een tikkend bos van rietstengels dat ze helemaal geen lichten van het motel meer kunnen zien.

'Laten we rationeel blijven,' zegt Sam, 'de beheerder vond het waarschijnlijk verdacht dat we geen auto hadden. Waarschijnlijk was hij bang voor diefstal. Dat is waarschijnlijk de reden waarom hij de politie gebeld heeft.'

'Ik geloof je niet,' zegt Lowell. 'Als je mijn appartement gezien had...'

'Het is onmogelijk dat iemand ons hiernaartoe heeft kunnen traceren. Het is domweg onmogelijk.'

'Zelfs als dat waar was,' zegt Lowell, 'op het moment dat die agent een melding doet uitgaan...'

'Als ze je proberen te vinden,' zegt Sam.

'We wéten dat ze me proberen te vinden.'

'Ja, je hebt gelijk.'

'Zo gauw die agent een melding doet uitgaan, hebben ze onze identiteit. Dan hebben ze onze laatst bekende verblijfplaats. Dan zullen ze het kenteken van je autoregristratie opvragen en een signalement verspreiden. We komen niet eens voorbij het eerste tankstation.'

'Ik weet zeker dat ze mijn registratienummer en mijn kenteken toch al hebben. Ik weet zeker dat ze dat al maanden in hun bezit hebben.'

'Zíe je wel?' zegt Lowell. 'Dus we zouden naar het botenhuis gevolgd kunnen zijn. We zouden tot aan het motel getraceerd kunnen zijn.'

'Waarschijnlijk.'

'We komen hier nooit uit,' zegt Lowell somber. 'Ze zullen zeggen dat de boot verongelukt is.'

'Oké.' Sam neemt een besluit. 'Genoeg. We proberen in het donker bij het botenhuis te komen.'

'Geef me de banden,' zegt Lowell. Hij slaagt erin de rits los te krijgen en hem dan te sluiten. Hij draagt de banden op de plek waar hij zijn hart tegen ze aan kan voelen bonzen.

'We moeten doorduwen,' zegt Sam, 'tot we bij een kanaal aan de andere kant van dit bosje komen. We moeten maar hopen dat er überhaupt een kanaal ís.'

De inspanning kalmeert ze. Als ze verder glijden tikken de stengels zacht.

'Luister!' zegt Lowell.

Ze laten de riemen rusten.

'Ik dacht dat ik honden hoorde.'

'Zouden ze niets aan hebben. Die kunnen onze geur niet over het water volgen.'

'Volgens mij zie ik iets zwarts voor ons, in plaats van rietstengels.'

'Goed teken.'

'Kanaal!' zegt Lowell. 'We hebben het gehaald.'

'Oké. Het botenhuis is ergens in die richting.' Sam wijst. 'We moeten maar hopen dat het nog steeds vloed is. We moeten maar hopen dat de kanalen ons daarheen brengen.'

Het zachte kletsen van de riemen is geruststellend. In het moeras klinken de geluiden van vogels en andere dieren. Boven hun hoofden is niets anders dan sterren en soms het langzame geklapwiek van zwarte vleugels. In het donker mist Sam het botenhuis bijna. Plotseling doemt het als een grote rots op, en ze slaakt een gilletje en loodst de boot tussen de rottende planken.

'Sst,' waarschuwt ze, en een paar minuten blijven ze in de zachtjes schommelende boot zitten, maar van boven horen ze geen geluiden.

Sams auto staat nog waar ze hem heeft achtergelaten.

'Ik rij tot de autobaan zonder licht,' zegt ze. 'En dan plankgas terug naar Washington.'

'Ik weet niet,' zegt Lowell. 'Als ze naar je auto op zoek zijn… Eén agent hoeft je maar te zien.'

'Wat stel jij dan voor?'

'We moeten van auto wisselen.' Sam staart hem aan. 'Deze ergens achterlaten,' legt hij uit.

'Ik hoop niet dat je bedoelt dat we er een moeten stélen,' zegt ze. 'Net wat we nodig hebben. Een strafblad.'

'Greyhound,' zegt hij. 'Ik bedoel de Greyhoud. Dat heb ik ook moeten doen.'

'Oké,' geeft ze toe. 'Maar daarvoor moeten we eerst naar Washington. Dichterbij is er geen Greyhound-busstation.' Onder het rijden denkt ze snel na. 'Ik wil mijn auto niet open en bloot op de parkeerplaats van Greyhound achterlaten.'

'Zet hem dan bij een supermarkt neer.'

'Eentje die vierentwintig uur per dag open is, ja. Goed. Daar slepen ze nooit auto's weg, dus duurt het langer voordat ze er een opmerken die nooit weggaat.'

'En daar hebben ze ook een pinautomaat. We kunnen nog wat geld opnemen.'

'Dat laat een spoor achter dat ze erg makkelijk kunnen volgen.'

'Geen keus,' zegt Lowell.

'Waarschijnlijk heb je gelijk. We laten de auto achter, halen geld, en nemen een taxi naar het Greyhound-busstation. Briljant denkwerk, Lowell.'

'En dan?'

'Goeie vraag,' zegt Sam. 'Nou, we zouden met de Greyhound naar Canada kunnen.'

'Ze zullen de grenzen in de gaten houden. We komen er nooit over.'

'Waarschijnlijk heb je gelijk. Bedenk iets.'

'Ik denk na. Ik probeer iets te bedenken.'

Ze glijden door de duisternis, de auto als een zacht spinnende kat op jacht. Van tijd tot tijd knipogen en flikkeren de lichten van een boerderij. Op de weg ligt stofsneeuw en bomen leunen naar ze toe en zwaaien in de koude januariwind. De sterren lijken op stukjes ijs.

'Ik heb het!' zegt Sam. 'Lou! Mijn tante Lou. Ik bel haar voordat we uit Washington weggaan. Zíj kan met de banden naar Parijs vliegen, want haar houdt niemand in de gaten. Nog niet, tenminste.'

'Dat hoop je,' zegt Lowell.

4

Lou wacht in de terminal van de Port Authority op de bus uit Washington. Ze staat bij perron nummer 5. Ze zet zich schrap, bereidt zich voor op de mogelijkheid dat Samantha toch niet in de bus zit. Dat zou geen nieuw scenario zijn.

De bus komt aan. Ze kan niet door het donkergetinte glas naar binnen kijken. Ze moet wachten. De meeste passagiers zijn zwart: moeders met slaperige kinderen in hun armen, bejaarde vrouwen die met uitpuilende tassen worstelen, jongemannen met kaalgeschoren hoofden en spijkerbroeken die zo ruim zitten dat het een wonder lijkt dat ze niet afzakken.

En dan verschijnt Samantha boven aan het trapje en Lou voelt zich draaierig. Ze voelt zich alsof ze vastzit in de zoomlens van een fototoestel dat gefixeerd is op een kind met een wit gezicht, dat boven aan een glijbaan staat. Het kind werpt een blik over haar schouder om het vliegtuig in te kijken. Ze wil niet weg. Iemand geeft haar een duw. Hals over kop en met rondzwaaiende ledematen raast ze op Lou af.

'Lou,' zegt Sam, terwijl ze haar omhelst. 'Waarom huil je?'

'Het is gewoon – ik huil niet,' protesteert Lou. 'Ik ben alleen blij dat je er bent.'

'Lou, dit is Lowell. Lowell, dit is mijn tante.'

Lowell draagt iets waarvan Lou in eerste instantie denkt dat het een baby in een blauwe canvas draagdoek is. Hij draagt de draagdoek laag tegen zijn borst, en wiegt het kind in zijn armen.

'Ben je met de auto?' vraagt Sam.

'Nee. Je zei toch dat ik dat niet moest doen.'

'Inderdaad,' zegt Sam. 'Inderdaad. Ik was vergeten dat ik dat gezegd had. Goed dat je hem niet bij je hebt. Maar we moeten zo snel mogelijk uit het zicht verdwijnen. Kunnen we met de taxi rechtstreeks naar je appartement?'

'Natuurlijk,' zegt Lou een beetje wazig. 'Vandaag heeft er trouwens iemand gebeld om naar jou te informeren.'

Lowell en Sam kijken elkaar aan.

'O-o,' zegt Sam. 'Wie?'

'Ik weet het niet. Ze hebben geen bericht achtergelaten.'

'Wat vroegen ze? Wat heb je ze verteld?'

'Het was een man. Erg aardig. Hij zei – even denken... ik zal proberen het precies te herhalen... Hij zei: "Ik probeer in contact te komen met Samantha Raleigh en ik begrijp dat u haar tante bent."

Waarop ik zei: "Ja, dat klopt. Maar ze woont niet in New York."

'En toen?'

'Toen zei hij: "Dat weet ik, maar op haar nummer in Washington neemt ze niet op. Ik ben een goede vriend van haar en ik moet haar zeer dringend spreken. Weet u toevallig waar ze is?"

Ik zei: "Nee, ik ben bang van niet. Wilt u misschien een bericht achterlaten?"

En toen hing hij op.'

'Bij nader inzien,' zegt Sam 'gaan we toch maar niet naar je appartement.' Ze haalt diep adem. 'Laten we hier in de hal koffiedrinken.'

Zodra ze aan een bistrotafeltje zitten gaat Sam even weg. 'Telefoonboek,' zegt ze. 'Ik ben zo terug.' Ze vindt een Bell-telefooncel en een telefoonboek en bladert het door tot ze bij het gouden-gidsgedeelte is. Ze pleegt een telefoontje.

'Goed,' zegt ze, als ze terug bij de tafel is. 'Ik heb een kamer gereserveerd bij een nietszeggend klein motelletje bij JFK. Lou, mag ik een heel grote gunst van je vragen?'

Lou perst half liefhebbend, half geamuseerd haar lippen op elkaar. 'Is dat een nieuwe trend? Toestemming vragen om om een grote gunst te vragen?'

'Zou jij vandaag naar Parijs kunnen vliegen?'

Lou knippert met haar ogen. 'Dat is een... Wauw! Nou. Dat is beslist iets nieuws. Het is nooit saai als jij op bezoek komt, Sam.'

'Een paar dagen maar,' zegt Sam.

'Nou ja,' zegt Lou. 'Fluitje van een cent.'

'We hebben een paar videobanden die het land uit moeten. Lowells vader is om die banden vermoord.'

Met haar hand maakt Lou een hulpeloos gebaar. 'Als je het zo stelt,' zegt ze droogjes, 'hoe kan ik dan nog weigeren? Even denken. Even denken... Ik zou de universiteit en de galerie moeten bellen. Iets regelen. Ik zie niet in waarom ik niet zou kunnen.'

'Zou je die mensen na aankomst in Parijs kunnen bellen?'

'Sam, doe me een lol.'

'Ik meen het. Voor het geval je telefoon afgeluisterd wordt. Of kan ik ze bellen nadat jij vertrokken bent?'

'Het is niet bepaald iets wat een telefoontje van een vreemde kan oplossen, Sam. Maar waarschijnlijk zou ik wel vanuit Parijs kunnen bellen, of de faculteit een e-mail kunnen sturen. Ik zeg gewoon dat het een noodgeval is.'

'Ik hou van je,' zegt Sam. 'Neem een taxi naar je appartement, haal je paspoort en je tandenborstel op, en kom dan naar het Flyaway Motel bij JFK. Daar staan wij op je te wachten. Ik kan alles nu uitleggen, of later in het motel. Wat je het liefst hebt.'

'Volgens mij kun je het beter nu uitleggen,' zegt Lou.

'Oké. Dan moeten we nog een paar cappuccino's bestellen.'

5

Bij de veiligheidsinspectie schudt Lou Lowells hand.

'Ik doe geen oog dicht voordat u ons uit Parijs gebeld hebt,' zegt hij.

'Vergeet Parijs maar,' zegt Lou. 'Ik haal zelfs geen adem voordat ik hier langs de beveiliging ben. Voordat ik met de banden aan boord zit.'

Ze waren het er alledrie over eens dat de banden ondanks de risico's – die aanzienlijk zijn – meegaan in de handbagage van Lou.

'Ingecheckte bagage kan overál terechtkomen,' zegt Lowell.

Sam krabbelt een telefoonnummer op een stukje papier. 'Dit is het. Bel zo gauw je bij je gate aangekomen bent.'

'De eerste keer dat ik het nut van die dingen inzie,' zegt Lou. Ze heeft net in een winkeltje op het vliegveld een Nokia gekocht en hem aan Sam gegeven. 'Mijn zenuwen versturen waarschijnlijk signalen naar dat ding.'

'Bel ook zodra je in Parijs bent,' zegt Sam.

'Zal ik doen.'

'Pas goed op jezelf, Lou.'

'Dat zou ík moeten zeggen,' zegt Lou.

'Dit keer zit ík te wachten en op mijn nagels te bijten. Wel een verandering, vind je niet?'

'Is misschien wel goed voor je.'

'Bekijk de banden,' zegt Sam zacht, 'zo gauw je kunt. Ik bedoel: zo gauw je dat veilig kunt.' Ze fronst, en haar handen bewegen door de lucht, op zoek naar woorden – adequate woorden. 'En met veilig bedoel ik niet alleen... ik heb het niet alleen over de banden zelf. Je moet... je moet jezelf voorbereiden, Lou. Het is zware kost.'

'Ik snap het,' zegt Lou.

'En ik denk dat je ook wat high-tech hulp nodig hebt. Volgens mij hebben ze in Europa een ander videosysteem. Volgens mij kun je de banden daar niet bekijken.'

'Ik heb nog vrienden uit mijn tijd aan de kunstacademie,' zegt Lou. 'Er zit vast wel iemand in de elektronica.'

'Misschien heeft iemand contacten met de media. Als je het nieuws kunt doorspelen aan de Franse kranten...'

'Ik volg mijn intuïtie.'

'En Françoise moet ze ook zien. Als je de inhoud van de eerste cassettedoos leest, zul je weten waarom.'

'Goed.'

'Dag, dan.'

'Dag.'

Bij de ingang van de internationale vertrekhal draait Lou zich om om te wuiven. De automatische deuren sluiten zich achter haar.

Ze zet haar tas op de lopende band van de scanner. Ze loopt door het poortje met de metaaldetector en geeft haar lichaam passief, met uitgestrekte armen, over aan de toverstok van de bewaker, en loopt verder om haar tas weer te pakken.

'Mevrouw, die moet ik inspecteren, als u het niet erg vindt.'

'Geen probleem,' zegt Lou. Ze wil nonchalant klinken, maar haar stem slaat over. Ze klinkt alsof ze verkouden is.

De bewaker ritst de tas open en haalt de inhoud er stuk voor stuk uit: een plastic tas vol toiletartikelen, een föhn, ondergoed, een panty, twee rokken, twee truien, zes videobanden.

'Heeft u de videotheek overvallen?' vraagt hij, terwijl hij haar scherp opneemt.

'Familievideo's.' Lou's lach klinkt haar zelf gemaakt in de oren. 'Ik ga het weekend bij familie doorbrengen.' Ze krijgt de smaak te pakken van gewaagde verzinsels en weet dat het geheim van briljante leugens hem in de details zit. 'Ik heb op Orbitz een goedkope vlucht gevonden,' zegt ze.

De bewaker fronst. 'Familie in Parijs?'

'Mijn zus en mijn zwager wonen daar voor een jaar,' zegt Lou. Dat, denkt ze, is een soort verschoven waarheid; dertien en een half jaar vooruit verplaatst en achterstevoren gezet.

De bewaker maakt elke cassettedoos open. 'Wat is dit?' vraagt hij fronsend, terwijl hij het opgevouwen pak papier uit cassette nummer één optilt.

'Dat is een...' Lawines van woorden, geen van alle behulpzaam, schieten door Lou's hoofd: *documenten, holografisch testament, boodschappenlijst, filmcommentaar...* 'Dat zijn... eh... brieven van de familie,' zegt ze wanhopig. 'Om ze te bewaren doen we...'

'We zullen ze allemaal weer door de scanner moeten halen, mevrouw. De eerste keer is ons iets magnetisch opgevallen.'

Lou houdt haar adem in terwijl de banden één voor één door de zwarte machine gehaald worden.

Er gebeurt niets. Er rinkelen geen bellen. Er beginnen geen waarschuwingslampjes te knipperen.

'In orde, mevrouw,' zegt de bewaker. 'Excuses voor het oponthoud, maar beter het zekere voor het onzekere, nietwaar? We hebben het wel eens meegemaakt dat er kneedbommen in videobanden verstopt zaten.'

Lou beseft dat haar hart erg hard en snel heeft gebonsd. Ze loopt naar haar gate. Onderweg botst ze twee keer tegen mensen aan. Bij de gate gekomen gaat ze naar een telefooncel aan de uiterste rand van het wachtgebied. Ze belt het nummer van de mobiele telefoon. 'Ik ben erdoor,' zegt ze. 'Ik heb ze nog steeds bij me.'

Aan boord van het vliegtuig denkt ze aan Kerstmis en aan eenzaamheid. Ze denkt aan gevaar en aan Virgil Jefferson, taxichauffeur, en aan een sprankje hoop. *Dit is uw jaar. Ik heb de gave dat ik voortekens kan lezen, en ik weet het.*

Op luchthaven Charles de Gaulle zal Françoise staan te wachten.

Sam zal op Lou's telefoontje wachten.

6

Amy heeft de puck en Lowell houdt zijn benen, die zijn ingepakt als die van een ijshockeygoalie, dicht bij elkaar. Zonder zich te bekommeren om het gevaar voor zijn botten glijdt Jason op Amy af. Hij tackelt zijn zus en beiden vallen ze om en de ijzers van hun schaatsen krassen over het ijs. Jason schuift tegen zijn vader aan en de puck glijdt een denkbeeldige lijn over.

'Goal!' roept Jason triomfantelijk. 'Papa, ik heb een goal gemaakt!'

'Hé, Wayne Gretzky!' zegt Lowell, terwijl hij zijn zoon optilt. Ze draaien triomfantelijk in het rond en Lowells schaatsen schieten onder hem weg en samen duikelen ze over Amy heen. Lachend komen ze weer overeind.

De ijsbaan bevindt zich in de achtertuin van Rowena, en Lowell heeft hem net zelf gemaakt. Hij is er trots op. Hij heeft de instructies van Home Depot (*Maak Uw Eigen IJsbaan*) nauwkeurig opgevolgd. Het is vijf graden onder nul, dus het cruciale ingrediënt is een feit. Afgezien daarvan was het zo eenvoudig als het maar kon. Met een vinyl rand heeft Lowell de omtrek gemaakt en de bijdrage van de kinderen bestond eruit dat ze het omheinde gedeelte met de tuinslang onder water hebben laten lopen. De natuur heeft de rest gedaan.

'Lowell!' roept Rowena van de achterveranda. 'Telefoon! Interlokaal.'

'Ik ben zo terug, jongens,' roept Lowell. Hij rent naar het huis toe.

De hoorn voelt klam aan. Lowell denkt absurd genoeg dat dode mensen hem vasthouden.

'Ja?' zegt hij nerveus.

'Lowell, ik ben het. Sam.'

'Is er al nieuws?'

'Ja,' zegt Sam opgewonden. 'Françoise kent iemand die columns voor *Libération* schrijft en ze kent iemand bij Radio France. Lou heeft op dit moment een gesprek met die figuur van *Libération*.'

'Wanneer weten we meer?'

'Zo gauw zij meer weet. Over een paar uur, hoop ik. Ik heb tegen haar gezegd: het maakt me niet uit hoe laat het is, 's nachts of overdag, bel me. Ze heeft er vrij veel vertrouwen in. En Françoise zegt dat als iets eenmaal in *Libération* staat, *Le Monde* er razendsnel bovenop zit. En dan nemen Reuters en Associated Press het over, en dan lees je er in de *New York Times* over.'

'Ik weet het niet,' zegt Lowell. 'Het klinkt te gemakkelijk. Je zou dit eigenlijk niet eens over de telefoon moeten zeggen tot we het zeker weten.'

'Je onderschat een Franse verslaggever die een onweerstaanbaar verhaal op het spoor is: corruptie binnen de Amerikaanse inlichtingendienst. Blinde vlekken. Incompetentie. Doofpot.'

'Ik hoop dat je gelijk hebt.'

'Ben je al terug geweest in je appartement?'

'Nog niet. Ik heb mezelf er nog niet toe kunnen zetten.'

'Dus waar...'

'Ik mag bij Rowena op de bank in het souterrain slapen.'

'Is dat een goed teken?'

'Het is goed om bij mijn kinderen te zijn. Behalve dat is het nergens echt een teken van. Ik moet een eigen onderkomen zien te vinden, en dat zal zeker niet dat overhoopgehaalde appartement zijn. Ik denk er zelfs over om Rowena mijn spullen te laten ophalen. Slechte vibraties in dat appartement.'

'Als Lou en Françoise dit klaarspelen...' zegt Sam. 'En Lowell, vergeet dit niet: ze mogen je appartement hebben gesloopt, maar je hebt de banden gered. Je hebt ze het land uit gekregen. Dat heb je voor elkaar gekregen, Lowell. En Françoise laat ze los op de wereld.'

De kinderen van Salamander, denkt Lowell verbaasd. De bewakers van de Steen van Rosette van de familie. De succesvolle hoeders van de Dode-Zeerollen.

'Ik wil Françoise ontmoeten,' zegt hij. 'Ik wil mijn kinderen mee naar Parijs nemen om hun tante te ontmoeten.'

'Ik ga naar Parijs,' vertelt Sam hem. 'Weet je nog dat ik een onderzoeksbeurs heb aangevraagd? Ik heb hem gekregen. Ik ga.'

'Wanneer?' vraagt Lowell ontzet.

'Zo gauw Lou terug is. Lou zegt dat ik bij Françoise kan logeren.'

Lowell doet zijn ogen dicht. Hij houdt zichzelf voor ogen dat mensen weggaan. Dat doen mensen nu eenmaal. Ze gaan weg en ze komen nooit meer terug. Ze zijn nooit in de buurt.

'Hoe lang blijf je weg?'

'Mijn gevoel zegt me dat ik de hele lente en zomer daar blijf. Ik wil een tijdje zo ver mogelijk weg zijn van Washington. En ik ben niet teruggeweest...' Ze haalt lang en bevend adem. 'Ik ben sinds mijn zesde niet meer in Parijs geweest. Ik heb geesten die ik te ruste moet leggen.'

Ik ook, denkt Lowell.

'Misschien zie ik je daar,' zegt hij. 'Misschien kom ik met de kinderen naar Parijs.'

'Ik zou je kinderen graag ontmoeten,' zegt Sam.

'Ik zou graag willen dat mijn kinderen jou ontmoeten.'

Voorzichtig zegt Sam in de stilte die boven ze hangt: 'Ik zal je missen, Lowell.'

Door het raam ziet Lowell de zon op de ijsbaan glinsteren. Zijn stralende kinderen schaatsen door een plas zonlicht. 'Ik zal jou ook missen,' zegt hij.

'Ik hoop dat je echt langskomt. Ik hoop echt dat je je kinderen meeneemt naar Parijs.'

'Dat zal ik doen.'

'Ik zal je bellen zo gauw ik het bericht gekregen heb dat we de pers hebben gehaald.'

'Ik kan er bijna niet op wachten,' zegt Lowell. 'Samantha?'

'Hmm?'

'Ik ben blij dat je de hele afgelopen zomer zo irritant was.'

Sam lacht. 'Ik ben erg goed in irritant zijn. Mijn hele leven lang is dat al mijn specialiteit geweest.'

'Je houdt gewoonweg nooit op,' zegt hij.

'Waarschijnlijk pure koppigheid. Eigenzinnig, zei mijn opa Raleigh altijd. Eigenwijs.'

'Daardoor zijn we hierin verzeild geraakt en daardoor komen we er weer uit.'

'Zeg maar een schietgebedje voor dat laatste.'

Op de achterveranda hoort Lowell de bons van voeten waar nog steeds schaatsen aan zitten. 'Ik moet gaan,' zegt hij. 'Ik ben aan het ijshockeyen met mijn kinderen.'

'Pas goed op jezelf,' zegt Sam. 'Zie je gauw.'

'Ik hoop dat het inderdaad gauw is,' zegt Lowell tegen de gang, want ze heeft al opgehangen.

'Hoop dat wat gauw is?' vraagt Rowena.

Lowell haalt diep adem. 'Rowena, dit weekend zou ik de kinderen graag meenemen naar Washington om het graf van hun grootvader te bezoeken.'

'Dat is niet zo'n goed idee,' zegt Rowena.

'Ik vraag het je niet, ik vertel het je,' zegt Lowell. 'Volgens de wet heb ik bezoekrechten, weet je nog?'

Ze staren elkaar als duellisten aan, en langzaamaan wordt Rowena's blik zachter. 'In dat geval: pas goed op ze,' zegt ze.

'We zullen bellen zo vaak als je wilt.'

Rowena glimlacht en schudt ongelovig haar hoofd. 'Degene die je appartement overhoopgehaald heeft, heeft je een gunst bewezen,' zegt ze. 'Jarenlang ben je als mijn derde kind geweest. Ik werd doodmoe van je. En nu ben je de vader van Amy en Jason.'

'Als je met ons mee wilt komen...' zegt hij.

Ze schudt haar hoofd. 'Je kunt het heel goed alleen af, Lowell. Dat weet ik gewoon.'

7

Samantha's taxi staat vast in het verkeer op Broadway, tussen het Federal Plaza en City Hall Park. Ze is op weg naar het zuiden, naar de veerboot van Staten Island. Haar taxi staat al vijf minuten stil en de kakofonie van claxons, zo onophoudelijk, zo futiel, doet haar nerveus denken aan veldbedden die in paniek bezwijken en kreten slaken, maar al die wanhopige energie, al dat lawaai slaagt er niet in ook maar een centimeter afstand te scheppen tussen hen en de grimmigheid die als as uit de lucht komt vallen. Sam raakt er op een schokkende manier van overtuigd dat ze nooit zal bewegen, nooit zal ontsnappen; ze zit voor altijd opgesloten in de gymzaal, in de rijen en rijen van vastzittende veldbedden.

Ze drukt haar klamme voorhoofd tegen het raampje van de taxi en staart naar een reclamebord op de hoek van Broadway en Reade. Haar handen beven. De augustushitte komt als een pestepidemie van het zwarte wegdek van Lower Manhattan: het vocht lekt van haar huid. Ze walgt van de plakkerige neplederen bekleding van de taxi. De veiligheidsgordel jeukt als huiduitslag. Het asfalt brandt. Het reclamebord op de hoek van Broadway en Reade is gemaakt van roterende verticale lamellen: nu ziet ze het paradijs: BORA BORA VOOR $1500 RETOUR, DRIE NACHTEN, INCLUSIEF CRUISE OP LAGUNE EN KORAALRIF; knipper; nu ziet ze niemendalletjes van kant: VICTORIA'S SECRET: MINDER IS MEER ALS JE HEM WILT OPWINDEN; knipper; nu ziet ze de hemel, wolken, Icarus: een deltavlieger, vrij als een vogel, die over Manhattan zweeft: SLA JE VLEUGELS UIT, VERLEG JE GRENZEN, ZOMEROPLEIDINGEN BIJ NYU; knipper; nu ziet ze de hel: wrakstukken van een auto, vervormd metaal, twee brancards, lichamen die toegedekt zijn met witte lakens, een radeloos kind in de armen van een politieagent: ALS DE TRAGEDIE TOESLAAT, ZIJN UW GELIEFDEN DAN BESCHERMD? BEL METROPOLITAN LIFE. Flap, flap, flap, flap, paradijs, seks, vlucht, hel; paradijs, Jacob, Icarus, hel; botenhuis, motel, Zwarte Dood, hel, en zijn haar geliefden beschermd? Zijn ze veilig? Het reclamebord zit klem bij de hel, Sams geest zit klem, haar shirt klemt aan haar natte huid.

Heel even komt het verkeer los. De taxi van Sam kruipt naar voren.

Hier komt het op neer: op een gewone dag in Lower Manhattan zit ze in een taxi. Het loopt tegen het einde van de zomer van het jaar 2001. Ze is rechtstreeks van vliegveld JFK gekomen maar heeft in de kofferbak van de taxi geen bagage zitten. Waar is haar bagage? Wie weet? Ze heeft het benodigde formulier ingevuld. Haar tas zal met de volgende vlucht meekomen, is haar verzekerd. Waarschijnlijk. Haar tas zal thuis bezorgd worden.

'Bij mijn tante,' zei ze.

Lou zei: 'Hier is het adres. Het telefoonnummer staat op mijn kaartje.'

'We zullen u bellen,' zei de beambte, 'als we uw tas niet kunnen vinden.'

Sam voelt zich als een astronaut die de schok van de terugkeer in de dampkring ondergaat. Ze heeft het gevoel dat ze thuiskomt en ze voelt zich een vreemde. Beide.

'Waar komt u vandaan?' vraagt de taxichauffeur. Zijn naam op de vergunning die op de plexiglas scheidingswand te zien is, is Ibram Siddiqi.

'Parijs,' zegt Sam.

'Eerste keer in Amerika?' vraagt hij.

'Ik ben Amerikaanse,' zegt Sam.

De taxichauffeur trekt zijn wenkbrauwen op. 'U klinkt buitenlands,' verzekert hij haar in Engels met een zwaar accent.

Lou zegt tegen hem: 'Ze heeft de afgelopen zeven maanden in Frankrijk gewoond.'

Het voelt als een heel leven, denkt Sam. In het Frans is ze iemand anders.

Manhattan ziet er prachtig en vreemd uit.

De bomen staan vol in het blad, op elke hoek staan bloemen-kraampjes vol met bloemen, ze ruikt pretzels, geroosterde bitter-noten, falafel, ze ziet aangelijnde poedels en de prachtige halfblote lichamen van skeelerende jongelui. De zon schijnt, en de dag is on-danks de vochtigheid perfect en vlekkeloos, maar ze kan het knipper knipper knipper van het reclamebord niet buitensluiten en zo is het, wil ze uitleggen.

Manhattan voelt gevaarlijk aan.

Knipper, en het paradijs kan je de hel in knipperen; ze weet dat dit elk moment kan gebeuren, ze weet dat dit zou kunnen gebeuren als de verkeerslichten van kleur verschieten. Ze heeft inzinkingen. Ze heeft aanvallen van regressie. Tijdens haar inzinkingen gelooft ze dat evenwicht alleen maar een circusnummer op een torenspits is, de spits van St. Paul's Chapel bijvoorbeeld, die even verderop aan de rechterkant van de straat opdoemt. De spits is klein en gracieus, prachtig geproportioneerd, en zo is Sams leven soms: één voet op de spits van St. Paul's, de andere bungelend in het niets. De stad ontrolt zich in zuidelijke richting langs Broadway als een tapijt, maar flap-flapflap, elk moment kan het tapijt onder haar weggetrokken wor-den, de straat zou weg kunnen zakken, heel Lower Manhattan zou een zinkput in kunnen zakken, de grote canyons van vastgoed zou-den in vlammen kunnen uitbarsten.

Sam's hart bonst, haar taxi staat weer vast bij Broadway en Vesey, een regen van kleine zwarte meteoren vertroebelt haar blik, de straat golft, de gebouwen wankelen, ze kan niet ademhalen. Ze herkent de waarschuwingstekens van een totale paniekaanval.

Ibram Siddiqi kijkt haar in de achteruitkijkspiegel aan. Activeert hij de centrale deurvergrendeling? De taxi voelt aan als een herme-tisch afgesloten bunker.

'Lou,' zegt ze naar adem snakkend. 'Sorry, ik kan niet – ik moet er-uit...'

Ze rukt de deur open en slingert zichzelf de vrijheid in. Ze bevindt zich in een jungle en ze merkt dat ze huilt. Chauffeurs schreeuwen, steken hun middelvinger naar haar op, ze hoort een jazzmedley van claxons, remmen piepen, ze springt opzij, slingert door het verkeer, rent buiten adem naar de stoep. Ze botst tegen voetgangers op, ze ketst af, ze rent naar een klein groen park met een plataan.

In de kleine rustige ruimte achter St. Paul's Chapel valt ze neer op een bankje en wacht tot het beven ophoudt. Haar bankje is een graf. Ze zit onder de overhangende takken van een enorme boom en dankbaar leunt ze met haar hoofd tegen de stenen golvende haren van de engel. MARY ELIZABETH SHARROD, 1762–1770. Ze doet haar ogen dicht en luistert naar haar hart dat zich voorbereidt op de landing, vleugelkleppen omlaag, motoren in hun achteruit, heftige windvlaag, dalende snelheid, afremmend, remmen, stilte, kalmte.

Als ze haar ogen opendoet zit haar tante op het graf naast dat van haar.

'Sorry, Lou,' zegt ze beschaamd. 'Dit heb ik niet meer gehad sinds Jacob – niet meer sinds Lowell en ik de videocassette voor het eerst bekeken.'

'Het geeft niet, Sam. Dat kan gebeuren. Rustig maar.'

'Ik weet niet waar het door kwam. Waarschijnlijk doordat ik weer in New York ben. Terug in het land.'

'Laten we hier gewoon even blijven,' zegt Lou. 'Het is hier zo vredig. We hoeven nergens naartoe.'

'Het wordt altijd erger als de verjaring dichterbij komt.' Sam wrijft met haar handen over het gras om het van streek gemaakte zelf kwijt te raken waarmee ze ingesmeerd is. Ze haalt een paar keer diep adem. 'Ik dacht echt dat ik er dit jaar geen last van zou hebben.'

'Omdat de banden veilig zijn.'

'Omdat het duiveltje uit het doosje is. Ik dacht dat alles anders zou zijn.'

'De onverschilligheid maakt je van streek.'

'Ja. Nee. Ik bedoel, ik wist dat het niet serieus genomen zou worden. Alles wat uit Frankrijk komt kan hier genegeerd worden, maar het is er nu bekend, het staat op internet.'

'Artikelen in *Libération* en *Le Monde*,' brengt Lou in herinnering.

'En de Britse pers ook. De *Guardian*. De *Independent*. Het is iets. Ik wist dat er geen bekendmaking op de landelijke televisie zou komen.

We bieden onze verontschuldigingen aan voor het verschrikkelijke leed...'

'Maar toch hoopte je.'

'Ik dacht tenminste *Harper's* en de *New York Times*. Waarschijnlijk dacht ik dat er tenminste serieuze vragen in het Congres gesteld zouden worden.'

'En in plaats daarvan wordt het behandeld als een bizarre samenzwering, zoals de valse gijzeling.'

'Ik dacht dat ik er op voorbereid was. Ik was veel banger dat de website geblokkeerd zou worden.'

'Negeren is effectiever. Op het web staat zo'n overvloed aan informatie, dat niemand meer weet wat belangrijk is en wat niet.'

'Maar de leugens en de doofpot... waarom is niemand verontwaardigd? En die verschrikkelijke doden...'

'Verschrikkingen bereiken mensen niet meer. Verschrikkingen zijn televisie. Verschrikkingen zijn trucage.'

'We hebben tenminste het bewijsmateriaal gered. Dat is iets,' zegt Sam. 'Ik zou me er geweldig over moeten voelen. Ik voel me er ook geweldig over. Echt waar.'

'Zet het van je af, Sam.' Lou gaat naast haar nichtje op het graf van Mary Elizabeth zitten. 'Jij leeft nog. Lowell leeft nog. Je hebt jaren in te halen.'

Sam glimlacht. 'Je had Amy en Jason de duiven in de tuin van het Luxembourg moeten zien voeren. Jason praatte in het Frans tegen ze, net als de andere kinderen. Zijn kinderen niet verbazingwekkend?'

'Je vindt het leuk om bij ze te zijn.'

'Ja. Ik mis ze. Om de een of andere domme reden vlieg ik volgende week pas naar Boston.'

'Ik heb een verrassing voor je,' zegt Lou. 'Ik mag het eigenlijk niet zeggen, maar de verleiding is te groot. Lowell en de kinderen komen morgen hiernaartoe.'

Sam doet haar ogen dicht en glimlacht. 'We zijn als oorlogsveteranen,' zegt ze. 'Lowell en ik. We hebben samen in de loopgraven gelegen.' Haar handen worden vuisten. 'We hebben de hel bezocht. Ook al gelooft niemand in de hel.'

'Zet het van je af, Sam. Het verleden laat onuitwisbare sporen achter. Vertrouw daarop.'

'Vertrouwen,' zegt Sam. 'Wij hebben grote problemen met vertrouwen.'

'Het verleden laat zijn eigen spoor achter. Weet je dat we op een stortterrein zitten? Dit was vroeger de bedding van de haven. Voel je die trilling?'

'Metro.'

'Inderdaad. Toen ze dit spoor aanlegden, ergens rond 1900, vonden bouwvakkers stukken van een Nederlands schip dat in 1613 gezonken was. In het stedelijk museum kun je stukken van het schip bekijken, daardoor weet ik het. Maar begrijp je wat ik bedoel? Het verleden laat sporen achter die uiteindelijk aan het licht komen. Niemand kan ze tegenhouden.'

'O, dat is een enorme geruststelling. Dus wanneer ze een dezer jaren ergens in een bunker in Irak de botten vinden en DNA-tests doen, zullen onze achter-achter-achterkleinkinderen...'

'Schiet je er wat mee op jezelf te kwellen?'

'Het is niet iets wat ik wil. Het is niet iets wat ik bewust doe. Het is iets wat aan me vreet.'

'Ik heb ontdekt dat het mogelijk is met verdriet te leven en nog steeds te putten uit...' Lou zoekt koortsachtig naar het juiste woord '...niet geluk; zo zou ik het niet willen noemen; maar ik denk dat ik het wel een staat van acceptatie zou kunnen noemen. Een staat van vrede hebben.'

'Al die tijd in Frankrijk heb ik het niet zo te kwaad gehad als nu,' zegt Sam tegen haar. 'Niet eens op luchthaven Charles de Gaulle. De hele zomer ben ik kalm geweest. Nou ja, ik bedoel relatief kalm. Voor mijn doen kalm.'

Met een wijsvinger strijkt ze over de vlechten van het engelenhaar.

'De doden verlaten ons nooit, Sam,' zegt haar tante zacht. De stem van Lou is anders, denkt Sam, sinds ze de band gezien heeft. Er is iets veranderd. Sereniteit, dat is het kenmerk. 'Dat heb ik ontdekt,' zegt Lou. 'De doden zijn dichtbij ons. Waarschijnlijk ben ik daarom van kerkhoven gaan houden.'

'Onze doden liggen niet op kerkhoven,' zegt Sam.

'Ze zijn dichtbij,' houdt haar tante vol. 'De doden zijn ons vriendelijk gestemd. Het zijn de levenden die ons kwetsen.'

'Bedoel je opa en oma Hamilton?'

Lou geeft geen antwoord, en in de vochtige augustuslucht laat Sam de stilte voortduren. Licht komt als een onbetrouwbare zegen flikkerend en schuin door de bladeren van de plataan vallen. Politiesirenes weerkaatsen op de grafstenen. Een brandweerwagen jakkert naar het noorden.

'Lou?' vraagt Sam. 'Bedoel je je eigen ouders? Of de Raleighs?'

'Ik bedoelde niemand in het bijzonder,' zegt Lou.

'Françoise zegt dat de Raleighs je schandalig hebben behandeld. Ze zegt dat jij van hen hetzelfde vond als zij van Sirocco.'

Dat verwerpt Lou. 'O, vroeger. Toen waren we allebei jong en voelden we ons ellendig, Françoise en ik.'

'We boffen dat ze zulke goede contacten met de media heeft.'

'Ook met de politiek,' zegt Lou. 'Ironisch dat ze die aan haar vader te danken heeft.'

'Ironisch dat ze sommigen van hen in een psychiatrische kliniek ontmoet heeft.'

Lou zucht. 'Ze heeft het lang erg moeilijk gehad.'

'Hebben we dat niet allemaal?'

'Maar zij is nu herboren. De videobanden van haar vader zijn een missie.'

'Kreeg je het gevoel dat ze door de Franse inlichtingendienst benaderd is?'

'Het kwam bij me op.'

'Ze heeft vertrouwelijke informatie over Sirocco. Ze zou de spin kunnen spelen en hem in haar web kunnen lokken.'

'Ik hoop dat ze zoiets gevaarlijks niet probeert,' zegt Lou.

'Volgens mij wil ze dat. Volgens mij wil ze wraak nemen voor de geest van haar vader.'

'*Murder most foul*,' mompelt Lou. 'Maar het is vreemd wat er met wraakfantasieën kan gebeuren.'

'Wat kan er dan mee gebeuren?'

'Ze kunnen verdwijnen. Ze kunnen ophouden belangrijk te zijn.'

'Heb je ze over opa en oma Raleigh gehad?'

'Ik had ze over genoeg mensen. Jarenlang was ik een wandelende pijngranaat.'

'Wat is die oude kerel een vreselijke hypocriet. Heb je hem verteld dat je het weet van Arabella en Penny Lukins?'

'Mijn god, nee.'

'Was je geschokt?'

'Ik was niet geschokt en het verbaasde me niet, maar ik ben jaren geleden al opgehouden me druk te maken om wat ze van me vinden. Voor Penny Lukins maakt het ook niet veel uit. Ze hoopt trouwens dat je contact met haar opneemt.'

'Dat zal ik doen,' zegt Sam. 'Dat zal ik doen. Het is alleen zo – het valt me zwaar, Lou... Ik ben jaloers op mensen die mijn ouders beter kenden dan ikzelf. Ik voel me tot ze aangetrokken, ik ben jaloers op ze, en ik blijf bij ze weg. Ik raak te veel van streek.'

'Jaloezie is iets grappigs.' Lou strijkt met haar wijsvinger over de data op de grafsteen van Mary Sharrod. 'Destijds stierven mensen zo jong,' mompelt ze.

'Wist je dat ik daarom al die tijd zo kwaad op je was? Niet dat ik het zelf besefte.'

Lou glimlacht. 'Ik dacht dat het misschien was omdat we te veel op elkaar lijken,' zegt ze. 'Een beetje aan de wilde kant.'

Sam lacht. 'Weet je nog die keer – volgens mij was ik twaalf – dat een politieagent me om twee uur 's nachts thuisbracht?'

'Ik zie het nog levendig voor me,' zegt Lou.

'Ik was zo'n ellendig stuk vreten,' zegt Sam. 'Ik begrijp niet hoe je het met me uitgehouden hebt.'

'Op die leeftijd was ik zelf ook behoorlijk onstuimig.'

'Lou?'

'Hmm?'

'Er is iets wat ik wil weten, maar ik durf het niet te vragen.'

De zon valt door het bladerdak van de plataan op MARY ELIZA-BETH SHARROD, gestorven op achtjarige leeftijd. Wist ze dat ze stervende was? vraagt Sam zich af. Je moet geen slapende honden wakker maken, waarschuwt Jacob. Sams hart slaat een slag over en hapert en slaat twee slagen over en mist een slag en laat het toerental oplopen voor het opstijgen. Ze heeft weer moeite met ademhalen. 'Lou? Ga je me niet vragen wat ik niet durf te vragen?'

'Je vraagt het me wel als je er klaar voor bent, Sam.'

'Wat bedoelde mijn vader? Wat deed hij? Hij zei dat hij een rotzak en een lafaard was. Wat bedoelde hij?' Sam wendt zich van Lou af en kijkt de engel van Mary Elizabeth in de ogen. De ogen van een engel zijn zorgeloos. Met beide handen grijpt Sam de bovenkant van de grafsteen vast. Haar handen beven. 'Zeg het me snel,' zegt ze. 'Ik wil niet dat hij iets slechts gedaan heeft.'

Lou legt haar wang tegen Sams rug en slaat haar armen om Sams middel. 'Zo verschrikkelijk was het niet, Sam, echt niet. Als hij een lafaard was, was hij een erg gewone lafaard, van het soort dat de meeste mensen zijn – hoewel jij en ik dat in feite niet zijn, en ook nooit zullen zijn.' Lou denkt hierover na alsof ze net door een openbaring getroffen is. Erdoor verbaasd is. 'Waarschijnlijk omdat we allebei te koppig zijn,' zegt ze verward. 'Te obstinaat. We zeggen niets om een ander een plezier te doen of gunstig te stemmen.

Er was een feestje,' zegt Lou. 'Een verlovingsfeestje voor je ouders bij iemand thuis op het Isle of Palms, maar Rosalie werd ziek en moest eerder naar huis. Ik wilde niet met haar mee naar huis, want ik had het te erg naar mijn zin. Het was een warme zomeravond en paartjes liepen weg over het strand en lagen in de duinen en alles liep een beetje uit de hand...

Ik was jong en onbezonnen en in de herfst zou ik gaan studeren. Ik dacht dat ik de hele wereld in mijn macht had, je weet wel, en ik dronk te veel, veel te veel, en ik had nog nooit alcohol gedronken. Ik herinner me dat ik iemand kuste, ik herinner me zand in mijn haar...'

Twee maanden later, wist ze dat ze zwanger was en ze vluchtte naar New York. Van daaruit schreef ze haar ouders. 'Ik kan jullie niet vertellen wie de vader is,' schreef ze, 'want ik was erg dronken, en ik wist zijn naam niet eens. Hij kwam ergens uit het noorden, en het was niet zijn schuld. Ik wilde erg graag. Ik was onder invloed, maar ik wist wat ik deed. Het spijt me dat ik jullie zo veel pijn en schaamte bezorg, vooral vlak voor het huwelijk van Rosalie.'

Buiten dat, zei Lou tegen haar familie, ging het prima met haar. Ze woonde in een tehuis voor ongehuwde moeders, en daarna zou ze in New York gaan wonen en een baan zoeken.

'Mijn moeder,' zegt Lou, 'was zo van streek dat ze in het ziekenhuis opgenomen moest worden. Een dochter die haar eer verloren had, een huwelijk dat in gevaar was. Wat zouden de mensen zeggen als ik niet kwam opdagen voor het huwelijk van mijn zus? En wat zouden ze zeggen als ik wel kwam? Tegen die tijd zou men het aan me kunnen zien.'

En wat de man betreft die Lou misbruikt had, wat kon je anders van een yankee verwachten?

'Arme Lou,' mompelt Sam. 'Arme Lou. Heb je…'

'Ik kreeg mijn kindje en ik stond haar af ter adoptie.'

'Toen je zei dat je naar Parijs ging om iemand te vergeten…'

'Ik bedoelde mijn baby. Mijn hart bloedde en ik dacht dat ik doodging. Ik wilde dood. De enige aan wie ik het ooit verteld heb was Françoise. Op oudejaarsavond waren we allebei dronken en neerslachtig en we sloten een verbond. Je moet bij je gewelddadige vriendje weg, zei ik tegen haar, voordat hij je vermoordt. Jij moet je kindje vinden, zei ze. *Ton bébé.* Ze schreef het met lippenstift op mijn spiegel: IL FAUT TROUVER TON BB.'

'En toen werd je opgezadeld met een mormel als ik. Wat moet ik een miserabele troostprijs geweest zijn.'

Lou staat op en bestudeert grafstenen. Sam gaat achter haar aan.

'Dus ergens op de wereld heb ik een neef of een nicht,' zegt ze, onder de indruk van dat idee. Ze denkt erover na. 'We moeten rond dezelfde tijd geboren zijn, want ik heb berekend dat ik verwekt ben…'

'Zo rond dezelfde tijd, ja. Het verschil was dat Rosalie jou kon houden, en ik kon mijn kindje niet houden. Ik was ziekelijk jaloers op Rosalie.' Lou trekt aan de lange grashalmen en maalt ze fijn met een duimnagel.

'Maar je kunt haar vinden, Lou. Je kunt je kindje weer vinden. Dat doen mensen voortdurend.'

'Ja,' zegt Lou. 'Eigenlijk heb ik dat trouwens al gedaan. Maar ik wil niet in haar leven binnendringen. Ik wacht tot zij wil dat ik haar vind.'

'O, dat zal ze, dat zal ze,' zegt Sam. 'En ze zal zo'n mazzel hebben, Lou, dat ze jou als...'

En dan dringt het tot haar door, het zware ding waarvoor Sam altijd bang is geweest, hoewel ze het – tamelijk plotseling – haar hele leven al geweten lijkt te hebben. In haar hoofd stijgt het op als een vliegtuig dat zich naar de zon wendt. In haar oren is er een geluid alsof iets te pletter slaat.

'Lou, ben jij... Ben ik...'

Lou knikt. Sam denkt dat Lou knikt. Ze raken elkaar niet aan, en ze denkt dat Lou huilt, maar ze kan alleen maar mist zien. Sam strijkt erg lang met een vinger over de naam van Mary Elizabeth Sharrod. Lokken engelenhaar zijn in de letters vervlochten en ze stromen rondom haar geboortejaar en het jaar van overlijden.

'Het was het idee van Rosalie,' zegt Lou zacht. 'Ze was zo'n edelmoedig mens. Ros was een echt goed mens. Ze was bij me toen je geboren werd.'

MARY ELIZABETH SHARROD, spelt Sams vinger. GEBOREN 1762, OVERLEDEN 1770.

'Ze hebben je formeel geadopteerd. Ze moesten de bruiloft opgeven zodat niemand het zou weten. Dat soort dingen moest je in die tijd doen in Charleston. In het soort kring waarin wij in Charleston verkeerden. De kring waar de Raleighs en de Hamiltons in leefden.'

'Wat is er dan anders?' vraagt Sam. 'In de kringen van de Hamiltons en de Raleighs.'

'Het brak het hart van onze moeder; iedereen fluisterde erover hoe Rosalie en Jonathan moesten trouwen en hoe Lou in de problemen was geraakt en hoe de Hamiltons de zaken hadden moeten regelen... Maar we hielden jou in de familie, en niemand buiten de familie wist ervan, en ik was dankbaar. Ik dacht dat ik dankbaar zou zijn.'

Dan begraaft Lou haar gezicht in haar handen, maar als Sam haar aanraakt, rukt ze zich los en ze gaat in de richting van de kapel. Lou! wil Sam schreeuwen, maar haar tong blijft in haar mond plakken, want welke naam moet ze gebruiken? Ze rent wankelend, pakt Lou's mouw beet, maar Lou trekt zich los. 'Laat me even, Sam. Zo dadelijk gaat het wel weer. Ik moet even alleen zijn.'

Wat Sam voelt is paniek. Ze staat boven aan een glijbaan die in het niets uitkomt. 'Nee,' smeekt ze. 'Laat me niet alleen, alsjeblieft.'

En dan draait Lou zich om en omhelzen ze elkaar.

Het schijnt Sam toe dat ze allebei een voet op een torenspits hebben staan, en dat ze allebei zullen vallen als ze elkaar loslaten.

Als de duisternis invalt, zitten ze nog steeds op het graf van Mary Sharrod.

'We zouden een taxi moeten nemen,' zegt Lou.

'Ja,' stemt Sam in, maar ze verroeren zich niet.

De lichten van de stad knipperen en flakkeren. De plataan zucht.

'Dus mijn vader woont ergens in het noorden?' zegt Sam. 'Mijn vader is een yankee, net als Lowell.'

'Nee, Sam. Je vader is je vader,' zegt Lou.

Een vuist van lucht duwt tegen Sam aan en de glijbaan helt over tot hij verticaal hangt en ze houdt zich vast aan het haar van de stenen engel. Kennis regent op haar neer als een gebouw dat instort. Ze kan het gewicht niet torsen. Vertel me niets meer, smeekt ze in stilte.

'Volgens mij wist Ros het,' zegt Lou. 'Volgens mij heeft ze het altijd geweten. Je vader was op zo'n extravagante manier dol op je. Volgens mij had ze het geraden. En volgens mij vergaf ze het ons allebei, je vader en mij. Zo iemand was Ros.'

Op het kerkhof daalt een dichte mist neer. Sam kan het babypoeder van Matthew ruiken, de pijp van haar vader, het parfum van haar moeder Rosalie. Ze ruikt het botenhuis en het moeras. Ze ruikt de viool van Jacob en de angst van Cassie. Binnen in haarzelf kan ze een golf voelen oprijzen, geen geluk, dat zou ze niet kunnen zeggen, maar iets rijks en milds dat ze een vredige staat zou kunnen noemen. Dan weet ze wat Lou bedoelt. Ze weet wat haar moeder bedoelt. De doden zijn altijd bij ons, ze zijn dichtbij, maar we moeten ons vasthouden aan de levenden. In de sacristie van haar geest wil ze Lowell en Amy en Jason en Lou vasthouden; haar moeder Lou. Maar dit is het mysterie, denkt ze: hoe bereiden we ons voor op datgene wat er morgen zou kunnen gebeuren?

Welke mogelijke voorbereidingen kunnen getroffen worden?

Verantwoording citaten

Pagina 7, 248, 267, 268
Shakespeare, *Verzameld werk*, vertaald en ingeleid door Willy Courteaux, De Nederlandse Boekhandel / Uitgeverij Pelckmans, Kapellen 1987

Pagina 107,
Homerus, *Odyssee*, vertaald door M.A. Schwartz, Querido, Amsterdam 1997

Pagina 5, 109, 317, 379
A. Camus, *De pest*, vertaald door Jan Pieter van der Sterre, De Bezige Bij, Amsterdam 2000

Pagina 181, 183, 184
L. Carroll, *Alice in Wonderland*, vertaald door C. Reedijk en A. Kossmann, Uitgeverij Donker, Rotterdam 1982

Pagina 283, 284
Boccaccio, *Decamerone*, vertaald door Frans Denissen, Athenaeum-Polak & Van Gennep, Amsterdam 2003

Pagina 289
G. Swift, *Waterland*, vertaald door Rien Verhoef, De Bezige Bij, Amsterdam 2002

Pagina 293
D. Alighieri, *De goddelijke komedie*, vertaald, ingeleid en toegelicht door Frans van Dooren, Ambo, Amsterdam 1998